Wolfshuid

Vertaald door Koen de Troij

KERSTIN EKMAN

Wolfshuid

2002 Uitgeverij Bert Bakker Amsterdam

Van Kerstin Ekman zijn de volgende titels leverbaar:

Breng mij weer tot leven
Doodsklokken
De dwaas
Het engelenhuis
Heksenkringen
De hond
Onder de sneeuw
De springbron
Stad van licht
Zwart water
Oertekens

Eerste druk 2001
Vierde druk 2002

Oorspronkelijke titel *Guds barmhärtighet – Vargskinnet*

Omslagontwerp Erik Prinsen, Venlo
Foto auteur Ulla Montan
www.pbo.nl
ISBN 90 351 2175 9

Uitgeverij Bert Bakker is onderdeel van Uitgeverij Prometheus

Toen ik zes jaar was, liep ik op een winteravond in m'n eentje uit de richting van Storflon naar het dorp. Het was bitter koud en er stonden hoge, scherpe sterren aan de hemel. Ik was bang voor het sparrenbos aan weerszijden van de weg. De takken bogen door onder de sneeuw en onder de bomen was het zwart. Nog banger werd ik toen ik op de brug een schim ontwaarde. Die naderde en werd steeds groter. Het tolhuis was de enige menselijke bebouwing bij de weg, maar daar was het donker. De oude grenswachter was ook allang dood. Ik kon nergens heen en de rivier ruiste vreselijk. Al was het de waterduivel zelf die op me af kwam, ik moest erlangs. Toen hij voor me stond, durfde ik niet te bewegen. Hij zei iets wat ik niet verstond. Toch meende ik dat ik het al eerder gehoord had. Daarop pakte hij me vast, bij mijn kin. Het was alsof hij mijn gezicht naar het sterrenlicht had willen draaien. Ik was mijn eigen taal verleerd, maar ik begreep nu dat hij vroeg van wie ik was en hoe ik heette. Ik zei dat ik het pleegkind van de handelaar was en dat ik Kristin heette.

Risten, zei hij, Risten, onne maana. Onne maana!

Toen hij dat zei, kwam onze taal weer tot leven in me. Zoals hij sprak, klonk het als zingen. Hij vroeg of ik hem nog kende, maar ik kon niet zeggen dat ik me hem herinnerde. Dat deed hem verdriet, dat merkte ik wel, al was het nog zo koud en donker. Toen begon hij voor me te zingen: *nanana... onne maana...*

na na nananaaa
m'n kleine kind, m'n kleine Risten
zacht wangetje

Nu herinnerde ik me weer dat hij vroeger voor me had gezongen. Ik was niet meer bang. Hij vertelde dat hij mijn oom was die ik altijd Laula Anut had genoemd. Hij zong verder en ik herinnerde me de woorden en die waren nog steeds dezelfde.

voia voia lieve kind
de auerhaan baldert in de boom
na na nanaaa de kou hapt

in je witte wang
voia voia lief klein donsje
waai niet weg naar hoge bergen
als de zwarte hond blaft
nana nanaa naaa

Nadat hij dat gezongen had, legde hij zijn handen op mijn wangen en voelde dat ze koud waren. Hij zei dat ik maar vlug naar huis moest, naar de handelaar. Thuisgekomen vertelde ik niet dat ik Laula Anut op de brug ontmoet had en dat hij voor me gezongen had. Ik wilde niet dat ze zouden denken dat mijn oom gedronken had. Hillevi zei dat de Lappen dronken waren wanneer ze hun *jojk*-liederen zongen en ook de Lappen die volgens haar fatsoenlijk waren, vonden het een schande.

Vier talen spreek ik nu en voor mijn verhaal kies ik de taal die ik op de vakschool in Katrineholm geleerd heb. Laula Anut sprak er drie van de vier.

Hillevi kwam op 5 maart 1916 met de trein in Östersund aan. In die tijd waren de straten gemacadamiseerd en was er elektrisch booglicht. Het Centraal Paleis aan de Prästgatan had torentjes en spitsen. Verderop in de straat liepen in een grote muurschildering op het huis van Erik Johansson eigenaardige dieren in een bos. Het tafereel was over de bepleistering heen geschilderd. Het Staverfelthuis had smeedijzeren balkons, versierde topgevels en gewelfbogen. De markthal vlakbij had een statige trapgevel. Het Mårtenssonhuis aan de Storgatan had er overigens meerdere. Het was dus niet meteen een verlaten uithoek waar ze belandde.

Erger werd het toen ze in Lomsjö aankwam. Het was 7 maart.

Die middag waren er maar twee personen in de gelagkamer van de herberg. De ene was een oude Lap die op de vloer zat. De andere was Hillevi, die op de muurbank zat en bijna haar bontmuts liet vallen. Haar hoofd was naar voren geknikt. Ze sliep.

Buiten was het stil. Sleesporen en paardenvijgen raakten stilaan ondergesneeuwd. De oude Lap had zijn mes te voorschijn gehaald en sneed een rol tabak. Toen de herbergierster binnen kwam, schold ze hem uit omdat hij op de grond zat. De oude man antwoordde dat zijn broek vanachter vuil was. Hillevi sliep door de heibel heen. Pas toen de herbergierster in haar arm kneep en Juffrouw! riep, schrok ze wakker.

Hier moet u niet zitten.

Gedwee stond ze op en ging mee. In de deuropening naar de eetzaal bleef ze staan en keek om alsof ze de gelagkamer nog nooit had gezien of in haar slaap was vergeten. Op de lange houten tafel zonder kleed stond een lamp. Daarnaast lag een paar vilten wanten die tussen duim en wijsvinger geelbruin waren. Toen ze op de bank zat, had ze stallucht geroken. De man op de vloer droeg een verschoten blauwe muts. Zijn rendierleren puntschoenen waren bijna zwart geworden. Honderden keren met talg ingesmeerd.

In de eetzaal was het wat koeler dan in de gelagkamer, maar het gloeide achter de micaruitjes van een ijzeren kachel. Op de tafel lag een nogal grof wit linnen doek. Er brandde een petroleumlamp met een witte porseleinen kap die het schijnsel van de vlam temperde. Aan de muur boven het buffet hingen grote portretten van een man en een vrouw. De vrouw droeg een tulband zoals een negerin. Maar het waren boeren. Zijn haar was kortgeknipt tot boven zijn oren en hij had een dun baardje rond zijn kin. Midden op haar zwarte jurk zat een geëmailleerde broche. De gezichten waren houtachtig als gezichten van lijken.

Hillevi had lijken gezien. Ze had daaraan teruggedacht toen de herbergierster recht in haar bewusteloze slaap Juffrouw! had geroepen. Alsof ze dáár weer was. Klam zweet in haar schoenen. De zoom van haar rok in het vocht toen ze haar greep verloor. Uit angst voor een andere stem, ruw, onbeheerst uit het donker. Juffrouw!

Ze was erg moe. Ze liet haar blik langs de muren met bruin en goud behang glijden. Ze zag schilderijen, wandtapijtjes, rendiergeweien en opgezette vogels. Op het buffet, dat een bovenstuk met een ovale spiegel had, stonden kristallen vazen en foto's in kabinetformaat. Het schoteltje onder het peper-en-zoutstelletje was van nieuwzilver. Er hing een lucht van koud geworden eten.

Ze dacht: zodra ik een eigen stekje heb, ben ik weer helemaal mezelf. Ik zal nooit meer aan die ruwe stem denken. Dit is de laatste buitenpost van mufheid en ruwheid. De oude Lap op de vloer. Hij zat tabak te snijden. Lalde wat in zijn eigen taal. Ja, hij was dronken. Buiten hing een gevild rendier in het schijnsel van de lantaarn toen ik hier aankwam. Bloed eronder. Hij wacht nog op geld, zei de herbergierster. Dus zal hij dat rendier hier bij de hoek van het huis hebben geslacht. Want het kon niet anders dan een rendier zijn.

De herbergierster kwam met soep. Er steeg damp op toen ze opschepte en grote klonten plonsden neer in een grijze, bijna kleurloze bouillon. Hij smaakte flauw.

Het is elandbouillon, zei ze. Dat zal de juffrouw goeddoen.

Als het rendier was geweest, had ze haar bord opzij geschoven. Ze dacht weer aan het bloed dat uit de bek van het rendier was gelopen. Er was ook een gele vlek in de sneeuw. Zwarte ronde uitwerpselen. Maar zo ging dat nu eenmaal. Onwillekeurige ontlasting.

Ik heb een opleiding gehad, ik weet veel over zulke dingen. Dat helpt tegen misselijkheid. Weten helpt. Laat tante dan maar haar litanieën houden. Want helpen doet het.

Maar juffrouwtje, zit u te huilen?

Moe, meer niet, mompelde ze in haar zakdoek. Ze had geen servet gekregen.

Ja, da's duidelijk. Arm kind toch. Zo jong. En zo dun. Ja, mensenlief, hoe moet dat verder? Zo meteen krijgt de juffrouw een pannenkoek met veenbramencompote. Wilt u d'r melk bij? Er is niks mis met de melk, moet u weten. Goeie, gezeefde melk.

Ze weigerde beleefd, maar vertelde niet dat ze zich misselijk voelde.

Wanneer komt de slee?

Ja, als we dat es wisten. Het is het weer. Dat het toch zo lelijk tekeer moest gaan. D'r ligt stuifsneeuw op de meren. Nou, dan kan Halvorsen nog wel een dag of twee wegblijven. U zult dus nog wat geduld moeten hebben, arm kind. Maar mijn beste kamer is voor u. We zijn begonnen met stoken. En we zorgen voor warme vachten voor de juffrouw.

Ze had iets geelgrijsachtigs op een bord bij zich toen ze terugkwam. En een kan melk.

Neem ten minste een beetje van de bessencompote. En hier is het boek.

Ze schreef zich in met een pen die voortdurend wilde splijten. Hillevi Klarin.

Schrijf vroedvrouw, zei de herbergierster net toen ze juffrouw wilde schrijven en al aan de J begonnen was. Als aandenken.

Toen begreep ze dat haar komst een grote gebeurtenis was.

Ach, ouwe sukkel, zei de herbergierster wat later tegen de Lap. Ze waren weer vrienden en ze spraken over Hillevi. Hun stemmen waren te horen door de deur van de gelagkamer. De oude man mompelde. Terwijl Hillevi zat te wachten tot haar bed boven opgemaakt zou worden, hoorde ze drie keer de buitendeur slaan en laarzen klossen op de vloer. Drie keer verschenen in de deuropening gezichten die haar aankeken.

’s Nachts begon de wind in de pijp van de tegelkachel te spelen. Algauw was er in huis een snerpend gefluit en een geklapper te horen. Toen het ’s morgens licht werd, zag ze de sneeuw in vlagen voorbijtrekken, grijs en loodrecht. De storm ademde loeiend. Soms verzwakten de windstoten. Dat duurde een paar uur, dan stak de wind weer op. De hele dag lang. Door kieren en slecht afgedichte ramen drong de kou het huis binnen.

Ze zat meestal in bed met twee dekens van zware grijze wol over zich heen. Het wollen dek met de kleurige strepen had ze opzij gelegd. Ze was bang voor ongedierte in de groezelige schapenvacht aan de bovenkant, maar ze moest het wel naar zich toe trekken toen de kou over de vloer binnen kwam kruipen. Ze had het zo koud dat het pijn deed die eerste dag. De kachel, die vast al lang niet meer gebrand had, straalde zachtjes.

Een oude vrouw kwam naar boven met de houtmand en maakte de kachel opnieuw aan voordat Hillevi helemaal wakker werd. Het was een goede tegelkachel. Geleidelijk overwon hij de guurheid en kou. Ze vond hem menselijker dan die oude dienstmeid. Die zweeg, wat Hillevi ook tegen haar zei.

Toen het draaglijker werd in de kamer, sloeg de verveling toe. Een geur van haring en varkensvlees steeg op in het huis. Ze liep de trap af naar de eetzaal en at toch maar een pannenkoek. Niets anders. Ze informeerde opnieuw naar Halvorsen en het vervoer.

Dat zal nog wel duren, zei de herbergierster.

En het duurde. Ze opende haar tassen, die ze naar boven had laten dragen. Haar koffer stond nog beneden. Ze nam al haar spullen eruit en pakte ze nog keuriger weer in. Speciale zorg besteedde ze aan de instrumenten in haar vroedvrouwtas. Die lagen in schone linnen handdoeken gewikkeld.

Midden in de nacht werd ze wakker en dacht weer aan de instrumenten. Ze meende dat iemand door de sneeuwstorm was komen rijden. Er was ergens een vrouw in barensnood. Maar het was zijzelf die had geschreeuwd. Toen begreep ze dat ze had gedroomd.

Tastend stak ze de lampenpit aan. Die flakkerde en roette hevig voor ze hem omlaag kon draaien. Haar eigen schaduw verhief zich tegen de muur en buiten bulderde de wind. Ze dacht aan tante Eugénie:

Mijn kind, is dat wel een verstandig besluit?

Toen het licht werd en de zwijgzame oude vrouw langsgekomen was, eerst met de houtmand, dan met koffie en ten slotte met warm waswater, moest ze weer aan haar tante denken, maar nu schoot ze in een onbedaarlijke lach. Niemand kon zo de hopeloze martelaar uithangen. Maar eigenlijk was ze opgelucht.

Op haar vijfentwintigste verjaardag had Hillevi een dagboek van haar oom en tante gekregen. Het was een zware band met een kaft van geperst wijnrood fluweel. Er zat een patroon in het fluweel, donker gespiegeld als in een damasten kleed. Je kon lelies met bladeren onderscheiden. Het boek had een slot met een sleuteltje, maar tante had nadrukkelijk gezegd dat het geen meisjesdagboek was. Het hoefde niet eens elke dag te worden gebruikt. Ze hadden zo gedacht dat ze de belangrijkste gebeurtenissen van haar leven in dit boek kon opschrijven.

Er stond nog niets in. Ze had het te voorschijn gehaald terwijl ze haar spullen opnieuw aan het inpakken was en nu zat ze op bed met het boek op haar schoot. Op het nachtkastje had ze een inktpot, een stalen pen en een versleten vloeilegger. De herbergierster had gewaarschuwd dat ze het allemaal zou laten komen halen als er iemand ingeschreven moest worden.

Ze aarzelde. Was de aankomst in de herberg in Lomsjö een groot en belangrijk voorval in haar eigen leven?

De zaak werd beslecht doordat de pen versleten was en vlekken zou kunnen maken. Ze schreef niets. In plaats daarvan bracht ze het schrijfgerei naar beneden en vervolgens bleef ze in de warme keuken. De oude zwijgzame meid had iets kliederigs in haar handen waar ze balletjes uit kneedde.

Ik ben bezig met de knoedels, zei ze ineens. Ze sneed spek en reuzelblokjes. De grijze klonten van gerstemeel, geraspte aardappels en water plonsden in een ketel met kokend water. De keuken was vol damp.

Het weer was op de tweede dag stil en grijs. De zwarte bosrand achter de akkers was vlekkerig en de sparrentakken hingen bijna loodrecht omlaag onder het gewicht van de sneeuw. 's Ochtends zag ze een vos. Verder niets. De honden zwegen. Eerder leek het wel alsof ze de godganse dag hadden geblaft. Het waren ruigharige spitshonden met gezichten als zwart-witte maskers waarachter hun ogen naar buiten loerden.

Was dat wel een verstandig besluit?

Het was nauwelijks nog de stem van tante. Het geluid dat door haar hoofd maalde, leek op haar eigen stem.

Lange dagen. Ze had een hekel aan nietsdoen en verafschuwde besluiteloosheid. Zonder bij iemand te rade te gaan had ze gesolliciteerd en besloten om te vertrekken. Nu zat ze hier zonder iets om handen te hebben. Haar handwerkjes lagen in de koffer en die wilde ze niet uitpakken.

Buiten was een van de zonen van de herbergierster aan het ploegen met een klein zwart paard. Hij stuurde de ploeg in een cirkel. Er vormde zich een spiraal met één streep er dwars overheen.

De derde dag begonnen er mensen te komen. Sommigen op ski's, een enkeling met een slee. Maar Halvorsen was er niet bij. Ze ging 's avonds voor achten naar bed in een waas van onrust en verveling die geleidelijk in een diepe slaap overging.

Een schel geroep wekte haar. Daarna hoorde ze blaffende honden en verscheidene mannenstemmen. Eerst dacht ze aan een ongeluk of een vechtpartij. Ze kon niets zien want haar raam keek uit op een vlak sneeuwveld dat de herbergierster de laagwei noemde. De grond achter de stal noemde ze de heiningwei.

Hillevi trok sokken aan, sloeg haar sjaal om en liep naar de hal. Het zijraam keek uit op de stal. Daarbeneden stond een groep mannen en in het lantaarnschijnsel zag ze een dood beest.

Ze dacht dat het een grote hond was. Ze hadden hem aan zijn achterpoten opgehangen waar eerder het rendier had gehangen. Ze tierden en lachten. Ze zag de oude Lap en een man met een zwarte bontmuts, de herbergier zo had ze begrepen. Zijn zonen, die de hele dag hadden geploegd, waren er ook. En een kleine, lenige kerel die bijna dansend rond het opgehangen dier liep.

Ze had naar haar kamer moeten gaan en de deur moeten dichtdoen. Maar ze bleef staan en zag hoe hij de buik vanaf het borstbeen tot het kruis opensneed. Het lampschijnsel viel scherp op de grijze vacht en op de handen van de man. Het was vast zo'n suizende carbidlamp, maar door het vastgespijkerde raam kon ze dat niet horen. Beneden was het volkomen stil geworden. Een grijs pak darmen puilde naar buiten en de man stak zijn handen in de buikholte en haalde er nog meer uit. Bloedklonten stroomden over zijn handen en besmeurden de onderkant van de mouwen van zijn trui. De Lap slaakte een kreet in de stilte. Hij huilde één langgerekte toon. Op dat ogenblik begreep ze dat daar een wolf hing.

Daarop begonnen ze allemaal weer te roepen en te lachen. De buikinhoud lag nu op de grond. De man met het mes boog zich voorover en grabbelde iets op uit de modderige sneeuw. Wat hij omhooghield was groot en glansde in het lichtschijnsel; de vliezen blonken blauw en er drupte bloed af. Hij sneed. Vervolgens haalde hij een klompje te voorschijn en gooide het op de grond. Nog een. En nog een. Vijf keer deed hij dat. Elke keer huilde de oude Lap zijn ene toon.

Toen begreep ze dat het een wolvin was en dat die drachtig was geweest. Vijf welpen had hij eruit gehaald. Ze zag het mes blinken in het lamplicht.

Struikelend met haar grote sokken liep ze terug naar haar kamer. Ze nam de kamersleutel uit het slot en sloot zich in. Daarna ging ze op bed zitten en durfde niet onder de dekens te kruipen, hoewel er koude rillingen door haar lichaam trokken. Zure oprispingen vulden haar mond. Ze voelde iets vloeibaars en slikte en slikte. Ze probeerde het binnen te houden maar moest gauw onder het bed reiken om de pot te nemen. Toen kwam het. Gedeeltelijk over haar sokken.

En maar kotsen. In haar gedachten gebruikte ze dat woord. Anders noemde ze het braken. In het ziekenhuis zeiden ze overgeven. Tante zei vomeren.

Maar dit was kotsen. Het kwam eruit geslingerd. Haar maag bleef maar schuren en wringen hoewel hij leeg aanvoelde. Op het laatst kwam er galkleurig slijm omhoog. Met tranen in haar ogen en een gloeiend gezicht kroop ze op bed in elkaar en wachtte tot de laatste oprispingen voorbij waren.

Daarna was ze zo onbedachtzaam om met het water dat ze nog over had, haar sokken schoon te maken. Ze maakte de handdoek nat en wreef. Toen de geur maar niet wegtrok, goot ze er water overheen in de emmer. Het laatste beetje nam ze voor haar gezwollen gezicht.

Er was lawaai in huis, maar ze had geen belangstelling voor wat er zich beneden afspeelde. Ze kroop onder de rendierhuid en probeerde het warm te krijgen. Er trokken droge rillingen door haar lichaam.

Leeg als ze was kreeg ze ten slotte natuurlijk dorst. Ze kon niet begrijpen dat ze zo dom was geweest het water voor haar sokken te gebruiken. Er was geen druppel meer over in de kan. Ze werd een geur van braaksel gewaar die zich uit de pot verspreidde, hoewel ze er de handdoek overheen had gelegd. Uiteindelijk kon ze aan niets anders meer denken dan aan water drinken en de pot leegmaken om van die geur af te komen.

Ze kwam uit haar kamer en luisterde. Beneden in de hal klonk een geweldig laarzengestamp. Een trekharmonica jengelde en stemmen riepen uitbundig. Bulderende lachsalvo's barstten los. Het scheen uit de gelagkamer te komen. Voor alle zekerheid trok ze haar jurk over haar nachtpon aan. Ze dacht dat ze wel naar het buitenportaal zou kunnen glippen om de pot leeg te gieten in de sneeuw bij de hoek van het huis. Maar toen ze de trap afliep, stond daar net iemand de sneeuw van zijn laarzen te stampen. Snel vluchtte ze de eetzaal binnen om niet opgemerkt te worden met de pot die ze voor zich uit droeg.

Daarbinnen was het nu flink afgekoeld. Er brandde geen lamp maar het raam gaf een beetje licht. Het was de weerschijn van de lampen in de gelagkamer die op de sneeuw viel. Ze kon de tafel en het hoge buffet onderscheiden. De tafel glom. Toen ze over het kleed tastte, vond ze alleen maar het azijnstelletje. Er scheen niets te drinken te zijn. Ze nam een stoel en ging vlak bij een van de bruine gordijnen zitten.

In de gelagkamer dreunden de hakken en ijzeren neuzen van laarzen op de vloer. Mannenstemmen zongen, maar ze kon geen woorden onderscheiden. De harmonica trilde onder stumperige vingers. Ze had het vreselijk koud, bijna zoals tijdens de eerste nacht. De kou trok tussen haar schouderbladen door. Maar keer op keer sloeg de buitendeur. De mannen liepen voortdurend af en aan, waarschijnlijk om hun water te lozen. Zij moest blijven zitten.

Nu kwam de aanblik van de ongeboren wolvenjongen terug. Maar ze werd er niet meer misselijk van. Ze voelde zich koud vanbinnen. Zoals die keer dat ze voor het Anatomisch Instituut in de Trädgårdsgatan stond en nog steeds de geur van carbol in haar neus had.

Ze bleef wachten tot de herbergierster zou verschijnen en haar zou helpen. Maar toen die de kamer in stoof en een broodmandje meegriste, reageerde Hillevi te laat om haar tegen te houden. Nu stond de deur naar de gelagkamer open. Ze kroop dichter tegen het gordijn aan en had zich er het liefst in willen verstoppen. Maar het rook naar stof en oude etenswalmen.

Ze zag twee mannen langs komen sjokken met hun armen over elkaar heen geslagen. Nog twee. Een hoofd wiebelde. Tanden grijnsden, bruin van de pruimtabak. En de trekharmonica dreinde hulpeloos. Ze dansten nog het meest op de maat van het voetengestamp en van een stem die zong. Een man tolde in z'n eentje rond op de vloer. Lichter van lijf en leden dan de anderen was hij. Zijn broek van grove wol zat als een gekreukelde zak rond zijn achterste, want zijn middel was smal en zijn riem hard aangetrokken. Op zijn heup bengelde een krom mes. Hij zwaaide met zijn hoofd en schudde zijn donkere lokken. Zijn haar was iets te lang voor een fatsoenlijk man, vond ze. Toen het gezicht zich naar de deur van de eetzaal draaide, herkende ze de glimmende tanden en wist ze welk mes het was.

Filledratta fidelitta fidelie... fidelitta filledratta fidelie...

Een lied kon je het niet noemen. Het was nog het meest gelal. Met de tabaksrook stroomde ook de warmte naar binnen en nu kwam de herbergierster terug en ditmaal trok ze de deur achter zich dicht. Daarop maakte Hillevi zich kenbaar. De pot schoof ze weg onder het gordijn. Ze dacht dat ze nog wel kans zou zien om hem buiten leeg te gieten. Er werd altijd zo veel nodeloos gepraat wanneer jonge vrouwen moesten braken.

Ze zei dat ze wat water te drinken wilde hebben en ook nieuw water voor boven. En dat ze had willen informeren of Halvorsen er nog niet was. En of hij er was, verrek nog aan toe, zei de herbergierster. Wat ze daarmee ook mocht bedoelen.

Ik had graag willen weten wanneer we dan vertrekken, zei Hillevi.

Ze kreeg een glas water en bleef wachten op een karaf om mee naar boven te nemen. Maar toen de deur opnieuw openging, was het niet de herbergierster maar de kerel met zijn mes en zijn te lange haar. Het licht viel pal op Hillevi. Hij staarde. Toch moet hij goed hebben geweten dat ze daar zat. Anders was hij niet binnengekomen. Maar hij bleef staren. Zijn mond stond halfopen, zijn tanden glommen van het bruine speeksel. Toen deed hij een stap achteruit en sloot de deur achter zich zonder zich om te draaien. Het werd weer donker.

Ze werd natuurlijk bang. Maar ze zei niets. Ze verstijfde terwijl hij over de vloer liep. Ze kon zijn gezicht nu niet meer zien. Hij bleef bij de tafel staan en streek een lucifer tegen iets ruws. Waarschijnlijk tegen een zool, want hij stond nu gebogen. Hij nam met zijn ene hand achteloos de witte lampenkap weg en die wankelde en rinkelde tegen het messing van de lampvoet. Daarna tilde hij het lampenglas op en bracht de vlam van de lucifer naar de pit. Die was niet omlaag gedraaid en flakkerde hevig roetend op. Hij vloekte gesmoord terwijl hij aan de schroef friemelde. Toen hij de kap terug wilde zetten, ging het bijna mis. Hij liet hem dan maar op de tafel staan. Eindelijk kon Hillevi weer ademen.

Ik wou effe goeiendag komen zeggen, zei hij en wankelde even.

Hij rook naar drank en zijn ogen glinsterden. Zijn gezicht gloeide onder de donkere stoppelbaard.

We vertrekken morgen, zei hij.

Toen begreep ze dat hij Halvorsen was. Ze zou alleen met een dronkelap door het bos gaan reizen.

Heeft de juffrouw een reispels?

Ze schudde het hoofd. Het enige wat ze aan pels bezat was een oude nutriakraag.

Toen slaakte hij een kreet. Het klonk alsof het van blijdschap was. Ze begreep niets van die man. Hoe kon hij zo soepel ronddansen in die grote laarzen van hem? Als in een pirouette. En volledig in evenwicht; geen zweem van dronkenschap nu.

Hij verdween en sloeg de deur achter zich dicht. Ze ademde uit. Hij keerde echter niet terug naar de gelagkamer maar liep door de deur naar de hal. Ze hoorde hem met de buitendeur slaan. Een enorm kabaal. En weer die kreet. Die vreugdekreet.

Toen stond ze op en blies de lamp uit. Beter hier in het donker te zitten, voor als er meer zouden komen. Als ze geluk had, zouden ze haar niet in het oog krijgen. Zodra ze Halvorsen terug naar de gelagkamer hoorde stommelen en hij weer begon te roepen, zou ze naar haar kamer glippen. De pot moest maar blijven staan. God weet dat ze netjes wilde zijn, maar dit werd te lastig.

Toen kwam hij terug. Donderde de donkere kamer binnen, stond daar te waggelen. Ze zag een zwakke lichtweerkaatsing op zijn tanden glimmen. Hij hield iets in zijn armen.

Da's voor u. Voor uw reispels. Voor later, zei hij. Mooi juffrouwtje.

En hij maakte een wankele buiging toen hij zijn vrachtje voor zijn voeten neerlegde. Vervolgens wilde hij weer naar de deur van de gelagkamer toe maar struikelde over wat hij zopas neergelegd had. Hij wist zich er met een sprongetje uit te redden en riep joehoe! Daarna stortte hij weer de gelagkamer binnen, in de walm van tabaksrook en zure puffen uit de kachel, en ze hoorde hem jubelen.

Hillevi holde naar de deur maar ook zij struikelde over de bundel. Want het was iets halfhards. Ze durfde er niet aan te voelen. Haar hand beefde lichtjes toen ze op de tast een lucifer uit het doosje op het buffet nam en aanstreek. Ze nam niet de moeite om de lamp aan te steken want ze zag genoeg. Zelfs de ooggaten zag ze en de ruige grijze haren en de bloedstrepen op de vochtige binnenkant.

's Morgens was Halvorsen niet meer dronken. Hij sjorde bagage op de slee, waarvoor een zwart paardje gespannen stond. De herbergierster zei dat hij niet genoeg plaats had voor de koffer. Een zekere Pålsa zou hem meenemen wanneer hij uit de stad terugkwam.

Wanneer komt die dan? vroeg Hillevi.

Dat kon je niet zo precies zeggen, want binnenkort was het Gregoriusmarkt in Östersund, dus Pålsa kon best op zich laten wachten.

Ze vertrokken, ingepakt naast elkaar. Hillevi had de reispels van Halvorsen mogen lenen. Het was grijs, maar het maartse ochtendgloren was verblindend achter de sneeuwnevel. Nu ze haar koffer achterliet, kreeg ze het gevoel dat het allemaal op niets zou uitdraaien. Ze dacht dat ze terug zou moeten keren.

Ze was maar een goede vijfentwintig jaar oud toen ze naar Röbäck vertrok en ze was in het geheim verloofd met iemand die Edvard Nolin heette. Ze kwam nooit meer terug.

De kraag en muts van nutria had ze van haar tante gekregen toen ze Uppsala verliet. Ze veronderstelden dat je in het noorden iets pelsachtigs nodig zou hebben. De muts had ze op, maar het kraagje had ze in haar tas gestopt toen Halvorsen haar die pels voor de reis had geleend.

Zelf vond ze niet dat ze mooi was. Maar hij dus wel.

De wind voerde scherpe sneeuwkorrels aan. Ze zaten dicht bij elkaar, maar hij bemoeide zich niet meer met haar. Zijn muts van dik vossenbont zat tot over zijn zwarte wenkbrauwen. Hij had meer aandacht voor zijn paard dan voor haar. Zoals ze hier zaten zouden ze heel de eindeloze reis tegen elkaar aan schuren. Het bos vervaagde tot strepen in de sneeuw, de sparren stonden rechtop als de haren van een bevroren vacht.

De sneeuw joeg steeds harder en Halvorsen morde tegen z'n meer, zoals hij de merrie noemde. Het zou haar niet verbaasd hebben als het paard ook nog had geantwoord. Ze voelde zich een buitenstaander. Niettemin schuurde haar been tegen het zijne in de voetenzak. Maar er zit een wollen broek en zeker ook dikke kousen en een lange onderbroek tussen, dacht ze. En ook nog mijn rokken. Er zit veel tussen.

Ze reden pal de sneeuwnevel in, recht in de grijze wervelingen. Ze reisden met een pels van sparren aan weerszijden van de weg, die met berkenstokjes was afgebakend.

Ze zou hem later nooit anders dan Halvorsen noemen wanneer iemand anders het hoorde. Hij en zijn vader verzweedsten mettertijd hun naam en noemden zich Halvarsson. Het heette dat zijn vader, wiens voornaam Morten was, met zijn tas vol waar op een handkar over de bergen was getrokken. Hoe het met hem gegaan was, die Noor die niet eens een paard had toen hij hier aankwam, en later met zijn zoon en met zijn dochters Jonetta en Aagot, dat wist Hillevi niet. Ze wist niets.

Halvorsen riep ho en haalde de teugels aan zodat de merrie stilhield. Hij wurmde zich uit de voetenzak, liep naar haar toe en probeerde met zijn hand onder het gareel te komen. Maar het tuig zat te strak. Hij maakte de gesp bij de buikriem los en probeerde het opnieuw nadat hij de riem weer had vastgegespt. Toen hij tevreden was, kwam hij terug en perste zijn benen naast die van Hillevi. Hij klapte met de teugels en de merrie zette zich in beweging, stap na stap, terwijl hij onafgebroken naar haar schommelende achterwerk tuurde. Het puntje van zijn tong stak uit zijn mond. Hij had geen stoppelbaard vandaag en er zat een bebloed velletje op de wang die naar haar toe gekeerd was. Het scheren was snel gegaan.

Dit soort gedachten bevielen haar niet. Scheren en onderbroeken en zo. Ze zaten te dicht bij elkaar. Dan kwamen er van die gedachten in haar op die ze anders nooit zou hebben.

Ze dacht aan tante Eugénie en hoe zij hier tegenaan gekeken zou hebben: mijlenver en urenlang dicht tegen een man aan zitten. Ik moet maar niet met hem praten, dacht ze. Niet al te veel. Hij moet de slee mennen en niets anders. Tante zou haar niet hebben toegestaan zo te reizen. Zo dicht bij elkaar. Alleen met een kerel die de avond tevoren nog flink aangeschoten was.

Maar tante wist van niets.

Halvorsen was nu tevreden over de gang van de merrie en klapte even met de teugels zodat ze begon te draven, en daarna keerde hij zich naar Hillevi en begon een vrolijk praatje waar ze niets van begreep. Dat kon hem niet veel schelen; hij ging door en zij ving toch het een en ander op. Dat hij haar nogal op haar eigen vond voor zo'n lange reis en al hetgeen ze in de herberg ook al gehoord had: dat ze zo jong was en zo mager. Wat moest ze zeggen? Dat ze bijna zesentwintig was? Dat ging hem niets aan.

De juffrouw zit in 'n peins, zei hij zacht en zij dacht eerst dat hij daarmee het sleetje bedoelde. Maar een peins, dat waren gedachten.

Gedachten over Uppsala: de rivier die zwart kolkte boven de waterval, de carbolgeur en haar eigen schelle stem toen Berta Fors met een grauw gezicht op de brancard lag.

Het was maar raar, dat taaltje van Halvorsen. Het had dubbele klinkers die hij nauwkeurig uitsprak alsof ze ook zo geschreven werden. Zijn praatlust draaide nu rond Hillevi's reis, lot en leven. Het was gênant.

Hij zat waarschijnlijk haar manier van doen te taxeren. Het was alsof hij vermoedde dat zij een wezen met een zachte en een ruwe kant was. Het zachte zat bij haar aan de buitenkant, meende tante Eugénie, heimelijk bang dat iets van het ruwe voor de dag zou komen. Ze vond dat Hillevi naar haar afkomst afgleed en dat zei ze ook. Maar wel heel gedempt en wanneer ze dacht dat alleen oom het hoorde.

Ze waren liefdevol geweest. Maar toen Hillevi het weinige wat haar vader naliet, wilde gebruiken om voor vroedvrouw te leren, sprak tante haar sombere en geheimzinnige woorden: ze glijdt af.

Zeekapitein Claes Hegger had veel gezopen en daardoor was het bergaf met hem gegaan. Hij leek alleen qua uiterlijk op zijn broer Carl. Kromme botten, zware romp, lange kokkerd. Hoe Lissen eruitzag had niemand verteld, maar ze moet wel op Hillevi hebben geleken, want waar kwam het anders vandaan? Je hebt een aardig voorkomen, zei tante.

Op foto's was Hillevi's kleine rechte neus te zien, en haar kin, die ze zo graag omhoog hield. Haar blik was groot noch diep. Die was heel rechtuit. Maar haar haar had helemaal niet de asblonde kleur zoals op de kabinetfoto's of de grote groepsportretten van de feesten. Toen ze na vele jaren haar haar liet knippen en de vlecht in een Freja-bonbondoos legde, was die nog steeds licht roodachtig.

Er bestond geen foto van Elisabeth Klarin, die altijd Lissen was genoemd en meid bij de vrijgezel Claes Hegger was geweest. Huishoudster, zoals tante het kies uitdrukte. Maar de echte huishoudster had haar ladekast leeggemaakt en haar koffer gepakt en was vertrokken toen de gezegende omstandigheden van de dienstmeid zichtbaar werden.

Hillevi's moeder stierf in het kraambed. En dan te bedenken dat de oude drinkende zeekapitein in ruste de dochter niet wilde afstaan. Hij erkende het kind, maar dat kreeg natuurlijk de naam van de moeder. Er werd een nieuwe huishoudster in dienst genomen. Van haar stond Hillevi nog een vaag beeld voor ogen. Maar haar vader kon ze zich niet herinneren, al was hij nog zo dol op haar geweest. Zij is het licht mijner ogen, had hij tegen zijn broer en schoonzus gezegd en die vonden het godgeklaagd. Maar hij wist zelf niet waar hij het vandaan had. Zijn leven had zin gekregen en nu zou hij niet meer zuipen. Hij deed wat hij kon, halfnuchter en nogal sentimenteel, volgens Carl. Een tikkeltje grotesk was het wel. Met dat uiterlijk van hem: gorilla en tapir. En dan was hij ook nog negenenzestig jaar toen Hillevi geboren werd. Ze was drie toen hij stierf.

Ze moesten in Kloven overnachten. M'n meer moet rusten, zei Halvorsen. Een boer bood slaapgelegenheid in een onverwarmde kamer of plaats in het uitschuifbed naast de thuiswonende dochter aan. Hillevi zakte neer op een stoel en sliep. Het was dus een reis die twee dagen zou duren. Maar hoeveel dagen en weken zou ze die keer op keer in gedachten overdoen? In 'n peins.

Niet de schoonheid ervan. Niet de grote witte meren, waarop hij het paard vanaf steile oevers voorzichtig liet afdalen, zodat ze vervolgens vlak en lang konden rijden met de vacht van bomen opzij getrokken tot op de golvende heuvelruggen. De bergen vertoonden zich even toen de wolkenbanken wegdreven. Ze waren witglanzend. De hemel werd enkele ogenblikken scherp blauw.

Evenmin het bange voorgevoel, de gedachte dat ze zich genoodzaakt zou zien terug te keren. Maar wel dat Halvorsen uit haar lospeuterde dat ze Edvard kende.

Hoe dat nu ook in zijn werk ging.

Het was absoluut verboden om het verder te vertellen. Edvard had gezegd dat zijn positie meteen ondermijnd zou worden als aan het licht kwam dat ze elkaar van tevoren kenden. Wilde hij ook maar de minste mogelijkheid hebben om als vice-pastor het ambt van hulppredikant te veroveren, dan moest hij een onbesproken levenswandel hebben.

Een onbesproken predikant stuurde niet zijn geheime verloofde vooruit. Dat had Edvard eigenlijk ook niet gedaan. Integendeel, zijn neusvleugels verstrakten toen hij hoorde dat ze naar een betrekking van vroedvrouw in Röbäck had gesolliciteerd.

Halvorsen had haar gestrikt met vragen of ze ergens in de streek familie had, of ze eigenlijk wel iemand kende. In Röbäck? In Lomsjö dan? Of in Östersund? Hij had zich niet laten afschepen. En zij had aangevoeld dat ze zich in zijn ogen als een waanzinnige moest hebben gedragen. Iemand die zonder omkijken een onbekende weg insloeg. Zonder de taal van de streek te verstaan. Die niet eens geschikte kleren voor een sleerit had.

Toen had ze gemompeld dat ze Edvard Nolin kende, de nieuwe predikant die zou aantreden. En op datzelfde moment hadden drie hanen kunnen kraaien. Ze probeerde het toe te dekken. Terugnemen kon natuurlijk niet. Ze kende hem een beetje, zei ze. Wist wie hij was.

Halvorsen had niets gezegd. Hij had haar alleen maar van opzij bekeken. Langdurig.

Het tweede meer waar ze naar afdaalden, was nog uitgestrekter. Ze zag nergens huizen bij de oevers. Alleen de vacht van sparrenbomen. Landtongen strekten zich witgevlekt uit, blauwige vegen in al dat witte waar je blik geen vat op kreeg. Toen ze op het ijs waren gekomen, stopte Halvorsen en keek opnieuw het tuig van de merrie na. Maar dat was niet de eigenlijke reden. Hij maakte een jachtgeweer los dat op de bepakking vastgesjord zat en laadde het. Met een grijns propte hij het dwars over hun knieën.

Toen moest ze weer aan die weerzinwekkende vacht denken. Ze hoopte dat hij niet meer wist hoe hij zich in zijn dronken bui had gedragen. Ze reden goed en wel een uur in stilte. Toen wees hij haar een landtong aan.

Daar stonden ze, zei hij. Vier waren er in de roedel. Ik kreeg het wijfje te pakken. Ze was drachtig. Vijf welpen zou ze gekregen hebben.

Hij had natuurlijk geen vermoeden dat Hillevi de ongeboren jongen had gezien en dat was maar goed ook. Hij is niet van het dorp, probeerde ze zich te troosten. Wat hij weet of niet weet doet er niet toe. De herbergierster had gezegd dat hij uit Fagerli kwam. God mag weten waar dat lag. Ze hoopte dat het ergens ver weg was. Het liefst nog in Noorwegen.

Rusten in al die witheid. Dat moest ze leren. Wanneer sneeuwvlokken neerdwarrelen en door de kale takken van de espen trekken. Wanneer de lucht dik wordt. Het witte wordt grijs en verdicht tot een blauwe schemering. Dan zit je in 'n peins, 'n Uppsala-peins.

Juffrouw!

Het was een ruwe stem. Dat was duidelijk, al had ze slechts dat ene woord gehoord. De stem klonk hees. Hillevi was op weg van het ziekenhuis naar een huisbezoek in de Bäverns gränd. Ze hoorde de stem toen ze over de Islandsbro liep. Het was donker en nevelig en ze zag niet ver toen ze omkeek. De waterval ruiste sterk en ze versnelde haar pas.

Juffrouw! Juffrouw!

Achter zich hoorde ze hakken op het hout van de brug. Beneden kolkte het water van de rivier. Het maakte haar bang.

Zodra ze de buitendeur had bereikt en de houten trap op was gehold, begreep ze niet meer waarom ze zo bang was geworden. Het was toch een vrouwenstem. Maar nu, meer dan een halfjaar later, dacht ze dat ze op de een of andere manier had geweten wat die vrouw wilde. Dat kwam door het woord Juffrouw.

Ze zijn de Juffrouw gaan halen, zo zeiden de mensen dat. Dadelijk komt de Juffrouw met haar tas. Zij was nu de Juffrouw en dat was heel wat anders dan gewoon juffrouw Klarin.

Het akelige was: twee dagen later, toen ze weer op huisbezoek was geweest om de kraamvrouw in de Bäverns gränd te verzorgen en naar tante en oom wilde gaan om haar eigen vijfentwintigste verjaardag te vieren, stond die vrouw haar in het donker op te wachten. Het was nog steeds nevelig en toen Hillevi merkte dat er in de zware lucht motregen neersloeg, bleef ze op de trap van de buitendeur staan en legde haar sjaal over haar hoed. Toen riep die stem weer.

Ze moet verderop bij het hok met de vuilnisbakken hebben gestaan. Hillevi liep haastig over de straatkeien de steeg in, maar het mens haalde haar in en legde haar hand op Hillevi's arm.

Juffrouw, alstublieft! Ik moet even met u spreken!

Eigenlijk zag Hillevi haar pas goed toen ze bij de brug kwamen. Op dat moment had ze al verteld wat ze wilde. Zonder omwegen. Het was zo ruw. De hele toestand was ruw. Hillevi schudde voortdurend haar hoofd. Haar hoed wiegde onder de sjaal.

Het spijt me, nu moet u gaan. Het is onmogelijk.

Daarop greep de vrouw weer haar arm en hield haar tegen.

Het is mijn schuld niet! Ik wou het helemaal niet!

En nu zag ze het gezicht in het licht van de straatlantaarn. Bleek. Een ietwat spitse kin. Het was nog maar een meisje. De haarwrong die onder haar hoed te voorschijn kwam, was blond. Er zijn er veel die zulk haar zouden willen, ging het door Hillevi's hoofd. En haar ogen waren groot, hadden een diepe blauwe blik. Waren ze de spiegel van de ziel? Ze had een wond onder haar neus. Haar mond zag er slobberig uit als ze praatte. Het kwam er gewoon uitgegooid. Hillevi wilde dat ze haar mouw losliet, maar de hand kneep zich vast.

Toen moest ze denken aan de woorden van de directrice, juffrouw Elisif. Het was het laatste jaar van de cursus, toen ze rijp waren om aan te horen waar ze mee te maken konden krijgen.

Ze kunnen wat dan ook verzinnen.

Ze greep de hand van het meisje en probeerde die van haar arm af te halen.

Ik kan u niet helpen, ik mag het niet. Ik zou het ook niet willen. Nu moet u gaan. Ik begrijp niet waarom u naar mij toe komt.

Maar Juffrouw, u zei toch dat het een schande was! Wanneer een mens zo op was als zij. Dat het haar bespaard zou moeten blijven.

Wie?

Berta Fors. Ze was opgenomen omdat ze zo bloedde. Het zou haar tiende worden. Het heeft niet mogen zijn. Ze is nu dood.

Ze kunnen wat dan ook verzinnen. Er zijn geen grenzen aan wat ze jullie proberen wijs te maken.

Nu moet u gaan. U bent jong en sterk. Alles zal goed verlopen. U kunt me op de kraamafdeling opzoeken, dan zorg ik ervoor dat u goed wordt opgevangen. Ik zal u later helpen met kleertjes. We vinden wel iets voor de kleine. U moet de moed niet verliezen. We vinden er wel iets op.

Daarna zei Hillevi iets over de regen. Want het regende nu echt. De planken van de brug glommen.

Hè, ik had mijn paraplu mee moeten nemen, zei ze.

En toen, toen pas, liet het meisje haar mouw los. Hillevi liep snel de brug over. In de Västra Ågatan keek ze zo behoedzaam mogelijk over haar schouder en zag dat het meisje was blijven staan. Ze zag het gezicht als een witgrijze lap onder de hoed.

Het ergste was dat tijdens het feestje thuis bij oom Carl en tante Eugénie het beeld van een vroeg verouderde vrouw op een brancard in haar opkwam. De huid van het gezicht was grauw en vochtig. Ze dacht dat het meisje deze herinnering in haar opgeroepen had. *Er zijn geen grenzen.*

Maar nu wist ze weer wie Berta Fors was. De herinnering kwam toen oom Carl het woord had genomen. Het was in zekere zin goed dat het juist op dat ogenblik was, want de tranen welden in haar ogen op en ze hoorde nauwelijks wat hij zei. In plaats van vader en moeder. Alle voorspoed. Een klein maar oprecht bewijs. Het weinige wat we hebben kunnen doen, hebben we gedaan in genegenheid. En onze verantwoordelijkheid. Onze bezorgdheid, lieve kind.

Maar jouw besluit stond immers vast. Tante reikte haar het pakje aan waarin het dagboek zat.

Berta Fors had op een brancard gelegen. Ze had gebloed toen ze binnen kwam, maar werd niet bevrijd van de foetus. Ja, bevrijd, dat woord had Hillevi zelf gebruikt. Ze kreeg geen scheve reis, zoals zijzelf zou hebben gezegd. En ook geen andere bevrijding. Dat was niet mogelijk, zei de afdelingsarts.

Natuurlijk niet. Maar toen hij weg was, huilde Hillevi en met een schreeuwerige stem zei ze tegen de oude vroedvrouw dat ze vond dat Berta Fors hulp had moeten krijgen.

Hulp?

De gelaatsuitdrukking van de vroedvrouw had Hillevi moeten waarschuwen. Maar ze schreeuwde dat het die vrouw deze keer bespaard had moeten blijven. Er waren zware nabloedingen geweest na de laatste drie bevallingen.

Hier staat het! zei Hillevi. Nu bloedt ze al vanaf het begin, kijk, kijk dan!

Ze zette haar wijsvinger in het opnameverslag, waar ze zelf over Berta Fors had geschreven:

47 jaar, 14 bevallingen. 3 x miskraam, 9 kinderen in leven. 4 x levensgevaarlijke nabloeding, volgens de gegevens zo overvloedig dat zij 2 à 3 uur bewusteloos lag. Zij ziet de bevalling met angst en beven tegemoet, daar zij gelooft, dat zij bij deze zal verbloeden.

Het is niet menselijk!

Ja, ze had zelfs gezegd dat het een schande was. Dat had ze gezegd. Dat als een mens zo op is, het haar bespaard moest blijven.

Achter het scherm of buiten in de gang lag Berta Fors mee te luisteren. Ondanks haar uitputting. Ze was dus niet bewusteloos, maar hoorde elk woord. Achteraf moet ze over Hillevi hebben verteld. Waarschijnlijk spraken de mensen in de Dragarbrunnwijk nu lang en breed over haar. Een Juffrouw die menselijk was. Want zo was het meisje bij de brug begonnen:

De Juffrouw is toch menselijk!

Maar de oude vroedvrouw vertrok geen spier en gaf geen antwoord, en 's middags werd Hillevi naar de kamer van de hoofdverpleegster geroepen.

Ik heb er vroedvrouwen voor zien bezwijken, zei zuster Elsa. In mijn lange tijd in de ziekenzorg heb ik dat tot mijn grote spijt enkele keren zien gebeuren.

Hillevi durfde niet te vragen hoe ze ervoor bezweken waren. Ze durfde helemaal niets te vragen, was alleen verlamd van schrik dat er een vlek op haar schort zou zitten of vuil op haar gesteven boord, of dat er haren uit het gevlochten knotje in haar nek losgekomen waren.

Ik heb ze zien bezwijken voor smeekbeden om hulp, zoals zij dat noemen. Hulp om het kind weg te halen, ronduit. Heel het geachte vroedvrouwenkorps voelde zich daardoor oneer en schande aangedaan, zei zuster Elsa. Haar grijze ogen waren niet te ontwijken, in geen eeuwigheid. Pas toen zij zelf de agenda inkeek die voor haar opengeslagen lag en met haar pen op de schrijftafel tikte, één keer en duidelijk genoeg, durfde Hillevi haar eigen blik neer te slaan, te nijgen en achterwaarts de kamer te verlaten.

Daarna was ze weer gaan huilen. En tranen welden op toen ze eraan terugdacht, tranen van schaamte, en om de waarheid te zeggen, tranen van woede. Want Berta Fors stierf zes maanden later na haar vijftiende bevalling. Ze bloedde dood hoewel ze inspuitingen met cacornine en alle denkbare hulp had gekregen.

Tijdens het diner zagen tante en oom Hillevi's tranen en ze dachten dat het van ontroering was. Ze brachten een toost op haar uit en wensten haar vele belangrijke en gelukkige gebeurtenissen om in het boek te schrijven. Ze begreep wel op wat voor gebeurtenissen ze zinspeelden, maar zij dacht niet eens aan haar toekomst en aan Edvard, alleen aan wat er een uur geleden bij de waterval was gebeurd. Want dat was het akeligste wat ze ooit had meegemaakt.

Neef Tobias hief het glas. Hij was al lichtjes aangeschoten. Tante volgde altijd de stadia van zijn dronkenschap met snelle, zijwaartse blikken. Het drong tot Hillevi door dat ze wist waarom hij tegenwoordig vaak te veel nam. Tobias was geen pimpelaar. Hij was ook niet echt geknipt voor de geneeskunde.

Twee dagen later kwam hij de spoelkamer binnen terwijl zij urine in een glas stond af te meten.

Waar heb je hier de alcohol, Hillevi? vroeg hij.

Ondanks haar vlugge overpeinzingen tijdens het diner had ze niet in de gaten wat hij eigenlijk wilde. Ze geloofde namelijk dat hij iets te reinigen had.

Hij liep met haar mee naar de behandelkamer en wachtte stil en onderworpen als een schooljongetje terwijl zij zeventig milliliter uit een fles met *spir. conc.* afmat. Dat was de hoeveelheid die hij opgegeven had. Met een lach die niet echt gemoedelijk was, nam hij het maatglas aan. Hij goot er water uit een karaf bij.

Tobias!

Hij had het al achterovergeslagen.

Zo mag het hier niet aan toegaan, zei ze nogal scherp.

Lief nichtje, zal ik eens vertellen hoe het hier echt aan toegaat? Ik heb zopas een bezoek gebracht aan juffrouw Ebba Karlsson op haar voorlaatste ligplaats. Ze ontving in een nogal vochtige toestand. Ik heb namelijk een lijkschouwing op juffrouw Karlsson uitgevoerd. Ze was zwanger. Zo gaat het eraan toe. Maar zo zou het niet mogen gaan.

Hij hield haar het maatglas weer voor, maar zij deed alsof ze het niet zag en ging voor het raam staan. Ze hoorde dat Tobias zich nog meer inschonk, maar zei niets. Hij schaamde zich zeker. Daarom probeerde hij ook te schertsen.

Op haar mooie gouden haar, zei hij en hield het glas omhoog.

Tobias! Nu is het genoeg.

Hij liep achterwaarts weg, plotseling geweldig gegeneerd.

Er zijn veel meisjes. Ze heten Beda en Ebba en Alma. Karlsson en Petterson en Fors. Meestal wonen ze in Dragarbrunn of daar in de buurt. Velen hebben blond haar. Goud kun je het natuurlijk ook noemen. Velen hebben een blonde haardos die iedereen hun zou benijden.

Ze wist dat het haar altijd zou blijven achtervolgen als ze niet met zekerheid wist wie de dode was. Maar ze was niet van plan neef Tobias erbij te betrekken.

Als ik met eigen ogen heb gezien dat zij het niet is, dan ga ik naar haar op zoek. Ik zal haar op alle mogelijke manieren helpen. Ik zal geld inzamelen. Ik zal ervoor zorgen dat ze niet meer bang en radeloos hoeft te zijn. Het moet mogelijk zijn haar te vinden. Ze komt misschien wel uit eigen beweging terug.

Maar toen herinnerde ze zich haar eigen woorden over haar paraplu en hoe het meisje onder de straatlantaarn in de regen was blijven staan. Op dat moment had ze het opgegeven.

Ze waren tijdens hun opleiding in het Anatomisch Instituut geweest. Ze hadden stijve, grijsbleke lijken gezien. Het was onaangenaam maar niet onoverkomelijk. Het was niet het werk in de snijzaal op zich waardoor Tobias zo over zijn toeren was geraakt. Het was het meisje. Met die vochtige toestand moet hij hebben bedoeld dat ze verdronken was.

Tante Eugénie had haar gewaarschuwd voor ze aan haar opleiding begon.

Je moet natuurlijk trouwen, Hillevi, had ze gezegd. Een aantrekkelijk en gezond jong meisje als jij. En weet je, mannen, die willen een nette vrouw. Een nette jonge vrouw met een onaangetast gemoed om moeder van hun kinderen te worden. Ze willen geen vrouw met een bevuild gemoed.

Daar had ze samen met Sara om gegiecheld.

Ze werd binnengelaten door de conciërge. Hij zag er geen probleem in dat zij naar een van zijn lijken kwam kijken, want ze was in dienst van het ziekenhuis. Ze hadden het lichaam al in een houten kist gelegd. Er was maar één jonge vrouw, dus een vergissing was uitgesloten.

Er lag een laken over haar heen. Toen hij op het punt stond het weg te trekken, riep ze:

Alleen het gezicht! Dat is genoeg.

Het was het gouden haar dat zo'n stevige wrong onder de rand van de hoed had gevormd. Het gezicht was opgezwollen maar herkenbaar. Aan de rechterkant waren het oor en de wang lelijk toegetakeld. Dat moet na de verdrinking zijn gebeurd. De huid was schimmelig en grijs. Hier en daar zaten zwartblauwe vlekken. De gezwollen oogleden waren gesloten. Ze leken op boomzwammen die onder de wenkbrauwbogen uit groeiden. De lippen waren gesprongen. Door het kiertje ertussen waren de tanden te zien.

Ik heb genoeg gezien, zei ze en ze wist dat ze spijt zou krijgen van dit bezoek.

Hij legde het deksel terug.

Weet u waar ze haar hebben gevonden?

In de rivier uiteraard.

Maar waar precies? Was het bij de Islandsbro?

Ja, daar bij de brug komen de meesten vast te zitten, zei hij.

Ze nam afscheid en liep haastig de Trädgårdsgatan in en ademde diep. De carbolstank bleef de hele dag in haar neusgaten hangen. Die had moeten verdwijnen, fysisch gesproken dan, maar ze bleef hem toch ruiken.

Voordat ze naar de lijkenkamer ging, had ze bij zichzelf gezegd dat zekerheid beter was dan knagende gedachten. Maar dat was niet zo. Ze kon aan niemand vertellen wat ze had meegemaakt. En in haar dagboek kon ze er al evenmin over schrijven.

Nee, Hillevi schreef er geen woord over in haar boek met het fluwelen kaft. Ook niet in de zwarte wasdoekschriftjes. Maar in het eerste, dat eigenlijk als klad voor haar vroedvrouwjournaal bedoeld was, schreef ze op haar kamer in de herberg te Lomsjö:

laagwei
heiningwei

VASTENAVONDKNOEDELS
8-12 aardappels. Koude gekookte of rauwe. Men kan ook mengen.
2 kopjes gerstemeel of verkruimelde havermout
1 l tarwemeel
2 theelepels zout
7 kopjes melk

Hieraan voege men toe:
lichtgezouten spek, saus van zachte weikaas of
gesmolten boter

Het gezeefde meel (of de havermout) samen met de geraspte aardappels in een kom doen. Geleidelijk melk toevoegen totdat het deeg vast genoeg is. Op een met meel bestrooide baktafel tot een rol vormen en in gelijke stukken verdelen. De knoedels vullen met spekblokjes en weikaas of alleen met boter en weikaas, en dichtstoppen zodat ze vaste balletjes vormen en niet barsten.

De knoedels in lichtgezouten water koken tot ze bovendrijven en daarna nog even laten doorkoken.

Opdienen met gebraden spek en weikaassaus.

Vastenavondknoedels worden alleen in de vasten gegeten.

Een man genaamd Halvorsen uit Röbäck heeft gisteren een wolvin geschoten op het Klovenmeer.

Ze was doodop toen ze in Kloven aankwamen. Ze had de hele dag met Halvorsen gepraat. Of had ze het meest gezwegen? Ze schreef toch twee woorden op:

asemen
kallen

Tijdens de middag van de tweede reisdag reden ze over het Botelmeer.

Daar staat de kapel, zei Halvorsen en hij wees met zijn kronkelende zweep naar de overkant van het meer. Die stond er al in de achttiende eeuw, dus voor de kerk gebouwd werd.

De Lappen moesten bekeerd worden, grijnsde hij.

Er stond een rood houten gebouwtje op een landtong. Het zag er niet bijzonder uitnodigend uit. Er stonden geen andere huizen. Het dorp was weggetrokken naar het andere water, dat groter was en het Rösmeer heette.

De heuvelruggen waren nu diepblauw. Er waren minder witgevlekte stroken. De maartse zon spreidde warmte over het boslandschap, dat blaakte en klaterde. De sneeuw stortte in zware pakken van de spaandaken af. De kerktoren was allang in zicht. Maar het duurde nog voor de witte kerkmuren van de sneeuw te onderscheiden waren.

Alle vreugde die ze bij voorbaat had gekoesterd en die ze op deze dag had willen losgooien nu ze eindelijk de kerk van Röbäck te zien kreeg, was weggevroren. Ze had alleen maar het koude gevoel iets onherstelbaars te hebben gedaan. Halvorsen, die tussen zijn tanden floot en het koord van zijn zweep heen en weer slingerde, wist: Hillevi Klarin kent de dominee al van vroeger. Ja ja.

Verder had hij geen woord meer over die kwestie gezegd.

Nu wees hij het gemeentehuis en de pastorie aan. Enkele grijze huizen stonden ongenoemd tegen elkaar gehurkt. Maar bij het schoolgebouw klapte hij met zijn zweep. Daar zou ze gaan wonen. Boven was er een kamer voor haar.

Een kamer.

Ze zweeg wijselijk.

De eerste dagen zat ze vaak in gedachten verzonken. Dat was onprettig. Sterker nog: het herinnerde haar aan het gesprek toen Edvard te horen kreeg dat zij in Röbäck naar een plaats als vroedvrouw had gesolliciteerd. Zijn woede was het eerst aan zijn neusvleugels te merken geweest. Ze had een ziek gevoel in haar buik gekregen. Maar ze had haar sollicitatie niet ingetrokken.

De kamer op de bovenverdieping van het schoolgebouw bleek iets meer dan een kamer te zijn. In de stad zou ze het kamer met kachel en alkoof hebben genoemd. Het plafond zakte door en vertoonde gele vochtvijvers met bruine ingedroogde randen.

De kachel is nieuw en ze zijn komen behangen, zei de vrouw van de conciërge, die Märta heette. Ze had Hillevi de steile trap gewezen, die nog het meest van een ladder weg had. Terwijl ze in de kamer rondkeek, bedacht ze dat ze die wat huiselijker zou kunnen maken als haar koffer maar kwam.

De man die hem meebracht, heette Pålsson. Iedereen zei natuurlijk Pålsa op z'n Jämtlands. Hij mende een tweespan met een grote slee. De paarden leken op de merrie van Halvorsen, klein en met zwarte ruige haren op de flanken. Het was moeilijk om van hem af te komen. Een tweedaagse reis met Halvorsen was welletjes geweest en deze man wilde ze afwimpelen. Maar hij bleef binnen staan. Achteraf herinnerde ze zich niet meer hoe hij eruitzag. Het was alsof ze bezoek had gekregen van een grofwollen trui en een dubbelgeknoopt groot manchestervest. Een afzonderlijk deel van hem, een pet van zwart leer, lag al op de stoel bij de deur, dus bood ze hem toch maar koffie aan. Ze had de oven geprobeerd, met bevredigend resultaat. De nawarmte was gelijkmatig en goed om beschuiten in te drogen.

Hij doopte zorgvuldig en vertelde dat geen enkele vrouw in de dorpen van de gemeente Röbäck een hoed bezat. Op de vrouw van de dominee na.

Raadselachtige woorden. Hij praatte met zijn mond vol suikerbeschuit. Daarna zei hij dat er maar een tiental kinderen tegen de pokken ingeënt waren. Dat het toch maar goed was dat Hillevi een verpleegstersopleiding had en in het gebruik van instrumenten geschoold was.

Maar, zei hij vervolgens en kauwde een hele poos voordat het vervolg kwam: de vorige vroedvrouw had een zware vergissing begaan. Bovendien droeg ze een hoed.

Lange pozen was hij onbegrijpelijk, de beschuiten nog daargelaten.

Er zijn er drie geweest voor u, maar het is altijd op herrie uitgelopen.

De herrie die er met de vroedvrouwen was geweest, scheen meestal met de woonruimte te maken te hebben gehad. Vocht, een schimmelgeur achter het nieuwe behang, tocht over de vloer en lekkende kozijnen, daar kon Hillevi van meespreken. Maar ze zweeg voorlopig.

Later dankte ze God daarvoor, min of meer. Dit was Isak Pålsson, de voorzitter van de gemeenteraad. In alles was ze van hem afhankelijk. En ze wilde dat het plafond opnieuw gespannen en gekalkt werd. Ze ging naar de zolder en nam haar hoed, die aan een spijker boven de hanger met haar mantel hing, mee naar binnen.

Edvard Nolin was plaatsvervangend ziekenhuispastor toen Hillevi hem leerde kennen. Ze was sterk geraakt bij het zien van zijn nek boven de gesteven witte bef en het zwarte boord van de toga. Hij bracht haar in het donker naar huis en legde op een avond zijn handen op haar schouders. Daarna duurde het een hele week voordat ze opnieuw het gesuis van zijn overschoenen achter zich hoorde. Die avond deed hij zijn handschoenen uit en tastten zijn handen onder haar mantel naar haar middel. Hij kermde.

Het was een grote gewetenszaak voor hem dat hij Hillevi wilde. Op die manier, zoals hij zei. Voor haar was het ook een grote zaak, maar een meer vanzelfsprekende. Ze hield nu van Edvard Nolin. Dat was een lotsbestemming. Maar ze hadden geen geld om te trouwen. Op sommige avonden slopen ze de trap op naar zijn kamer. Hij zette thee op een ijzeren kachel met een kookplaat.

Toen hij het hemdje met het kanten boordje binnen het bovenstuk van haar jurk ontblootte en tastend een borst nam die bovenaan koud was, kermde hij alsof hij zich bezeerd had. Er kwam ook die avond niets van terecht.

Toen het uiteindelijk toch gebeurde, sloot hij zijn ogen. Daarna zat hij in zijn ondergoed aan zijn schrijftafel met zijn hoofd in zijn handen. Er brandde geen lamp, maar buiten waren er straatlantaarns. Het vensterkruis wierp een schaduw op de houten vloer. De bovenste arm liep tot aan het bed. Daar lag Hillevi met zijn sperma in een zakdoek. Hij had haar de zakdoek net voor het beslissende ogenblik toegestopt. Pas toen ze aan de binnenkant van haar dij iets vloeibaars koud voelde worden, begreep ze waarvoor ze die moest gebruiken.

Hij werd er wat alledaagser door vanwege die zakdoek: er was eindelijk iets concreters dan gekerm, iets wat moest worden weggeveegd. Hillevi moest daaraan denken toen hij in de ontmoetingsruimte van het ziekenhuis kinderen doopte. Hij droogde het hoofdje van het gedoopte kind met een linnen servet af, nogal prompt. Dat kon hij dus best.

Nu zou Hillevi domineesvrouw worden. Ze vroeg zich af hoe lang het zou duren voordat ze in ondertrouw konden gaan. Edvard was soms wat omslachtig. Waarschijnlijk zou ze tegen de zomer of op z'n laatst in de herfst haar intrek kunnen nemen in de pastorie die Halvorsen met zijn zweep aangewezen had. Vreemd genoeg waren er achter de ramen gordijnen en kamerplanten te zien.

Ze vroeg Märta Karlsa waarom die gordijnen er nog hingen en waarom er in de leegstaande pastorie nog dagelijks gestookt werd.

Maar dat zijn toch de gordijnen en bloempotten van de vrouw van de dominee, zei Märta. En het huis staat niet leeg.

Deze merkwaardige uitspraak gaf Hillevi een kil gevoel in haar buik.

Daar loopt ze net, zei Märta.

De vrouw van de dominee was uit het huis gekomen. Nee, het was geen geestverschijning. Ze droeg een ouderwetse zwarte mantel met een kraag die bestond uit drie met biesjes afgezette volants halfweg tot aan de elleboog. Ze verdween naar het dorp toe. Verhuisd? Welnee, ze waren allesbehalve verhuisd. De dominee had namelijk een beroerte gehad en moest blijven liggen waar hij lag.

Maar er komt toch een nieuwe dominee, zei Hillevi voorzichtig.

De vice-pastor komt op de zolder te wonen, zei Märta.

Hillevi nam zich voor op visite te gaan. Edvard had natuurlijk ingestemd met die zolderkamer. In alledaagse en wereldlijke zaken drong niets echt tot hem door.

Vijfentwintig jaar oud. De rand van de hoed zat over haar haarwrong, waarin om de waarheid te zeggen wat opvulsel zat. De gedachten aan Uppsala kwamen en gingen. Maar meestal was ze in de weer met het schilderen van blauwselbloemen op de schoorsteenmuur. Een meisjestijd nog: snelle beslissingen, gevoelens die ze eerst in haar buik, in haar handpalmen, onder haar oksels merkte.

Edvard, haar geliefde. Zijn afscheidswoorden waren een laatste vermaning tot stilzwijgen geweest. En zij die al tijdens de reis tegen de paardenmenner haar mond had voorbijgepraat. Een beetje bang was ze wel toen ze de eerste keer op de deur van de pastorie aanklopte. Vervolgens bonsde ze. Verzamelde haar moed.

Hulppredikant Norfjell lag op een bank in de kamer waar hij dertig jaar lang zijn preken had geschreven. Alleen aan de witte baardstoppels was te merken dat er nog huid rond zijn schedel zat. De kleur was vrijwel geel.

Zo ligt hij daar nu al sinds Sint-Michiel, zei de vrouw van de dominee.

Hij zat half rechtop met de kussens om zich heen. Zijn blik was op de muur gefixeerd. Het was niet zeker of hij het verschoten motief van lieren wel zag. Hier is nieuw behang nodig, had Hillevi bijna gezegd. Iets grijsvlekkerigs droop neer van de deken en verdween onder de doek van het trouwaltaar. Ze wist niet of ze naar de onbeweeglijke toe moest gaan om hem te groeten. De vrouw van de dominee vertelde hoe de beroerte verlopen was. Ze meende dat die eraan had zitten komen.

Ik had een kistje appels gekregen, zei ze. Uit het zuiden van het land uiteraard. De juffrouw weet wel dat er hier geen appelbomen zijn?

Dat wist Hillevi niet.

Het was winterfruit. Åkerö-appeltjes. Maar ik durf er nooit op te vertrouwen dat het niet zal vriezen op zolder, en daarom snijd ik ze in ringen en laat ze drogen. Dus zit ik met het dienstmeisje in de keuken. Zij schilt en ik snijd. Ja, ik noem ze dienstmeisjes. In deze streek zeggen ze nooit iets anders dan meid. Of meiske. Dan roept hij. Hij wil zijn koffie. Het was wat vroeg, maar die kreeg hij natuurlijk. Ik dronk een kopje mee. Hierbinnen. Hij zat aan zijn schrijftafel. Toen reikte hij me dit blad aan.

Ze waggelde naar de schrijftafel. Hillevi had nog nooit zulke ouderwetse kleren gezien. Een zwarte zijden japon die aan de naden in grijsbruin overging. Op het bovenstuk zaten talloze plooitjes. Achter op de rok werd de stof samengetrokken tot een drapering die zijn vorm verloren had. Je kon vermoeden dat daar een tournure had gezeten. Maar waarschijnlijk had ze dat met paardenhaar gestopte kussentje in een la gestopt toen het uit de mode raakte. Niemand had de jurk bijgenaaid. Op haar hoofd had ze enkele ronde kantdoekjes.

Hier heb ik het.

Hillevi las: *Plures spes. Una restat.*

Dat wou hij op zijn grafsteen zei-ie.

Ik weet niet wat het betekent, zei Hillevi.

Ik ook niet.

Nee, er was ook niemand om het aan te vragen.

Twee weken later lag hij over zijn bureau toen ik binnenkwam.

Hillevi keek naar hem. Hoorde hij wat? Er was niets wat daarop wees. Hij maakte een strenge maar rustige indruk. Märta Karlsa had gezegd dat de vrouw van de dominee een braaf mens was. Maar Hillevi vroeg zich af of er niet iets met haar gebeurd was sinds Sint-Michiel. Het was een lange winter geweest met een keukenmeisje en mogelijk ook een kat als enige gezelschap. En dan de onbeweeglijke op de bank. De stem van de domineesvrouw was een beetje schel zoals wanneer iemand lange tijd niet meer gepraat heeft.

Dit plafond moet opnieuw worden gespannen, dacht Hillevi. En er moet ook overal worden behangen en vermoedelijk is er nieuw vulsel in de muren nodig. Ze had gehoord dat zaagsel samenklitte als het vochtig werd. Ze had willen vragen of het huis 's winters koud was, maar wist niet hoe ze dat onderwerp moest aanroeren. En hoe kon ze de keuken te zien krijgen? Als ik nou eens op een andere dag langskom met iets wat ik zelf gebakken heb. En rechtstreeks de keuken binnen loop.

Ja, wij zijn hierheen gekomen in 1884, zei de vrouw van de dominee.

Terwijl ze praatte, keek ze naar hem. Misschien sprak ze wel tegen hem. Hillevi raakte er hoe langer hoe meer van overtuigd dat deze brave domineesvrouw iets was overkomen.

Toen werd hij kapelpredikant. Geen sprake van dat we zouden blijven. De bisschop had een hoge dunk van hem, jong als hij was. Maar we bleven dus toch. Hij raakte geïnteresseerd in de Lappen, ziet u. En de Lappen waren natuurlijk arm. Wil de juffrouw niet een kopje koffie?

Er heerste orde in het huis ondanks het voorval op Sint-Michiel. Ze had verschillende soorten koffiebroodjes. Het meest drong ze een amandelcake op die waarschijnlijk al lang aangesneden onder zijn koperen vorm had gestaan. Een recept uit Öland, zei ze.

Ik kom uit Kalmar, vandaar. Er zit geen tarwemeel in. Neem gelijke delen erwtenmeel en aardappelmeel. En tien eieren bij de suiker. Zoete amandelen uiteraard, een heel ons, en een paar bittere amandelen.

Hillevi had langs willen komen met een eenvoudige quatre-quarts. Ze had ook geen amandelmolen. Ze dacht erover na hoe ze de ramen kon meten. Tellen kon van buitenaf. Ze wilde zo snel mogelijk een weefsel opzetten. Voor de zomergordijnen had ze aan nopjesstof gedacht, dun en sierlijk. Voorlopig was het nog te koud om op de schoolzolder te zitten weven. Bovendien was het weefgetouw nog niet aangekomen. Ze had het gevoel dat de dagen vlogen. En de vrouw van de dominee praatte maar verder over lang vervlogen tijden. Ze keerde zich om naar het bed. Als hij haar kon horen, dan was dit wreed, vond Hillevi.

Nu kwam de grijze cyperse poes te voorschijn. Ze was oud en had een hangbuik. Ze sprong op de bank en ging zomaar boven op de onbeweeglijke liggen. Zijn ogen bleven naar het behang kijken. De vrouw van de dominee stond op en legde de doek op het trouwaltaar weer goed na dit optreden van de poes.

Ja, hier trouwde hij de paartjes bij wie het al zover was. En dat is bij de meeste het geval.

Ze zal wel zo vrijuit praten omdat ik vroedvrouw ben, dacht Hillevi. Alsof ze haar gedachten gelezen had, zei de vrouw van de dominee:

Je zegt de dingen zoals ze zijn na dertig jaar in een parochie als deze. Ik zeg niets over de mensen van het dorp. Maar de Lappen.

Nu was het overduidelijk dat ze tegen hem daar op de bank praatte. Haar kleine, pafferige gezicht keek onafgebroken opzij naar het gele hoofd met de dunne witte haarslierten. Het was alsof ze op tegenspraak wachtte. Ze glimlachte even. Het was geen lieve glimlach.

Ja, hij raakte dus zo geïnteresseerd in ze. Het is mijn levenswerk, zei hij.

Er zat een eigenaardige hoon in de ogen boven de vetkwabbetjes. Hillevi keek weg.

Ik zal de juffrouw iets vertellen, zodat u het weet. Want u zult ook uw barmhartigheidswerk bij ze hebben. Maar u moet u er niets van aantrekken.

Ze keerde zich opnieuw naar de bank:

Dieren zijn het, zei ze. Niets anders.

's Nachts was het koud, maar de dagen waren zengerig.

We moeten iets aan die pels doen, zei Märta Karlsa. Hij begint te stinken.

Hillevi had haar nutriakraag, die in zijn doos lag, en wist niets van een andere pels.

Ik heb 'm op de hooizolder gehangen, zei Märta. Zodat de ratten er niet bij kunnen.

Ze liep voor langs de stal naar de brug van de hooischuur.

Hij was slecht ingezouten. Dus dat is nu te ruiken.

Onder een dakbalk had ze het opgerolde vel weggestopt. Hillevi herkende het. Alleen waren de oren nu weggesneden.

Dat ding is van Halvorsen.

Hij zei dat het van de juffrouw was.

Nee, het is niet van mij. Geef het maar met de eerste kar mee naar boven.

Hij rijdt zelf wel eens een keer langs, mompelde Märta. Haar gezicht was ineens als van hout. Maar op dit moment kon het Hillevi niets schelen.

Ze wilde er niet eens meer naar vragen. Maar een paar keer liep ze naar de dorszolder, wanneer ze zeker wist dat niemand haar zag, om te kijken of de vacht er nog was. De dag dat hij eindelijk weg was, voelde ze een onredelijke opluchting.

Het was oorlog. Ze vulden de lampen met carbid in plaats van lampolie. Ik ben toen geboren, maar ik herinner me daar uiteraard niets van. Hillevi vertelde Myrten en mij hoe het siste als het water in het reservoirtje met het carbid reageerde. Het licht dat het gas verspreidde, was onbarmhartig wit. Ze had een artikel uit een krant geknipt en in haar zwarte boek geplakt. We lazen het:

Boreling in een loopgraaf

De volgende merkwaardige gebeurtenis werd door een Oostenrijkse officier verteld. Op een oktobermiddag trof een Bosnische soldaat in het gebied, waar de strijd tussen Oostenrijk en Rusland aan de gang was, een pasgeboren jongetje in een loopgraaf aan. Waar kwam het vandaan? Niemand wist het. Was het een vrucht der zonde, waarvan de moeder zich in het strijdgewoel had willen bevrijden? Of was het misschien de wanhoop, ingegeven doordat de vader onder de wapenen was geroepen, die het heiligste aller gevoelens, de moederliefde, had gesmoord, en die de moeder ertoe bracht het kind aan zijn lot over te laten?

Van de doodsverschrikkingen die hem beloerden, had de zuigeling geen benul, en hij glimlachte slechts naar de soldaten. Officieren hielden een collecte, die een somma ter waarde van 170 kronen opleverde, genoeg om het allernoodzakelijkste te kopen. Het kind werd voor het overige door de parochie in een nabijgelegen stad bekostigd. Mogen edele mensenvrienden ertoe bijdragen, dat er van dit arme kind, door zijn beschermengel uit het grootste gevaar gered, een deugdzaam lid der maatschappij zal worden.

Onlangs vond ik dat krantenknipsel terug. Het was uit een van de wasdoekschriftjes gevallen. Het was bruin aan de randen en zo bros door ouderdom dat ik het heel voorzichtig vast moest nemen zodat het niet verpulverde.

Ik geloofde dat ze aan mij had gedacht toen ze het uitknipte, hoe ze mij had gevonden en dat zij mijn beschermengel was.

Ik wilde het geelbruine knipsel graag op de juiste bladzijde terugplaatsen en begon te zoeken naar resten van gedroogde meellijm en een lege plaats van de juiste grootte. Het duurde even, maar uiteindelijk vond ik het schrift waarin het knipsel had gezeten. Het was van 1916 en toen was ik dus nog niet geboren. Ze kon helemaal niet aan mij hebben gedacht.

Het was dinsdag toen ik de juiste plek van het knipsel terugvond. Vandaag is het zondag. Al vijf dagen lang word ik gekweld door de gedachte dat ik niet in het minst weet wat Hillevi dacht.

Het meer is nog niet tot bedaren gekomen. Het water is zwart buiten onder de ramen. In de buurt van Lubben zie ik een zwak licht. In de school is het donker maar er brandt wel licht in enkele huizen op Tangen. Maar verder is het overal zwart.

Ik voel sterk mijn eenzaamheid. Ik kon er niet tegen het roze wollen vest van Myrten op de schommelstoel te zien, waar ik het als aandenken gelegd had. Dus nam ik het weer weg.

Je kunt niet weten wat een ander denkt. Nooit.

Het wordt avond en ik voel me afgepijnigd.

Het is nu maandagochtend en de zon schijnt priemend. Het is erg koud geweest vannacht. In de inham ligt een dun ijsvliesje op het water. Daarnet schommelde het gedempt toen de wind opstak. Het zal wel gauw breken. Maar er zal meer ijs komen. Dan is het niet meer zo kil en is er meer licht als het ijs met sneeuw bedekt raakt.

Ik hoorde op de radio een deuntje dat me uit mijn neerslachtigheid haalde. Dat kan merkwaardig klinken, want het deed me denken aan een liedje van mijn oom Anund dat begint met *Toen het jonge bruidspaar op weg ging om te trouwen.* Het gaat over het grote verdrinkingsongeluk op het meer hierbuiten.

Drie boten waren op een dag in de late zomer op weg over het meer naar Tullströmmen. Daar zou het gezelschap aan land gaan en te voet langs de stroomversnelling naar de aanlegplaats lopen die Oppgårdsnostre genoemd werd. Vandaar zouden ze over het Rösmeer naar de kerk van Röbäck roeien.

Het waren twee grote families die op weg waren, een heuse bruidsstoet met de bruidsdame die de bruid gekleed had en met kleine bruidsmeisjes en bruidsjonkers. Ze hadden zwarte kerkkleren aan en de bruid was getooid met een kroon en een halsketting en stenen en allerhande hangertjes die glinsterden in de zon.

Er steekt een harde wind op, plots dreigt er donker weer.
Als snelle arendsvleugels zo raast het over 't meer.
Niet lang of ze beseffen, wij zijn in grote nood!
Ver weg van eigen haardstee ontmoeten ze de dood.

Hoe dit meer zwart kan worden voor je in de gaten hebt dat er guur weer op komst is. Hoe het kan veranderen in iets slechts.

Zo veel doden in dat koude water.

Toen Tore Halvarsson aan land werd getrokken, liep Sven Pålsa, die hem had gevonden, weg en kotste. Zo vreselijk zag hij eruit, hoewel hij niet langer dan een paar uur in het water had gelegen.

Een van de drie boten van de bruidsstoet kantelde in de hevige storm die opstak. Er zaten twaalf mensen in, die allen verdronken. Het waren:

Boer Isak Pålsson, 64 jaar oud.
Zijn zoon Anders, die nog maar 20 jaar was.
Isak Pålssons vrouw Erna, 52 jaar oud.
Hun dochter Märet Isaksdotter, 25 jaar, de bruid.
Boer Jonas Aronsson, die 40 jaar was.
Zijn vrouw Karin Efraimsdotter, even oud als hij.
Hun 15-jarige zoon Aron.
De dochter Regina Aronsdotter, slechts 12 jaar oud.
Jonas en Karin hadden ook nog een jongere zoon die verdronk. Hij heette Daniel.
Boerenzoon Karl Persson, 23 jaar oud.
Meid Ingeborg Persdotter, 25 jaar.
Boerendochter Berit Halvdansdatter uit Skuruvatn, Jolet, ook omgekomen.

Pas op Sint-Michielsdag 1876 waren alle slachtoffers gevonden en toen werden ze allemaal begraven op het kerkhof van Röbäck, behalve Berit Halvdansdatter. Zij werd begraven naast de kerk van Trövika.

Laula Anut had dat grote ongeluk natuurlijk niet meegemaakt. Hij had evenmin vanaf de oever de lijken in het water zien drijven. Hij was geboren in 1903. Ik hoorde hem het lied zingen rond de kerst van 1928. Ik werd bijzonder getroffen door wat de jonge vrouw in de bruidsjurk riep voordat ze onderging en wat ze dacht toen het water haar omsloot en het donker werd.

De woeste zwarte golven, die kantelen de boot.
Ik voel al rond mijn lichaam de armen van de dood.
Heer, aanhoor mijn bede, het water trekt me neer!
Ze horen haar nog roepen, o, red me uit het meer.

Het zwarte meer omsluit nu de jonge witte bruid.
't Gezicht van haar geliefde drukt diepe wanhoop uit.
Ze komt niet naar het bruidsbed maar ligt op harde steen,
diep in het koude water, zo roerloos en alleen.

Ik vond het merkwaardig dat mijn oom kon zingen over iets wat geen mens gezien had. In die tijd had ik al begrepen dat niemand weet wat een ander denkt. Ik schreef hem een bovennatuurlijk vermogen toe. Ik was toen elf jaar.

Ik ben nu oud en heb sinds lang begrepen dat zijn vermogen iets natuurlijks was. Zijn liedjes schenken mij veel troost, al zijn ze droef.

Een vogel die plots wegvliegt en uit het zicht verdwijnt,
zo komt ook menig jongmens vroegtijdig aan zijn eind.
Eén zekerheid in 't leven, de dood loert overal.
Eén zekerheid, die heb ik, dat ik ook sterven zal.

Dat mijn vader een Schotse lord was, zal vandaag de dag geloof ik niemand meer tegenspreken. Maar hier hebben ze altijd beter onthouden dat mijn moeder de dochter was van een dief die Vleesmickel werd genoemd. Ze zeggen dat ik dankzij Hillevi uit mijn armoedige bestaan weggekomen ben en die verdienste komt haar inderdaad toe. Maar uit het thuis van mijn kinderjaren werd ik de eerste keer weggehaald door een arend en het valt hun moeilijker om me dat te vergeven.

Niettemin putte men vrij lang voordeel uit dat feit.

Maar toen kwamen andere tijden en er werd op een vergadering besloten dat er maar eens een streep onder gezet moest worden.

Als de merkwaardigste van mijn twee families, voorzover ik die ken, beschouw ik niet de lord, maar wel Laula Anut of Anund Larsson zoals hij hier genoemd werd.

De mensen luisterden graag naar zijn liedjes en zongen ze ook zelf. Maar ze gunden hem niet altijd de erkenning dat hij ze zelf geschreven had. En nog zuiniger met lof waren ze als het op verhalen aankwam. Maar dan wel pas achteraf. Als hij eenmaal begon te vertellen, vergaten ze te kauwen.

Kindermoorden vonden ze spannend en verhalen over ontvoerde meisjes.

— * —

Bijna drie weken waren voorbij en nog steeds geen kraambed. Het knaagde aan Hillevi's gemoed. Ze had zich ervan willen overtuigen dat ze ook een bevalling kon doen als hulp pas tachtig kilometer verderop te krijgen was. En zelfs dat nauwelijks, want de dokter in Byvången was oud en dik, leed aan een hartkwaal en ging met tegenzin in een rijtuig zitten. Ze probeerde zichzelf wijs te maken dat je in de meeste gevallen op tijd kwam. Dat kinderen er gewoonlijk met het hoofdje eerst uitkwamen. Maar 's nachts tastte ze met droomhanden in het rond. Trachtte koortsachtig en moedeloos gescheurde delen van een moederkoek samen te voegen. Beefde wanneer ze scherpe, bebloede instrumenten vastnam.

Rende in diepe sneeuw en zakte almaar verder weg. En stikte. Ze had nooit eerder gedroomd dat ze stierf.

Toen had ze het plan opgevat om met vaccinatieronden te beginnen. Het was ook goed bekeken, want de sneeuw was voorlopig nog vast genoeg. Maar dat zou niet lang meer duren. Als eerste dorp kwam Svartvattnet aan de beurt. *Zwartwater*, de naam kwam van een groot meer dat nu onder ijs en witte sneeuw verborgen lag. Ze ging er een goede twee weken na haar aankomst in Röbäck naartoe. In haar vroedvrouwtas had ze vaccin, ontsmettingsmiddel en een scherp mesje gestopt. Isak Pålsa was benaderd om een aankondiging in de kruidenierswinkel op te hangen.

De slee had een kortere weg over het meer genomen maar de reis duurde toch nog meer dan een uur en ze had op koffie gehoopt toen ze aankwam. Maar ze kreeg pas iets verkwikkends nadat de inentingen in het schooltje klaar waren en ze zich met haar tas in het pension had geïnstalleerd. Maar anderzijds verliep het werk snel, want er waren maar twee moeders met in totaal zes kinderen komen opdagen. Toen ze de volgende morgen naar de kruidenier ging, zag ze wat er aan de hand was. Naast het aanplakbiljet over de vaccinaties in de school had iemand een papier opgehangen waarop iets met een anilinepotlood geschreven stond. Het droeg de titel *Afschrift uit een krantenartikel* en verkondigde:

> *In het deel van het geneeskundig onderzoek, dat niet met winstbejag behept is, maar bezield wordt door het streven naar waarheid, is de laatste tijd uitvoerig bewezen, dat vaccinatie kaalhoofdigheid, bijziendheid, pessimistische levensbeschouwing, zelfmoord en achteruitgang in de wetenschappen, schilderkunst en dichtkunst veroorzaakt.*

Ze ritste het blad kordaat van de muur. Maar later, veel later zou ze bedenken dat als ze niet naar het winkeltje was gegaan, die ochtend dat ze terug naar Röbäck zou rijden, er niets zou zijn gebeurd, in ieder geval niets waarvan ze geweten zou hebben.

Ze kwam godzijdank niet die langharige Trond in de winkel tegen. Hij was nergens te bekennen. Zijn zuster Aagot stond achter de toonbank. Een ellenstok, ongelooflijk mager. Ze had donkere ogen en een zwarte vlecht zo dik als een onderarm. Geen woord zei ze. Nam alleen het breigaren te voorschijn en al het andere waar Hillevi naar vroeg. Of toch, toen de kardemom aan de beurt was, zei ze: hebben we niet. Was die op of deden ze hier in de streek geen kardemom in het tarwebrood? Dat kreeg Hillevi niet te horen.

Twee vrouwen waren in het halfduister aan het fluisteren. Ze stonden in een hoekje achter de harington. Hillevi zag hen eerst niet. Borstels en rollen touw die aan het plafond hingen, belemmerden het zicht. Ze klonken bezorgd. Heel even meende Hillevi dat ze over haar stonden te praten, over de juffrouw. Nu de juffrouw toch hier is... Meer hoorde ze niet. Een van beiden vertrok ten slotte. Ze trok haar bontmuts diep over haar voorhoofd en sloeg een dubbelgehaakte sjaal om zich heen. De uiteinden knoopte ze vast op haar rug. Ze was zo dik ingepakt dat ze de knoop in de franjes moest leggen. De andere opende de deur en riep haar na.

Bäret! schreeuwde ze. Bäret! Kom terug!

Maar die had haar ski's al aan en vertrok.

Doe de deur dicht, zei Aagot. Het meisje had duidelijk geleerd om zuinig met de kachelwarmte om te springen.

Hillevi liep in de aanhoudende sneeuwval de helling naar het pension op, toen ze de tweede vrouw weer in het oog kreeg, de vrouw die Bäret nageroepen had. Ze had gewacht bij een schuur die vlak bij de weg stond, maar ze stapte nu naar voren, daar waar de sneeuw geelbruin van de paardenmest was.

De juffrouw zou eens naar Lubben moeten gaan, zei ze.

Waarom?

Ze ligt nu al vier dagen.

De mensen waren kort van stof tegen Hillevi, zoals in een telegram. Het meeste moest ze zelf maar snappen. Maar dat deed ze niet.

Ligt?

Ja, soms staat ze ook wel op. Maar het wil maar niet opschieten.

De weeën?

Ze bevestigde het met een nauwelijks merkbare beweging. Het voelde bruusk aan om naar de naam te vragen. Maar waarom? Dat begreep ze zelf niet. Dus zei ze maar:

Met wie is ze getrouwd?

Er verscheen een schuin lachje dat Hillevi niet kon duiden. Daarop draaide ze zich om in haar sjalenbundel en begon de helling af te lopen, zo snel als de ongelijke sporen in de sneeuw toelieten. Ze leek op een steen die zich in beweging had gezet en verdween algauw in de sneeuwnevel.

De pensionhoudster, die de vrouw van Isak Pålsa was, zei dat de vrouw met de sjaal Doris heette. Zij was de zus van Bäret. Of eigenlijk Berit, begreep Hillevi nu, maar die naam spraken ze hier dus anders uit. En ze deed de huishouding bij de ouwe van Lubben en zijn zonen. De vrouw van de oudste zoon was immers gestorven.

Dat *immers*. Alsof je altijd alles moest weten.

En het meisje?

Da's de dochter van d'r zus.

Hierna zweeg Verna Pålsa. Hillevi drong aan.

Wie is dan de vader?

Daar heb ik niks van gehoord, zei Verna.

Hillevi zei dat ze maar beter eens kon gaan kijken en vroeg of ze vervoer kon krijgen.

Het is niet erg ver, zei de pensionhoudster. Met ski's gaat het nog het gemakkelijkst. En die zijn hier wel te lenen. Dat is het probleem niet. Maar ze hebben u niet gevraagd om te komen.

Aan die woorden besteedde Hillevi geen aandacht.

Toen ze gereed was om te vertrekken, kwamen er een paar Lappen op ski's met vier kinderen in een slee. Ze waren een hele dag te laat, maar wilden hun kinderen laten inenten, hoewel ze geen geld hadden om te betalen. Ze wilden haar in plaats daarvan rendierkaas geven en toen ze die niet wilde aannemen, probeerden ze haar een kleine zachte huid van een rendierkalf aan te smeren. Ze wist niet wat ze ermee aan moest en kreeg Isak Pålsa niet te pakken. Ze vaccineerde de kinderen dan maar, in de veronderstelling dat de gemeenteraad wel voor de betaling zou instaan. Maar ze was bang dat ze te eigengereid had gehandeld. En na afloop voelde ze zich ronduit beverig. Want hun gezichten waren zo vreemd en donker en ze praatten nauwelijks verstaanbaar. De kleren en huid van de twee kleinste kinderen zaten vol met rendierhaar. Dat kwam door de vellen waarin ze lagen. Ze had willen zeggen dat ze een hemdje moesten dragen, maar ze durfde het niet, want ze wilde hen niet voor het hoofd stoten. De kaas noch de kalfshuid nam ze aan.

Het was al laat toen ze ingepakt had en goed en wel op de ski's stond, zo laat dat het duister begon in te vallen. Het spreidde zich uit als roet in melk. Ze bedacht ongerust dat ze ook nog terug moest. Want deze klus moest zeker tegen de nacht geklaard zijn.

Lubben lag het verst op de landtong die in het bosmeer liep. Zelf zouden de dorpsbewoners er wel een andere naam voor hebben. Maar toen ze vanaf de kruidenierswinkel rechtdoor het skispoor volgde, had ze het dorp in de rug en zag ze nergens nog een huis. Alleen een vacht van sparren die in golven over de heuvelruggen liep en in de sneeuwwaas tot losse plukken vervaagde. Het klaarde wat op toen ze midden op het meer was.

Op haar rug droeg ze een grote ransel van gevlochten berkenbast. Verna Pålsa had hem eerst aan haar uitgeleend en stemde er vervolgens mee in om hem te verkopen. Hillevi besefte dat er voor haar huisbezoeken wel meer skitochten van zouden komen. Niet iedereen woonde bij een weg.

In de blauwgeschilderde ransel had ze de inhoud van haar tas gestopt, in schone handdoeken gewikkeld. Ze had nog nooit eerder geskied, maar dat had ze niet verteld in het pension. Ze vond het niet bijzonder moeilijk. Terwijl de schemering al dikker begon te worden, sjokte ze traagjes voort in het spoor over de inham met haar winterschoenen in de voetriempjes. Ze had nog een goede vijftig meter tot de oever te gaan toen een of ander mormel in een genotvolle razernij begon te blaffen. Meteen raakte er nog een opgehitst, die heser blafte. Het was maar te hopen dat ze niet losliepen. Ze skiede verder. Toen ze dichterbij kwam, zwegen ze abrupt.

Een eindje van de oever vandaan was de sneeuw platgetrapt naar een wak in het ijs. Ze haalden dus hun water uit het meer. Hadden ze niet eens een waterput? Of stond die droog? Ze begon zich af te vragen hoe ze aan een ketel moest komen om water in te koken en aan een waskom die helemaal schoon te krijgen was. Handdoeken. Verschoning in bed voor de vrouw. En hadden ze iets om het kind mee te kleden?

Het was niet de eerste keer dat armoede haar tegemoet kwam als kilte of onbehouwenheid. Maar zo donker had die zich nog nooit voorgedaan, zo ineengedoken, afwachtend en achterbaks.

Ja, dat was het woord dat in haar opkwam.

Er brandde geen licht in het huis toen ze het in zicht kreeg. Ook geen flakkerend lantaarnlicht in de veestal. Er lag over de sneeuw nog een glimp van mager licht dat nog niet door het duister opgeslokt was en daarom hadden ze geen lamp aangestoken.

Ze stampte in het portaaltje de sneeuw van zich af, uitvoerig zodat ze daarbinnen genoeg tijd kregen. Ze hadden haar gezien, daar twijfelde ze niet aan. Ze was vast en zeker al van ver op het meer te zien geweest, een verdikking in het duister boven het sneeuwoppervlak. Iemand had de honden tot zwijgen gebracht.

Ze klopte aan, maar binnen was niets te horen, geen voetstappen, geen stem die vroeg wie daar was. Ze draaide de stroeve klink omlaag en duwde de deur open. Hier was niemand zo overmoedig om te bouwen met een deur die naar buiten opengíng. Het was natuurlijk niet de bedoeling dat je door de sneeuw ingesloten zou komen te zitten.

De binnenlucht kwam haar tegemoet, dik en complex, maar niet al te warm. Er gloeide niets in de fornuishoek. Ze wachtten zeker op de echte duisternis en lieten het huis wat afkoelen. Ze kon nog niemand zien. In het duister tekenden zich opeenhopingen af: de bedstee, de buffetkast. Of het kleren waren die boven het fornuis te drogen hingen, of een lichaam dat zich over de kookplaat boog, dat kon ze niet uitmaken. Maar er hing een verse stallucht gemengd met de huisgeur; de ouwe van Lubben was waarschijnlijk zelf binnen en had zopas over de vloer gelopen.

Nu zag ze hem bij het raam zitten in het tinnen licht dat steeds sneller afnam. Iets schraapte over de vloer. Ze riep geen groet maar stampte wel nog enkele keren met haar besneeuwde schoenen. Het was hier niet Uppsala. Ze maakte haar sjaal los en trok haar wanten uit maar bleef bij de deur staan.

Er klonk opnieuw geschraap en dat leek haar zo goed als een bevestiging van haar aankomst. Ze zag een vrouw vlak bij het houtfornuis zitten, in de nog overgebleven warmte. Nu kwamen de geluiden op gang: mannenlaarzen met ijzeren teenbeschermers schraapten en schoven onder tafel. Hij kuchte. De vrouw stond op en sloeg het stof van haar rok, alsof het ertoe deed hoe ze er in het donker uitzag. De eerste stem was die van een kind. Het vroeg iets wat Hillevi niet verstond. Vervolgens hoorde ze de stem van de vrouw.

We zullen de kachel maar aansteken. En de lamp.

Toen Hillevi haar in de mand met berkenbast en aanmaakhout hoorde rommelen, zei ze *avond*. Meer niet. De man kuchte opnieuw, reutelend van de pruimtabak. Ze hoorde ook het deksel van zijn tabaksdoosje klikken. Hij bleef onbeweeglijk zitten terwijl de vrouw het houtfornuis aanmaakte en liet de lamp voor wat die was. De vrouw kwam zelf dan maar de lamp van de haak boven de tafel afhalen. Ze hield lucifers in het fornuis en toen de lampenpit opvlamde, schrok Hillevi zozeer dat ze bijna bang werd.

Het waren er zo veel! En ze waren zo stil. Kindergezichten, grauw en vermoeid in het zwakke licht. Ze zaten op banken en opklapbedden. Volwassen mannen en jonge knapen. De vrouw bij het houtfornuis was Bäret. Dat had ze al in het halfdonker begrepen. En alle gezichten waren naar haar gekeerd, behalve dat van de ouwe. Bäret was groot van postuur. Ze liep zwaar over de vloer en zette de lamp op tafel.

Waar is ze?

Ze hoorde zelf dat het scherp klonk. Ze had moeten zeggen dat ze de vroedvrouw was. Maar dat wisten ze al, daar was ze zeker van. Toen ze geen antwoord kreeg, liep ze naar binnen en trok de deuren van de bedstee open. Maar het bed was leeg.

Ik heb gehoord dat er hier hulp nodig is bij een bevalling.

Bäret antwoordde niet. Ze keek alleen naar de oude man aan de keukentafel. Hij was kort en stronkerig. Dat was duidelijk te zien, ook al zat hij. Zijn hoofd stak naar voren. Het zat diep tussen zijn schouders alsof hij geen hals had. Hij had een versleten muts van hondenleer op. Het weinige haar dat daar nog op zat, was groezelig. Hillevi kon zijn ogen niet zien.

Ze wist niet hoe ze deze stilte moest verbreken. Hun zwijgen slokte alle denkbare woorden op. Nu pas dacht ze aan Verna Pålsa's woorden: ze hebben u niet gevraagd te komen.

Ze was inmiddels aan de schemering gewend geraakt. Ook buiten de lichtkring van de lamp kregen de dingen contouren. Ze zag de stapel brandhout bij de deur en de potten en pannen in wat ze het ketelhoekje noemden. Ze stonden gewoon op de grond. Zou het lukken een pan schoon genoeg te schuren om er water in te koken?

Er was nog een deur. Ze verzamelde de moed die ze nog had, liep vastberaden dwars door de kamer en opende de deur. En tegen de muur, vlak bij de deur, stond een meisje. Het was koud daarbinnen. Ze onderscheidde vaag enkele bedbanken. En dit dunne meisje, zo grijsbleek. Hillevi zag de gespannen buik en de armen eromheen.

Nou, hier is ze dan, zei ze en ze probeerde te klinken als de fantastische Juffrouw Viola Liljeström. Ze legde een arm om haar heen en voelde hoe scherp de rug was onder de sjaal.

Kom maar mee met mij. Nu gaan we naar bed.

Nooit had ze gedacht dat ze iemand zou moeten dwingen. Het meisje loenste het donker in, bewoog zich moeizaam langs de muur dieper de kamer in. Hillevi trok, bij de eerste poging zachtjes, maar dan met meer kracht met haar arm om de zwakke rug. Het meisje was uitgeput, bood niet veel weerstand. Toch was de greep om haar arm harder dan Hillevi had bedoeld. In dit huis keerde alles zich om; woorden werden geweld.

Hoe lang zijn er al weeën? vroeg ze zonder haar direct aan te spreken.

Ze kon toch niet u en mevrouw tegen het meisje zeggen, en ze aarzelde om jij te zeggen als tegen een kind. Want het was nog maar een kind. Dat dunne lijfje met die grote buik was erbarmelijk. Ze zag bleek en ademde moeizaam met open mond, stond wat voorovergeleund en hield haar armen over haar uitpuilende buik. Haar sloffen sleepten over de vloer toen Hillevi haar meetrok.

Hoe heet ze? vroeg ze. Bäret keek opnieuw naar de oude man en in Hillevi vlamde woede op. Ze herhaalde de vraag scherper en kreeg eindelijk een antwoord.

Serine.

Ze leidde het meisje naar de bedstee en zei haar te gaan liggen. Maar ze wilde niet liggen.

Breng water aan de kook, zei Hillevi tegen Bäret. En schuur een waskom uit en vul die met schoon water.

Ze hoorde aan het gestommel dat de mannen naar buiten gingen. Maar er waren nog steeds kinderen binnen, doodstil weliswaar. En de ouwe van Lubben. Ze zag nu dat hij een net over zijn knieën had uitgespreid. Een netnaald glom in het licht van de lamp. Ze vroeg Bäret de lamp op een krukje naast de bedstee te zetten en dacht dat ook de ouwe ervandoor zou gaan als het rond de tafel donker werd. Maar hij bleef zitten. Ze zag zijn stronkachtige silhouet telkens als ze inderhaast omkeek.

Ze pakte het meisje vast en legde haar neer op het bed, dat geen lakens had. Onder de rendierhuid was een gestreepte tijk met heel wat geelbruine vlekken te zien, en het stro ritselde toen het meisje ging liggen.

Het kan geen kwaad om te staan, zei Hillevi. Serine kan straks wel weer even gaan staan. Maar nu moeten we een onderzoekje doen. Wanneer waren de weeën begonnen?

Ze kreeg niets uit haar los. Toen Bäret eindelijk met de waskom kwam, zei die gedempt en met tegenzin dat het meisje lang in bed had gelegen. En weer was opgestaan. Maar weeën had ze al enkele dagen. En het was wel duidelijk dat ze afgemat was.

Hillevi nam nu glycerinezeep en een nagelborsteltje uit haar ransel en vroeg Bäret om de waskom op de keukentafel te zetten en de lamp terug te plaatsen. Ze kookte het borsteltje samen met een nagelvijl in het water dat nu op het fornuis stond te pruttelen. Er zat iets rustgevends in het zingende geluid van de ketel. Ze voelde zich meer op haar gemak toen ze het hoorde. Daarna deed ze haar schort voor, rolde haar mouwen op en zeepte haar handen en onderarmen in. Ze had gewild dat de ouwe naar buiten ging, maar die zat haar onbeweeglijk te bekijken. Nu zag ze zijn gezicht in het schijnsel van een stallantaarn die Bäret op tafel gezet had. Zo oud was hij nu ook weer niet. Hij was klein van gestalte maar leek sterk en pezig. Zijn baardstoppels waren grijsgeel.

Ze zorgde ervoor dat de zeep goed verspreid raakte tot onder haar nagels voor ze met borstelen begon. Eerst schrobde ze haar nagels en vingertoppen en dan boog en strekte ze haar vingers terwijl ze de borstel liet gaan. Ze had haar horloge ondersteboven op het borststuk van haar schort gespeld en toen dat aangaf dat ze een goede vijf minuten geschrobd had, nam ze een handdoek uit de ransel en droogde zich af. Vervolgens vroeg ze Bäret om het water in de waskom te verversen en maakte terwijl ze wachtte haar nagels schoon. Toen ze nieuw water kreeg, deed ze alles weer over. Daarop zei de oude man iets. Hij zei het vrij luid en het klonk monkelend. Maar ze verstond het niet.

Toen ze andermaal klaar was met schrobben, deed ze carbolzuur op haar handen en de ouwe zei opnieuw iets. Toen Bäret met nieuw water naar haar toe kwam, vroeg Hillevi zacht wat hij gezegd had. Eerst wilde Bäret er niet op ingaan. Maar Hillevi gaf duidelijk te kennen dat ze wilde horen wat men haar te zeggen had.

Is die alleen langsgekomen om haar eigen te wassen, herhaalde Bäret en keek gegeneerd naar de grond.

Hillevi zweeg. Ze tilde voorzichtig het meisje vanaf het middel op en trok twee onderrokken opzij. Bäret, aan wie ze had gevraagd om nieuwe kleren te brengen, kwam terug met een trui en met een onderrok van rode wol, die min of meer schoon leken. Nadat ze samen de trui over de dunne, slappe armen hadden getrokken, en dan verder over het lichaam, dat mager was met gezwollen blauwgeaderde borstjes, begon Hillevi de onderbuik van het meisje te wassen. Ze wilde iets schoons hebben om eronder te leggen, maar Bäret zei dat er geen lakens waren.

Hebt u dan kranten?

Ze schudde het hoofd. Hillevi nam een van haar handdoeken en legde die onder het meisje, dat hevig reageerde toen Hillevi de dunne dijen spreidde en het geslacht aanraakte. Ze moest lange tijd praten, alsof ze een gewonde, van schrik verstijfde vogel in haar handen nam, vond ze. De binnenste schaamlippen en de vulvaopening waren gaaf en in orde. Dat had er nog aan gemankeerd. Scheuren en lelijk geheelde littekens van vorige bevallingen kon ze immers niet hebben. Ze vroeg Serine wanneer ze haar laatste maandstonden had gehad, maar kreeg geen antwoord.

En de eerste?

Toen begon Bäret met haar te praten en Hillevi hoorde dat ze op een andere taal overging. Maar het baatte niet.

Hoe oud is ze, vroeg Hillevi en kreeg een mompelend antwoord. Ze vroeg het opnieuw, nogal scherp.

Veertien binnenkort.

En wie is de vader?

In plaats van te antwoorden keek Bäret naar de ouwe aan tafel.

Hillevi kon het nauwelijks geloven. Maar godzijdank richtte het meisje zich half op en zei nee, nee. Dan zakte ze weer achterover en toen Hillevi de buik betastte, die gespannen en hard was, meende ze een zwakke contractie te voelen.

Het nee van het meisje was nou niet meteen een opluchting, want als de oude man haar niet misbruikt had, dan had iemand anders het gedaan. Ze fluisterde tegen Bäret zodat het meisje het niet zou horen. Dat er op zoiets dwangarbeid stond, dat er al straffen tot twee jaar voorgekomen waren.

Dus dit is menens. Begrijpt u dat? Er moet worden voorkomen dat het zo doorgaat.

Ik weet van niks, zei Bäret en keek opnieuw naar de ouwe.

Hillevi betastte het meisje. Haar buik was hard gespannen. Ze verstijfde van schrik zodra Hillevi's handen bij de geslachtsopening kwamen. Hillevi voerde het inwendig onderzoek rustig pratend uit om de spanning in het tengere lijf te verminderen. De baarmoedermond was open, de vliezen waren intact. Het kind was al ver ingedaald. Ze kon de kleine fontanel voelen. Maar de weeën waren uiterst zwak. Ze voelde zich hulpeloos en kon niets anders bedenken dan haar een lavement te geven en te wachten. De weeën kwamen in ieder geval regelmatig.

Toen het lavement klaar was en ze het meisje en zichzelf opnieuw gewassen had, vroeg ze om een stoel en zei dat ze de lamp bij zich wilde hebben. Met haar rug naar de kamer gericht begon ze het klad voor het journaal in haar zwarte boek te schrijven.

Serine. En hoe nog meer?

Bäret antwoordde tegen haar zin dat ze Halvdansdatter heette.

Wanneer zijn de weeën begonnen?

Ik ben niet de hele tijd hier geweest.

Vier dagen geleden, hoorde ik in het dorp.

Bijna de vijfde nu.

En wanneer had u gedacht hulp te halen?

Maar Bäret antwoordde niet. Ze keek alleen naar de oude man bij de tafel en zweeg. Hillevi wist in ieder geval genoeg uit haar los te krijgen om het belangrijkste op te schrijven.

Serine Halvdansdatter, Skuruvatn, Jolet, Noorwegen. 13 jaar oud. Verblijft sinds een jaar als huishoudhulp bij familielid Erik Eriksson te Lubben. Dag van eerste maandstonden onbekend. Dag van laatste maandstonden eveneens. De inlichtingen komen van een tante, die meent dat er vruchtbewegingen kunnen zijn geweest aan het einde van november. Vrucht voldragen na normale zwangerschap zonder bloedingen. Weeën waarschijnlijk begonnen op 28 maart. Ik ben aangekomen op 2 april om 8 uur 's avonds. Toen was het meisje bijzonder afgemat en de weeën waren zwak maar regelmatig, met tussenpozen van ± 10 minuten. Temperatuur 37,4. Pols 88. Buikomtrek 88 cm. Rachitisch bekken, vermoedelijk door Engelse ziekte in vroege kinderjaren. Harttonen van foetus goed, 35 per ¼ minuut. Hoofdje voorop, vast in bekkengordel.

Ze zat op een stoel bij het bed met een krukje erbij. Ze had Bäret gevraagd daar de lamp op te zetten. Ze kon de hele tijd Serines gezicht zien. In de keuken en de kamer ernaast zochten de kinderen en zonen hun slaapplaatsen op. Bäret had pap gekookt en probeerde het meisje te laten eten, maar ze nam niets aan. Ze had Hillevi ook een bord gegeven en stond naast haar te wachten terwijl ze at. Er waren er meer die het bord moesten gebruiken. Hillevi nam niets van het platbrood, want dat knarste en kruimelde, vond ze. Bij het bed moest het in ieder geval stil en schoon blijven. Ze probeerde voorzichtig een lepel pap op de lippen van het meisje te brengen en wenste dat ze een glimp van haar blik kon opvangen. Maar de oogleden bleven de hele tijd gesloten. Het enige wat Hillevi kon doen, was haar wangen, voorhoofd en hals betten, want die waren bedekt met fijne zweetdruppeltjes. Ze wachtte een verandering in de toestand af. Bäret kwam met Thielemanndruppels en azijn, maar Hillevi wees het af. De weeën waren nu zo zwak dat ze vrijwel helemaal opgehouden leken te zijn.

Een man en twee kinderen kropen in de bovenkooi boven de bedstee. Ze wendde haar blik af toen de mannenbenen naar boven klauterden en langszweefden in een dikke grijze wollen onderbroek. Een van de kinderen, een jongetje dat niet meer dan een jaar of vier, vijf kon zijn, kwam over de rand van het bed kijken en staarde langdurig naar Hillevi's gezicht. Hij deed geen poging het meisje beneden te zien te krijgen. Het was alsof Hillevi's gezicht en kleren hem bezighielden.

Slaap nu maar, zei ze.

Maar zijn hoofd verdween pas toen zijn vader hem in bed trok. Stro ritselde in de opklapbedden en in de slaapbanken. Ze hoorde een kind zachtjes huilen. De volwassenen die waren binnengekomen, hadden de hele avond nauwelijks een woord gezegd en de kinderstemmen klonken als onderbroken vogelgetjilp. Maar meestal zwegen ze. Bäret was nog steeds op de been en ze vroeg haar van wie die kleine kinderen waren.

Van Ville.

En zijn vrouw?

Die is de pijp uit.

Bedoelt u dat ze dood is? vroeg Hillevi.

Bäret knikte.

Zeg dat dan. Het is onwaardig om dat zo te zeggen.

Bäret staarde haar aan.

Waaraan is ze gestorven?

Ze had het op de borst.

Onderin lag het meisje op haar rug. De bovenkooi wierp een donkere schaduw over haar heen. Daardoor zag het gezicht er ingevallen uit en leek de huid op lompenpapier. Ze was onbeweeglijk en dun. Hillevi nam de broze, hoekige pols in haar handen. Ze voelde een polsslag en die leek nu sneller. Ze keek op haar horloge. Bijna negentig. Het meisje leek suf en jammerde niet meer.

Hillevi sliep af en toe een poosje en wanneer ze wakker werd, deed haar lichaam pijn van het stilzitten. Ze moest nodig op de emmer gaan, die Bäret attent aanreikte. Zij scheen haar aandrang vermoed te hebben. Het liefst was ze naar buiten gegaan, maar het leek erop dat de anderen nu sliepen, dus hurkte ze in de donkere hoek bij het hoofdeinde van de bedstee. Daarna probeerde ze wat heen en weer te drentelen om van die stijfheid af te raken. Maar ze stootte tegen stromatrassen en slapende lichamen en ging maar gauw weer zitten. De warmte bleef hangen, want Bäret legde regelmatig hout in het fornuis. Ze vroeg zich af of ze die anders lieten doven in deze lentenachten.

Een hevig verlangen naar de warmte van een tegelkachel overviel haar, en naar licht van veel lampen. Ze dacht aan warme chocola en aan stemmen die open en zelfverzekerd praatten. Die vroegen hoe de zieke het maakte en die antwoordden als ze aangesproken werden, en die zelf zonder dwang praatten, ook al fluisterden ze en probeerden ze het gekletter van servies en pannen te dempen. Ze wilde denken aan zacht lamplicht en vriendelijke stemmen.

Maar half slapend hoorde ze de stem van oom Carl, zijn geschreeuw.

Er waren kinderen in het donker. Ze vroeg zich af hoe ze sliepen. Met hun vingers in elkaar gestrengeld? Er ruiste iets achter haar, ze hoorde geritsel en een neus vol snot. Verder was de stilte in Lubben dik en donker. Ze had geen idee waarom die zo streng heerste. Er zat angst in. Zelfs de kloeke Bäret dempte haar stem als ze praatte. Waren ze bang voor de dood, dat die het meisje kwam halen? Of was het alleen maar een gewoonte?

Misschien waren ze hier altijd bang om te praten. Ze had het gevoel dat de ouwe van Lubben niets moest hebben van nodeloos geklets. Bäret was een stevige, grote vrouw die zonder aarzelen deed wat ze kon voor het meisje dat haar nichtje was. Maar ze deed haar mond niet open als het niet nodig was, en wanneer het wel moest, wierp ze een blik naar de tafel waar de ouwe zat. Die was even voor middernacht een ommetje gaan maken, maar was weer teruggekomen. Hij was nu gaan liggen. Waar wist ze niet precies.

Ze moest weer ingedommeld zijn en schrok hevig wakker van angst. De lamp was uitgegaan. Ze wekte Bäret, die aan de keukentafel met haar hoofd op haar armen zat te slapen, en vroeg haar een kaars te zoeken zodat ze de lamp konden bijvullen. Toen ze weer licht had, zag ze dat er een verandering in het onbeweeglijke gezicht was opgetreden. Het meisje ademde moeizamer en jammerde zacht bij iedere wee.

Toen Hillevi achterover leunde, zag ze opnieuw het jongensgezicht. Ook deze keer probeerde hij niet over de rand van het bed naar het meisje te kijken. Hij staarde Hillevi aan.

Jij moet nu slapen, zei ze. Iedereen slaapt. Serine ook. Maar dat was niet waar en dat hoorde hij ook wel, klein als hij was.

Ze strekte haar hand uit naar de pols van het meisje. De polsslag was vijfennegentig. Toen ze de rendierhuid optilde om naar de foetus te luisteren, zag ze dat de onderrok doornat was en dat de tijk donker was. De vliezen waren gebroken en het water was eindelijk gekomen, maar zonder dat het meisje iets had gezegd. Het vruchtwater was gekleurd.

Ze waste zich weer om een nieuw onderzoek te doen. Maar het meisje leek helemaal weggezonken, en daarom riep ze bij haar oor terwijl ze klapjes op haar beide wangen gaf.

Serine! Hoort u mij? Serine...

Ze opende haar ogen niet. Haar lippen waren uitgedroogd en Hillevi vroeg Bäret om een beetje water te brengen. Ze nam haar cognacflesje uit de ransel en mengde er enkele druppels in. Eerst gaf ze suiker met daarop wat zenuwdruppels en gelukkig reageerden de droge lippen. Maar toen het meisje water aangeboden kreeg, zag Hillevi dat ze braakneigingen had. Ze was koud en vochtig en bewoog rusteloos haar hoofd heen en weer. Haar vlechten begonnen los te raken en de slierten haar op het kussen waren vochtig van het zweet. Hillevi depte haar gezicht met een handdoek die ze door Bäret in fris water liet uitwringen.

De hartslag van het kind was nog steeds regelmatig en de baarmoedermond was nu twee vingers open. Ze wilde dat net gaan opschrijven, en ook dat ze de kleine fontanel links vóór had gevoeld en de pijlnaad rechts dwars, toen het lichaam van het meisje samentrok in een wee die erg krachtig was. Maar daarna gebeurde er niets. Het hoofd van het kind stond zoals tevoren.

Toen kwam wee na wee, maar zonder enige uitwerking. Het meisje werd steeds onrustiger tussen de inspanningen door. Ze geeuwde en het koude zweet brak haar uit en ten slotte sprak ze zacht. Maar Hillevi verstond haar niet en moest Bäret erbij roepen, die bij het fornuis stond en melk voor haar aan het warmen was.

Wat zegt ze?

Bäret boog zich voorover en ze fluisterden met elkaar.

Het wordt haar zwart voor haar ogen.

Ze zei nog iets, over haar handen. En hoewel Hillevi de woorden niet verstond, begreep ze dat de handen van het meisje gevoelloos werden. Haar ademhaling was korter en sneller. Er kwam een nieuwe wee en nu opende Serine haar ogen en deed haar mond stijf open, maar er kwam geen geluid uit. Hillevi hoorde een stem woorden zeggen die ze herkende. En hoewel het een inwendige stem was, klonk het duidelijk, alsof iemand hier in huis de woorden had gezegd:

We zijn haar aan het verliezen.

Ze was nu erg bang. Het meisje begon zwak te jammeren tijdens de volgende wee, maar de foetus kwam niet verder dan de vorige keer. Hillevi wist wat een oude vroedvrouw zou hebben gedaan. En in het ziekenhuis zou de dokter erbij zijn geroepen. Want nu moest er een tang worden aangelegd. Maar ze stond te trillen op haar benen en voelde zich suf en vond dat ze onmogelijk zo'n beslissing alleen kon nemen.

Toen de volgende wee in het lichaam van het meisje tekeerging, verdween die sufheid. Ze besefte nu dat ze geen keus had en putte kracht uit haar eigen stem toen ze tegen Bäret riep dat die de waterketel weer aan de kook moest brengen, zodat ze de tang kon steriliseren. Ondertussen maakten ze een bed klaar voor de bevalling en legden het meisje erop. Ze was niet zeker of Serine haar taal wel verstond, dus zei ze tegen Bäret dat die haar moest vertellen wat ze ging doen.

Zeg dat het dadelijk achter de rug is, zei ze.

Terwijl de tang in het kokende water lag en ze het gezicht van het meisje depte en haar tijdens de weeën vasthield, bad ze tot God dat het goed mocht aflopen.

Vijfde dag. Zorg voor dat arme kind. Laat het goed aflopen. Geef mij kracht. En vaardigheid, God. Help mij, God. Ik ben een zondaar, dat weet ik. Zij misschien ook. Of iemand hier aanwezig. In het donker. Maar laat het meisje daar niet voor boeten, laat haar leven. Laat dit goed aflopen, goede God.

Ze bad zonder de woorden over haar lippen te laten komen, want ze mocht haar angst niet tonen. Ze moest spreken en handelen zoals Juffrouw Viola Liljeström. Maar dat kon ze niet.

De lepels van de tang gingen gemakkelijk naar binnen, maar de tang wilde niet sluiten. De pijlnaad zat nog in dwarse positie, wat het sluiten bemoeilijkte. Dat had ze wel ingezien, maar ze had gedacht dat de gebeden zouden helpen. Dat er even iets zou bewegen. Trekken was natuurlijk onmogelijk met een open tang. Ze was de wanhoop nabij en dacht dat er niets anders op zat dan haar weer in bed te leggen. Maar toen herinnerde ze zich dat je de handvatten omlaag moest duwen. En ze probeerde het, zonder dat er iets gebeurde. Ze duwde krachtig en toch ging de tang niet dicht.

Ik bid U God uit het diepst van mijn hart, zei ze in zichzelf. Toen ademde ze zo rustig mogelijk in en probeerde de tanglepels dieper naar binnen te schuiven. Bäret stond schuin achter haar, als een grote schaduw. Maar Hillevi keek niet op, ze duwde en duwde in een poging om het kind over de slapen te grijpen en de tang schuin in het bekken te leggen.

Ik bid U God. Laat dit kleine lichaam niet verloren gaan. Laat het meisje niet boeten. Ik bid U: laat haar geen pijn lijden door mijn onbekwaamheid. Laat haar niet sterven. God.

Opeens voelde ze opnieuw een wee door het lijfje trekken en eindelijk sloot de tang. Die zat nu. En ze trok voorzichtig maar resoluut, terwijl ze voortdurend in zichzelf herhaalde: ik bid U God uit het diepst van mijn hart.

En het kind kwam.

Ik weet niet hoe het ging toen ik zelf geboren werd, alleen dat het gebeurde aan de voet van een berg die de Giela heet.

Ik moest als alle andere vrouwen volwassen worden om de pijn van het baren te begrijpen. Pas toen ik zelf de bewegingen als van een rusteloze vogel binnen in me begon te voelen, kwam ik ertoe me af te vragen hoe het werkelijk was. Een oude vrouw vertelde me dat ze een keer in verwachting was en al ver gevorderd, toen ze meeging met de rendiertrek. Ze was de anderen met haar deel van de kudde achterna gekomen en uiteindelijk kreeg ze haar weeën en baarde haar kind ergens helemaal alleen, terwijl de kudde stond te grazen. Daarna moest ze het kind maar onder haar jak stoppen en de rendieren voortdrijven tot ze aankwam bij de tenten die de mannen aan het opzetten waren. Het weer was guur en er was veel te weinig brandhout en ze had veel gebloed voordat ze met het kind kon gaan rusten.

Toen bedacht ik dat mijn moeder, die Ingir Kari geheten moet hebben, kou en eenzaamheid had moeten verdragen toen ze mij ter wereld bracht. Misschien had zij ook verder moeten trekken, omdat er niets anders op zat dan naar de tenten te lopen. Maar toen ik daarover iets aan Hillevi vroeg, zei ze dat de dochter van Mickel Larsson (zij noemde hem nooit Vleesmickel) in het herfst- en lenteverblijf in het berkenbos aan de voet van de Giela bevallen was. Dat was echter iets waar ze niet graag over praatte.

Andere en jongere vrouwen susten me toen ik er ongerust bij liep, en zeiden dat de ellende waarover de oude Elle verteld had, in werkelijkheid niet bestond, zelfs vroeger niet. Het gebeurde althans niet vaak dat pas bevallen vrouwen zo door de kou en de natte sneeuw moesten zien te komen. Nee, je lag op hooi tijdens de bevalling, en er lagen vellen en huiden over de verende berkentwijgen en warme pelsen in het bed, dat elke dag opnieuw opgemaakt werd. Daar kon ik van op aan. En het kind werd in linnen en in zachte huiden van pasgeboren kalveren gelegd en er werd water gewarmd en het werd gewassen. Ja, de eerste drie dagen werd het kind drie keer per dag gewassen en dan twee keer en na een week één keer. Dat deden alle vrouwen die goede moeders waren.

Maar Hillevi had gezegd dat ze hun kinderen nooit wasten, althans niet meer als ze eenmaal een jaar of drie waren.

Wie moest ik geloven?

Mijn grootvader zei dat een vroedvrouw een buis had die ze op een buik zette en met die buis zoog ze het leven uit de mensen.

Maar ik werd bang toen ik begon aan te komen en ik wilde naar Svartvattnet zodat Hillevi mijn bevalling kon doen wanneer het zover was. Ik was de laatste weken erg gespannen en dacht dat me allerhande onheil kon overkomen. Maar zoiets gebeurde zelden, zeiden de andere vrouwen, zo zelden dat je er geen woorden aan vuil hoefde te maken.

Veel later vertelde ik aan Hillevi wat de oude Elle gezegd had. Hoe ze eenzaam in de sneeuw bevallen was. Hoe ze gebloed had.

Ze zijn niet echt als wij, zei Hillevi toen. Ze voelen niet op dezelfde manier.

Maar ik zei: Wij? Wie zijn wij?

Dat waren ook de woorden van tante:

Dat soort mensen voelt niet als wij.

Tante had het zo zacht en ernstig gezegd. Telkens als Sara of Hillevi zich liet gaan, had ze het herhaald. Ze zagen soms hoe het met arme mensen gesteld was. Kinderen. Dieren ook. Maar tante klonk zo zeker, zo rustig overtuigd. Al had ze het nooit uitgelegd. Het was alsof dat niet hoefde.

Ze zijn niet zoals wij, zei ze.

Een keer zei ze:

Ze zijn verwilderd. Dat zie je aan hun gezichten.

Maar Hillevi had een nare herinnering. Ze had haar oom Carl horen schreeuwen. In bed lag het lichaam van tante. Het lampvlammetje scheen onder de kap met de roze bloemen. Het brandde zo alledaags, hoewel er naakte angst uit de stem van oom sprak.

We zijn haar aan het verliezen! brulde hij.

Het was nauwelijks te geloven dat hij het was. Vertwijfeling en angst en misschien ook woede waren uit hem losgebroken en maakten zijn stem hees en grof. Ze wisten niet of tante dood was of leefde toen ze het geroep hoorden. Hillevi had de ijskoude hand van Sara genomen en ze hadden hun vingers in elkaar gevlochten.

Ze zaten op de bank in de hal en rilden allebei van de kou. Zo bijzonder koud kan het anders niet geweest zijn. Een lentenacht met regen op de daken. Ze hadden geslapen en hadden geen benul van wat er gebeurde. Hillevi was wakker geworden doordat ze op de pot moest. Toen hoorde ze voetstappen en gedempte stemmen. Ze maakte Sara wakker en ze kwamen net in de hal toen het dienstmeisje dat Anna heette haastig de trap afliep. De kleerhangers kletterden in de garderobe terwijl ze zich warm aankleedde. Ze moet de mantel van tante genomen hebben want die van haar hing in het keukenhalletje. Die durfde. Maar het was dringend. En daarna sloeg de voordeur achter haar dicht. Midden in de nacht.

De slaapkamerdeur stond open. Tante Eugénie kermde en ze zagen haar armen in het zwakke licht van de commodelamp. Wit waren die. Ze leken op halzen van grote vogels. Hun schaduwen bewogen op het behang. Het was zo onwerkelijk. Sara huilde zachtjes. Ze was iets jonger dan Hillevi en zocht vaak haar toevlucht bij haar. Tobias was pas geboren toen Hillevi al meer dan een jaar bij tante en oom was. Sara kwam ruim een jaar later. Tante Eugénie was toen eenendertig jaar. En nu ze de veertig voorbij was, was het haar opnieuw overkomen. Ze zal deze keer wel beschaamd geweest zijn.

Maar de meisjes hadden er niet zo veel over nagedacht. Hillevi was veertien jaar en Sara amper twaalf. Ze wisten helemaal niets van al dat geheime. Ze wisten niet eens dat tante in de zevende maand was, die nacht toen ze begon te kermen en haar armen boven haar hoofd uitstrekte. Herhaaldelijk sloeg ze haar hoofd tegen het hoofdeinde van het bed. En Sara huilde steeds harder, ze beefde. Hillevi moest haar terug naar hun kamer trekken en haar in bed leggen en proberen de deken zo om haar heen te stoppen dat ze de geluiden niet hoorde. Ze wilde naar de keuken hollen en voelen of het houtfornuis nog warm genoeg was om melk voor haar te warmen, maar toen ze langs de open slaapkamerdeur liep, hoorde ze oom die vreselijke woorden schreeuwen. Daarna kwam hij uit de kamer en riep naar het dienstmeisje Anna.

Waar is ze? Waar is dat mens, verdomme! riep hij, terwijl hij haar zelf erop uitgestuurd moet hebben om de dokter te halen. Waarschijnlijk was hij dat vergeten, want nu liep hij ook naar buiten. Ze hoorde de voordeur dichtslaan en ze dacht dat hij niet eens zijn overjas had aangetrokken. Toen moest zij wel de kamer binnengaan bij tante, die daar alleen lag. Ze was nu stiller, maar ze klampte zich vast aan Hillevi's arm en het deed pijn toen haar greep vaster werd. Soms kneep ze. De geluiden die uit haar kwamen, hadden niets met tante Eugénie te maken. Ze waren even vreemd en ruw als het geroep van oom Carl. Het hoorde niet bij hun voorkomen dat ze kende van overdag. De grijspaarse jurk van tante met de grijze passementen lag op een stoel. Het was een verlaten haven waaruit haar beheersing en haar fijne manieren waren ontsnapt, net zoals de vaderlijkheid en hoogheid van oom met de afhangende bretels waren weggefladderd. Ze waren van gedaante veranderd als in een akelige droom; zij in een vrouw die kneep en kermde, hij in een man met een kraagloos hemd en een broek die bijna afzakte en met een ruwe stem die riep: *we zijn haar aan het verliezen!* zonder dat hij wist tegen wie hij riep. Het scheen niet eens in hem op te komen dat ze kinderen waren, Tobias die nog steeds sliep in zijn kamer en Sara die huilde onder de deken.

Plotseling wilde tante uit bed komen. Ze greep Hillevi vast en richtte zich op en bleef zwaar tegen haar aangeleund staan. Ze ademde hevig en diep. Hillevi voelde dat het de verkeerde manier van inademen was; het verbruikte kracht, het putte uit. Ze gaf klopjes op haar rug en rook een bloedlucht vermengd met tantes eigen geur, die de gedaanteverandering overleefd had in vlaagjes van gewoonheid en alledaagsheid, van fijngemanierdheid en anjerzeep. Maar een bloedstank was het en haar nachtjapon was nat en achteraf had Hillevi donker geworden bloed vooraan op haar eigen nachtjapon. Dan kwam er een beweging, een kramp die door hen beiden heen leek te trekken en Hillevi kon voelen hoe onwillekeurig die was en wat een macht hij over tantes arme lijf had met die zwakke rug van haar. Keer op keer kwam hij terug en telkens groeven de nagels van tante zich in de armen van Hillevi.

Zo stonden ze nog steeds toen de grote foetus kwam, hoewel Hillevi dat niet begreep. Ze hield tante rechtop, ze rook de geur van haar haar en ademde met haar mee, zwaar en hijgend. Daarna ontspande het lichaam zich. Ze slaagde erin haar neer te leggen en zag toen hoe de nachtjapon helemaal besmeurd was, en ook het laken onder haar. Het schoot door haar hoofd dat ze moest proberen de nachtjapon en het madapolam te verschonen zodat Sara geen bloed te zien zou krijgen als ze binnen kwam. Maar eerst moest ze het gezicht van tante wassen, want dat was bezweet, en tante fluisterde nu dat ze water wilde. Maar ze liet de greep rond Hillevi's armen niet los. Ze klampte zich vast als een kind. Toen, midden in die machteloosheid, hoorde Hillevi een volkomen rustige vrouwenstem zeggen:

Dag mevrouw Hegger, hoe maakt u het?

En vervolgens zonder op een antwoord te wachten:

Laten we eens kijken. Lief kind. Wat een flink meisje hebt u, mevrouw Hegger. Lieve mevrouw, nu even loslaten, hoor... zo ja, mevrouw Hegger... ik ben er, u kunt het meisje nu loslaten. Het komt allemaal in orde, eerst gaan we hier even opruimen...

Alles wat ze vervolgens deden, het dienstmeisje en Hillevi, gebeurde terwijl de hoge stem honderduit babbelde en beschreef wat ze aan het doen waren en verzekerde dat alles goed zou aflopen. Zelfs toen ze het onbeschrijfelijke van het slaapkamerkleedje opraapte en (snel en routineus, vond Hillevi met walging) in een handdoek wikkelde, praatte ze zachtjes. Hillevi viel niet flauw en ze liep ook niet weg. Anna, het dienstmeisje, kreeg opdracht het houtfornuis aan te maken en een ketel water op het vuur te zetten. Hillevi haalde zenuwdruppels uit de ladekast, maar de Juffrouw had eigen druppels bij zich die ze op suikerbrokjes toediende. Oom Carl was nergens te bekennen. De Juffrouw zei dat hij bij de kinderen was.

Want dit was Juffrouw Viola Liljeström. Ze had haar vroedvrouwbroche tussen de witte punten van haar gesteven kraag gespeld en droeg over haar wollen jurk een rood met wit gestreepte werkjurk en een groot wit schort, dat ze vlug verving toen ze klaar was met het verschonen van de lakens en de nachtjapon van tante. Het vuile tapijtje werd dichtgevouwen, daar mocht Anna verder voor zorgen. Zodra ze het water had gebracht, kreeg ze opdracht de tegelkachel aan te maken.

De dokter kwam wat later ook langs, maar toen was alles al schoon en rustig en tante sliep. Ze waren haar niet verloren, zoals oom Carl in zijn angst had gevreesd. Hij was nu weer de oude. Van beneden in de herenkamer steeg de geur van sigaren op, toen hij met de dokter zat te praten. Juffrouw Liljeström zei dat tante morfinedruppels had gekregen en dat ze ongestoord moest kunnen slapen. Ze konden nu wat verluchten, maar de kamer moest voldoende warm blijven. Zelf moest ze weg naar een vrouw die haar eerste kind zou krijgen en moeite had om op gang te komen. Maar ze zou in de loop van de ochtend terugkomen, want het was niet ver. Dan zou ze mevrouw Hegger onder handen nemen zoals ze zei. Ze vroeg speciaal aan Hillevi om bij het bed te blijven zitten en het was belangrijk dat ze nu en dan keek of de bloeding echt was gestopt. Bij de minste twijfel of ongerustheid konden ze haar snel weten te vinden in de Gropgränd 2, driehoog, bij de familie Mander. Ze hoefden haar alleen maar te laten roepen.

Tante herstelde. Het duurde maar een week. Maar ze was verdrietig en grijs. En ze vond het jammer dat Hillevi had moeten horen en zien wat een jong meisje bespaard moest blijven. Ze zei dat met haar gewone stem, ingetogen en beheerst. Daarna sprak ze niet meer over wat er die aprilnacht was gebeurd.

Het kind dat in Lubben geboren werd, was een meisje. *Milde vorm van schijndood. Na slijmafzuigen werd het kind met een bad tot leven gewekt. Zwelling op linker- en rechterwandbeen*, schreef ze in haar journaal. Ze woog haar op een unster en kwam op 2.600 gram uit, en ze mat haar op 47 centimeter. Door het aanzienlijke oedeem was de hoofdomtrek niet nauwkeurig te meten.

Ze kreeg een luier en een soort manteltje, dat blijkbaar een samengevouwen flanellen onderrok was. Bäret was ook een versleten trui gaan halen. Een navelbandje had Hillevi uit haar eigen voorraad genomen. Na het badje glom er nog wat foetaal vet op het hoofd onder het rode haardons. Ze ademde rustig en gelijkmatig.

Serine was uitgeput en sliep. De nageboorte was er na een goede twintig minuten uitgekomen en was klein, vast en rond. Er ontbrak niets.

Het was nu licht binnen en Hillevi kon zien dat ze met krantenpapier hadden behangen. Hier en daar sloegen zwarte schimmelvlekken op het papier uit. Onderaan was er met kool op getekend. Paarden met ronde lenden en stugge staartbundels.

Ze kwam buiten in de ochtendkou en ze had het gevoel dat dit de eerste keer sinds uren was, dat ze weer echt kon ademen. Er lag as op het pad naar de beestenstal, gestrooid tegen het uitglijden. Ze volgde het pad en vond een gemak. Aan de andere kant van de muur hoorde ze de schapen blaten en dringen. Iemand was ze zeker hooi aan het voeren.

Ze wilde naar huis.

De mannen hadden moutkoffie gedronken en waren al vertrokken toen ze weer binnen kwam, allemaal behalve de ouwe. Maar een jonge knaap kwam na een tijdje terug en bleef in de deuropening staan zonder iets te zeggen. Bäret scheen te weten wat hij wilde vragen.

Het is nu voorbij, zei ze. Maar ’t is mismaakt.

Hij kwam binnen en ging aan de keukentafel zitten en keek naar de bedstee waarin Serine met het kind lag te slapen. Hij had zijn bontmuts afgezet en hield die met beide handen vast. Hillevi zag dat hij almaar zat te slikken en zijn muts omklemde tot zijn knokkels wit en benig zagen.

De ouwe man verliet zijn plaats aan de keukentafel, liep naar de bedstee en

keek naar het kind. Toen hij vervolgens langs de jongen naar de deur liep, zei hij:
Het is een mismaakt gedrocht. Zoals te verwachten was.

De jongen, die groot en slungelachtig was, stoof naar buiten. Hij liep de ouwe bijna omver. Toen ze allebei verdwenen waren, zei Hillevi tegen Bäret:

Het zijn maar zwellingen. De tang heeft kneuzingen achtergelaten en die zijn nu gezwollen. Het trekt wel weg. Zeg dat tegen Serine als ze wakker wordt.

Ze zocht haar journaal maar kon het niet vinden. En Bäret stond zomaar toe te kijken. Ten slotte zei ze na aandringen van Hillevi dat Eriksson niets van dat boek moest hebben. Over ons schrijven ze niks op, had hij gezegd.

Heeft hij het weggenomen?

Dat weet ik niet, zei Bäret. Ik ben niet de hele tijd binnen geweest.

Er lag water op het ijs toen Hillevi vertrok. De ski's ploeterden en de sneeuwbrij was zo nat dat die niet wilde pakken. Haar rok was te lang, ze mocht niet vergeten om hem in te nemen. De zoom werd zwaar en droop.

Er was nog geen volledige dag voorbij sinds ze naar Lubben was gegaan. Niemand had haar ervoor bedankt dat ze het kind levend ter wereld had geholpen. Kennelijk had niemand haar daar gewild. Bäret misschien toch wel. Dat was moeilijk te zeggen. Eigenlijk had de oude man haar anderhalve kroon moeten betalen voor de bevallingshulp. Maar ze had het niet durven zeggen.

Ze vroeg zich af hoe het met Serine zou gaan. Zouden ze haar met het kind terug naar huis sturen, terug naar Noorwegen? Maar dat zouden ze dan wel vóór de bevalling hebben gedaan. En nu? Zouden ze haar blijven misbruiken? Hillevi had daar niet meer aan gedacht uit blijdschap dat ze dat gezonde, levende kinderlijfje kon vasthouden, en door de opluchting dat het meisje eindelijk wat rust had. Ze had haar helemaal uitgeput in slaap zien vallen, nog met een wit snorretje van de beker pap die Bäret haar gegeven had.

Hillevi stond leunend op haar skistokken in de heviger wordende sneeuwbui. Hier moest ze aangifte van doen. Maar wie moest ze aangeven? En bij wie moest ze haar rapport indienen?

Er moet ergens een rijksveldwachter te vinden zijn, dacht ze.

Ze was vertrokken zonder haar boek. Het tekort aan slaap en de spanning hadden haar murw gemaakt; ze had niet meer de fut om dat probleem grondig uit te spitten. Dat zou ze wel doen zodra ze terugkwam om Serine te verzorgen, had ze gedacht. Maar toen ze ploeterend in de dooiende brij halverwege het meer gekomen was, besefte ze dat ze het boek nooit meer terug zou zien als ze een hele dag wachtte. De ouwe zou het in het houtfornuis verbranden. Voorlopig was dat nog niet gebeurd, daar was ze zeker van. Hij zou het zeker eerst nog willen lezen. Ze was ervan overtuigd dat hij geloofde dat haar aantekeningen met een aangifte te maken hadden.

Ze kon net zo goed alles uit het hoofd opschrijven zo gauw ze in het pension aankwam. Hangend op haar stokken doorliep ze de bevalling uur na uur. Het gewicht en de lengte van het kind wist ze nog. Het tijdstip waarop ze ontdekte dat de vliezen gebroken waren en het vruchtwater gekomen was. Alles. Geen probleem. Maar eigenlijk kon dit zomaar niet.

Nee.

En ze keerde om.

Terwijl ze naar Lubben terugkeerde, had ze de wind in haar gezicht. De sneeuw, die uit het westen en uit de bergen aan kwam dwarrelen, gaf een grijs licht. Er zat een sterke aprilzon achter het wolkendek.

Net als toen ze de eerste keer aankwam, begonnen de honden te blaffen, nu allebei tegelijk. De sneeuw wervelde recht in haar gezicht en striemde in haar ogen. Ze moest zich van de wind afwenden en haar sjaal over haar voorhoofd trekken.

Ze ving een glimp op van gestalten bij het wak waar ze hun water haalden. Eén gebogen over het gat en een andere hurkend. Vervolgens trok een grijze sneeuwvlaag over haar gezichtsveld. Ze zag niets meer en zwoegde verder met gebogen hoofd. Ze voelde hoe haar sjaal, die ze over haar muts getrokken had, doornat en zwaar van de sneeuwregen werd.

Toen ze het wak opnieuw te zien kreeg, was er maar één verdikking in de sneeuwbui, een eenzame gestalte en die stond rechtop. Als een paal. Ze skiede door in de spattende sneeuw. Alsof ze in appelmoes ploeterde.

Wat raar. Hij stond daar maar te staan. Zomaar. En een putemmer had hij niet. Want het was een man. Hij hield iets vast. En hij droeg het in zijn armen zoals een vrouw iets draagt. Hij omsloot het, drukte het tegen zich aan.

Ze trok haar sjaal nog wat lager om haar ogen tegen de jagende sneeuw te beschermen en ploeterde voort. Toen ze nogmaals door de dichte sneeuw probeerde te kijken, stond hij daar nog steeds.

Toen ze stilaan naderde, liep hij haar tegemoet. Hij stopte haar toe wat hij in zijn armen hield. Het ging zo snel dat ze niet anders kon dan haar skistokken laten vallen en haar armen uitsteken. Zodra ze het bundeltje in haar armen had, draaide hij zich om en liep naar de oever.

Het was het kind. Zonder muts, zonder deken rond haar lijfje. En daarginds de man die met lange laarzenstappen door de sneeuw ploegde. Het was trouwens geen man. Het was die slungelige jongen. Ze had zijn gezicht onder de rand van zijn muts gezien. Driftig trok ze haar sjaal los die rond haar hoofd en schouder lag, en probeerde het hoofdje van het kind te bedekken. Maar het was al nat en ijskoud.

Hé, stop! riep ze. Help me even! Ik kan niet bij mijn skistokken.

Maar hij liep naar de oever zonder om te kijken.

Wacht! Wacht op mij!

Hij was weg. Zij stond midden in de dikke, dwarrelende sneeuw.

Ze probeerde zonder skistokken met haar armen stevig rond het kind vooruit te sloffen maar verloor meteen een ski. Ze voelde de kou rond haar neusvleugels en haar gezichtsveld werd nog waziger. Haar hart sloeg snel en gejaagd en ze dacht: nu mag ik niet flauwvallen. Haar benen begaven het en ze ging zitten in de nattigheid, maar door de zware ransel op haar rug verloor ze haar evenwicht en viel achterover. Maar ze bleef niet liggen. De flauwte ging over. Om weer in zithouding te komen moest ze enkele ogenblikken het kind neerleggen.

Ze voelde zich helderder in haar hoofd toen ze eenmaal zat. Ze nam het kind weer bij zich en trok het versleten truitje aan de rand open om de hals te voelen. De huid was ijskoud en blauwachtig. Er was geen pols. De ogen waren stijf gesloten. Het truitje en het manteltje dat ze zelf uit een oude onderrok had gevouwen, waren doornat.

Het was te laat. Geen warmte zou nog helpen.

Toch voelde het verkeerd om het kind in de natte sneeuw te laten liggen terwijl ze de stokken en de kwijtgeraakte ski bij elkaar zocht. Ze tastte een tweede keer en een derde keer naar een polsslag zonder iets anders dan kou en stijfheid te voelen. Toen bond ze het kind in haar sjaal tegen haar borst vast en begon naar het dorp te skiën. Terug naar Lubben durfde ze niet.

— * —

De jongen, die Elis heette, rilde toen hij van het meer terugkwam. Zijn trui en zijn lichaam voelden alsof ze kieren hadden waar de wind recht doorheen trok. Zijn wanten waren doornat en de natte plek vooraan op zijn borst drong door zijn jas en zijn trui tot op zijn blote lijf.

Hij durfde niet naar binnen. In plaats daarvan nam hij het pad naar de stal. Daar kroop hij binnen tussen de schapen, maar hij bleef rillen. Hij begreep dat hij huiverde door iets anders dan de kou en dat hij door dat andere dood zou kunnen beven.

Hij zag door een kier dat het begon te schemeren en hij besloot wat langer te blijven om te proberen een beetje van de schapenwarmte te profiteren. De dikke strolaag rook sterk. Die gaf wel warmte, maar hij rilde nog steeds. Aan de achterkant hoorde hij de geiten onrustig worden. Die wisten altijd wanneer het tijd was. Hij moest weg voordat er iemand kwam om ze te voeren. Hij wist niet wie het zou zijn. Hij kon zich niet herinneren wie de afgelopen dagen de taak van Serine overgenomen had. Ze hadden hem gestuurd, maar niet iedere keer. Hij wist niet hoeveel keer, hoeveel dagen.

Maar de verpleegster zorgt dat het kind het warm krijgt. Daar is ze nu mee bezig.

Toen ze in Lubben aangekomen was, had ze instrumenten uit een blauwgeverfde ransel gehaald en er het ergste uitgepikt. Hij was bang voor haar. Maar ze was als twee vrouwen.

De tweede vrouw was goed. Die hield nu het kind warm. Ze verzorgde het lijfje. Haar handen brachten leven in het kleintje. Zacht waren ze. Nu leefde het kind op. Het was al in het pension. Daar warmde de vrouw nu melk, verkruimelde stukjes suiker. Legde de suiker in een doekje en doopte dat in de melk en gaf het aan het kind, dat de warme zoetigheid opzoog.

Hij durfde niet naar binnen. Hij wilde iets tegen Serine zeggen. Maar hij wist niet wat hij haar had moeten zeggen als hij zich toch naar binnen gewaagd had.

Zijn vader kwam in de stal. Hij zorgde eerst voor de geiten en zag Elis pas toen hij bij het schapenhok kwam.

Kom hier, zei hij.

Elis verroerde zich niet. Toen stapte hij met zijn lange benen over het hek en greep Elis in zijn nek.

Waar heb je d'r?

Een meisje. Dat wist Elis nog niet. Hij zweeg en boog zijn hoofd tegen zijn borst voor de meppen.

Vertel! Vertel, zeg ik! riep zijn vader.

Maar hij zweeg. Hij dacht: sla gerust. Doe maar. Want de kleine is nu toch in het pension. Krijgt warme melk.

Zijn vader sloeg als een gewone man. Het ergste was als de ouwe kwaad werd. En dat werd hij. Hij zat aan tafel toen ze binnen kwamen. Vilhelm had Elis nog steeds in zijn nek vast en duwde hem naar het fornuis. Alsof hij toch niet uit het oog verloren was dat Elis zich moest kunnen warmen. Vervolgens zei hij wat hij dacht.

Ze ligt in het water.

Elis sprak het niet tegen. Hij dacht dat het beter was als ze dat geloofden. Zo veel had hij er wel van begrepen. Hij wankelde naar het fornuis en strekte zijn handen uit boven de warmte, en dacht aan het pension.

Toen kwam de slag op zijn achterhoofd. Hij had de ouwe niet eens horen opstaan. En al evenmin zou hij ooit te weten komen wat hij vastgegrepen had om mee uit te halen.

Hij lag op het uitschuifbed. De ouwe zag hij niet meer. Iedereen behalve zijn vader was naar buiten gegaan. Hij kreeg water te drinken, zijn vader hield hem de scheplepel voor. Zijn achterhoofd was nat. Het licht was grijs, avondschemering dacht hij aanvankelijk. Maar het kwam door de sneeuwbuien. Het was nog steeds middag. Hij hoorde de wind, hoe die aan de berken sleurde en hoe het vuur in de schoorsteenpijp loeide. Zijn vader hield hem in het oog en het ontging hem niet dat hij opgelucht was toen hij Elis zag bewegen.

Nu krijgen we de rijksveldwachter op ons dak, zei hij. Snapte je dat dan niet? Of heb je d'r soms laten vallen?

Elis wendde zijn hoofd af.

Antwoord!

Maar hij zweeg want hij durfde niets te zeggen.

Hij meende buiten bijlslagen te horen. Misschien was de ouwe brandhout aan het hakken. Dat deed hij vaak als er nog woede in zijn lijf zat nadat hij had geslagen.

Elis ging voorzichtig rechtop zitten. De natte plek op de kussensloop was donker. Hij voelde aan zijn haar en aan zijn achterhoofd en werd bang. Hij voelde zich onwel als hij zat. Het kwam in golven.

Toen hij wankelend opstond en naar de deur liep, was dat omdat hij niet binnen wilde kotsen. Maar hij raakte niet op tijd buiten. Terwijl hij tussen zijn voeten kotste, bliksemde het in zijn hoofd. Hij was bang voor nog meer slaag. Daarom zei hij het zoals het was. Zoals hij in het diepst van zijn ziel wist dat het was, hoewel hij in het schapenhok had liggen denken aan het pension en aan warmte en melk. *Dat ze het niet overleefd had.*

Ze ging dood, zei hij. Maar ze ligt niet in het water. De vroedvrouw nam d'r mee.

Toen kwam zijn vader snel overeind en vroeg of dat waar was. En hij hield zijn vuist gereed.

Ze nam haar mee.

Zijn vader greep zijn laarzen en trok ze aan. Hij vloekte toen het te stroef ging. Daarna dreunde de deur achter hem dicht en Elis bleef helemaal alleen achter.

Lang zou dat niet duren. Dus dacht hij: ik mag niet nog meer slaag krijgen. Dat gaat niet. Hij nam zijn laarzen en zijn mes en een warm wollen hemd. En hij nam ook een stuk spek dat op de keukentafel lag.

Voor hij vertrok, opende hij het luik van de bedstee. Serine sliep. Hij wist toch niet wat hij tegen haar moest zeggen, dus sloot hij het luik maar weer.

— * —

De sneeuwbui ging over in stromende regen terwijl Hillevi naar het dorp skiede. Ze duwde zich in de smeltende sneeuw voort zo hard ze kon, maar haar ski's schoven keer op keer vast in de natte brij en haar schoenen gleden uit de riempjes. Ze raakte stilaan uitgeput en moest stoppen om met haar lichaamsgewicht leunend op de skistokken op adem te komen. De bosrijke heuvelruggen boven het dorp lagen wazig in iets wat trillend het midden hield tussen water en lucht. Ze vond niet dat ze veel was opgeschoten hoewel ze zich doodmoe had geskied.

Toen hoorde ze achter zich een hond blaffen. Ze begon weer zo snel als ze kon door te skiën. Maar het hondengeblaf naderde. Even later zag ze een zwarte hond toen ze over haar schouder omkeek. Hij blafte terwijl hij rende en het duurde niet lang meer of hij zat haar op de hielen. Ze voelde dat hij aan haar rok sleurde. Ze probeerde zich met een skistok te verweren, maar daar werd hij nog razender van en hij sprong tegen haar op en trok aan de rechtermouw van haar jas.

Ze vond eerst dat het een vreselijk beest was, want hij had grote witte ogen zoals ze nog nooit bij een hond gezien had. Maar toen zag ze dat het witte vlekken waren in de vacht boven zijn ogen. Ze haalde met haar stok naar hem uit, waardoor hij wegdribbelde. Nu hoorde ze achter zich een kreet en het schuren en ploeteren van ski's. De hond scheen te kalmeren en liep blaffend in halve cirkels om haar heen.

Ze stopte niet. Boog haar hoofd en bleef zich met haar skistokken afduwen. Maar een man haalde haar in en sneed haar zo scherp de weg af dat ze een harde por kreeg.

Het was die Ville, zoals Bäret hem noemde. Hij stak alleen maar zijn armen uit. Ze kon niets anders doen dan wat ze deed. Ze was bang voor hem.

De hond met de witte oogvlekken volgde hem toen hij omkeerde en terug naar Lubben skiede.

Het was alsof dat enge in Lubben iemand anders was overkomen. Het leek meer op iets wat ze alleen maar van horen zeggen had.

Niettemin kwam er het een en ander bovendrijven.

Het geluid van ski's die ritselden in natte sneeuw. De angst.

Het kleine, harde, ijskoude lichaampje. Dat ze afgaf.

Natuurlijk was het echt gebeurd, want zij was niet de enige die erbij was geweest. Maar die man zou het niet op dezelfde manier vertellen. Niemand van hen zou er overigens over praten, niet eens onderling. Zo veel was duidelijk. Ze zouden zwijgen, zwijgen en nog eens zwijgen.

Hun zwijgen was boosaardig. Het was als het zwarte water onder het ijs.

Svartvattnet was een akelige naam.

Ze zweeg erover in het pension en ze zweeg in de slee op weg naar huis. De boer die mende, kwam uit Skinnarviken. Hij was godzijdank niet spraakzaam. Hillevi had maar één gedachte: alles aan Edvard vertellen. Hij zou wel weten wat te doen. Hoe een aangifte te schrijven en waar die naartoe te sturen als je zo afgelegen woonde.

De hele rit lang dacht ze na over de brief die ze hem zou schrijven. Maar ze wist niet hoe ze moest beginnen. Het was allemaal al wazig en onduidelijk geworden. Bäret en haar gerammel met de waterketel. De kindergezichtjes. De stem van de ouwe van Lubben in de donkere kamer.

De herinneringen dreven als melk die stremt: halfopgelost bewogen ze zich in een troebele massa. Maar het was echt gebeurd. De matrastijk stijf van het bloed en de bedompte lucht. De ademhaling toen die scherper werd. Het gekerm. Uiteindelijk de slaap.

Het geluid van ski's in blubberige sneeuw. Vochtige nevel en sterk licht en doorweekte schoenen.

Het koude kinderlijfje.

Ik heb een dominee nodig, dacht ze. En Edvard is dominee.

Eenmaal thuisgekomen zat ze aan tafel met briefpapier voor zich, maar zodra ze haar pen in de inkt had gedoopt, zag ze in dat ze wilde dat hij bij haar was. Een dominee die luisterde. Liefst een tikkeltje afgewend.

De enige bereikbare dominee lag stijf als een mangelrol op zijn als bed opgemaakte bank. Hij was niet dood maar ook niet levend. En ze wist niet eens hoe ze deze brief moest beginnen. Het schoot zelfs door haar hoofd dat het gevaarlijk kon zijn om het op te schrijven. Dat was een nogal waanzinnige gedachte.

Of misschien toch niet.

Eén zin stond er op het blad toen ze het dichtvouwde en naar bed ging. Merkwaardig genoeg sliep ze ook. Ze was helemaal uitgeput.

Hillevi had wel eens horen praten over iets wat de mensen de Lappenziekte noemden. Het kroop in de zenuwen en niet de Lappen kregen het maar zij die uit het zuiden hiernaartoe verhuisden. Ze wilde niemand vragen wat het precies was, want ze had al geleerd dat het zwijgen hier soms oorverdovend was. Ze wilde graag haar mannetje staan, maar werd vanbinnen aangevreten door iets wat best wel eens die ziekte kon zijn.

Er gebeurde tegenwoordig van alles wat ze niet herkende. Zoals de eerste dag dat het licht was teruggekomen. Of was het misschien een willekeurige dag waarop ze gewaar werd dat het licht steeds meer aangevuld werd tot de lucht op het punt stond open te breken? Toen was er hier nog een leven om in te richten. Om voor te zorgen. De maat van gordijnen nemen. Behangen. Naar Edvard schrijven over het eetkamermeubilair. Kon je zoiets laten brengen?

Ze had een idee voor een stramienwerk waarmee ze de knielbankjes voor de huwelijksvieringen kon bekleden. Ook Edvards werkkamer moest natuurlijk worden ingericht zodat hij de paren kon trouwen die al op de zaken vooruitgelopen waren. Wat hier kennelijk ook al niet ongebruikelijk was.

Rozen in petit point had ze gewild, witte en roze, beurtelings open en gesloten, op een zwarte bodem. En hoe kwam je aan zulke bankjes, en aan een passend motiefje? In Stockholm was een speciaalzaak voor kerkelijke benodigdheden. Maar rozen?

Daarna was de sneeuw gekomen, eerst een grijze sneeuwstorm uit het westen die de sparren bij het raam door elkaar schudde. Langzamerhand werd het kalmer en dwarrelde de sneeuw minder dik neer. Maar sneeuw was het, dagen aan een stuk. Vorig jaar had ze rond deze tijd in Uppsala een lente-uitstapje naar het domein Eklundshof gemaakt en daar leverbloempjes geplukt.

Het licht was nu groot, het stond als een stolp over de wereld. Overdag was de stilte even diep als 's nachts. Af en toe werd ze door hondengeblaf doorpriemd. Lusteloos keffend klonk het in de nacht. Tijdens de dag, als het aprillicht op zijn hoogst stond, venijniger.

Ze zat zoals zo vaak bij het raam aan haar zoomsteekdoek te borduren. Het was ongebleekt linnen dat ze uit Uppsala had meegebracht. Ze had twee rollen beige kant in de ladekast. Die zou ze rond de zoom aanbrengen. In het midden van de doek was ze begonnen aan een zoomsteek in een ruitjesmotief, wat een heilzame bezigheid was. Toen ze gestommel op de steile zoldertrap hoorde, wist ze dat het Märta Karlsa was. Ze herkende de voetstappen in de vilten sloffen, maar dat was zelfs niet nodig geweest. Er kwam nooit iemand anders.

Er is 'n brief gekomen.

Ze bleef staan als had ze gedacht dat Hillevi haar zou vertellen wie er had geschreven. Misschien had ze een kopje koffie moeten krijgen, maar Hillevi brandde inwendig. In haar vingers, in haar borst. Het was de eerste brief die ze van Edvard kreeg. Hiervoor moest ze alleen zijn. Ze ritste de envelop met haar wijsvinger open en had meteen spijt dat hij zo lelijk gescheurd was.

Eerst keek ze naar het slot, want daar moest het belangrijkste staan. Woordjes die hij had gefluisterd. Maar er stonden er geen. Vlug keek ze hoe de brief begon. Ze sloot haar ogen. Besefte toen dat die woorden niet zomaar naar de aanhef zouden verspringen omdat zij er zo ontzettend naar had verlangd. *Mijn lieve meisje!* Haar ogen schoten vol tranen van schaamte terwijl ze terugdacht aan de drie brieven die ze zelf geschreven had. *Mijn geliefde Edvard! Edvard, mijn teergeliefde vriend! Mijn liefste!*

Ze kon nu onmogelijk verder lezen. Zonder de brief of haar handwerk aan te raken zat ze naar de gehavende kruin van de spar bij haar raam te staren. Naar de berken die in een vacht van zwart korstmos ineengedoken stonden. Na enige tijd begon ze weer te naaien. Voortdurend hoorde ze een vogel. Hij zat in die zwarte, warrige berk naast de kerk. Een eentonig beestje. Een vogel uit de duisternis die een nest in haar borst wilde bouwen. Snavels klepperden scherp, het kwam uit het bos. En de sneeuw viel onophoudelijk en snel neer en het rare vogelgeluid had zich in haar genesteld.

Het licht werd almaar aangevuld en haar toekomstige leven werd zo dun; in een waterige voorstelling zag ze hoe ze zich naar de pastorie en terug spoedde, met een hoed op en een mantel aan. Het beeld verdween ten slotte in de sneeuwwervelingen en liet haar starend in het bezinksel van het licht achter.

Ze had nog steeds niet naar Edvard geschreven. Naar de rijksveldwachter evenmin.

Nu zat ze aan tafel met de ongelezen brief van Edvard en de slordig opengescheurde envelop voor zich. De sneeuw dwarrelde neer en het begon te schemeren. Wat een truttigheid toch dat ze niet durfde lezen. Maar zo was het met haar gesteld in deze lentedagen. Nog steeds had ze hartkloppingen van liefdesverlangen, nog steeds voelde ze zich oud en versleten. *Als uw oprechte vriend wil ik u aanraden uw gemoed niet te belasten met meer dan het dragen kan.* Zo veel had ze alvast gezien toen ze aan het slot naar de liefdeswoordjes zocht.

De angst was nu over. Het was donker geworden en ze ging naar boven en stak de lamp aan. Ditmaal begon ze de brief vanaf het begin te lezen.

Uppsala, 29 maart 1916

Mijn lieve meisje!

Dank u voor uw lange brief. Hij was zeer welkom. Doch moet ik na het lezen ervan een zekere ongerustheid bekennen. Dat de situatie waarin gij u begeven hebt, veel van u vergt, komt niet als een verrassing voor mij en wellicht evenmin voor uzelf, na de gesprekken die wij hebben gehad over uw, zoals ik nog steeds vind, overhaaste beslissing om naar Röbäck te gaan. Het is een afgelegen, uitgestrekte gemeente en haar armoede en afstand hebben een overweldigende invloed op een gemoed als het uwe.

Ik ben zoals gewoonlijk overstelpt door werkzaamheden en mijn voorbereidingen voor de verhuizing, die ook het lezen van gemeentebeschrijvingen en andere rapporten omvat, zijn naar de achtergrond verdrongen. Ik reken daarom op uw inschikkelijkheid wat onze briefwisseling betreft. Wanneer ik arriveer, is het ook niet zeker dat wij met elkaar zullen kunnen praten zoals wij dat beiden zouden willen. Wij moeten er noodgedwongen aan denken dat de situatie gevoelig ligt.

Als uw oprechte vriend wil ik u aanraden uw gemoed niet te belasten met meer dan het dragen kan. Hoezeer wij het ook zouden willen, wij kunnen in onze menselijke zwakheid niet al het lijden, dat wij op onze weg ontmoeten, lenigen. Het is onze plicht dat aan God over te laten en ons in alles op Zijn barmhartigheid te verlaten.

Uw toegenegen Edvard

Edvard was geleerd. Hij was tot predikant gewijd. Ze wist dat hij het ver zou brengen, ja, daar was ze heel zeker van. Zowel de domproost van het aartsbisdom als de aartsbisschop zelf had een goed oog op hem. Ze hadden met verbazing gehoord dat hij naar het noorden wilde.

Maar hij zou niet kunnen begrijpen wat er in Lubben was gebeurd. Hij zou vinden dat ze het te lelijk vertelde. En ze was niet in staat het op een andere manier te vertellen dan zoals het was. Lelijk en boosaardig en onherstelbaar.

Ze nam haar eigen nauwelijks begonnen brief uit de la. Terwijl ze naar de kachel liep en het deurtje opende, las ze het weinige dat ze opgeschreven had: *Mijn geliefde Edvard! Er is iets verschrikkelijks gebeurd.* Ze stopte het blad erin en het vlamde op en verschrompelde zwartbruin. Vervolgens viel het in asschilfers uit elkaar.

Gods barmhartigheid, Edvard. Gods barmhartigheid.

Ik zit naar de huizen op de helling te kijken. Ondanks de hitte is de oude man buiten. De Noor noemen ze hem. Hij strompelt over het korte gras. Het kruis van zijn broek hangt te laag. Zijn hand klemt zich vast rond de kruk van zijn stok. Hij heeft zijn hoed ietwat scheef opgezet. Is het koppigheid? Of een soort koketteren?

Iemand wil hij toch zijn, al is hij hier terechtgekomen.

Ik kan geen hoogte van hem krijgen. Hij loopt met korte stapjes over het gras. Zijn stok wijst naar voren terwijl hij zijn linkervoet verplaatst, komt dan neer, rust tijdens de stap van de rechtervoet, wijst naar voren en komt weer neer. Voor hem is lopen een hele onderneming. Niettemin steekt hij het grasveldje van het erf over alsof hij een ander doel voor ogen had dan de dood. Niet dringend. Wel belangrijk.

Nu komt hij bij zijn hond.

Het is een spitshond, zwart en met een samengeklitte vacht. Hij heeft enkele bleekgrijze vlekken op zijn snuit en zijn borst. Het kan hem niet veel schelen dat de opa over het zonovergoten erf wandelt. Hij hoeft nergens heen, zal de hond wel denken. Of weet hij. Maar wanneer de ouwe het paalschuurtje nadert, spitst hij zijn oren en gaat hij harder kwispelstaarten. Hij richt zich stijf op uit zijn zonnebad bij de houten muur. Loopt een eindje weg en pist. Op het bieslook deze keer.

Nu is de ouwe het schuurtje gepasseerd en de hond ziet met een wijze, bruine blik uit zijn gelittekende en gezwollen oogplooien dat hij op weg is naar het woonhuis. De hond laat zich weer op zijn zij in het gras vallen. Dommelt in.

De aslade van het houtfornuis staat in het portaaltje. Vogels wentelen zich in de as, schudden hun veren en fladderen.

Aswolkjes in de zon. Stof dwarrelt op.

De oude man wandelt in zijn vertelling.

Of heeft hij die verlaten met zijn stok en zijn hoed, charmant scheef zoals in vervlogen dagen? Al strompelend over het gras een nieuwe mens voortgebracht? Een andere.

Dat zou hij wel willen geloven.

Het licht van de zomernachten. Het meisjeslichaam. En of hij er iets van kon. Dat hij toch ook zo veel tederheid voor het kwetsbare had.

Hij is nu zo oud dat de rozige tepels die hij aanraakte, ingevallen en verschrompeld zijn.

Vermolmd zijn ze.

Hij ving het onzekere licht. Schilderde vogelkreten, een huid vol gloed. Gebladerte.

Toen Hillevi alleen thuis zat met haar handwerk, moest ze vaak aan Juffrouw Viola Liljeström denken. Aan de schone werkjurk met de smalle rode en witte streepjes, aan de broche met het verbondslogo en aan het schort en de mollige, geschrobde handen met de kortgeknipte nagels. Aan de hoge stem en het onafgebroken, rustig klaterende praten.

Ze vroeg zich af hoe het afgelopen zou zijn als Juffrouw Viola Liljeström de bevalling van het meisje in Lubben had gedaan.

Toen dacht ze voor het eerst iets geringschattends over deze zo bewonderde persoon. Dat zij wel uitkeek. Voor plaatsen zoals Lubben. Zoals Svartvattnet. Zoals deze uithoek van de wereld.

Hillevi had nog twee bevallingen gedaan, een in Vitvattnet en een in Röbäck zelf. De ene vrouw was zevenentwintig jaar, gezond en sterk, en kreeg haar derde kind. Na dertien uur weeën zonder complicaties kwam een jongetje ter wereld. Er was schoon linnen in huis en de koperen ketel waarin Hillevi haar instrumenten steriliseerde, stond weliswaar op de grond in een hoek van de keuken, zoals in Lubben, maar de vloerplanken waren niet rot en er hing geen stallucht of schimmelgeur rond het kraambed. De andere baarde voor het eerst, ze was negentien. Ze leek ondervoed maar was sterker dan Hillevi had gedacht. De weeën waren om twee uur 's middags begonnen en het kind werd de ochtend daarop om negen uur geboren. Na vijfentwintig minuten kwam de nageboorte eruit en Hillevi zag opgelucht dat die volledig was. Ze legde het kind, dat een tenger klein meisje was, in de armen van de moeder en zat enkele ogenblikken stil in een dankbaarheid die ze in gewone omstandigheden tot God zou hebben gericht.

Eigenlijk had ze er behoefte aan om met Edvard als dominee te praten over de gedachten die ze had over God en Zijn veelbesproken barmhartigheid. Herinneringen sneden in haar alledaagse gemijmer en gedachteloze gepraat. Scherpe, snel vervliegende herinneringen.

Maar wat moest ze daarover zeggen tegen Edvard? Over Lubben. Over ellende waartegen geen remedie bestond.

Ze had geïnformeerd, voorzichtig. Ze zeiden dat de jongen weggelopen was. En daarmee stond het wel vast dat hij de vader was. Maar wat had hij uitgevoerd daar op het meer?

Ze moest naar de rijksveldwachter schrijven. Of liever naar de commissaris. Op een avond legde ze opnieuw briefpapier klaar. Haar besluit stond vast.

Om vier uur werd ze wakker met het bittere besef dat Edvard nooit zou trouwen met iemand die in dit soort rechtszaak betrokken was geweest.

Het meisje, Serine, was inmiddels allang terug bij haar familie in Skuruvatn. Hillevi hoopte dat ze zo weinig mogelijk wist. Dat ze had geslapen. Dat ze zou mogen vergeten.

Zelf had ze gedacht dat zij ook zou vergeten. Toen ze naar Röbäck terugkeerde, was alles troebel en onwerkelijk geweest. Het was alsof het iemand anders was overkomen. Of helemaal niet was gebeurd.

Maar ze vergat niets. Niet het minste detail.

Ze was ook geen bakvis meer. Ze slingerde niet langer heen en weer in wroeging en verlangen en kreeg geen invallen meer die ze meteen wilde uitvoeren. Ze ontdekte dat als je een geheim hebt, je jezelf leert kennen.

Vaak liep ze met een of ander smoesje langs in de keuken van Märta Karlsa, waar het altijd een komen en gaan was. Ze had een weefsel willen opzetten in plaats van te luisteren naar berenverhalen en Lappenleugens, het liefst een met veel schachten, waar je je aandacht bij moest houden. Was het weefgetouw al maar aangekomen.

Maar Edvard. Hij arriveerde tegen Pasen. Alles bulderde van verlangen en zon en stortend smeltwater. Hij liep op de weg, hij trippelde voorzichtig om niet met zijn overschoenen in het slijk uit te glijden. En hij nam een grote breedgerande zwarte hoed af die hij zich had aangeschaft. Ze wist niet of ze moest lachen of huilen.

Ze zocht hem zelf op in zijn kantoortje. En hij riep:

Hillevi!

Zijn smalle, fijne handen beefden toen hij ze naar haar uitstrekte. Zodat zij ze vast kon pakken, dacht ze. Maar het was een afwerend gebaar. Hij zei vrijwel fluisterend:

We kunnen elkaar zo niet ontmoeten. Dat is volstrekt onmogelijk.

Nu zou je toch kunnen denken dat de vroedvrouw in een dorp het een en ander met de dominee te bespreken had. Dat zei ze ook toen ze zijn nerveuze reactie zag. Ze wilde zijn handen vastnemen en zijn gezicht aanraken; ze wilde hem kennen in alle aardse en bijbelse betekenissen. Maar hij was zo bang dat er iemand zou binnen komen. En natuurlijk kwam de vrouw van de dominee vragen of ze koffie mocht aanbieden, want wat Edvard het kantoor noemde, was haar salon. In de werkkamer, waar de oude dominee het bevolkingsregister bijgehouden had, was niets veranderd. Norfjell lag waar hij lag en kon niet worden vervoerd voordat de toestand van de wegen beter werd.

Er werden Karlsbader broodjes geserveerd. Zandtaartjes en amandelkoekjes. En alweer de amandelcake uit Öland. Edvard zei niet veel en dat verleidde Hillevi tot bijna opgewekt gekeuvel. Gejaagd in ieder geval. Ze kwam op het idee een anekdote te vertellen die ze in Märta's keuken had gehoord, over een oude man en een Lappenmeisje. Het kwam doordat Edvard vroeg waar de Noorse grens lag, waarop de vrouw van de dominee beschreef hoe die aan de overkant van Svartvattnet tussen de zomerweiden op Lunäset liep.

Ja, daar ja, zei Hillevi. Daar waar het Lappenmeiske ontvoerd werd!

Hoe bedoelt de juffrouw? vroeg de vrouw van de dominee.

Nou, er woonde daar een ouwe man die een Lappenmeiske had. Hij had d'r ontvoerd en ze mocht niet naar huis. Hij had lang haar, die vent, en 's avonds nam hij zijn haar en vlocht dat vast aan het haar van het meiske. Zo kon hij voelen of ze bewoog in bed en probeerde te vluchten.

Edvard keek omlaag naar zijn handen op zijn knieën.

Hoe dan ook, zei Hillevi, het meisje had een mes bij zich in bed weten te verstoppen. Toen de ouwe sliep sneed ze haar haar af. En zo slaagde ze erin te vluchten. Toen hij wakker werd, zag hij dat ze weg was. Hij erachteraan, natuurlijk. Maar hij vond d'r niet. Ze lag onder een spar en hoorde hem hijgend voorbijlopen.

Ze zaten volkomen stil. Maar ze moest haar anekdote afsluiten en deed dat nogal abrupt:

Later ging ze terug naar haar familie. Maar ze werd nooit niet meer de oude vertrouwde. Er ging iets mis met haar, in haar binnenste.

Het was dom. Maar dat begreep ze natuurlijk pas toen het te laat was. Hoor mij praten, dacht ze. *Meiske* had ze gezegd en *nooit niet* en meer van dat soort slordige taal. Ze hoopte dat ze snapten dat het bij het verhaaltje hoorde.

De vrouw van de dominee had wel een glimlachje voor de anekdote over, zij het ietwat gereserveerd en niet zonder meer vriendelijk. Edvard leek alleen maar gegeneerd. Hij verontschuldigde zich kort daarna en zei dat hij nog werk op het kantoor had. Toen stond Hillevi ook op.

Ik heb een geboorte aan te geven, zei ze.

Hij reageerde opgelucht en heel vriendelijk.

Nu ze de salondeur achter zich had gesloten en zo vlak bij hem stond dat ze zijn geur kon ruiken, wist ze dat ze moest vertellen over de bevalling die ze in Svartvattnet had gedaan en hoe die was afgelopen; alles moest ze vertellen, precies zoals het was gebeurd.

Als hij haar handen had genomen, als hij zijn armen om haar heen had gelegd en haar lichaam tegen zich aan had gedrukt, dan zou ze het hebben gedaan.

Maar hij stond stil achter de schrijftafel. Toen ze wegging had ze alleen gezegd dat er een meisje schijndood was geboren op een pachtboerderijtje dat Lubben heette. Ze had het kind gered, maar het was ten slotte toch van zwakheid gestorven na de zware tangbevalling.

Ze had er niet bij verteld hoe oud de moeder was. Het was niet erg waarschijnlijk dat hij dat te weten zou komen. Het meisje was immers een Noorse en er stond niets over haar in zijn kerkregister. Hij zou wel veronderstellen dat het kindje in Noorwegen begraven was.

Hillevi liep dwars de straat over naar haar kamer in het schoolgebouwtje, vol verwondering over zichzelf, maar zonder angst. Integendeel, ze had zich lang niet zo kalm gevoeld.

Er zijn acht seizoenen.

De lentewinter noemen wij *gyjre-daelvie*, en die komt wanneer het licht terugkeert. Dan is de sneeuw verblindend wit. Zelfs op bewolkte dagen is er geen ontkomen aan het sterke licht, dat de ogen van oude mensen doet lopen. En op dagen dat de sneeuwbuien het dikst zijn, wil het licht zich toch nog uit het wolkendek wrikken. Dan eten wij licht.

Gyjre is de lente. Die komt kabbelend in het midden van mei en duurt tot midzomer. Dan trekt het water door het land. De riviertjes zwellen, de beken worden troebel van alles wat ze meesleuren wanneer ze overvol door het bos storten. Op een dag is het ijs zwartgerot. De volgende morgen heeft de wind het kapotgewaaid en slaan de ijsbrokken tegen de stenen op de oever en smelten weg in het koude water en het hete licht.

Nu komen de wilde ganzen. Eenden en zaagbekken, brilduikers en parelduikers cirkelen boven het water. Ze strijken neer op de plassen bij de zomerweiden, in Skinnarviken, in Vackerstenviken en in alle andere inhammen en kreken. Wilde zwanen dalen en leggen zich zwevend op het water, helemaal stroomopwaarts, ver weg van de vossen en otters die hun holen op de landtong hebben. De witte lichamen stralen. De eerste morgen denk je misschien dat het stukken ijs zijn die daar in de verte op het blauwzwarte water drijven, maar het zijn de zwanen.

Nu komen de steltlopers en watersnippen en houtsnippen. Op een morgen zit de laagwei vol rietgorzen en een volgende morgen vol lijsters. Lijsters met gespikkelde borst, met een streepje rond de hals, met felgele snavel, met zwarte poten of met gele. Daarna komen de vinkjes en de barmsijsjes en de witte en de grote gele kwikstaarten en de lucht tintelt van gefluit en gekwetter. De kramsvogel ritselt, de keep houdt zijn enige toon dag na dag urenlang aan.

Aan de zuidkant steekt witte krodde op. Die had zijn bladrozet al in de herfst gevormd en wil nu honinggeurend en vóór alle andere gaan bloeien. In de ochtendkou zijn de knoppen nog violet. Dan komt de zon en slaan ze in witte bloembosjes uit vlak boven de sneeuw, die druppelt en zucht en met het uur verder wegzakt.

Nu zijn de rendieren op het kalverland en likken de wijfjes hun kalfjes in de zon. Het veen zwelt, het water glinstert op de bergen. Dwergberk en wolwilg richten zich op wanneer de sneeuw wegdruppelt. De bladeren beginnen uit hun wassen kapsels te dringen. Op een morgen is de lucht blauw en hebben de berken kreukelige blaadjes gekregen. De groene kruinen zweven badend in het zonlicht maar rond de stammen ligt nog een onaangeroerd, hard ijslaagje boven de sneeuw. Als je goed luistert, hoor je het daaronder zuchten en kabbelen.

De lentezomer is *gyjre-giesie* en die begint met gras dat in krachtige pollen opschiet. Het duurt niet lang of je hoort lokroepen en klingelende bellen wanneer de geiten en schapen en lammeren en de koeien met hun kalveren op het pad naar de weiden worden gedreven. Wulpen cirkelen boven het drassige land en waarschuwen voor de honden met hoog trillend gefluit. De koeien en de schelmse geiten en de grijswollige ooien moeten naar het water toe. Op onvaste poten worden ze naar de zomerweiden overgevaren om in de uitgestrekte bloemenpracht hun eerste wankelende stappen te zetten.

Nu staan de kogelbloemen felgeel in dikke bosjes op de oeverkant. Sommigen noemen ze boterbollen en denken aan al de boter die daar in de schuren wordt gekarnd. De witte kaas wordt in de bergplaats op planken gelegd en een deel ervan mag tot oude kaas rijpen. De hele zomer staat er in het kookhuis zachtjes melkwei te koken, terwijl de vele bloemengeuren van het grasland zich in de ketel verzamelen tot een zoet, verzadigd, bruin sap waaruit de goede weikaas voortkomt.

Ja, dan is het zomer, dan is het *giesie*! Dan eten wij geperste kaas met room. Dan speelt 's zaterdagsavonds de accordeon en hebben de jongens gladgeschoren wangen zodat het niet raspt. Dan zie je heideanjers en viooltjes op het weiland, en een schuim van fluitenkruid.

Tjaktje-giesie, de herfstzomer, zal natuurlijk komen met al zijn verzadiging en zijn heldere water, maar wie denkt daaraan? Of aan *tjaktje*, de herfst, wanneer er zo veel te doen is, en aan de herfstwinter en de winter, *daelvie*, wanneer het licht zal krimpen en de kou zal nijpen. Maar dat is nog veraf.

Allen weten wij dat wij tot diep in de zwarte winter moeten gaan. Dat is het achtste seizoen. En één zekerheid hebben wij, dat het daar eindigen zal, maar niets wordt méér vergeten wanneer de wulp roept en de nachtorchis in het gras van de weilanden bloeit.

— * —

Koude billen, herinnerde Hillevi zich wanneer ze aan Edvards bezoekjes dacht. Dat was maar niks. In die werveling van zonlicht en grasgeur en verlangen: zijn koude billen. En hoe hij daarna borstelde en borstelde om hooirestjes te verwijderen.

Zij had de leiding genomen. Edvard was zo onvoorstelbaar stuntelig als het op afspraakjes aankwam. Bang voor achterklap natuurlijk, en terecht. Maar je kon de mensen te slim af zijn. Daarom zou zij dit zaakje regelen.

Ze ging tegenwoordig mee met Märta naar de zomerweide aan de overkant. De mannen hadden de koeien en schapen en geiten overgevaren zodra het groen begon te ontluiken, en nu roeide Märta er elke morgen om vijf uur en elke avond op hetzelfde uur naartoe om te melken. Op sommige dagen bleef ze daar om kaas te maken. Daarna moest van de melkwei die overbleef weikaas worden gekookt.

Hillevi zei tegen Edvard dat hij moest gaan vissen. Hij staarde haar aan. Ze stonden bij elkaar voor de kerk en hij hield zijn grote hoed vast in de wind. Ze moest omstandig uitleggen wat ze bedoelde.

Hij zou met de boot van de oude dominee het Rösmeer op varen. Die hoorde bij de pastorie en Norfjell had er vroeger netten mee uitgezet. Zoiets kon Edvard natuurlijk niet. Maar hij zou een hengel kunnen vasthouden. En dan ongemerkt rond de landtong drijven en de boot vastleggen en door het bos naar de Kalswei lopen.

De zomerwei van Kalle Karlsson, verduidelijkte ze. Märta is daar alleen 's morgens en 's avonds. We zouden de hele dag voor onszelf hebben.

Hij vroeg of het gepast was dat Hillevi zich daar op die zomerwei ophield.

Ik kan zo weer terug naar de overkant roeien als iemand me nodig heeft, zei ze.

Maar hij bedoelde het natuurlijk anders.

Ach, zei Hillevi. Een vroedvrouw hoeft niet zo stijfjes tegen het volk te doen.

Stom, stom, dacht ze achteraf. Hij zinspeelde er natuurlijk op dat ik domineesvrouw zou worden. En daar mocht ik zelf ook wel eens aan denken.

De dag daarop was het zondag en ze ging naar de kerk. Met tederheid zag ze hem knielen, zag ze zijn nek boven het witte linnen boord van zijn albe. Ze vermoedde dat zijn preek moeilijk te begrijpen was voor de verzamelde gemeente, maar wel indruk wekte. Zijn stem was zo naakt in de windingen van het liturgisch gebed.

De eerste dag na het weekeinde kwam hij niet. Ze ging nu iedere morgen met Märta mee naar de wei en bleef alleen achter wanneer Märta klaar was met haar werk en terugroeide. Hij kwam ook niet op de tweede. De derde dag verscheen het bootje midden op het meer. Hij zat doodgewoon te hengelen. Wat later roeide hij terug naar de aanlegplaats bij de kerk en ging weer aan land.

Ze voelde kloppingen in haar onderlijf. Ze dacht aan alle sukkeltjes die door dit bonzende bloed in bitter ongeluk waren gestort. Ik ben zelf geen haar beter, dacht ze. Maar ik word wel de vrouw van een dominee. Iedereen voelt vast hetzelfde. Of de meesten in ieder geval. Hoewel niemand erover praat. Van Edvard weet ik het zeker. Maar nu is hij bang.

Ze ging terug naar het huisje, dat vanaf het meer achter sluiers van lijsterbes en berk verscholen lag.

De vierde dag zat ze weer op de oeverstenen. Toen roeide hij de boot naar de landtong en ze zag hoe die daar verdween. Ze holde door de wei naar het huisje en deed een ander schort voor. In het raam plaatste ze het stukje spiegel van Märta en haastig draaide ze haar loshangende vlecht ineen en zette de wrong met spelden vast. Ze zag bleek van opwinding, dus wreef ze over haar wangen en kneep erin om wat kleur te krijgen.

Hij droeg een slappe hoed, een sportkostuum en hoge wandelschoenen, zag ze toen hij aan de rand van het bos verscheen. Jammer genoeg hadden de nieuwsgierige geiten hem ook opgemerkt. Ze draaiden om hem heen, stotend en schurkend tegen zijn kostuum. Hillevi lokte ze weg door met gerstekorrels in een haringemmer te schudden. De hele gevlekte kudde kwam naar haar toe hotsen met die wiebelende keelkwabben en kromme horens van ze. Edvard bleef staan en wist niet waar hij heen moest.

Ze had haar handen vol aan de geiten om hem vrije doorgang naar het huisje te geven. Maar toen bleek hij in het geheel niet naar binnen te willen. Hij was bang dat ze betrapt zouden worden. En hij liet zich niet aan zijn verstand brengen dat Märta nooit voor vijven opdook. Dus moesten ze maar een boswandeling maken, zoals hij zei. Dat ze toch in elkaars nabijheid kwamen ondanks zijn vrees dat iemand ze zou betrappen, was als puntje bij paaltje kwam de verdienste van de geiten. Die deden zo koppig en vervelend dat Hillevi hem binnen moest trekken in een schuur die aan de rand van de veewei stond.

Er lag nog wat hooi op de vloer.

De boot verscheen bij de landtong. Hij wuifde natuurlijk niet. Dat zou immers waanzin zijn, want het hele dorp zou het zien.

Het meer stuwde zijn heldere water naar de oever. Het rolde likkend over de stenen.

Gezucht, gekabbel en geklots. Zoals het bloed door het lichaam trok. Hitte die bonzend afnam. De stenen hadden zonlicht opgevangen en zouden het nu tot lang in de nacht als warmte vasthouden. Ze klopten.

Ik moet je hebben, Edvard. Dat je dat niet begrijpt. Dat je toch zo bang bent voor mensen, voor ogen, gefluister, praatjes.

Ze liep zachtjes door de dikke grasvacht van de wei naar het huisje en de stal. Ze zag vleugeltjesbloem en nagelkruid en de felle vlekken van boterbloemen. Ze plukte vergeet-mij-nietjes en koekoeksbloemen en grasmuur en snoof diep de geur op die zuur en zoet tegelijk was, en de stengels van rode pek-anjers maakten vlekken op haar vingers. De ooien liepen met hun lammeren naar haar toe.

Schaapjes, schaapjes, lokte ze en ze begon zachtjes te huilen.

Ze aten het bloementuiltje op.

't Is maar beter zo, schaapjes van me, 't is maar beter zo.

's Avonds wilde ze aan iets anders denken. Ja, dat moest ze. Dus zei ze tegen Märta dat ze wilde proberen te melken. Ze kreeg een krukje, een emmer en een uierdoek.

Ze hield van de geur bij de koeien in de halfdonkere zomerstal. Ze kende nu elk van de dieren. Ze waren klein, wit en hoornloos, en makkelijk te herkennen aan hun zwarte stippen en vlekken: Sterrenroos, Seba, Goudfamke, Minnewit, Zoetekauw, Pimpernel en Lelie. Ze zat met haar voorhoofd tegen de warme, gevlekte flank van Seba. Hoorde de pens knorren. Het gras op de voedertafel ritselde wanneer de snuiten rondzochten en er steeg een indringende zomergeur uit op. Wanneer ze de zachtrimpelige koespenen omklemde, spoot de melkstraal geel en dik op de bodem van de emmer.

Ben je soms van plan om met een boer te trouwen? treiterde Märta.

Daarna zeefden ze de melk uit de emmers in vaatjes die ze op de planken in de koele kelder zetten. Het opromen van de melk had Hillevi aanschouwd als een groot kunstwerk. Maar nu wilde ze het zelf proberen en ze hield net als Märta een boordevolle bak gele room op haar linkerknie en legde haar hand losjes op de rechterhoek van de bak. Voorzichtig liet ze de melk in de melkkuip lopen, terwijl de room achterbleef, tegengehouden door haar hand. Zij wilde de rand van de bak niet met haar wijsvinger afstrijken, zoals Märta dat deed. In plaats daarvan gebruikte ze een klopper en ze hoopte dat Märta haar voorbeeld zou volgen.

Volstrekt onwetend over hygiëne was Märta Karlsa nu ook weer niet. Na het koken van de wei schuurde ze de koperen ketels uit met gras dat ze schaafgras noemde en ze hield dat vol tot ze ook de hardnekkigste aangebrande korsten had weggeschuurd. Na de afwas wreef ze de bak en de kuipen aan de binnenkant helemaal glad en ze legde er jeneverbestakjes in, want dat rook zo lekker.

Märta verwachtte niet dat Hillevi ook het vuilste werk op zich zou nemen. Zelf nam ze een schop en een bezem en mestte de stal uit na het melken. Hillevi liep de zoutheuvel op en de koeien en geiten volgden haar. Ze kregen daar zout als lokmiddel zodat ze altijd terugkeerden. Maar ze waren allemaal heel mensentrouw, zoals Märta dat uitdrukte. De eerste keer dat al die geiten met hun scherpe hoorns en hun schuingespleten, haast gebarsten ogen Hillevi hadden omringd, was ze bang geweest.

Maar er was niets om bang voor te zijn. De bokken waren in het bos zodat de geiten en hun jongen met rust werden gelaten. Het was een liefdevol stoten, een aanhaligheid die weliswaar sterk rook, maar een rustgevend gevoel gaf. Märta had gezegd dat geiten schattige en gezellige beestjes waren en dat vond Hillevi tegenwoordig ook. Maar de ooien waren volgens haar het leukst en het schoot haar te binnen dat de pastorie een stal met een hooizolder had. Zou het niet mogelijk zijn om een paar schapen te houden? Zoals in de oude tijd toen de dominees zelf ook boer waren.

Ze wilde niet van die Noorse viltige schapen met lange staarten die je hier overal zag en die Dalasau heetten. Ze wilde landrasschapen met kroezelige, zijdezachte wol om fraai garen van te spinnen. Maar waar kon je die hier vinden?

Toen alles klaar was, dronken ze koffie in het huisje. Märta keek wat verwonderd want Hillevi had de geperste kaas en de room op tafel laten staan. Ze had die voor Edvard klaargezet. Maar hij was helemaal niet binnengekomen.

Misschien maar goed ook, dacht ze, nu ze met zijn ogen rondkeek. In de zakken die in de spleten van de fornuiswand waren gestopt, zaten haringkoppen en meer van dat soort lekkers. Dat had hij natuurlijk niet hoeven weten. Maar ze zou zeker hebben moeten uitleggen dat die kreukelige dingen kalvermagen waren waar het kaasstremsel uit kwam. Dan zou hij niet hebben willen proeven van de verse kaas die uit de ketel kwam als de melk gestremd was. En hij zou vast hebben gedacht dat alles laag en schots en scheef was hierbinnen.

Tegen de muur stond een zitbank die zo oud was dat het verweerde hout zilverkleurig was geworden. In het slepende avondlicht dat door het raam binnenviel, waren nog ingekerfde letters te zien. Dat hadden de vrijers gedaan, zei Märta lachend. Lang geleden.

Het was al laat in de avond toen ze terugroeiden. De zon warmde nog steeds. Märta roeide zonder dollen, de roeiriemen rustten op afgesleten inkepingen. Maar het ging rustig en gestaag vooruit en de oude versleten bladen kliefden onhoorbaar door het water, dat er als gesmolten glas uitzag. Hillevi dacht aan Edvard, hoe onbeholpen hij had geroeid. Hij moet het maar leren, dacht ze.

Maar in haar binnenste wist ze dat hij nooit meer naar de zomerwei zou komen.

— * —

Hier op de eettafel spreidden Myrten en ik de foto's uit. We lieten er een peertje van 60 watt op schijnen en we zetten onze bril op om heel nauwkeurig te kunnen kijken.

We herinnerden ons zelf nog het een en ander van wat we zagen. Want het ging natuurlijk langzamerhand ook over onze tijd. We liepen toen met blote benen en wisten niet dat we oud zouden worden.

De fotograaf is nergens te zien, maar we wisten nog wie het was. Hij woonde in Byvången en kwam per rijtuig met een camerakoffer en een statief. Soms kwam hij op bestelling. Hij had glasplaten in een frame die hij in een gleuf van het apparaat schoof. Daar brandde het licht ons vast, wanneer hij na al zijn voorbereidingen in zijn rubberen bol kneep. De huizen stonden er ook op, hoewel niet iedereen dat wilde, want ze waren grijs en scheef en hier en daar waren de dakspanen helemaal verrot. De hoeden die Hillevi droeg stonden erop, wat wel de bedoeling was, en de zondagse kleren en de hemdsborststukken en de hopranken rond de palen van het portaal. De honden stonden te hijgen en hadden meestal geen benul dat ze hun kwispelende staart een ogenblik stil moesten houden. Als er iets wazigs op een foto stond, gooide de fotograaf hem weg.

Maar vaak lagen de honden roerloos te staren naar het zwarte gat dat tijd vrat en tijd omtoverde. De koeien stonden erop en dat kwam niet altijd doordat ze toevallig stonden te grazen in een wei naast het huis waar het fotograferen plaatsvond. Ze werden met opzet in hun wei gefotografeerd. Later, in een heel andere tijd, toen de rondbuikige koeien allemaal dood waren en de weiden waar ze gegraasd hadden helemaal overgroeid raakten, waren er nog steeds enkele ouderen die ze op de foto's herkenden en die hun namen nog wisten. De tekening van zwarte vlekken en stippen op het witte koeienvel had zich voor altijd in hun geheugen geprent. Paarden werden ook gefotografeerd, wat niet zo merkwaardig was.

De vader van Myrten was een paardenman. We zagen hem klein en lenig, gekleed in wit hemd en zwarte lakense broek, de Gitzwarte aan het hoofdstel vasthoudend.

Ik zit nu met de foto van 13 augustus 1916 voor me. Hij is op stijf lichtbruin karton geplakt en is uitzonderlijk goed bewaard en helder.

Het is Hillevi's naamdag. Ze heeft zelf de datum en het jaartal op de achterkant geschreven. Ik waag me er niet aan te gokken of ze de foto ter gelegenheid van haar naamdag had laten maken, of dat Eriksson toevallig langs was gekomen. Ze had in ieder geval gebakken en de foto is gemaakt nog voor de koekjes waren aangeraakt, want ze lagen netjes op een schaal van nieuwzilver met een gedraaide voet.

Daar heb je Märta Karlsson in het zwart met een ouderwetse kantkraag die met een broche op haar jurk is bevestigd. Heel lang kon ze die niet aanhouden, want ze zou dadelijk wel weer naar de overkant moeten roeien om te melken. Aan de langer wordende schaduwen zie je dat het al tegen de avond loopt.

De man van Märta is erbij, niet bijzonder fijn uitgedost. Hij draagt zijn gevoerde werkvest en een hemd zonder kraag. Er zijn drie vrouwen die ik niet herken en een Lap met een hoge muts die met een paar eenvoudige linten afgezet is. Hij heeft een redelijk mooie kiel aan en draagt een zwarte broek en goed gepoetste schoenen. Ik heb me afgevraagd of het niet die catechist van Frostsjö was, die man die de Lappenkinderen het alfabet en het christendom bijbracht. Daar in de wildernis, zoals Hillevi zei.

We moeten ook hem noemen die niet van de partij was, die er onmogelijk bij kon zijn. Want de dominee kon natuurlijk niet bij de vroedvrouw op de koffie komen op haar naamdag.

Maar de vrouw van de dominee is er wel. Zij zit op de ereplaats in het midden van de groep en heeft een merkwaardig hoedje op. Niet groot en overladen volgens de mode van toen, maar klein en voor op het hoofd geplaatst. Het is een korfje van stro waarin zijdenbloemen genaaid zitten. Ze heeft een lichtgrijze jurk aan met biesjes die zwart lijken.

Hillevi draagt geen hoed op deze foto. Ze heeft een witte blouse met een hoge kanten kraag aan en een rok die strak rond haar buik en heupen zit en waarschijnlijk grijs moet zijn. Ze heeft haar horloge aan een zwart lintje links op haar blouse gespeld. In haar handen heeft ze een bloemboeket. Duizendschoon, de foto is scherp genoeg om dat te zien. Waarschijnlijk had de vrouw van de dominee de bloemen meegebracht.

Je gunt haar het bezoek van deze persoon, de enige van stand in de gemeente Röbäck. Behalve de dominee dan. In augustus 1916 lag de oude predikant nog steeds te bed in zijn werkkamer. Vaak lag de poes boven op hem. Hij stierf wat later in de vroege herfst. Er was toen veel veranderd.

En ten slotte Trond Halvorsen.

Daar staat hij. Zwart pak, kraagloos wit hemd, stevige schoenen, bolhoed. Zijn haar is niet te zien. Dat is waarschijnlijk heel kort geknipt. Ook geen donkere schaduw op zijn wangen en zijn kin. Je kunt je voorstellen dat hij lang met zijn scheermes in de weer is geweest voor de spiegel bij het raam thuis in Svartvattnet. Hij houdt zijn zweepje in zijn linkerhand, dus paard en kar zijn vast niet ver weg. Misschien bij de hoek van het huis. Met zijn andere hand houdt hij een grote wolfshuid omhoog.

Hij kwam dus opnieuw met die wolfshuid voor de dag. Het geschenk dat zij had afgewezen. Maar nu ziet het er net en bewerkt uit. Ik weet dat ze het heeft gehouden.

Er bestaat een riviertje dat de Krokån wordt genoemd. Maar het heeft ook andere namen gehad, zei mijn oom, en hij noemde er een die ik niet verstond. Het water komt uit het laaggebergte achter de Giela. Uit Jingevaerie, zei oom in onze taal. In de nazomer van 1916, op zijn minst een paar weken na Hillevi's naamdag, werd daar een foto gemaakt. Hij werd vlak bij het riviertje met het levendige en snelle water gemaakt. Een eind stroomafwaarts, waar het bedaart en zich verbreedt in grote, glanzende, stille wateren, bereikt het de bospartijen van Svartvattnet. Daartussen, op de smalle strook staatsbos aan de voet van de Giela, lag het herfst- en lenteverblijf waar mijn grootvader, Mickel Larsson, het hele jaar door woonde sinds hij zijn rendieren had verloren en verpauperd was geraakt.

Als ik vertel dat de mannen voor de blokhut van Torshåle poseren, dan weet iedereen waar die foto gemaakt is.

Er leidde een karrenspoor heen, dus de fotograaf hoefde zijn camera en het zware statief niet die vier steile kilometers vanaf Skinnarviken te zeulen. Torshåle lag op een van de bergbospercelen van Paul Annersa.

Toen de mannen op Torshåle gefotografeerd werden, waren Myrten en ik nog niet geboren. Wij keken altijd gefascineerd naar dominee Edvard Nolin. Er waren nog vier andere mannen en een van hen was ongetwijfeld groothandelaar Eckendal. Maar ik weet tot de dag van vandaag niet wie de andere drie waren. Ze droegen net als dominee Nolin een sportkostuum en hoge schoenen.

Het zijn de jachtheren. Zo werden ze genoemd.

De eersten waren met rijpaarden en personeel met lastdieren over de bergen gekomen. Het was admiraal Harlow en zijn jachtgezelschap. Ze kwamen helemaal uit Schotland.

Het was het jaar 1899. De admiraal en zijn vriend lord Bendam en hun gezelschap kwamen naar Skinnarviken en lieten boven bij de Krokån een jachtvilla bouwen. In die tijd had je nog sparren van geweldige omvang, dus het werd een statig gebouw. Een figuursnijder uit Kloven bracht op de nokken van het dak versieringen aan die draken met een open muil voorstelden. De admiraal zei dat hij van Noorse vikingen afstamde en hij noemde het huis Thor's Hall. Maar in de volksmond werd dat natuurlijk Torshåle.

Ze hebben daar vast geposeerd voor een foto toen alles eenmaal klaar en afgewerkt was, compleet met hondenren, sneeuwhoenderhok en bakhuis, ijskelder, voorraadkelder, paardenstal en houtschuur, badhuis en gemak. Maar een foto uit admiraal Harlows tijd is er niet meer.

Ze zijn niet zo vaak gekomen. Paul Annersa was gierig als de pest en ieder jaar zette hij de grondpacht zo hoog als hij maar durfde. Tot hij een keer iets te veel vroeg. Hij dacht kennelijk dat iemand die zo rijk was, makkelijk te bedriegen was.

Hij keek beteuterd toen de admiraal en zijn gezelschap wegbleven. Geen woord, geen letter kwam er uit Schotland. Paul Annersa ging meermaals bij dominee Norfjell navraag doen. Ze stuurden hun brieven gewoonlijk naar hem, want hij kon lezen wat erin stond.

Pas in 1916 doken de jachtheren weer op, maar het was niet de rechtmatige eigenaar van Torshåle die een brief stuurde dat ze het daarboven eens moesten laten opknappen. Een zekere Eckendal, een koopman uit Östersund, wilde betalen. Als de zoon van Paul Annersa al twijfelde, dan overtuigde het geld in de envelop hem wel. Bovendien was het oorlog en admiraals hadden wel wat anders te doen dan zich met hun jachtvilla's bezighouden.

Deze keer kwamen er ook vrouwen mee. De tijden waren immers veranderd en vrouwen deinsden niet terug voor wandelsport en bergtochten. Ze staan ook op de foto, maar wel opzij van de jagers. Ze dragen voetvrije rokken en zachte schotsbonte baretten.

De mannen poseren met hun buksen en de honden liggen gehoorzaam voor de hoop geschoten sneeuwhoenders. Ja, een hoop mag je het gerust noemen en je vraagt je af of ze alles wel gebruikten. Of bleef het meeste rottend liggen nadat de foto's gemaakt waren? De zomer was immers nog niet helemaal voorbij en het was onmogelijk om het wild te laten bevriezen zoals wanneer je vogels strikte. Er ligt ook een geschoten vos.

Ik weet nog wat Laula Anut zei toen ik hem vertelde over de foto en de enorme berg dode vogels.

Dat bedient zich maar, zei hij.

Deze woorden, zo begreep ik, zinspeelden niet alleen op de jachtheren. Maar sindsdien kon ik, kind als ik was, niet meer met dezelfde ogen naar de foto van hun jachtgeluk kijken. Een wolfsklauw was in mijn hart gedrongen.

Ik zat aan de keukentafel met de foto voor me en probeerde te zingen op de wijze van mijn oom:

nanaanaaa... snöölhken goehperh vååjmesne...

Maar algauw moest ik op de verkeerde taal overgaan, want dat was de enige die ik nog goed kende. Eerst liep ik diep het bos in, dan pas durfde ik het. Het was mijn eerste poging, ik vergeet het nooit:

naana na naaa...
wolfsklauw in mijn hart
sneeuwhoenders naa...na en een vos
allemaal dooie beesten
aan de voeten van de jager
sneeuwhoenders en een rooie vos
naaa na na...
honden met hijgende kaken
naaa na na na na...
de wolvin loopt over de heuvels
zoekt haar jongen
de maan en haar ogen
glimmen in het meer
in 't zwartwater glimmen ze
snöölhke, aske jih dan tjaelmieh
na na naaa...
rook stijgt op
na naaa...
het koude water kolkt
de koude wind woe...oe
het vriest nu op het veen
woe woe wooe...
straks komt de sneeuw
rätnoe lopme båata
dan zijn jullie allemaal weg
dan zijn jullie allemaal weg
woe woe woe...

Nu ben ik oud en iedere nacht dringt de wolfsklauw in mijn hart. Wanneer opleggers vol boomstammen op de weg voorbijdreunen, lig ik wakker en luister. Dat bedient zich maar, denk ik.

Maar wanneer ik tegenwoordig met de foto's voor me zit, voel ik iets anders, niet langer dezelfde bitterheid. Ik zoek steeds iets in de gezichten, maar weet niet precies wat.

Ze zijn nu allemaal dood. Ze leefden langer dan de honden die met hun voorpoten in het gras liggen. En meestal ook langer dan de bonte koeien waar ze zo zuinig op waren en de paarden die ze extra goed hadden geroskamd voor de foto's. Maar ten slotte waren ze allemaal verdwenen en hun tijd was voorbij. Ik voel iets wat ik niet kan verklaren wanneer ik naar ze kijk.

Ik wil hun kleren en handen en gezichten aanraken. Maar dat gaat niet. Het is maar een stukje karton dat hier voor me ligt. Onderaan staat de naam van de fotograaf in gouddruk: *Nicanor Eriksson, Byvången.*

Ik ben van een andere tijd. Iedereen die naar verhalen uit die tijd zou willen luisteren, ligt onder de aarde.

Overigens, hoezo een andere tijd? Er is maar één tijd en daar zit je in tot ze je op het kerkhof van Röbäck begraven.

Hillevi kreeg weikaas mee van de zomerwei. Ze roerde er room doorheen en warmde het mengsel tot een saus die ze over de knoedels goot. Dat smaakte zo verdraaid lekker met gezouten spek.

Sap rechtstreeks uit het bloementapijt van de weilanden, dat was die bruine weikaas. Het was de zomer zelf en ze kon er niet afblijven, net zomin als ze het kon laten om met haar voeten in het water van het meer te plonzen of om tegen het gebarsten hout van de stalmuur te leunen wanneer de zon er de warmte ingebakken had.

In de vroege herfst klaarde de lucht op en de kriebelige knaasjes en de brandmugjes, die in het warme weer een plaag waren geweest, verdwenen. 's Ochtends vroeg lag er een laagje rijp over het veen. Dat bengelde even later als waterdruppels op de zeggehalmen en verdampte zodra de zon steeg.

Ze ging met Märta mee naar de venen boven het Botelmeer om bessen te plukken. Ze gingen samen met twee meisjes uit Svartvattnet die Elsa en Hildur heetten, dochters van Isak Pålsa. In het belang van haar toekomst had ze zich natuurlijk niet met het gewone volk moeten inlaten. Giechelige en uitgelaten herinneringen samen met Märta Karlsa was wel het laatste wat ze erop na moest houden als ze in de pastorie haar intrek zou nemen. Regelrechte grofheden wees ze af. Of dat zou ze tenminste moeten doen. Maar het was moeilijk wanneer Märta grappig deed en dat kon ze op verschillende manieren. Helaas ook op grove.

Bij zichzelf weet Hillevi het aan de nabijheid van de dieren, hun sterke geur en mildheid. Zo'n vreemd mengsel van liefelijkheid en scherpte had ze nog nooit van haar leven meegemaakt.

Ze plukten de bessen in haringemmers, die ze in houten kuipen leeggoten. Ook Hillevi had bij de kruidenier in Svartvattnet een tonnetje gekocht en haar veenbramen voor de winter stonden nu in Märta's koele voorraadkelder. Ze droegen een geur van veenmoerassen in zich en smaakten naar verlangen. Ze vertelde Edvard over het bessentonnetje toen ze hem onder een of ander voorwendsel opzocht. Maar over het brandende ongeduld dat ze onder het plukken had gevoeld, zei ze uiteraard niets. En ze durfde al evenmin de verandering te noemen, die komen moest wanneer de bladeren verdwenen. Heel eenvoudig: wanneer de eerste sneeuw viel, zouden hij en zij samen aan de keukentafel in de pastorie haar bessencompote met romige melk eten.

Zoals het er nu voorstond, roerloos en nogal stoffig daarbinnen, met de onwetende blik van dominee Norfjell gefixeerd of verdwaald op dezelfde plek op het behang waar ze die het eerst gezien had, kon ze Edvard alleen laten proeven als ze de vrouw van de dominee een schaal bessen aanbood. Ze lette wel op haar taalgebruik als ze met hen praatte. Ze schaamde zich voor die keer dat ze zo onbehoedzaam was geweest om zich bij het vertellen van een anekdote van slordige taal te bedienen.

In haar ogen woonde Edvard in Röbäck zonder er te leven, wat haar soms angst inboezemde. Hij werd zo eenzaam in zijn zwarte kleren, zijn lange jas en zijn breedgerande hoed, en zo onbegrijpelijk voor de mensen. Ze wou dat ze de moed had om hem te zeggen dat niemand ook maar iets snapte van wat hij in de salon van de vrouw van de dominee uitpiekerde.

Hij had zijn theologische boeken op haar kleine damesbureautje gestapeld. Alles stond daar stil, zoals de blik van de oude dominee op de muur. Soms voelde Hillevi een hevige beweging in zich, als van een vis die krachtig met zijn staart slaat; dat was wanneer ze vanuit haar raam Edvard alleen en zwartgekleed op straat zag lopen.

Ze was aan zijn aanhoudende afzondering gewend geraakt, zodat ze volkomen overrompeld was toen hij op een middag gekleed in sportkostuum, met hoge wandelschoenen en een slappe hoed de pastorie verliet. Hij nam plaats in een rijtuig met een voerman die ze niet herkende. Het rijtuig vertrok in de richting van Svartvattnet.

Het was zo vreemd. Vooral dat sportkostuum. Dat kon uiteraard niet voor ambtsverrichtingen bedoeld zijn. Ze kon het niet laten bij de vrouw van de dominee binnen te wippen, maar kwam geen stap verder met haar. Maar Märta bleek van een en ander op de hoogte te zijn: de dominee ging bij Torshåle op sneeuwhoen jagen met een heer uit Östersund.

Ze kon zich niet voorstellen dat Edvard een geweer kon hanteren. En hoe had hij mensen uit Östersund leren kennen? Hij had er ook geen woord over gezegd.

Na een paar dagen kwam hij terug, bereidde een dienst voor en hield zijn preek. Hij begroef ook een oude boer uit Lakahögen. Maar daarna vertrok hij weer naar de jachtvilla en deze keer in het gezelschap van twee jonge vrouwen. Ze waren in sportieve jakken en voetvrije rokken gekleed en droegen allebei zachte schotsbonte baretten. Ze kwebbelden onafgebroken met Edvard.

Hillevi voelde een sterke onrust gemengd met woede waar ze niet eens mee in het reine wilde komen. Natuurlijk gunde ze hem wat gezelschapsleven, hij die zo alleen en bezorgd en door muggen geplaagd de zomer door had moeten komen. Maar ze had nooit kunnen denken dat er daarboven vrouwen van de partij waren en ze vond dat ongepast. Maar Märta zei dat het ene meisje de dochter van koopman Eckendal was.

Hoe dan ook, ze ging er zelf heen. Dat viel makkelijk te regelen. Ze ging eerst naar Svartvattnet en liep daarvandaan mee met Elsa Pålsa. Elsa's moeder Verna kookte voor het jachtgezelschap. Hildur bleef thuis en zorgde voor het pension, dat die dagen gelukkig maar één gast had, een homeopaat uit Sundsvall.

Ik kan gevogelte plukken, zei Hillevi tegen Elsa. Dat was veel gezegd en dat vermoedde Elsa ook wel. Ze was een beetje bang voor wat haar moeder zou zeggen als ze met hun tweeën zouden komen. Maar Verna vond het nog zo slecht niet om Hillevi in de keuken te hebben. Zij behoorde immers zelf enigszins tot het betere volk en wist hoe ze in die kringen hun gevogelte en haas gebraden wilden hebben. Het lastige hoofdstuk saus scheen ze ook te beheersen.

We hebben de roomkuip meegebracht, zei Hillevi. En spek voor de borststukken. Ze hebben hier ongetwijfeld madera in huis en verder kunnen we jeneverbessen gebruiken.

Ze wilde geen betaling van Verna of Elsa aannemen, zei ze. Ze deed het puur voor haar plezier. Maar ze zag er eigenlijk niet blij uit. Die meisjes uit Östersund met hun tam-o'-shanter scheef over hun rechteroog liepen rond met blote onderbenen.

Meteen na het ontbijt waren groothandelaar Eckendal en zijn jagers erop uitgetrokken. Edvard jaagde niet. Hij leek in plaats daarvan de taak op zich genomen te hebben om de dochter van de groothandelaar en haar vriendin op bergtochtjes te vergezellen. Door het keukenraam zag ze hen op de vlonder over het kolkende riviertje balanceren. Ze klonken als vogels wanneer ze gilden. Nu pas dacht ze aan wat hij zou zeggen als hij haar hier te zien zou krijgen en ze voelde zich ongemakkelijk.

De jachtheren hadden een warm ontbijt met eieren gegeten, en pap en melk, en hadden koffie gedronken voor ze vertrokken. Verna had voor onderweg boterhammen met ei, broodrolletjes met rendiervlees en koude pannenkoekjes klaargemaakt. Toen ze terugkwamen wilden ze een diner met, voorzover dat mogelijk was, een koud buffet en daarna een vis- en een vleesschotel en tot slot een dessert. Verna vertelde dat ze om de avond af te sluiten nog een souper met een warme vleesschotel namen met pap en melk en thee.

We hebben onze handen vol, dat wel, zei ze.

Op de drempel van het sneeuwhoenderschuurtje zat een Lap vogels te plukken. Hij heette Mickel Larsson en had een gerookte rendierbout meegebracht voor de koude schotel. De overige twee mannen, allebei uit Skinnarviken, waren mee de bergen in gegaan als gids en geweerdrager.

En dan de dominee nog, zei Elsa.

Ach, die mafkees van een dominee.

Dat waren Verna's woorden. Hillevi was stomverbaasd en kreeg hartkloppingen. Maar goed dat ze met haar rug naar ze toe stond, over de snijplank gebogen met een vogel waarop ze een lapje spek wilde vastbinden.

Ja, het is hem hier nog niet te best afgegaan, zei Elsa wijsneuzig.

Waarom niet? vroeg Hillevi. Ze vond haar stem zwak klinken. Maar Verna hoorde haar goed.

Hij kreeg het in zijn kop om naar Svartvattnet te gaan, zei ze. En daar informeerde hij hoe je naar Lunäset aan de overkant van het meer kon komen. De mensen vroegen zich af waarom, nogal wiedes.

Ja, nogal wiedes, echode Elsa.

Het is daar Noors, zeiden ze tegen hem. Er zit een predikant aan de overkant die daar voor de mensen zorgt.

Iemand zag hem proberen op het meer te komen toen het ijs bij de oever al aan het lossen was. Dat moet nogal nat geweest zijn. Is-ie niet goed wijs? Daarna kwam-ie naar het pension en vroeg naar een Lappenmeiske. Ja, zo zei hij dat. *Het Lappenmeiske dat gevangen gehouden werd door een oude man op Lunäset.* Nu wilde hij er *paal en perk aan stellen.* Zei hij. En wij maar lachen! Pas nadat onze zwartrok weer vertrokken was, welteverstaan. Maar toen!

Wat zei je tegen 'm?

Dat dat tweehonderd jaar geleden was. Minstens.

Wat zei hij toen?

Geen woord. Hij zette zijn grote zwarte hoed op en ging weg. Maar ik zag aan zijn rug dat hij gegeneerd was.

Hillevi zweeg. Want wat kon ze zeggen? Het heette immers dat ze elkaar niet kenden, zij en Edvard. En alles was haar schuld. Ze boog zich over de snijplank en wikkelde kordaat het garen rond de vogel. Maar Verna had een scherpe blik. Ze zag Hillevi's vuurrode wangen.

Was jij het?

Wat?

Maar het hielp niet zich tegenover Verna van de domme te houden.

Jij was het die hem dat verteld had!

Heb jij 'm besjoemeld? gierde Elsa met tranen in haar ogen van het lachen.

Maar dat woord begreep Hillevi niet en Verna legde het uit. Welnee! Het was helemaal niet in haar opgekomen om hem te bedotten. Hillevi had ook tranen in haar ogen, maar om andere redenen. Ze voelde niet alleen schaamte en ergernis. Het voelde ook als verraad.

Dat de dominee toch zulke slechte gedachten over Lappen kon hebben, mekkerde Mickel Larsson die met zijn lading vogels in de deuropening stond.

Ach, zei Verna. Hij hoorde toch maar een verhaaltje. En trouwens, niet de ouwe van Lunäset was een Lap, maar wel het grietje.

Iedereen is gemeen en liegt tegen de Lappen, zei Mickel en kieperde de sneeuwhoenders op tafel.

Die vent, zei Verna toen hij weer verdwenen was. Die komt hier de fijne meneer uithangen, maar dat is ook alleen maar om ons met een of andere ploertenstreek te betoveren.

Hillevi vond soms dat de tijd als veengrond onder haar meegaf. Verna met haar kleine, hartvormige, grijze gezicht en haar luide, schelle stem, was een moderne vrouw met een flinke portie gezond verstand. Ze zorgde voor de keuken en de kasboeken in het pension en ontmoette alle soorten mensen. Ze had een eigen ontromer en ijverde voor elektrisch licht van een krachtcentrale op de rivier.

Toch zei ze dat soort dingen. Dat de Lappen toverden. Dat het spookte in het schuurtje. Dat er onheil over Torshåle waarde omdat het op de verkeerde plek gebouwd was. Dat onderaardse wezens daar hun paden hadden.

Ten tijde van de admiraal hadden ze een open haard met een heugel voor de ketel, zei Verna. En een braadspit was er ook, zodat de vogels boven het vuur konden draaien. De bakoven was buiten in een van de schuurtjes gemetseld. Halvorsen had in opdracht van koopman Eckendal een gloednieuw gietijzeren fornuis van Pumpseparator naar boven gebracht. In een van de schuren stond ook een ijskast. Die was witgrijs geschilderd en geaderd als marmer. Hillevi vond het zonde dat zo'n duur geval daar het grootste deel van het jaar ongebruikt stond.

Tja, zei Verna. Als er al iets is wat ze te kort hebben, dan zijn het zeker geen centen.

Verna Pålsa was diplomatieker als ze het over de gasten in haar pension had, merkte Hillevi. Hierboven ging het wat wilder toe.

Nu hadden ze geen tijd om te praten want de jagers waren teruggekomen met bosjes geschoten vogels. Zodra ze in het badhuis bij de rivier waren geweest, wilden ze hun diner hebben.

Hillevi had madera voor de saus nodig en Verna vond dat zij die wijn zelf maar moest gaan vragen. Maar dat weigerde ze. Ze wilde Edvard niet tegenkomen. Hij was weliswaar nog steeds planten verzamelen met de meisjes – het jongste had een botaniseertrommeltje – maar ze konden ieder moment terugkomen. Ze wilde hem niet in verlegenheid brengen.

Toen ging Verna zelf maar naar de groothandelaar. Hij had geen madera. Maar nadat hij en de griffier zich elk een grog hadden ingeschonken, mocht ze meenemen wat er nog in de cognacfles overbleef. Mickel Larsson zette grote ogen op toen Verna met de cognac aankwam, maar ze zei hem vinnig dat ze die voor de saus had gevraagd.

Jij listig vrouwmens! zei Mickel.

De jachthonden moesten eten krijgen. Er moest schoon water naar het badhuisje worden gedragen. Terwijl de vogels in de oven braadden, zou Verna de vis bereiden. Ze wist zich geen raad toen de zalmforel te groot voor de stoofpan bleek te zijn.

Kook 'm in mos op een platte rots, vond Mickel Larsson, maar Verna was zo over haar toeren en nijdig dat ze hem wegstuurde om tussen het brandhout iets te zoeken wat het fornuis niet zo gloeiend heet maakte als berkenhout. Er was geen tijd meer om te praten. Hillevi moest midden in het geraas naar de wc hollen terwijl ze een pannenkoekje uit een overgebleven lunchpakket naar binnen werkte.

Stukje bij beetje, zei de knecht en hij at worst op de plee! riep een van de jongens van Skinnarviken haar na.

Dit was natuurlijk allesbehalve leuk. Ze liep resoluut naar de hondenren en gooide de pannenkoek voor de honden. Dat veroorzaakte gegrol en kabaal. Ze vreesde dat ze elkaar zouden verscheuren en verstopte zich vlug op het gemak. De aandacht van de mannen werd nu tenminste door iets anders afgeleid. Maar ze zouden het niet vergeten, dat wist ze. In ieder geval niet als ze de vrouw van de dominee werd.

Ze deed het even rustig aan. De met korstmos overdekte planken kraakten en ze zag stukjes blauwe hemel in de spleten tussen de wegrottende dakspanen. Eckendal had tegen de herfst een nieuw dak besteld. Maar ook daarop zouden meteen vernietigende krachten inwerken. Kraken en stromen, zacht verteren of opslokken in een geweldige storm. De daken hielden het hier niet lang uit, zo hoog in de bergen.

In haar gemijmer hoorde ze plotseling een heldere vrouwenstem gillen dat het water zo betoverend kabbelde.

Het klinkt als lokkende stemmen!

En een tweede vrouwenstem zei dat het weemoedig en verlaten klonk.

Bah, wat een onzin. Ze hoorde zelf het rivierwater. Het klotste en slurpte. Als het al op iets leek, dan was het op een dronken boer. Maar die twee wilden bij Edvard in het gevlij komen. Ze vermoedde dat hij niet ver weg was.

Voor de zekerheid voelde ze aan het haakje. Ze mochten hier niet binnenstormen. Ze had wel de indruk dat ze zich geneerden om naar het gemakhuisje te gaan als Edvard het zag. Zo vol betovering en weemoed als ze waren.

Ze verdwenen. Even later hoorde ze Edvard met een van de jachtheren praten. Hij zei dat hij naar het badhuis ging.

Ze bleef zitten in haar rust. Haar lichaam voelde vreemd boven het ovale gat. Het was alsof een dikke ader zich met bloed gevuld had en klopte. Ze werd loom. Het kwam haar voor de geest dat Edvard zich nu uitkleedde. Naakt bij de houten kuip stond, waar hij dampend water in gegoten had.

Ze dacht niet dat ze bij hem binnen kwam. Nee, het was geen verbeelding. Ze zag hem en naderde hem in de damp. Net zo zwaar als nu was ze, bijna loom met al het bloed in de dijen.

En nog erger.

Wat een idioot gedoe. Glashard zag ze nu: zodra hij zich omkeerde werd zijn gezicht stijf als hout. Zoals toen ze vertelde dat ze naar een plaats in Röbäck had gesolliciteerd.

Toen zowel de dames en heren als de honden te eten hadden gekregen, gingen ze zelf eten aan de keukentafel. De mannen kwamen binnen. Het waren de jongens van Skinnarviken, de kleinzonen van Paul Annersa, en Trond Halvorsen die nog net op tijd voor het diner aangekomen was, want ze hadden gewacht op benodigdheden uit de winkel. Mickel Larsson was er ook bij met zijn zoon, die

Anund heette en in de bergen was meegegaan als gids en drager.

Verna had een nieuwe visschotel voor ze gekookt, maar wel een van ingezouten vis want dat vonden ze lekkerder dan flauwe verse vis. Alle sneeuwhoenboutjes waren natuurlijk ook nog over, klein maar lekker.

Goh, die saus, zei Mickel en hij begon de roomsaus op te lepelen. Hoe komt een mens in 't paradijs?

Die gaat dadelijk jojken, zei Trond Halvorsen. Dat zie je aan zijn ogen.

En ze lachten om de ouwe Lap. Die eigenlijk zo oud niet kon zijn, dacht Hillevi. Alleen zijn gezicht is bruin en rimpelig. Hij trok er zich niets van aan en hief voor de grap een toon aan. Het klonk alsof hij gorgelde, vond ze.

Loop jij maar naar binnen en ga voor de groothandelaar zingen! Die geeft jou vijfentwintig öre als je maar je kop houdt.

Ja, muzikaal is-ie niet bepaald, zei Mickel. Gisteren schonk hij zich een grote cognac in terwijl de meisjes zongen. Meerstemmig, zeiden ze. Vervelend, hoor.

Hillevi vond het pijnlijk dat ze zich over Eckendal en zijn gezelschap vrolijk maakten. Daardoor vroeg ze zich af of de meisjes in de keuken aan de Öfre Slottsgatan ook op die manier babbelden over tante Eugénie en oom Carl. Ze had altijd gedacht dat ze tante bewonderden en bevreesd waren voor oom. Of veel respect hadden. Maar wie weet waren ze wel net als die Mickel Larsson, kruiperig. Achteraf zaten ze kwaad te stichten met hun woorden. Ze schaterden om dingen als de omslag van broekspijpen of zilveren tandenborsteletuitjes.

Ze zweeg en had spijt dat ze mee naar Torshåle was gegaan. Wat had ze verwacht? Dat Edvard haar zou zien en haar mee naar de salon zou nemen om haar aan zijn vrienden voor te stellen. Zij die zich niet eens wilde vertonen. Hoe anders was het uitgedraaid nu ze hier was.

Toen ze weer over Edvard begonnen te roddelen, had ze het voor hem op moeten nemen, maar ze was bang iets te verraden. Verna had een heel scherpe blik. God weet of ze niet haar vermoedens had want ze draafde nu onbarmhartig door. Ze liet de jongens van Skinnarviken vertellen hoe Edvard poëzie voor de juffrouwen had voorgelezen bij een van de watervalletjes in de rivier.

Drapeerden zich op de platte rotsen en lagen erbij alsof ze gefotografeerd zouden worden.

Waren ze gaan liggen?

Geschater. En dan Verna:

Laat horen, Anund! Want jij was er toch bij?

En de jonge Anund droeg voor:

Er wonen, ach, twee zielen in m'n borst, en de ene wil van de andere zich scheiden.

Verrek, wat een goed versje.

Maar rijmt het eigenlijk wel?

Ja, verderop, zei de jongen, die klein voor zijn veertien jaar was en bruin rechtopstaand haar en barnsteenbruine ogen had. Hij vervolgde:

Want de ene omklemt met hete liefdedorst de wereld waar zij woning wil bereiden, maar de andere schudt met onbetembare vlucht het stof zich af.

Kijk! Die is ongewoon vlug van verstand. Die hoeft maar iets te horen en hij onthoudt het.

Laat eens horen hoe een boswilg heet!

Salix caprea.

En schaafstro?

Equisetum hyemale.

Getver, zoiets kunnen ze toch niet zeggen over gras!

Da's Latijn.

Als het al geen Hottentots is.

Wolfsklauw, Anund!

Dat is Lycopodium selago.

Ooit al zoiets meegemaakt?

Ze dronken op wat er nog van de cognac over was. Halvorsen had wat klare brandewijn bij zich die ze in de koffie deden om mee af te sluiten. Pas toen ze de afwas deden en niemand anders luisterde, durfde Hillevi tegen Verna te zeggen dat ze niet geloofde dat de dominee zoiets voor die meisjes had voorgelezen.

Och, zo onschuldig zijn die ook weer niet, zei Verna. De oudste is tweeëntwintig.

Maar zoiets – nou nee, dat geloof ik niet. Die Anund heeft dat ergens anders gehoord. Het is niet eerlijk tegenover dominee Nolin om zo over hem te praten.

De dominee heeft het anders wel in het poesiealbum van juffrouw Eckendal geschreven. Het ligt binnen op tafel, ga zelf maar kijken.

Het was natuurlijk uitgesloten dat zij daar zou gaan rondneuzen. Ging het er zo aan toe? Lazen Anna en Betty thuis bij tante in het gastenboek en in Sara's poëziealbum? Ze lazen misschien hun brieven wanneer ze stof afnamen. Wat voor meisjes waren het eigenlijk?

Het kon gewoon niet waar zijn. Maar ze moest het zeker weten. Daarom ging ze toch naar de salon terwijl het gezelschap een avondwandeling langs de rivier maakte. Ze had gezegd dat ze de asbakken leeg ging maken, maar zodra ze de sigarettenpeuken zag, dacht ze: nooit van mijn leven. Ze liep in plaats daarvan recht naar een dik in leer gebonden boek en sloeg het open. Dat was echter het jachtjournaal. Ze zat bij het jaar voordat de groothandelaar in Vemdalen was geweest.

380 sneeuwhoenders
43 korhoenders
17 snippen
1 kemphaan
4 eenden
1 plevier
3 hazen

Het poesiealbum van juffrouw Harriet Eckendal vond ze op de muurbank bij de eettafel. Het boek had een groen fluwelen kaft. En Edvard had er zonder enige twijfel iets in geschreven. Er stond:

Daar wonen, ach! twee zielen in mijn borst,
En de eene wil van de andere zich scheiden;
Want de eene omklemt met heete liefdedorst
De waerelt, waar zij woning wil bereiden,
Maar de andre schudt met onbetembre vlucht
Het stof zich af, en smacht naar hooger sfeeren!

Ze sloeg het boek dicht. Ze wilde weg van alle mensen maar kon nergens anders heen dan de keuken. Het gezelschap van Eckendal kon ieder ogenblik binnen komen en haar bezig zien. Ook buiten. En Edvard.

Hete liefdedorst.

Het kan niet waar zijn.

Maar dat was het wel.

Ze zaten allemaal nog in de keuken en toen ze binnen kwam, keken ze haar nieuwsgierig aan.

En, heb je de asbakken leeggemaakt? vroeg Verna en Hillevi vond dat ze niet al te vriendelijk klonk.

Nee, dat mogen ze zelf doen.

Ze schoten allemaal in de lach en toostten luidruchtig. Er stond nu een tonnetje brandewijn op tafel en Hillevi begreep dat ze Halvorsen ertoe overgehaald hadden het te openen. Hij had het eigenlijk naar Skinnarviken moeten brengen, maar moest dringend hiernaartoe. Dus was hij van plan geweest om het op de terugweg af te leveren.

Het was voorbestemd dat wij het zouden krijgen! zei Anders Annersa en hield zijn koffiekop omhoog.

Daarna kwamen ze op het idee naar het badhuis te gaan.

Laat ze hun cognacjes zelf maar halen. En hun ijs en hun Sprudelwasser.

En sjoklaa met slagroom, imiteerde Elsa.

Groot gelijk, Elsa! Jij bent niet de sloof van de groothandelaar.

Binnenkort houdt hij ermee op, zeggen ze.

Wat! Gaat hij liquideren?

Zo zie je maar, Elsa. Je pa is tenminste goed voor...

Kom, laten we nu maar gaan, zei Verna scherp.

Ze waren aangeschoten. Alleen Halvorsen was ernstig en hij keek naar Hillevi. Toen ze eerder op de avond naar buiten ging, stond hij zich te scheren. Hij had een stukje spiegel boven op de deur van het houtschuurtje bevestigd en was net zijn donkere, stoppelige wangen aan het inzepen. Ze was blij dat hij haar niet had gezien, want hij stond daar met ontbloot bovenlichaam. In de avondkou. Hij lijkt wel zo'n rattenvallenverkoper, had ze gedacht. Een Italiaan. En zijn broekriem had hij hard aangetrokken rond zijn smalle middel. Het uiteinde bengelde los. Zoals bij spoorwegarbeiders.

Een arbeiderstype was hij uiteraard niet. Want nu zag hij er anders uit. Hij droeg een wit hemd met dunne blauwe streepjes en een jasje en een broek van zwart kamgaren. Dat eindje riem zag ze niet meer. Hij had het zeker weggestopt. En zijn hoed die op de bank lag, was goed geborsteld. Had hij nou ook nog maar een hemd met een kraag gehad, dacht ze.

In het badhuis gingen ze op omgekantelde houten kuipen zitten om hun schranspartij voort te zetten. Mickel stak de kachel opnieuw aan, zodat ze het warm kregen. Verna had meegebracht wat er nog over was van de geperste kaas met room en bessencompote. Maar Hillevi kreeg geen hap naar binnen.

Hierbinnen hoorde je de rivier zo duidelijk. Met kleine kolken en watervalletjes stroomde ze tussen de stenen naast de muur van het badhuis.

Luister, zei Mickel. Ze zegt haar eigen naam.

Wat zou het! Ze zegt toch niet Krokån! zei Nils Annersa.

Nee. Ze fluistert iets anders.

En nu het zo stil geworden was en je alleen nog de rivier hoorde slurpen en mompelen, wilde Hillevi het haast geloven. Ze vroeg zich af wat voor naam Mickel Larsson hoorde.

De stilte scherpte de zinnen. Je kon daarbuiten de koude wind door de boomkruinen horen blazen. Het gesuis klonk troosteloos en zwaar. Ze rook de scherpe geur van hermelijnkeutels in een hoek van het badhuis. Het was alsof de tijd zelf deinde en meegaf als veengrond. Toen ze hier aankwam, had de jachtvilla een oude indruk gemaakt met de gekruiste balkhoofden en het bruingeteerde hout, de kleine ruitjes in de vensters en de bovenverdieping met uitgebouwde zolder. Maar ze dacht: die zal hier niet lang meer staan. De rivier zal hier stromen en zal dan een heel andere naam hebben.

Ze vond het zelf niet zo vreemd dat Edvard zich in de tijd had vergist en naar dat meisje van Lunäset had geïnformeerd. Het voorval in Lubben leek haar al zo lang geleden. In de oertijd, zou Märta gezegd hebben. Maar hoe lang geleden was de oertijd?

Het water, dat stroomde en stroomde maar – sinds hoe lang wist ze niet. Sinds de ijstijd in ieder geval. Ze begreep nu pas dat de namen van bergriviertjes een kort leven beschoren waren. In de aardrijkskundeles had ze riviernamen als Lagan Nissan Ätran Viskan moeten leren alsof ze uit het Boek Genesis kwamen.

Maar de namen van bergen en rivieren gingen misschien niet zo lang mee. De tijd vreet zichzelf van achteren aan en legt alles wat geweest is in het donker. Misschien zouden de mensen haar eigen tijd ooit nog eens de oertijd gaan noemen, ondanks de booglampen en reusachtige oceaanstomers.

Waar denkt Hillevi aan? vroeg Halvorsen.

Hij had best juffrouw Klarin mogen zeggen, of ten minste juffrouw. Maar ze nam het hem niet kwalijk vanwege de ernst in zijn ogen. Bovendien was hij nuchter. De anderen zaten inmiddels te lallen en te schateren.

Ik denk aan allerlei vreemde dingen die anders nooit in me opkomen, zei ze.

Daarmee nam hij genoegen. Maar hij bleef haar wel indringend aankijken.

De anderen waren Mickel Larsson aan het treiteren omdat hij het sneeuwhoenderschuurtje niet binnen durfde toen hij vogels moest halen om te plukken.

Ik voel de greep van koude handen, imiteerde Nils Annersa.

Maar z'n zoon stuurde-ie wel naar binnen.

Die draagt iets bij zich, mompelde Mickel.

Een stalen amulet natuurlijk! Mickel is een sluwerd.

Nu werd hij kwaad en Verna zong om hem nog meer te pesten:

Vlooien en luizen,
Vlooien en luizen
en allerlei klein grut...

Ha, dat was nog eens iets anders, riep Anders Annersa en daarop begon hij met Verna mee te zingen:

Kleine Pelle, kom maar mee
want 't is al bijna avond
pa en ma zijn naar bed,
kom mee naar de schuur!
Nee, nee, nee, daar wil ik niet naartoe
voor geen duizend daalders!
Want daar zijn neten en luizenjongen
en allerlei klein grut.
Ja, daar zijn neten
en daar zijn luizenjongen
en allerlei klein grut!

Wat eng, zei Elsa. En hoe zit dat met die koude handen in het schuurtje? Is dat waar?

Mickel zweeg.

Nou en of, zei Verna. Er is daar van alles gebeurd, of niet soms?

Allerlei klein grut! zei Anders Annersa, die meer brandewijn in zijn koffiekop wilde. Hij moest zelf maar inschenken, want alle ogen waren op Verna gericht en iedereen hoopte dat zij zou vertellen waar ze allemaal aan dachten. Hillevi was er zeker van dat ze het wisten. Elsa ook, hoewel zij de vraag had gesteld.

Ze zeggen dat een meisje zich daar een ongeluk begaan heeft.

Maakte ze zich van kant?

Ja, maar dat gebeurde ergens anders.

Waar dan?

Toen stond Mickel Larsson op en ging weg.

Och, zei Verna, het was in achttienhonderd-en-zoveel. Daarvoor hoeft Mickel zich toch niet zo op zijn tenen getrapt te voelen.

Maar 't was een Lappenmeisje, zei Elsa, waarmee ze het vermoeden van Hillevi bevestigde dat zij wist over wie het ging. Maar ze wilde het uitlokken. Ze wilde de woorden horen.

Ze was knap, heb ik gehoord, zei Nils Annersa. Wit in 't vel.

Als ze een bad mocht nemen, ja.

Mocht ze baden? Hierbinnen?

Naar het schijnt. Dat was in de tijd van die vent uit Schotland. Ze wilden voortdurend baden. Erger dan de groothandelaar. Baaaf noemden ze dat. Dat vertelde mama. Baaaf...

Lispelde-ie, die admiraal?

Ja, vreselijk. Ga Mickel nu maar binnenroepen. Hij moet niet koppig doen voor zo'n bagatel. En hij weet zelf maar al te goed dat ze weer rondwaart. Ze komt terug naar de hoenderschuur waar het gebeurd is. Je kunt haar niet zien. Het voelt alleen maar als kouwe handen. Klamme, kouwe handen.

Hè, getver.

Kom, schenk nu in.

Voor Mickel ook.

Mickel!

Maar Anders Annersa trok vlug de deur weer dicht nadat hij geroepen had.

Nu zijn ze weer gaan wandelen.

Zonder de groothandelaar, die heeft zich te vol gegeten.

Hij is zo dik dat hij krullende vetkaarsen kakt.

Nee, het zijn de Snip en het Hoentje. Die laten tenminste nog wat afstand tussen elkaar. Maar je moest de Bergpieper en de Bleke Meeuw eens zien. Tussen die twee klikt het wel.

Hillevi snapte dat ze Edvard bedoelden met de Bergpieper. Hoewel ze niet wist wat voor vogel dat was, zag ze iets spichtigs met lange poten voor zich. Trond Halvorsen schoof zachtjes een koffiekop met een bodempje brandewijn naar haar toe.

Hillevi moet iets sterks drinken om zich warm te houden, zei hij.

Ze dronk en huiverde.

Vond je het sterk? vroeg Anders Annersa spottend.

Als ik nu buiten bij de jachtheren was, dan zou hij me een kreng noemen, dacht ze. Of hoe hij dat ook zou zeggen op z'n Jämtlands.

Ze was even ingedommeld ondanks het kabaal in het badhuis. Het was al laat maar het zag er niet naar uit dat de anderen al aan slapengaan dachten. Ze wist niet waar ze zelf de nacht zou doorbrengen. Dat was haar nog nooit overkomen. Toen ze wakker werd, was Nils Annersa net bezig Mickel naar binnen te trekken. Die stribbelde tegen en hield zijn rechterhand in zijn kiel verborgen.

Wat heb je daar?

Maar trekken hielp niet. Hij was sterk en zag er gemeen uit.

Let maar op, Mickel, als je thuiskomt. Als je wijf aanhalig doet en aan je gaat voelen, dan hebben we de poppen aan het dansen.

Wedden dat er een worst te voorschijn komt!

Jij bent in het voorraadschuurtje geweest, Mickel!

En jij denkt dat je vrouwtje genoegen neemt met een worst?

Hillevi vond het maar beter haar ogen te sluiten en te doen alsof ze weer sliep. Maar ze keek op toen de jonge Anund volkomen ernstig zei:

Er was iemand die altijd zijn hand wegstopte. Maar dat was lang geleden.

De boze wolf ja, mompelde Mickel. Die stopte zijn rechterhand weg. Altijd.

Waarom dan?

Geef me wat van dat sterke goedje, misschien dat ik het dan weer weet.

Hij dronk langzaam van de brandewijn die Halvorsen voor hem had ingeschonken.

Proost! riepen de broertjes Annersa.

Hou 'm niet voor de gek. Vertel nu, Mickel. Waarom verstopte hij z'n hand?

Ja, er waren er veel die zich dat afvroegen. Vooral ook het meiske waar hij mee trouwde.

Verder had die vrouw een goeie partij gedaan, meende Mickel. Hij was een vlotte vent en gaf haar zilver om tijdens de bruiloft te dragen. Veel rendieren had-ie, een grote kudde. Ja ja.

Ze leerde hem kennen op de manier waarop het altijd gaat wanneer mensen in hetzelfde bed slapen, maar toch kreeg ze nooit zijn rechterhand te zien. Als ze vroeg wat er gebeurd was, of hij zich lelijk bezeerd had, dan zei hij dat ze zich daar niet mee moest bemoeien. En hij klonk grimmig.

Nou zitten vrouwen zodanig in elkaar dat ze nooit iets ongemoeid kunnen laten. Alles moeten ze weten. En zij leek nog jong en onschuldig, maar was van hetzelfde hout gesneden. Dus toen hij op een avond was gaan slapen, moe van een hele dag rendierdrijven in de bergen, besloot ze een kijkje te nemen. 's Nachts in zijn diepste slaap sloeg ze behendig de ene huid na de andere terug. Hij had zijn hand zoals altijd ingestopt, maar ze rolde zijn mouw netjes en voorzichtig op. Er leefde nog wat vuur in de gloed van de haard en er flikkerde af en toe een zwak licht op. Dus ze kon genoeg zien.

Wat zag ze?

Zijn hand natuurlijk. Maar het was geen hand.

Wat was het dan?

Een poot. Met klauwen.

Ja, hij was er dus zo een. Een weerwolf. Nu begreep ze het. Maar er was nog niets gebeurd. Hij was nog geen enkele nacht buiten geweest sinds ze getrouwd waren. Dus dacht ze, het arme kind, dat hij genezen was.

Maar dat was-ie niet?

O nee, hoor.

Het ging zoals te verwachten was. Hij trok er tijdens de nachten op uit en kwam doodop en bleek thuis.

En zij? Ging ze terug naar haar familie?

Nee nee. Ze hield het uit tot hij stierf.

Hoe stierf-ie dan?

Ze schoten 'm af.

De Lap die hem neerlegde, wist van niks. Hij vilde het wolvenlichaam en nam de klauwen mee, maar hij zag pas achteraf dat de rechtervoorpoot gewond was. Die was ontveld. En de vrouw, die vond haar man in een palenhut. Hij lag daar witbleek en dood met alleen een beetje bloed rond zijn mond.

En toen zag ze de hand. Met haar en klauwen.

Wat een onzin, zei Elsa, die bleek zag. Dat zijn van die verhaaltjes van vroeger. Toen de mensen nog niks wisten.

Zijn hand was zeker mismaakt, zei Verna. Vandaar dat hij die altijd wegstopte.

Ze moesten niets hebben van gedrochten.

Zeg dat niet, zei Mickel. Lieg niet over de Lappen.

Die heeft te veel van dat sterke spul gekregen!

Al goed, zei Verna. Ik bedoelde niet de Lappen in het bijzonder. Niemand wilde iets met misvormde schepsels te maken hebben. In Svartvattnet was er een jong ding dat...

Ja wat dan?

Tja, wat zullen we zeggen, zei Verna met een blik naar Elsa. Ze had iets met haar eigen broer. Het waren eigenlijk nog maar kinderen.

Kinderen, die zijn lang niet zo onschuldig als je denkt.

Nou ja, zei Verna. Dat hangt ervan af. Maar dit was het soort volk dat het niet zo nauw nam. En dus ging het zoals het ging. Het meisje zette een kind op de wereld. Wel na veel ellende, want ze was tenger en klein. En het was een mismaakt geval.

Hoe?

Dat weet niemand. Niemand mocht het zien.

Ging het dood?

Ja.

Hun gezichten waren alleen nog schaduwen en donkere holen. Behalve dat van Verna, want zij zat naar de lamp gekeerd zodat de laatste flakkering op haar gezicht scheen. Haar ogen hadden een kleur als tin en haar huid was geelbleek en zag er vettig uit.

Hillevi wilde naar buiten, maar ze durfde zich niet te verroeren. Ze was bang dat ze zou gaan gillen als ze opstond. Zomaar.

Deden ze 't weg? vroeg Nils Annersa.

Ja.

Hoe?

Wel, het was winter en ze hadden een wak waar ze water haalden voor zichzelf en hun koeien. Ze hielden het even onder water. Makkelijk zat.

Lang geleden, zei Elsa en begon te giechelen.

Hillevi stond op maar moest ergens steun zoeken en legde bijna haar hand op de hete ketelmuur.

Kijk uit, zei Halvorsen en hij greep haar vast.

Ik moet naar buiten.

Hij nam haar om haar middel en ging naar de lage deur. Nadat hij die voor haar geopend had, legde hij zijn hand op haar hoofd en liet haar bukken zodat ze haar hoofd niet bezeerde.

Toen ze buiten kwamen, maakte Hillevi zich los en ging bij de rivier tegen de muur van het badhuis staan, waar niemand haar kon zien. Maar ze voelde zich gevangen. Wat verderop hoorde ze het geluid van het water. Het kwebbelde en klotste. Kleine schreeuwtjes en een gemeen gnuivend gemurmel. Maar ver weg, hoewel het eigenlijk heel dichtbij was. Precies zo veraf klonk het dat haar oor het gekwebbel opving, maar niet haar verstand.

Ik moet weg, dacht ze.

Halvorsen kwam behoedzaam de hoek om en vroeg of ze zich onwel voelde. Ze schudde het hoofd.

Dat was smerige praat, zei hij.

Ja.

Ze bedoelden het vast niet zo kwaad. Het is ook zo lang geleden gebeurd.

Wanneer eigenlijk?

Dat weet niemand. Het kan wel honderd jaar geleden zijn. Of meer. Als ze niet liegen.

Hillevi begon te huilen. De snikken schokten in haar borst en hij moest zijn arm om haar heen leggen en praten als tegen een kind. Hij had in het badhuis zijn jasje uitgedaan en had geen tijd gehad om het weer aan te trekken toen ze naar buiten gingen. Zijn hemd leek pasgewassen en de huid van zijn hals rook naar groene zeep.

Wanneer gaat Halvorsen naar huis? vroeg ze.

Heel vroeg als Hillevi dat wil. Maar het moet eerst licht worden zodat m'n meer ziet waar ze haar poten zet.

Het is een heel eind rijden, zei Hillevi en ze huilde weer. Ik wil daar niet meer naar binnen, ik kan het gewoon niet meer opbrengen. En ik weet niet waar ik moet slapen. Ik had niet moeten komen.

Hillevi moet het zich niet zo aantrekken, zei hij. Het is allemaal dronken gelal. Het is mijn schuld. Ik had het tonnetje niet mogen openen.

Hij bracht haar naar het bakhuis en zei dat ze daar moest wachten. Toen hij terugkwam had hij een grijze deken bij zich en een rendierhuid. Hij legde de huid op de baktafel en zei haar erop te klauteren en zich in de deken te wikkelen.

Ik maak de bakoven aan, zei hij. Dan wordt het dadelijk warm.

Zodra hij het vuur op gang had gekregen, liep hij naar buiten en even later kwam hij terug met haar hoed en tas. Van haar sjaal vouwde hij een hoofdkussen voor haar.

Wees maar niet bang als ik af en toe binnen kom om een paar houtblokken op het vuur te leggen.

Maar waar gaat Halvorsen dan slapen?

Buiten, zei hij kort.

Hij dacht aan het geroddel, snapte ze. Dat eeuwige geroddel dat met zijn tengels overal aan zat.

Het was nauwelijks licht buiten en niet zo koud als ze had gedacht. Ze zouden meteen na zonsopgang vertrekken, had Halvorsen gezegd, maar in het zachte, bewolkte weer kon ze geen zon zien opgaan. De berken langs de rivier waren bespat met een gele kleur en in het loof bewogen voorzichtige vogels. Hoewel ze stil waren nu het al tegen het najaar liep, voelde Hillevi dat het er veel waren. Af en toe verwarde ze een vogelkreet met het geluid van het rivierwater tussen de stenen.

Hij had de kar ingespannen en hielp haar erop. Hillevi had nog nooit met zulke eenvoudige voorzieningen gereisd. Een laadvloertje, een bok om op te zitten.

Nu, dacht ze. Nu neemt hij de teugels en rijden we ongezien weg. Later zal het zijn alsof het nooit gebeurd is.

Maar zo makkelijk kwamen ze niet weg. Hij moest een leeg vat halen waarin lamppetroleum had gezeten en vervolgens een zak lege pilsflesjes die zo vreselijk rinkelden dat ze wel kon huilen. Ze kroop in elkaar op de bok. Als ze nu in huis wakker werden, zouden ze een dekenbundel met een hoed erboven zien, meer niet.

Hij sjorde het lege vat vast. Alles deed hij bedachtzaam en ordelijk. Ze herkende zijn bewegingen van de reis naar Röbäck in het maartse sneeuwlandschap.

En toen klauterde hij er eindelijk op. Hij schoof zijn hoed in een scherpe hoek naar voren hoewel er geen zon was die hem in de ogen kon schijnen. Waarschijnlijk was het alleen maar een gewoonte. Dan klakte hij met zijn tong, één keer en zonder de teugels op de rug van het paard te bewegen. De merrie gehoorzaamde, ze boog haar nek en begon te trekken. Ze voelde dat de lading licht was en kwam meteen in een regelmatige tred, voorzichtig afgemeten op de onregelmatige karrenweg.

Het is hetzelfde paard, zei Hillevi. Als die keer toen ik uit Lomsjö meereed.

Docka, ja, zei hij. Die komt er altijd door, hoe drassig het ook is.

De wagen schudde ondanks de zachte ondergrond. Er staken steenbulten uit en graspollen die op borstelige koppen leken. Zolang ze langs de rivier reden, ging het redelijk. Maar bij een klein stukje bergop na het eerste veenmoeras moesten ze afstappen en lopen. Hij praatte door over het paard en vertelde dat het een Noorse Døle-merrie was. Hij had haar gekregen bij zijn confirmatie. Ze kwam van zijn grootvader van vaderszijde in Fagerli.

Ze stelde zich hem voor als een tengere jonge knaap met zwart haar. Veertien jaar en al een eigen paard! Dan moesten ze toch welgesteld zijn. Alsof hij haar gedachten had gelezen en misschien omdat hij eerlijk wilde zijn, zei hij:

Mijn andere opa in Lakahögen heeft het betaald.

Toen hij het paard kreeg, keek hij ongetwijfeld zoals nu, gemaakt onverschillig om zijn wilde blijdschap niet te tonen. Maar waar was hij nu dan zo blij om?

Waar zit Hillevi om te grinniken? vroeg hij.

Ze had nauwelijks kunnen denken dat hij haar gezicht zag, want hij keek onafgebroken voor zich uit. Of voelde hij haar lachlust aan net zoals zij die van hem? Ze zaten dicht bij elkaar. Zijn arm raakte soms die van haar.

Ik zag in mijn verbeelding Halvorsen voor me, zei ze. Bij zijn confirmatie.

Ja, zei hij. Wij deden ons zwarte kostuum uit zodra we gegeten hadden, en gingen met werkbroek en laarzen aan naar het paard kijken.

Vanuit het sparrenbosje dat op de heuvel lag kwamen ze op vlakker terrein naast een lang veen. Nu konden ze weer op de kar gaan zitten. Geruime tijd was er niets anders te horen dan het makke geluid van de hoeven op de zachte grond. Docka was zwartbruin en had een haarplukje op haar kruis precies boven de staartriem. Haar ronde dijen glansden. Hillevi was er bijna zeker van dat hij haar 's ochtends vroeg geroskamd had. De staart was lang net als de manen, en zwartroodachtig. De maantop krulde.

Hillevi had geslapen in een paardengeur. Die zat in de deken die hij over haar heen gelegd had. Nu hing hij als een warme damp in de ochtendkou. Ze dacht met een onbehaaglijk gevoel aan de brouwerswagens in Uppsala met hun grote knollen, en aan de putjesschepper die beer kwam ophalen met een magere ruin. Døle-paarden, zei Halvorsen, dat waren koudbloeden, maar wel met warmbloed in zich. Het waren sterke en taaie paardjes. En ze waren bovendien schrander.

Een rosse grutto vloog op en hield zijn gebogen snavel als een sonde naar de hemel. Hillevi schrok van zijn roep en Halvorsen lachte. Zijn kin was nog glad. Of had hij zich nog een keer geschoren?

Zo verzonk ze in gedachten.

Toen hij de kar ingespannen had en bij haar op de bok was geklauterd, had hij de grijze deken over haar schouders gelegd en haar goed ingestopt. Hij was een en al redelijkheid en bezorgdheid geweest. Ze vond hem nu zo jong, met een vochtige jongensblik. Of ogen als van een hengstveulen.

Heel even brak de zon door en de nevelslierten boven de meertjes en de moerasdampen werden roze van het licht. Maar op de lage bergen hing de regen in sluiers en algauw was de lucht opnieuw grijs als spinnenwebben en zoelbewolkt. In de wilgenbosjes druppelde het al als voorbode van de regen, hoewel het eigenlijk slechts de verdwijnende dauw was.

Ze kwamen na een uurtje in het bos waar de stenen en de hobbelige karrensporen hen dwongen te voet verder te gaan. Hij vroeg zachtjes of ze wilde rusten, maar zij schudde nee. Ze voelde zich eigenlijk een beetje bang, maar wist niet waarvoor.

Het was nog enigszins zomers toen ze op het juiste herderspad kwamen. Het veenland was nog niet zo roodvlammend van de vorst en de berken hadden nog maar weinig bladeren verloren. De grote meren lagen nu ver beneden en achter hen was het gebergte in een wolkendek van plukjes watten gehuld. Er klonk een lang aangehouden lokroep van een op en neer klokkende vrouwenstem. Halvorsen wist natuurlijk welke veehoedster daar zong. Het was Elin en de naam van haar zomerweide was Nisjbuan.

Hillevi was tevreden dat ze in de nabijheid van mensen kwamen. Althans van één mens. Het was harder gaan waaien. Het lage wolkendek dreef nu in een sterke wind; wolkenpakken trokken snel van west naar oost. Docka zwoegde verder met heen en weer dansende maantop. De weg was vlakker geworden. Hillevi kon gaan zitten en de deken om zich heen slaan. Halvorsen bleef naast de kar lopen. De flessen rinkelden nu vreselijk. Tot nog toe had ze geen aandacht aan het geluid besteed, of de weg was misschien harder geworden. Ze kreeg een hevig verlangen naar stilte. Maar ze zei niets, want het zou toch niet erg zinnig geklonken hebben.

Toen belandden ze plotseling in een druilerige grijsheid. De wind hield even zijn adem in en ze werden in net zo'n grijze damp gehuld als waarin ze zopas nog de bergtoppen hadden zien liggen. Ze zagen niets meer. Het water maakte zich los uit de lucht, de dauw veranderde in druppels en het begon te gieten.

Verdomme, zei Halvorsen. Nu gaat Hillevi's hoed naar de knoppen!

Ze deed hem af en legde hem in de zak met flessen. Daar zou het hem niet veel beter afgaan, maar ze zei niets en knoopte een sjaaltje onder haar kin. Halvorsen liet Docka halt houden en leidde haar van de weg af. Ze hadden een poosje redelijk vlak terrein. Ze keek verbouwereerd toen hij de disselbomen los begon te maken.

We gaan naar de schuilspar, zei hij. Daaronder blijft het droog. Ik kan m'n meer hier ook niet in de stromende regen laten staan.

Hij leidde het paard over de verende grond naar een zompig sparrenbos dat steeds dunner werd. Ze had gedacht dat ze onder de eerste de beste brede boom zouden gaan zitten. Maar hij zei dat de juiste spar nog een eind verder stond. Er bleven wel vaker hooiers overnachten en hij was dicht als een echte schuilhut.

Het was de grootste spar die Hillevi ooit had gezien. Er stond een van rijshout gevlochten afdakje voor en er lagen zwarte resten van een kampvuur. Ze zou nooit geloofd hebben dat er zulke grote bomen bestonden. Ze vingen niet eens een glimp van de top op, want hij duwde haar naar binnen en gooide haar de deken toe. Daarna hoorde ze hem rommelen aan de andere kant van de spar waar hij een plaats voor de merrie gevonden had en haar vastbond.

De onderste krans van sparrentakken was als een grote klok of een wijde, slepende rok met franjes. Hierbinnen groeide niets op de grond, er lag alleen maar een egaal tapijt van roodbruine naalden. En het was droog. Buiten suisde nu de regen, maar geen druppel kwam er binnen.

Hillevi knoopte haar sjaaltje los en droogde er haar gezicht mee af. Nu kwam Halvorsen naar binnen gekropen. Hij draaide voorzichtig zijn bolhoed om zodat het water wegdroop. Hij had ook nat haar. Toen hij zag dat Hillevi's sjaaltje nat geworden was, zodat ze het niet meer kon aandoen, zei hij:

Da's nou jammer.

Waarom?

Hillevi zag er zo zoenerig uit in haar sjaaltje.

Dat was wat ze verstond. Hij zou onbeschaamd worden als ze op deze manier bij elkaar kropen. Maar voorlopig zei hij niets meer van dien aard. Hij haalde een flesje uit een binnenzak van zijn jasje. Het zat in een wollen sok.

Nu krijgt Hillevi koffie en boterhammen, zei hij.

Ze moesten de plaats op de deken delen en ze dronken de lauwe koffie uit dezelfde fles. Er zat niets anders op. Buiten was alles ochtendnaakt en nat en de suizende regen maakte haar bijna duizelig. Hij maakte de geuren uit het veenmoeras los. Ze herkende ze van het bessenplukken. Een sterke, complexe geur van vergane kruiden.

Terwijl ze boterhammen met worst aten, waarvan ze vrijwel zeker wist dat ze als lunchpakket voor de groothandelaar bedoeld waren, vroeg hij recht voor zijn raap en zonder spot in zijn stem:

Heeft Hillevi een vriend?

Nu zou ze hem op zijn plaats moeten zetten. Maar wat moest ze zeggen? Dat hij te ver ging en onbeschaamd was? Hij moest begrepen hebben dat ze zich ergerde, want hij zei:

Hillevi moet het me niet kwalijk nemen.

En toen begon hij te neuriën met een stem die de ernst moest wegnemen uit wat hij zopas had gezegd:

Wie op 't land om een meisje vrijt,
bemint haar in schone deugdzaamheid...

En ze besefte hoe waanzinnig al het gedoe met Edvard was. Hete liefdedorst. Die woorden stonden als een mes rechtop in een boterpot. En deugdzaamheid. Dat was zo'n typisch Edvard Nolin-woord.

Hillevi is kwaad, zei hij. Ik zal haar weer opmonteren.

En toen legde hij zijn mond op haar hals.

Dat was wat er gebeurde. Zijn natte mond en de regen. En hij nam zijn lippen niet weg. Kuste evenmin, liet ze gewoon rusten, nat tegen de huid van haar hals en toch warm.

Wat gebeurt, gebeurt. Het is niet iets wat je uitdenkt. Er schoot een wilde blijdschap door haar lichaam. Een soort blijdschap die ze alleen nog maar bij kleine kinderen had gezien. Dus draaide ze haar hoofd, niet weg maar hem toe zodat hij bij haar mond kon. Ze rook zijn zwarte haar, dat niet meer zo kortgeknipt was. Het krulde nu in zijn nek. Zijn haar was vochtig behalve boven op zijn hoofd, waar zijn hoed het tegen de regen had beschermd.

Ze was waanzinnig. Waar dit precies heen moest, begreep ze pas toen hij zei:

Wil Hillevi dat het nu gebeurt?

Ze was onthutst dat hij het onder woorden bracht. Ook al was dat het enige wat hij zei.

Ze was ook geen maagd meer. Vond hij het misschien vanzelfsprekend? Ze had gedacht dat ze wel wist hoe het ging. De haast, het hevige ademen. Zoenen die moesten verdoezelen dat haakjes uit oogjes gehaald en bretels neergetrokken werden. Niets daarvan. Hij haalde zijn lippen weg van de hare en streek met zijn wijsvinger over haar mond. Zijn ogen waren heel bruin en van zo dichtbij zag ze dat zijn wimpers gebogen waren. Ze dacht aan zijn moeder, wat een blijheid die gevoeld moest hebben toen ze de eerste keer het jongenslijfje vasthield, en ze vroeg zich af wie die moeder was.

Je zou kunnen denken dat alles haastig moest verlopen in een regenbui als deze. Maar hij leek al de tijd van de wereld te hebben en trok heel voorzichtig de spelden uit haar haarknotje zodat de vlecht losviel. Ze wilde eigenlijk niet dat hij die losmaakte, want dan zou haar haar gaan krullen van het vocht en onmogelijk weer in model te krijgen zijn. Maar het leek zo ver weg wanneer ze ooit weer onder de mensen zouden komen, dus liet ze hem begaan. Hij dacht kennelijk toch even vooruit want hij stopte de haarspelden in de binnenzak van zijn jasje. Daarna friemelde hij het knoopje op het boord, van haar bloes los en legde zijn lippen en het puntje van zijn tong op het kuiltje in haar hals. Ze voelde weer dezelfde wervelende schok door haar lichaam. Het was een soort elektriciteit die zonder leidingen rondjoeg, maar wel een aangenamere en mildere soort dan die in een brandende lamp.

Het is duidelijk dat een mens altijd dezelfde is, wat hij ook doet. Halvorsen was zichzelf, zorgvuldig en geduldig, of hij nu goederen op een kar laadde, de merrie optuigde of juffrouw Hillevi Klarin uitkleedde. Ze begreep bovendien dat zijn begeerte al veel langer bestond dan die van haar en dat hij eraan gewend was en zich kon beheersen terwijl hij zijn jasje uittrok en over haar schouders legde.

Hij wilde haar korset losmaken. Dat was bijna niet te doen. Maar hij draaide haar op de paardendeken op haar buik en probeerde koppig toch het rijgsnoer los te krijgen, terwijl hij met zijn mond in de welving van haar nek en zijn lippen in een wirwar van vochtig haar lag. Ze draaide zich resoluut om en toonde hem de sluitinkjes die vooraan onder een zoom verborgen zaten. Ze schoten in de lach toen ze tegelijk de haakjes los probeerden te peuteren en elkaars vingers in de weg zaten. Hij ritste zijn hemd open en trok zijn riem uit zijn broek en in een geheugenflits zag ze hoe hij zich bij de deur van het houtschuurtje op Torshåle had staan scheren. Ze wist nog wat ze toen had gedacht en ze schaamde zich.

Maar zwart haar, dat had hij.

Ze hielp hem zijn lange broek van madapolam uit te trekken en was blij dat ze altijd schoon ondergoed aanhad, dat ze zelf geborduurd had. Nu moest ze ineens aan iets denken: dat hij tijdens de hele terugweg geen pruimtabak had genomen. Had hij dat achterwege gelaten omdat hij een en ander al van tevoren uitgestippeld had? Vervolgens lagen ze huid tegen huid en dacht ze aan helemaal niets meer.

Ze was dus geen maagd meer, maar geen man had ooit haar borsten gezien. Met Edvard was alles in het donker verlopen, met haar hemdje nog aan. Halvorsen verlustigde zich zo aan haar boezem dat hij zich weer een ogenblik vergat. De heftige beweging die ze maakte toen hij zijn broek afstroopte en zijn lid te voorschijn haalde, begreep hij verkeerd en hij fluisterde dat ze niet bang hoefde te zijn.

Hij is zacht als een paardenmuil, zei hij.

Daarna lagen ze samen en probeerden elkaar onder zijn jasje toe te dekken. Hij trok de deken onder haar schouders op. Iets ritselde boven hen in de spar, misschien een eekhoorn. Ze begreep dat er in zo'n grote boom heel wat wezens konden wonen. Vlakbij hoorden ze het geknars van Docka die uit haar voederzak at.

Je hebt het koud, fluisterde hij en legde het jasje beter om haar heen. Daarna richtte hij zich bukkend onder de sparrentakken op, trok zijn broek op en gespte zijn riem vast. Maar zijn gulp knoopte hij niet dicht. In de grote sparrenkooi brak hij droge takken van de stam af. Even later steeg een geur van rook op, want buiten, waar nog zwarte resten van eerdere kampvuurtjes lagen, had hij de takken in brand gestoken. De warmte kwam in zwakke golven, als ademhaling.

Er was nog een beetje koffie in de fles, maar die was bijna koud. De boterhammen waren op. Ze konden Docka in de voederzak horen kauwen en moesten lachen om het geluid.

Die heeft tenminste niet alles in één keer genomen, zei Hillevi.

Dat heb ik ook nog niet gedaan, fluisterde hij in haar oor en ze voelde dat ze begon te blozen.

De regen suisde onverminderd neer en ze begreep dat ze nog lang zouden blijven schuilen.

Elis woonde die zomer bij het Russenwijf, zoals de mensen haar noemden. Maar het duurde lang voordat hij die lelijke naam te horen kreeg.

Die dag in maart was hij over het ijs naar de zomerweiden op Lunäset gelopen, waar tijdens de winter niemand woonde. Hij was bang voor de noordkant van het meer, waar groepjes huizen stonden. Daar zou hij meteen herkend worden, want zijn moeder was in Jolet geboren. In plaats daarvan liep hij naar de zuidkant. Hij rekende erop een herdershut op Lunäset te vinden om voorzichtig een vuurtje te maken en te slapen. Hij had een stuk spek meegenomen, maar dat zou snel op raken. Het was niet uitgesloten dat er iets eetbaars in een paalschuurtje of een voorraadkelder achter was gebleven.

Maar het enige wat hij vond waren broze, oude visnetten en knipvallen. En rattenkeutels.

Er zat niets anders op dan weer verder te trekken. Hij liep over het ijs bij de oever. De volgende dag kwam hij tegen de avond in Skuruvasslia aan. Daar rookten de schoorstenen. Hij kon zich onmogelijk kenbaar maken. Dan zou hij dadelijk naar huis worden gestuurd of zou zijn vader hem komen halen. Het schoot hem te binnen dat als hij zich niet vertoonde, ze zouden denken dat hij dood was, aangezien niemand hem meer gezien had.

De honden gingen tekeer, maar geen mens scheen er aandacht aan te besteden, dus sloop hij ongezien een stal binnen. Daar sliep hij, maar wel op zijn hoede om niet te worden verrast wanneer ze 's morgens kwamen melken. Hij werd misselijk van de schrik toen midden in de nacht een deur knarste en er zware voetstappen klonken. Maar toen begreep hij dat het geluid van de andere kant van de plankenmuur kwam, uit de paardenstal. Hij wist immers dat boeren die hun paarden voor zware bosarbeid gebruikten, 's nachts opstonden om ze te voeren. Het werd dadelijk weer stil. Hij hoorde alleen de kaken van de paarden malen, en hoe ze hun hoeven verplaatsten. Hij kon niet meer slapen, maar bleef nog een uur of wat in de warmte van de schapen liggen. Voor hij vertrok, melkte hij nog stiekem een kleine bonte koe in een ansjovispotje.

Nu had hij gestolen.

Hij dacht aan alles wat hij had gedaan, maar kon niet huilen. Zo slecht en verdorven voelde hij zich niet, hij had alleen honger.

Hij vroeg zich af of hij zelfs wel genoeg te eten zou hebben gehad als het zomer was geweest. Hij was de achterkleinzoon van de man die de Eekhoorn werd genoemd. Die had geleefd van wat het bos gaf. Maar hij had destijds wel een buks, en ook zijn vallen en netten. Elis had alleen een mes.

Daarom ging hij door met hier en daar wat te stelen. De mensen deden hun schuren ook nooit op slot. Hij had altijd iets eetsbaars op zak om naar loslopende honden te gooien als die op hem afstormden. Ze lieten zich paaien met een stukje worst. Hij begon haast minachting voor honden te voelen.

Zijn grootste wens was om over de berg naar de Noorse dalen aan de overkant te komen. Daar zou niemand erachter kunnen komen waar hij vandaan kwam. Maar hij was bang voor de voerlieden die naar Noorwegen reden zolang de sneeuw daarboven hoog en hardbevroren lag. Iemand zou hem kunnen herkennen. Dus leefde hij tot diep in mei als een uitgehongerde zwerver. Erger nog. Soms leek het hem dat hij het nauwelijks beter had dan een vos. Maar hij dacht er nooit aan om het op te geven en terug te keren.

Hij veranderde door het alleenzijn. Hij hoorde beter en zag beter. Toen hij een paar wanten stal dat iemand in een hok vergeten had, voelde hij alleen maar blijdschap over zijn vondst. Het kwam niet meer in hem op dat hij verdorven was.

Door de wegen te mijden en op het ijs van de meren te lopen had hij zich weten te redden zonder dat ook maar een mens hem te zien kreeg. Hij was er vrij zeker van dat ze hem thuis dood waanden. Toen hij op een keer min of meer genoeg gegeten had – hij had een stuk kaas gevonden – dacht hij bij zichzelf dat als hij al leefde, het niet hetzelfde leven was. Die gedachte beet zich vast.

Toen de bergwegen opgedroogd waren, kwamen de mensen weer in beweging. Hij lag vaak te spieden naar wie er langsreed. Uiteindelijk had hij geluk en zag iemand die niet van de streek kon zijn, want de man droeg een zwarte breedgerande hoed en hij had zijn jas helemaal tot tegen zijn kin dichtgeknoopt. Het was een predikant. Hij was misschien aan de verkeerde kant van de berg achtergebleven na een sneeuwstorm in de herfst en was nu op weg naar huis.

Elis maakte hem natuurlijk aan het schrikken. Hij vermoedde best wel hoe hij eruitzag, maar hij had niet gedacht dat die predikant zo bang zou worden. Het ging gelukkig over toen de man zag dat hij maar een jongen was.

Hij mocht met hem meerijden, achter een kleine lichtbruine merrie aan. De prijs was natuurlijk eindeloos uitgevraagd te worden. Maar het lukte Elis om te zwijgen en als hij toch een woord zei, probeerde hij te klinken zoals wanneer ze in Jolet hun moeilijkste dialect spraken.

De predikant praatte de hele reis over Jezus. Elis had nooit veel over Hem nagedacht. Maar deze hier scheen duidelijk te weten hoe Jezus woonde en wat Hij at en wat voor schoeisel Hij droeg. Hij leek behoorlijk kinderlijk. Elis merkte weer dat hij door zijn langdurige eenzaamheid veranderd was. Vroeger was hij bang voor mensen geweest en hij had altijd geloofd dat iedereen slimmer was dan hij, in ieder geval als ze beter gekleed waren. Bijna iedereen dus. Hij had gedacht dat zwervers altijd bevreesd waren. Zo zagen ze eruit. Maar zelf voelde hij zich lang niet meer zo bang. Sommige zwervers hadden lef, hoorde hij zijn tante Bäret nog zeggen.

Hij zei niet dank u en tot ziens tegen de predikant, want hij had zich vanaf het begin voorgenomen dat hij zou wegglippen om vragen te vermijden of, erger nog, om niet in zijn gezelschap onder de mensen te moeten komen. Niemand mocht te weten komen dat hij van de overkant van de bergen kwam.

Ook predikanten moeten pissen. Toen hij, ietwat deftig als hij was, even verderop achter een spar ging staan, greep Elis zijn kans en verdween de boshelling op. Hij klauterde en klauterde tot hij aan een richel kwam. Daar bleef hij zitten en luisterde naar het geroep van de predikant. Als een lynx. Maar het was vreselijk hoe de man maar bleef roepen. Elis begon zich nu een beetje te schamen. Hij verbaasde zich over zichzelf, want hij had gedacht dat hij met de oren van een lynx luisterde en het verleerd had zich te schamen.

Toen ze de berg afdaalden, waren ze in een kom beland waarvan de zijwanden uit de loodrechte, met sparrenbossen beklede bergen bestonden. De grote rivier, die van bovenaf gezien als een breed glasgroen lint diep in de afgrond gleed, kolkte nu voort in een reeks stroomversnellingen en was donker door het weerspiegelde bos. De slenk lag de hele dag in de schaduw.

Nu hij verder afdaalde, zag hij een groepje grijze huizen. Het dal was wat breder geworden. Hij zat hoog in het bos aan de andere kant en zag dat ze ochtendzon kregen, een glimpje maar.

Hij durfde er niet heen. Het was te dichtbij. Ze zouden wel snappen dat hij van de overkant kwam en dat hij een Zweed was, en op de vlucht. Hij durfde er ook niet langs via de weg. Die was als een nauwe val met de onrustige rivier aan de ene kant en het steile sparrenbos aan de andere. Dus klauterde hij hogerop het bos in. Zijn vossengevoel, dat hij bijna verloren had toen hij wat van de mondvoorraad van de predikant gekregen had, kwam terug. Van verre snoof hij de geur van rook op.

Hij lag stil tot de heldere nacht kwam.

Nog voor zonsopgang werd hij opeens gegrepen door harde handen met benige vingers. Hij was onder een grote spar gaan liggen. Het was een vrouw, het was dat Russenwijf zoals ze genoemd werd. Dat kwam hij later te weten.

Ze was helemaal niet zoals andere mensen. Vandaar dat ze hem had kunnen verrassen. 's Nachts was ze op, slenterde rusteloos rond, zoekend. Naar iets eetbaars, begreep hij naderhand. Bang was ze ook niet.

Ze trok hem mee naar een met graszoden bedekt huisje en enkele kleine schuurtjes. Hij had zich los kunnen maken, maar dacht dat ze misschien iets te eten had.

Er waren geen dieren in de stal. Het dak was ingestort. Ze zei dat een beer de dakspanen opengebroken had en de koe gepakt had. Zulke verhaaltjes had hij al eerder gehoord. Ze loog veel.

Ze was uitgemergeld en haar haar was niet gevlochten of opgestoken. Om de waarheid te zeggen: hij was zo geschrokken toen ze hem vastgreep, dat hij dacht dat ze een oude bosfee was. Ze was redelijk jong. Soms dacht hij dat haar buik misschien wel zacht was, maar dat haar rug vol splinters en houtjes zat.

Het ergste stond hem binnen te wachten. In een wieg die aan het gebint hing, lag een pasgeboren kind. Hij dacht dat hij Serine en het kind helemaal vergeten was. Maar dat was niet zo.

Hij wilde er onmiddellijk vandoor gaan. Maar het draaide anders uit. Hij vreesde dat die leugenachtige en wie weet waanzinnige vrouw het kind wel eens zou kunnen laten verhongeren. Het was een klein meisje, ze tuitte haar lippen en smakte. Hij viel bijna flauw, maar stak haar zijn vinger toe en ze probeerde erop te zuigen.

De vrouw had melk in haar borsten, maar Elis had nog nooit gehoord dat iemand die zoogde, dat kon doen zonder zelf melk te drinken. Ze zou eigenlijk naar de anderen toe moeten gaan en ten minste om een fles gezuurde melk bedelen als er van het kind iets menselijks moest worden. En proberen een geit mee te krijgen. Maar ze ging niet. Ze zei dat ze haar wegjoegen. Meer kreeg hij niet te horen. Anderzijds vroeg zij ook niets over hem, wat goed was.

Zo bleef hij eerst een dag en dan nog een dag. Hij trof in een schuurtje netten aan, grijs en broos en met grote scheuren erin. In het huis vond hij garen en hij sneed een naald om het ergste te repareren. Ze zei dat er hogerop meertjes waren om in te vissen en dat er daar een boot lag. Maar dat hij maar beter uit moest kijken voor de Lappen, want het was hun boot.

Toen ze later de gevangen forel kookte, verheugde hij zich op het vet. Dat moest wel melk in haar kleine borsten geven, dacht hij, al was het de verkeerde soort. Hij had ook veenmos meegebracht, zodat ze nu iets had om het kind mee te verschonen. De bips was rood. Hij vond dat ze nergens verstand van had.

In de schuurtjes was alles verdroogd en versleten maar toch lukte het hem om enkele vallen en knippen in orde te brengen. Zijn eerste vangst was een wijfjeshaas. Het beestje had melk in haar spenen. Het kwam in hem op dat de vossen nu haar jongen zou pakken.

Het enige wat de vrouw aan eten te bieden had, was zuring waar ze pap van kookte. Die werd flink grof als het eenmaal zomer was.

Ze hadden ook geen zout. Hij zei dat ze dat in huis moest halen. Maar dat wilde ze niet. De vis was smakeloos, zonder zout smaakte alles ongeveer eender. Geen sprake van dat ze de winter zou doorkomen als ze op z'n minst niet een geit en een zak zout had. Meel zou ze ook moeten hebben.

Het rare was dat ze smalend lachte toen hij dat zei.

Hij slaagde erin in zelf een zak zout te krijgen. Toen hij boven bij de bergmeertjes zat te vissen, kwamen er inderdaad Lappen. Een eind lager hadden ze weilanden voor hun rendieren en hier kwamen ze ook om te vissen. Hij kreeg koffie te drinken. Hij was van berkenzwammen gebrouwen, zeiden ze bij wijze van verontschuldiging. Het was immers oorlogstijd en Zweedse koffie konden ze zich niet veroorloven. Maar Elis had nog nooit iets anders dan moutkoffie gedronken, hij vond hem lekker. Net als hun rendierkaas. Ze vroegen waar hij vandaan kwam en hij beschreef hun waar het huis stond. Daarop zeiden ze dat ze wisten dat dat huis leegstond en ze vonden dat hij er maar liever niet moest slapen. Er kon daarbinnen onzichtbaar volk zitten. Had hij nog niet gehoord dat er 's nachts rondgeslopen en gefluisterd werd?

Hij zei dat hij niet geloofde in aardmannetjes en bosnimfen. Maar toch hadden ze hem schrik aangejaagd. Hij dacht aan dooie mensen met schimmelige smoelen en gaten in plaats van ogen.

Terwijl hij vertelde over het kind en over de vrouw die niet eens een geit had en niets om vis mee in te zouten, reageerden ze meewarig. Ze gaven hem een zak zout toen ze verder trokken.

Hij verstopte de zak en nam telkens als ze aten precies zo veel als hij nodig had. Hij had de indruk dat ze niet erg zuinig was. Nu was hij van plan om zo veel mogelijk te vissen en te strikken in de late zomer. Hij zei haar dat ze in het dorp bij de rivier veel zout moest gaan halen. Als ze melkwei kon krijgen, was dat ook goed, want dan konden ze de vis laten gisten. Hij gaf haar twee zomerhuiden van marters die hij gevangen had. Daarvoor moest wel iets in ruil te krijgen zijn.

In een hok had hij houten kuipen gevonden, die hij schoonmaakte met kamerkruid. Hij zou vis voor haar inmaken voor hij vertrok. De vrouw scheen erop gerekend te hebben dat hij bij haar zou blijven. Ze zei dat hij nu in de herfst en de winter meer huiden kon verkopen en er meel voor zou krijgen. Misschien een drachtige geit als hij goed doorwerkte. Ze had een kostwinner gevonden, ze keek uit naar de winter met Elis.

Het was als een nachtmerrie. Hoewel ze nog jong was, vond hij dat ze zo'n schimmelig dodengezicht had en ze hoestte veel, meer dan hij.

Hij zorgde ook voor brandhout voor haar. Daar had hij nogal laat aan gedacht. Ze moest maar gaan sprokkelen zolang de houtblokken niet droog waren. Hij deed het voor het kind.

Aan het eind van de zomer zei hij haar dat hij een laatste keer naar de plassen zou gaan om netten uit te zetten. Zij moest nu naar het dal gaan om zout voor zijn vangst te kopen. Daarna zou hij vertrekken. Hij ging werk zoeken voor de winter, kijken of ze ergens bosarbeiders nodig hadden.

Ze lachte hem uit.

Een mager, zielig jongetje. Wie zou hem nou willen inhuren?

Daarna merkte hij dat ze zich begon aan te stellen. Ze legde de beste rugstukken van de forel op zijn bord. 's Avonds taste ze in zijn gulp. Dat had ze al eerder gedaan. Ze rukte hem af en zei dat hij tenminste een beetje plezier moest hebben. Maar hij had de hele tijd al vermoed dat ze graag aan zijn lijf zat en dat ze wilde dat hij dat ook bij haar deed. Daar begon hij niet aan. Meer dan dat wilde ze niet. Hij snapte wel dat ze bang was om weer zwanger te worden. Hij vond het niet prettig wat ze met haar benige vingers deed, maar de lust maakte het moeilijk om haar van zich af te houden.

Toen hij de bergen in trok, maakte hij zich zorgen over zijn laarzen die lekten en zijn tot op de draad versleten broek. Zijn trui en jas warmden ook al niet meer, want ze waren stijf van het vuil.

Hij moest nu echt werk zien te vinden. Maar hij was bang voor mensen en wist niet of ze hem in dienst zouden nemen zonder papieren waarop stond wie hij was en waar hij vandaan kwam. Hij moest hoe dan ook kleren voor de winter hebben en zijn laarzen laten lappen.

Hij raakte buiten adem van het bergop lopen. Hij hapte naar lucht en zijn middenrif zwoegde. De vermoeidheid kwam doordat hij slecht eten kreeg, daar was hij zeker van. Hij liep door, hopend dat hij die Lappen weer zou tegenkomen. Hij dacht aan hun rendierkaas. Daar kreeg je kracht van.

Er was iets vreemds met hem aan de hand. Hij wilde huilen. Het was lang geleden dat er nog zo'n vruchteloos gevoel in hem was opgeweld.

De Lappen waren uiteraard naar de bossen afgezakt. Het was koud daarboven rond de stenige meertjes. Hij miste ze. De wind rukte aan de dwergberken, die weldra hun laatste blaadjes verloren. Hij ving aardig wat vis, maar kon niet langer dan een nacht blijven. Er was niets om een hut van te bouwen op deze hoogte en hij was te moe om elke avond weer af te dalen.

Hier was het alsof er niets anders dan een stenenrijk op de wereld bestond. Koude vennen. Beenderen van verschalkte dieren. Plukken vacht met bruin, ingedroogd bloed erop. En boven dat schouwspel een harde wind die legers van wolkenflarden voortjoeg.

Hij hield helemaal niet van deze berg en ook niet van het dal. Hier was niets anders dan rotsen te zien. Beneden in het dal zag je alleen de steile boshelling. Er waren geen blauwe heuvelruggen zoals thuis, niets om je blik op te laten rusten, niets om naar te verlangen aan de overkant. Alles was zoals het was.

Toen hij beneden aankwam, nam hij geen rooklucht waar. Hij werd meteen ongerust. Die twee dagen boven in de kale bergen hadden hem zijn vossengevoel teruggegeven.

Hij bleef staan in de beschutting van de sparren en tuurde scherp naar de huizen. De bijl zat onaangeroerd in het hakblok. Hij had die daar zelf in vastgeslagen. Zij liet hem gewoonlijk zomaar rondslingeren. Voorzover hij kon zien had ze ook geen brandhout genomen.

Hij besloot de bijl te gaan halen voordat hij verder naar het huis liep. Maar eerst nam hij alles in ogenschouw. De bos brandnetels bij de ingestorte stal. De roestige vossenklem. Bij de huisdeur stond een haringemmer en een spade waaromheen grasplukken waren gegroeid. Alles was precies zoals daarvoor. En toch niet.

Stilaan besefte hij dat hij daar nog lang kon blijven staan zonder te begrijpen wat er zo onheilspellend was. Hij haakte ten slotte zijn ransel met vis van zijn schouders en zette die in een bosje jonge sparren. Daarna liep hij snel naar het houtschuurtje en greep de bijl.

Het portaaltje knarste toen hij de trap op liep. Onlangs was hij erdoorheen gezakt, maar hij stapte over die tree heen. Hij schoof de naar binnen draaiende deur open en snoof de lege, wrange lucht in het huis op.

Het kind lag in haar hangwiegje. Ze was volkomen stil en bleek en haar ogen waren stijf gesloten. Hij voelde zich misselijk worden en wist niet of hij haar durfde aan te raken. Uiteindelijk moest hij wel. De huid was koud, maar toen hij op de borstkas tastte, voelde hij het hartje tikken als bij een lijsterjong.

Hij wilde de moeder roepen, maar ze had nooit haar naam gezegd. Weer schoten die praatjes over bosnimfen door zijn hoofd. Ze was er hoe dan ook vandoor gegaan. Dat begreep hij toen hij die twee zomerspichtige martervellen nog op de bank zag liggen waar hij ze voor haar had klaargelegd. Ze was dus geen zout gaan kopen. Maar weg was ze, dat wel.

Verder bewijs was overbodig, maar toch draaide hij in het rond op zoek naar de weinige spullen die ze bezat. Haar schoenen waren verdwenen. Die had ze thuis nooit gebruikt. Geen lor had ze achtergelaten.

Nu voelde hij opnieuw aan het meisje. Ze was zeiknat. Er was nog veenmos van de oude voorraad, dus dat klusje was dadelijk geklaard. Maar hij had niets om haar te eten te geven. Hij wist dat zo'n klein kind het liefst melk moest krijgen, maar hij bedacht dat hij wat vis kon koken om het daarmee te proberen.

Maar zover kwam het niet. Hij hield het meisje tegen zich aan en merkte dat hij geen leven in haar kreeg. Haar hart stond nog niet stil, maar ze had een droge mond en opende haar ogen niet.

Ze gaat hier voor mijn ogen dood, dacht hij.

Toen graaide hij de vodden die in de wieg lagen bij elkaar, wikkelde haar daarin en vertrok. Hij vertrok precies zoals hij gekomen was: met zijn mes aan zijn gordel en zijn oude pet op zijn hoofd. Verder niets.

Toen hij al een eind de helling afgedaald was, vond hij dat ze er kouder en blauwer uitzag. Hij trok de vodden open en voelde opnieuw aan het hartje. De zachte beweging onder zijn vingers leek hem zwakker te zijn geworden. Hij kleedde haar uit, trok zijn trui omhoog en legde haar tegen zijn borst. Daarna trok hij zijn trui weer omlaag en zorgde ervoor dat haar hoofdje uit de kraagopening stak en dat haar mond en neus vrij waren.

Hij was al ver tussen de huizen beneden aan de rivier gekomen, voordat iemand hem opmerkte. Het was een vrouw. Ze slaakte een kreet en bleef staan alsof ze een verschijning had gezien.

Thuis was hij in de winkel geweest en op school en met mama mee in de kapel in Skinnarviken. Maar nooit binnen bij iemand. De ouwe van Lubben, zijn grootvader, had dat verboden. Mensen die bij anderen langsgingen, noemde hij straatbezems.

In het huis waar de vrouw hem binnenbracht, was het warm en hing een dikke, lekkere walm van eten en mensen. Er stond een beschilderde kast. Hij kon er zijn ogen niet van afhouden en merkte nauwelijks wat een opschudding er rond hem en het kind ontstond. Zijn ogen rustten op de grijsblauwe bloemenslingers op de kastdeur.

Er waren er meer binnengekomen. Ze zagen dat er niet veel leven in het kind was en even later kwam ook een jonge vrouw die ze waren gaan roepen. Ze was buiten adem. Ze kreeg het kind in haar armen gelegd en ze haalde een witte, blauwgeaderde borst te voorschijn en probeerde de tepel in het mondje te stoppen. Iedereen keek zonder schaamte toe, Elis ook. De huid van de borst glansde gespannen. Maar het kind wilde niet zuigen. Toen kneep ze melkend met haar vingers tot er enkele druppels uit kwamen. De melk liep over de lippen van het kind, maar die bleven roerloos.

De oudere vrouw die Elis het eerst had gezien, haalde een lepeltje om de melk van de jonge vrouw op te vangen. Hij kon het niet laten naar de kast te kijken terwijl al de anderen naar het kindermondje en de lepel tuurden. Er zat ook rood in het blauwgrijs, kleine stipjes op de bloemen. Je zag de penseelstreken. Daaromheen had de schilder hout nagebootst. Het was geaderd. Het penseel leek te hebben gebeefd. Het was net als hout maar tegelijkertijd duidelijk met een penseel getrokken. Hij voelde het penseel in de trage olieverf, voelde het in zijn hand en had de indruk dat die lichtjes beefde.

Hij schrok op toen de vrouwen een zucht van verlichting slaakten. Uit het mondje van het kind kwam een licht smakkend geluid. Even later dronk het met zwakke bewegingen. De oudere vrouw zei dat ze het rustig aan moesten doen. Hem wat laten zuigen en dan wachten. Elis had bijna gezegd dat het een meisje was. Maar hij vond dat het beter was om helemaal niets te zeggen. En het duurde ook niet lang voor ze het zelf zagen.

Nu waren de mannen weer buiten. De vrouwen bleven lang met het kind bezig en Elis zat nog steeds op de stoel bij de deur. Hij kon nu zo lang hij maar wilde naar de kast kijken en zien hoe het schilderwerk uitgevoerd was. Er waren veel kleuren die een beetje door elkaar liepen, zoals in een veenmoeras. Ze liepen in elkaar over. Hij vroeg zich af hoe dat kon, of er zo veel kleuren te koop waren.

Toen dacht hij weer aan al de vis in zijn ransel die nog daarboven stond. Hij wilde iets zeggen maar hield zich op tijd in. Hij merkte dat ze hem niet al te veel aandacht schonken en toen de mannen binnenkwamen voor het avondeten, werd het duidelijk dat ze hem voor een of ander soort idioot aanzagen. Dat was te horen toen de boer vragen begon te stellen. Elis schudde meestal alleen maar zijn hoofd en dan vulde de boer zelf aan. Het Russenwijf, zei hij over de vrouw daarboven. Elis was er zeker van dat je dat niet zo kon zeggen. Die weten niet veel, dacht hij. Hier hebben ze geen winkel en geen pension. Hier weten ze niks.

Ze was dus weggegaan? Elis knikte. Dat verbaasde hun niet, zeiden ze. Naar de kust uiteraard, naar de haringschuiten. Het was het seizoen. Het klonk gemeen toen ze dat zeiden. Alsof ze het over een loopse teef hadden. Ze namen dat woord niet in de mond, maar het had die toon. Beteuterd dacht hij eraan dat hij zich had ingebeeld dat ze een oude fee was. Iemand die haar schoenen meenam als ze wegging, moest natuurlijk een mens zijn.

Hij kreeg pap. Maar hij was zo vuil dat hij op de stoel bij de deur moest blijven zitten. Hij zag wel dat het fatsoenlijk volk was. De boer zei een gebed en ze aten in stilte. De vrouw die het kind de borst had gegeven, was verdwenen. Ze moest waarschijnlijk naar huis, naar haar eigen kind, dacht Elis.

De pap legde zich als een brede warmte in zijn maag. Na een tijdje verspreidde dat gevoel zich over zijn hele lichaam en hij werd opeens slaperig en niets in de hele wereld kon hem nog schelen. Maar toen zeiden ze dat hij zich moest gaan wassen. Een grote jongen die Bendik heette, nam hem mee naar een badhuisje bij de rivier, waar een stookketel met warm water stond. Hij moest zich zelf schrobben en Bendik gluurde voortdurend naar hem. Hij raapte de kleren van Elis op om ze mee te nemen. Elis probeerde ze naar zich toe te trekken, maar die lange jongen gaf hem gewoon een klap op zijn achterhoofd. Het deed eigenlijk geen pijn, maar hij verloor zijn evenwicht. Bendik zei dat ze zijn kleren gingen verbranden en nam ze mee op een stok.

Hij stond daar naakt te kleumen en wist niet wat hij moest aanvangen. Als hij nu wegglipte en terug naar het huis op de berg liep, zouden er daar ook geen kleren te vinden zijn. Hij kroop in elkaar op de vloer dicht bij de ketelmuur.

Na een poos stak iemand een hoopje kleren naar binnen. Hij zag alleen de handen en het waren die van een vrouw. Hij kreeg een afgedragen maar schoongewassen grofwollen broek. Een touw dat hij als broekriem moest gebruiken, begreep hij. Een hemd van dik linnen, gelapt en van een ouderwetse snit. Hij kon zijn lachen bijna niet inhouden toen hij het zag. Er was ook een gebreide trui bij die op vele plaatsen gestopt was. Zijn laarzen had Bendik gelukkig ongemoeid gelaten, maar hij had wel een paar sokken willen hebben. Dat was een zorg voor later.

Hij overwoog heel even of hij er onmiddellijk tussenuit zou knijpen, maar toen dacht hij aan de pap. Hij had eten nodig, want hij was zwak en hoestte en werd snel sikkeneurig. Dus ging hij terug naar het huis, maar wel tegen zijn zin. De oudere vrouw zette hem op een melkkrukje voor de kachel en nam een kleine wolschaar. Ze wilde zijn haar knippen, zei ze. Hij was bang dat ze zijn hoofd kapot zou knippen en probeerde te ontglippen. Maar de mannen zaten op de bank naast de tafel toe te kijken en hadden Bendik opdracht gegeven om hem vast te houden. Er was niets aan te doen.

Eerst vielen de klitten en lange haarstrengen op de grond. Ze raapte ze direct op en gooide ze in het vuur. Ze was bijzonder behendig met de schaar, die scherpgeslepen was en dicht bij de hoofdhuid knipte. Maar toen kwam zijn litteken voor de dag.

Potverdorie, zei Bendik.

Ze kwamen allemaal kijken. Het maakte indruk op ze. Hij wist weliswaar niet hoe het eruitzag achter op zijn hoofd, maar hij vermoedde dat het lelijk was, want het voelde knobbelig onder zijn vingers. Hij herinnerde zich dat hij op de eerste dag een grote, halfgeronnen bloedklont in zijn pet had gevonden.

Nu vroegen ze uiteraard hoe hij aan dat lelijke litteken gekomen was. Hij zweeg. Maar iets in hun stemmen maakte duidelijk dat ze het niet snel zouden opgeven. Hij dacht opnieuw heel scherp na, zoals in zijn vossendagen, en zei toen in het Noors:

Kweenie.

Hij probeerde als mama te klinken. Zo praatten alle kinderen thuis toen ze nog leefde. Want verder werd er niet veel gepraat, en voor hij naar school ging, had hij met niemand van het dorp ooit een woord gewisseld. Eigenlijk was hij bang dat het zou klinken alsof hij uit Jolet kwam. Dan zouden ze daar navraag kunnen doen of iemand wist wie hij was – misschien wel op Sint-Michiel, wanneer het een kerkzondag was. Daarom was het beter dat ze dachten dat hij een idioot was. Ze bleven maar vragen hoe hij dat litteken gekregen had:

Of het van een dier kwam?

Een beer?

Of van een bijl?

Een buks? vroeg de boer en wees naar het hoofd van Elis.

Hij schudde zijn hoofd en herhaalde:

Kweenie.

Dat was ook de waarheid. Hij wist niet waarmee de ouwe hem die dreun verkocht had. Hij was niet echt van plan geweest om te liegen. Het enige waar hij op lette was dat hij het dialect van Nord-Trøndelag sprak en zijn eigen Jämtlands achterwege liet, zodat ze hem voor een echte Noor hielden. Maar nu bleek dat de boer in zijn jeugd samen met een zwager in het bos had gewerkt en op een dag had gezien hoe die onder een vallende berk terechtkwam. Hij kreeg een vreselijke klap op zijn kop en bleef liggen. Daarop had hij zijn geheugen verloren. Het kwam later terug, zei de boer troostend tegen Elis, ja, hij zei op een toon alsof hij uit de bijbel citeerde:

De waarheid komt vroeg of laat aan het licht!

Elis dacht dat het voor zijn part nog lang mocht duren voor die aan het licht kwam. Maar hij zei niets. Ze hadden nu zelf een uitleg gevonden voor zijn onwetendheid en leken tevreden. Hij begreep dat ze die avond langer opbleven dan gebruikelijk. Ze waren nieuwsgierig naar hem. Alleen een stokoude opa met een witte baard was in een hoekje ingedut.

Ze konden moeilijk geloven dat hij alles zomaar vergeten was en de vrouw zei nu tegen haar man dat hij Elis moest vragen of hij geconfirmeerd was. Ze dacht niet dat ze dat zelf op gepaste wijze kon vragen.

Ben jij geconfirmeerd!

Hij riep het als tegen een idioot.

Eerst zei Elis weer dat hij het niet wist. Maar bij nader inzien begreep hij dat dat dom was. Zonder confirmatie zou hij nauwelijks een behoorlijk baantje kunnen krijgen. Dus voegde hij eraan toe:

Ik denk van wel.

Daarop beraadslaagden ze met gedempte stemmen. Misschien geloofden ze dat hij niets verstond als ze niet tegen hem schreeuwden. Ze besloten nu te kijken of hij zijn artikelen wel kende en de boer wilde de catechismus laten halen. Maar zijn vrouw had die boven de staldeur gelegd om haar dieren te beschermen en weigerde hem daar weg te halen. Iets zou dan 's nachts de koeien kunnen besluipen, zodat er weer bloed in de melk zat. In plaats daarvan ging ze de bijbel voor hem halen. Die was te groot voor de spleet bij het deurkozijn.

Het was de bedoeling dat Elis over de bijbel overhoord werd. Maar de boer bladerde met zijn eeltige vingers zonder iets te vinden wat hij kon vragen. Elis voelde zich branden van ongeduld. Hij probeerde zijn gedachten op hem over te dragen: dat hij een vraag moest stellen over de Gadareense zwijnen of over de dochter van de synagogenoverste Jaïrus, of dat hij moest vragen wie er in de vijgenboom zat of hoe de zonen van Zebedeus heetten of wat de zoon van de weduwe in Naïn overkwam. Maar de man scheen nergens op te kunnen komen. Toen barstte Elis helemaal uit zichzelf los:

Ruben! Simeon!

Het werd muisstil.

Levi, Juda, Issaschar! riep hij. Zebulon, Jozef en Benjamin!

Ze keken verbouwereerd.

Dan, Nafthali, Gad en Aser!

Potverdorie, zei Bendik ten slotte.

Ze waren het erover eens dat hij geconfirmeerd moest zijn en dat hij met Gods hulp zijn geheugen zou terugvinden. Ze zouden met hem naar de dominee gaan. Die moest dan maar beslissen wat ze met hem en het kind moesten aanvangen.

Elis had nog geen belijdenis afgelegd. Hij had dat nu met Pinksteren moeten doen. Als hij niet was weggelopen. Maar hij voelde zich in ieder geval bijna geconfirmeerd.

Hij mocht op de vliering slapen met Bendik. Er was veel dat hij wilde vragen en hij durfde nu uit zijn zwijgzaamheid los te komen, want hij vermoedde dat Bendik makkelijker om de tuin te leiden was dan de boer. Maar het probleem was diens slaperigheid. Hij wist nog te vertellen dat de vrouw die naar de kust en de haringschuiten was gegaan, de weduwe van de jongste zoon in huis was. Daarna viel hij als een blok in slaap en begon hulpeloos te snurken.

Er was iets zonderlings met die vrouw. Maar pas de volgende morgen toen Bendik en hij een kom gezuurde melk en een snee brood hadden gekregen en erop uitgestuurd waren om de koestal uit te mesten, kreeg hij te horen dat ze thuis haar kind niet als een echt kleinkind beschouwden. Het was veel te laat geboren nadat de man aan een borstkwaal overleden was. Hij was al een paar maanden na de bruiloft danig verzwakt en had nergens nog kracht voor.

Daar moest Elis over nadenken. Misschien was ze dan toch niet iemand van het gewone volk. Maar hij zei er niets over.

Ze was naar de kust gegaan om geld te verdienen wanneer de haringschuiten binnenliepen, zei Bendik. Maar anderen die ook aan de kust waren geweest, kwamen haar schoonouders vertellen dat ze daar ontucht bedreef. Ze zou samen met Russen zijn geweest. Het waren baardige sujetten die er als beesten uitzagen.

Ze waren met een vissersboot uit het noorden gekomen, maar ze bleven in de haven wegens de oorlog en leidden een vreselijk leven, zei Bendik.

Toen ze thuiskwam, was haar man dood en ze werd niet goed ontvangen. Maar van het kind hadden ze tot nu toe geen weet gehad.

Elis vroeg zich in stilte af of dat wel waar was.

Bendik en hij moesten droge dennentakken gaan afbreken om teer te branden. Ze vonden dorre bomen, dus dat viel wel mee. Maar knoestige stronken loswrikken die zich met lange en ruwe wortelarmen in de grond vastklampten, dat was andere koek. Hij schaamde zich omdat hij zo weinig kon uitrichten met een bijl of een breekijzer.

Telkens als ze 's morgens de stal uitmestten en hij nog volgegeten en enigszins uitgeslapen was, kon hij nadenken. Aanvankelijk was hij bang voor wat hij dacht. Maar dat nam niet weg dat hij meermaals hetzelfde dacht, en één keer toen hij alleen was, zei hij het hardop. Daarna zat het als een psalmvers in zijn hoofd. Hij las het in zichzelf voor terwijl hij aan stronken stond te trekken en te wrikken. Zijn armen putten er kracht uit.

Wat een rotwerk om die knaap los te krijgen!

En maar zwoegen voor de boeren.

Zich doodwerken.

Wat een ellende!

Het eten was het beste. Eén keer kregen ze spek. Het was walgelijk om terug te denken aan de groene smurrie van bergzuring die het Russenwijf altijd kookte. Maar met de mensen had hij niet zo veel meer gemeen, vond hij. Hij had de smaak van eenzaamheid geproefd en miste die.

Het gevoel bekroop hem dat iedereen dom was. Ze lieten zich zo gemakkelijk bedotten. Hij snapte wel dat het kwam doordat ze zelf een uitleg voor zijn slechte geheugen hadden verzonnen.

Maar ze waren dan ook echt dom.

Hij was niet vergeten hoe hol hij zich had gevoeld toen hij zich destijds voor iedereen verstopt had. Maar dat holle gevoel kwam vooral door de honger, dacht hij. Nu voelde hij honger naar eenzaamheid.

Terwijl ze aten keek hij naar de kast met de bloemen. Hij zag ook dat het kleine meisje er bovenop kwam. Ze brabbelde en glimlachte, onwetend dat ze een hoerenjong was. Hij vroeg zich af wanneer ze naar de dominee zouden gaan. Niemand zei er iets over.

Op een zondagavond toen ze niet zo moe waren, zei Bendik:

Ik wil gaan varen.

En alsof hij op hetzelfde ogenblik inzag dat hij te grote woorden in de mond nam, probeerde hij er een andere wending aan te geven:

Ik wil in elk geval vooruitkomen, weg hiervandaan!

Elis, die anders geen boe of ba zei, begon met hem te bespreken dat ze moesten wegvluchten voor de winter kwam.

Hij vond dat hij met al de pap en melk die hij gekregen had, genoeg kracht opgedaan had om werk bij een houthakkersploeg te gaan zoeken. Ze zouden nu wel naar het Namdal komen afzakken. Of verderop naar Namskogan. Eigenlijk was hij er het liefst alleen vandoor gegaan, maar hij dacht dat het beter was als Bendik meekwam. Zelf was hij te tenger om werk te krijgen. Bendik zouden ze willen hebben. Die was oersterk. Dan zouden ze hem wel erbij nemen.

Mijn oom Anund zei dat de mensen zich niet voor hun kinderen mochten schamen. Ze mochten ze niet wegstoppen, zelfs al zagen ze er mager en ziekelijk uit. Kinderen die je wegstopte, konden verdwijnen.

Gingen ze dan dood?

Nee. Maar leven deden ze ook niet.

Het was namelijk zo dat ze door onderaardse wezens werden meegenomen. Van dan af aan waren ze levend noch dood. Ze waren ulda-kinderen geworden.

Oorspronkelijk, vertelde Laula Anut, kwamen alle ulda's voort uit een paar kinderen die weggestopt waren.

Welke kinderen?

De eerste mensen verstopten twee van hun kinderen omdat ze vonden dat die er slecht uitzagen. Ze hielden ze verborgen voor God.

Ik dacht veel na over de ulda-kinderen. Ik vroeg aan Hillevi of ze wist dat kinderen waarvoor de mensen zich schaamden, weggehaald en verborgen werden. Ze keek me vreemd aan en zei dat ik moest zwijgen. Ik dacht dat het dus wel waar zou zijn.

— * —

Toen hulppredikant Norfjell stierf, was het verschil zo klein dat zijn vrouw het pas na een paar uur ontdekte. Dat vertelde zij althans. Het lichaam was verstijfd in de half zittende houding die het onder de lange bedlegerigheid had gehad en kon niet worden neergelegd. De twee vrouwen die het lijk kwamen afleggen, wisten veel over wat er met de doden gebeurt. Ze schatten dat hij ten minste twaalf uur eerder gestorven was.

Ze waren genoodzaakt een dag te wachten tot hij slapper werd en gingen dus weer naar huis, ontgoocheld dat ze verder moesten gaan met de karweien in de beestenstal en de keuken. Maar eerst bleven ze een paar uur in de keuken van Märta Karlsa, waar ze moutkoffie dronken en vertelden wat ze hadden gezien. Hillevi, die langskwam om koffieroom te lenen, luisterde even mee, maar liep gauw terug naar haar eigen kamer in het schoolgebouw, waar ze bleef zitten zonder van haar koffie te drinken. Ze voelde zich helemaal niet lekker.

Nog erger was het op de dag van de begrafenis. Ze moest 's morgens meermalen braken en het feit dat het huis zo gehorig was, maakte het er niet beter op. Ze was bang dat haar kokhalzen tot beneden bij de lerares te horen was. Het liefst was ze van de begrafenis weggebleven, maar zo kon ze zich niet gedragen tegenover de vrouw van de dominee, die haar louter vriendelijkheid had betoond, zij het uit de hoogte.

In de kerk moest ze er voortdurend aan denken hoe de dominee er maandenlang als een levende dode bij gelegen had en dat hij ongemerkt de grens gepasseerd was. Ze stelde zich voor dat er geen grens bestond tussen wat leven had en wat dood was. Alles was als de brij die ze uitbraakte. Het was als het zwartgerotte ijs in de lente. Het zakte door, het zwichtte.

Edvard assisteerde de dominee uit Byvången, die de begrafenis leidde. Ze had hem gemeden. Toen ze had gezien dat hij op zijn ronde was vertrokken, was ze naar de pastorie gegaan met de gegevens van een geboorte voor het kerkregister en ze had de vrouw van de dominee gevraagd de papieren op zijn schrijftafel te leggen. Paniek bekroop haar bij de gedachte dat hij zich nu kandidaat zou stellen om dominee Norfjell in Röbäck op te volgen.

Zijn hals zag er spichtig uit boven het witte linnen boord toen hij voor het altaar knielde, en zijn schoenzolen waren versleten. Haar geheugen opende een ruimte in de tijd die er niet meer had mogen zijn: de kachelwarmte in zijn kamer in Uppsala, zijn lange rug in het onderhemd en de schaduw van het vensterkruis. Het is zielig voor hem, dacht ze. Hij heeft nooit gewild dat ik hierheen verhuisde. Toen hij besloot om zo ver als hij kon een betrekking te zoeken, was het omdat hij een slecht geweten had over wat wij deden. Hij wilde weg. Weg van mij. Eigenlijk heb ik medelijden met hem.

De dominee zei:

In de naam van de genadige en barmhartige God vertrouwen wij nu de stoffelijke resten van Carl Efraim Norfjell aan de rust van het graf toe.

De mottenballenlucht werd sterker toen de verzamelde gemeente opstond. Het rook ook naar nat leer en paarden. Ze had tegenwoordig een grondige afkeer van geurtjes en dacht: waar ben ik toch beland!

Hij tilde de schop op en zei:

Uit stof zijt gij geboren.

Stenige grond ratelde op het deksel van de kist.

Tot stof zult gij wederkeren.

Toen gebeurde het. Ze hoorde hem niet toen hij zei: de Heer Jezus Christus, onze Heiland, zal u opwekken op de dag des oordeels. Haar hoofd was helemaal vervuld van het inzicht dat ze gekregen had: *nu is hij dood.*

Zelfs al weet niemand wanneer hij stierf, nu is hij dood.

Het is niet tussenin. Het *is.*

En ineens zag ze in dat ze iemand moest vertellen dat ze zwanger was. Ze moest het zeggen. Dan zou het worden. Dood of levend. Maar worden zou het.

Het volgende ogenblik dacht ze dat het uit haar zou verdwijnen als ze het maar durfde te zeggen. Het zou worden. Maar niet levend.

Maar tegen wie? Absoluut niet tegen tante Eugénie. Zou ze naar Sara schrijven? Aan Edvard kon ze het niet vertellen. En Halvorsen – dat was uitgesloten. Hij was nu trouwens op inkoopreis. Hij had haar een kaartje uit Vilhelmina gestuurd. Een bergpanorama. Je zag twee Lappenkinderen en een zwarte hond voor een hut. Aan Hillevi vriendelijke groet van Trond Halvorsen.

Tijdens het begrafenismaal dacht ze aan haar toestand. Dat had ze al veertien dagen lang dag en nacht gedaan. Als je het nog denken kon noemen. Toen in de benauwde kamer de geur van nooit gewassen wollen kleren zich mengde met het koffiearoma en de muffe lucht uit het haar en de monden van de aanwezigen, werd ze weer misselijk. Ze kon niet blijven en ging naar huis. Ze snapte wel wat een slechte indruk dat maakte.

Meisjes die bleek werden als het drukkend werd. Blije en gezellige meisjes die stil werden en zich terugtrokken. Dat alles was herkenbaar voor elke vrouw. Bruine schaduwen. Borsten die zwollen.

Ze wist er meer over dan wie ook. Zij had gelezen over zaken waar anderen geen flauw vermoeden van hadden. Ze herinnerde zich een boek in de kast waar Tobias zijn medische literatuur had staan. Het heette *Het geslachtsleven van den mensch*. Ze was zijn kamer binnengeglipt en had erin gelezen terwijl hij weg was. Haar hele opleiding ging daarover. Later had ze in *De Vroedvrouw* gelezen over kunstmatige apparaten en Franse voorzichtigheidsartikelen die zouden verhinderen dat er een kind werd verwekt, en over rechtszaken tegen engeltjesmaaksters. Ze was volgepropt met voorlichting over het geslachtsleven en toch zat ze hier op haar bed, zonder vlekken in haar broek en in dezelfde angst als Ebba Karlsson, dat meisje dat die keer op de Islandsbro Hillevi achternagelopen was. Het kwam haar voor dat Ebba haar nu pas ingehaald had.

Dat ongelukkige meisje had besloten om het te vertellen. Toen ze het tegen me zei, werd het werkelijkheid, dacht Hillevi. En ik die antwoordde dat het regende en dat ik mijn paraplu had moeten meenemen. Daarna liep ik door.

Voor mij was het geen werkelijkheid. Het was alleen maar onaangenaam.

Voordat ze het vertelde, was het levend noch dood. Daarna stierf het. Toen ze het me vertelde, ging het dood.

Hillevi begon te jammeren alsof ze zich gesneden had en kroop op haar bed in elkaar.

Alle zin voor initiatief was uit haar weggeëbd. Ze wilde alleen maar slapen, maar dat kon ze niet. Handwerk was vreselijk. Als ze stilzat, tolden haar gedachten erger dan ooit. Ze leende boeken van Märta. De jonge vrouwen in Röbäck en Svartvattnet wisselden onder elkaar stukgelezen en beduimelde romans uit. Ze las *Het naaistertje op de boulevards* en *De bleke gravin* en schaamde zich daarvoor.

Ze voelde zich net zo vreemd in haar eigen lichaam als toen ze haar eerste menstruatie had. Ze was eigenlijk volwassen geworden na de late miskraam van tante, die het dienstmeisje een scheve reis en een echte stortbevalling had genoemd. Tante vond dat Hillevi te veel wist na die ene nacht. Zelf vond ze dat het tegendeel waar was: ze wist niets meer. Net als nu was haar lichaam een eigen leven gaan leven toen ze kort daarna ongesteld was geworden. Haar lichaam bloedde. Ze kon er niets aan doen. En nu wilde het juist niet bloeden.

Het was alsof ze een machteloze buitenstaander was. Haar bewustzijn zat voor de spiegel boven de wastafel en staarde naar haar borsten, die zich oprichtten, of ze dat nu wilde of niet, en waarvan de bleekroze tepelhoven langzamerhand groter werden. Soms dacht ze dat ze helemaal gek werd.

Een tijdje later overkwam haar tot in de puntjes wat ze had gelezen in een romannetje dat *Lotgevallen van een pachtersdochter* heette. Ze hoorde dat er een rijtuig stopte op de binnenplaats. Ze hoorde zelfs een mannenstem. Maar in tegenstelling tot de pachtersdochter kwam ze niet uit bed, want zij zat niet op een baron te wachten. Ze voelde zich ongeneeslijk futloos. Pas toen ze sluipende voetstappen op de steile zoldertrap hoorde, ging ze rechtop zitten. Toen er werd aangeklopt, zat ze nog steeds met de deken rond haar schouders. Ze probeerde haar haar op te steken en riep: wacht! Maar hij kwam al binnen.

Het eerste wat in haar opkwam, was dat Trond Halvorsen op een verkoper leek die ze ooit in een muf winkeltje op het Svintorget in Uppsala had gezien. Dat was lang geleden. Die bediende had heel donker haar. De lokken op zijn voorhoofd onder de klep van zijn grutterspet waren bijna zwart en de baardstoppels vormden een blauwachtige schaduw op zijn kin en wangen.

Halvorsen had een doos Freja-bonbons bij zich. Het was een grote doos met goudversiering. Was hij naar Noorwegen geweest? Hij scheen duidelijk iets in zijn schild te voeren.

Ze wist dat hij vaak reisde om voorraden voor de winkel in te kopen, maar nu het oorlog was kon hij met zijn vracht toch niet zomaar de grens over?

Zijn ogen zagen een beetje rood. Flink de bloemetjes buitengezet? Of had hij gewoon te weinig nachtrust gehad?

Is Hillevi ziek? vroeg hij en ze vond dat hij verlegen klonk. Ze schudde haar hoofd.

Ik ben maar al te gezond, zei ze.

Toen legde hij de doos neer en kwam zachtjes naderbij en ging bij haar op het nog niet opgemaakte bed zitten. Ze zag dat hij niet zijn laarzen aanhad maar wel zachte rendierleren schoenen, van het soort dat de Lappen maakten.

Ik dacht dat het iemand anders was, mompelde ze.

Waarom?

Hij praatte met zijn mond tegen haar hals en probeerde met zijn lippen haar haar opzij te schuiven.

De voetstappen, zei ze. Het waren geen laarzen.

Hij zei dat hij koude voeten kreeg als hij urenlang op de wagen zat. Maar ze hoefde niet ongerust te zijn. Hij had zijn laarzen bij zich. Nu ging hij zijn lading naar Östersund voeren. Wat wilde ze hebben uit de stad?

Hebben? zei ze domweg. Dat kan ik toch niet weten?

Wat is er aan de hand? fluisterde hij.

En zo draaide het erop uit dat ze zelf geen besluit hoefde te nemen. Hij vroeg zelf:

Gevolgen?

Zelfs antwoorden hoefde niet. Er ging alleen een beweging door haar lichaam die hij met zijn lippen voelde.

Is Hillevi daarom verdrietig? fluisterde hij.

Ze moest wel op dezelfde manier geantwoord hebben, want hij vervolgde:

Dat hoeft Hillevi niet te zijn. Als ze wil, ga ik ringen kopen.

Hij had zijn arm om haar heen gelegd en zat met zijn wang tegen haar wang gedrukt. Een tijdlang bewogen ze geen van beiden.

Anders betaal ik natuurlijk. Maar ik wil het liefst ringen kopen. Is dat goed?

Toen knikte ze en barstte in tranen uit.

Daarna was hij als een wervelwind in de kamer. Hij maakte het fornuis aan en zette zelf water voor de koffie op. Vervolgens haalde hij een leren zakje uit zijn binnenzak en vroeg geheimzinnig waar ze haar koffiemolen had staan. Ze snapte dat hij echte bonen in het zakje had, van die koffiebonen die zelfs met bonnen nauwelijks nog te krijgen waren. Ze vroeg zich af wat voor soort handel hij eigenlijk dreef en dacht aan het paard dat hij als confirmatiegeschenk had gekregen, en aan de Lakakoning die zijn grootvader was, en aan zijn vader, Morten Halvorsen, die alleen nog in de bosbouw zat en die nu de grootvader van haar kind zou worden.

Toen Halvorsen vertrokken was, kon ze zich met moeite herinneren hoe hij eruitzag. Het beeld van de donkerharige man in dat kruidenierswinkeltje in Uppsala kwam voortdurend in haar op. Zijn gezicht verhulde dat van Halvorsen. Het was als in die droom.

Ze begreep nu dat ze destijds al geheimen had. Zo wist niemand dat ze op een keer haar echte grootmoeder van moederszijde had opzocht.

Ze ging op een andere manier over haar moeder denken na die nacht dat tante haar miskraam kreeg. Vroeger was de dood van haar moeder zomaar een zinnetje geweest dat ze te horen kreeg: ze is in het kraambed gestorven, lieve kind. Het betekende gewoon dat ze niet bestond. Het was een rijtje woorden. Zoals op een geëmailleerd bordje, wit met blauwe letters. Bedelarij verboden. Boden gelieven de keukeningang te nemen. Maar iets moest er toch achter zitten. Een vreselijke nacht, dat begreep ze nu. Maar wel een winternacht. Ze begon te begrijpen dat er op die vroege ochtend van 19 november 1890 toen zij geboren werd, iets verschrikkelijks was gebeurd.

We zijn haar aan het verliezen.

Hadden ze dat geroepen? Had haar vader er ongeschoren, zonder kraag en met afhangende bretels bij gelopen?

Ze wist niets. Aan tante Eugénie had ze zoiets nooit kunnen vragen, want die vond dat er over Hillevi's moeder niet gepraat moest worden. Je zag dat ze zulke vragen pijnlijk vond. Een kwelling, ronduit.

Maar haar gezicht. Hoe zag ze eruit?

Het duurde lang voor Hillevi het aandurfde om naar een foto te vragen. Toen had ze zich al vastgebeten in het idee dat het anders zou zijn afgelopen als de hulp van Juffrouw Viola Liljeström was ingeroepen en als zij die nacht was gekomen. Haar schone handen en haar kalmte zouden de bloeding hebben gestelpt. Want het moest een bloeding zijn geweest. Of misschien was het koorts.

Als het kraamvrouwenkoorts was, dan zou haar moeder die nooit hebben gekregen. Niet als Juffrouw Viola Liljeström ter plaatse was geweest met haar schoongeschrobde handen, haar werkjurk, haar witte schort en de goed gewassen stelpdoeken en linnen verbanden die ze uit haar tas haalde.

Aangezien ze nooit meer praatten over die vreselijke nacht of over Juffrouw Viola Liljeström, was tante stomverbaasd toen Hillevi op haar achttiende verjaardag zei dat ze voor vroedvrouw wilde gaan studeren.

Toen ze zestien was, had ze al de huishoudster opgezocht die, destijds toen Hillevi nog klein was, voor haar vader werkte. Ze had naar de ouders van Elisabeth Klarin gevraagd. De oude juffrouw wilde erg weinig loslaten van wat ze wist, maar uiteindelijk zei ze dat ze dacht dat ze aan het Svintorget woonden en dat ze een winkel hadden.

Hillevi vond dat billijk klinken, niets om beschaamd over te zijn, hoewel het natuurlijk niet bijzonder chic was. Maar toen ze de winkel vond, bleek het een donkere keet te zijn waar het naar lampolie en zure melk stonk. Over dat bezoek vertelde ze achteraf niets aan tante, zelfs niets aan Sara.

Daar stond hij, die donkere man, achter de toonbank. Hij was natuurlijk te jong om haar grootvader te kunnen zijn en hij zei ongeduldig dat er geen andere eigenaar was; als ze iets van de eigenaar moest, dan kon ze bij hem terecht. Toen dacht ze dat hij wel een oom van haar zou zijn. Misschien had haar moeder Elisabeth ook van dat donkere haar gehad. Maar ze durfde het hem niet te vragen. En maar goed ook, want hij was helemaal niet haar oom. Hij wist dat de winkel van een echtpaar was geweest dat Klarin heette. Maar dat was niet vóór hem, het was nog langer geleden.

Het was alsof ze in de grauwheid rond het Svintorget waren verdwenen. Die eerste keer durfde ze nergens een traphuis binnen te lopen. Het stonk naar pis. Alles joeg haar schrik aan. De magere honden. De kinderen die haar aanstaarden.

Maar ze had het niet opgegeven. Op een dag toen het al wat langer licht bleef en ze zich kraniger voelde, ging ze er opnieuw heen om verder te zoeken. En ten slotte was er een oud vrouwtje dat in een keuken boven een kolen- en houthandel woonde en haar grootmoeder nog had gekend.

Want dat moest Hanna Klarin zijn, zei ze. Zij en haar vent hadden het melkwinkeltje op de hoek. Maar hij is dood en zij woont nu bij haar zuster in een huisje in een ander kwartier, ergens bij Boländerna.

Hillevi vroeg wat de voornaam van de man was, maar die had het vrouwtje nooit gehoord. Nu had Hillevi tenminste een naam, Hanna, de naam van haar eigen grootmoeder. Het was alsof het te veel van haar vergde om meteen nog meer te achterhalen.

Ze dacht veel na over die twee namen, Hanna en Elisabeth. Het waren gewone namen en Elisabeth vond ze mooi. Het hadden de namen van gewone dames kunnen zijn. Tante had een vriendin die Hanna heette. Hillevi had zich niet op haar gemak gevoeld in die donkere winkel. Er hing een muffe lucht rond de melkbussen in de koudwaterkuip. Maar de winkel was in de loop der tijd misschien vervallen en vuil en donker geworden; die man met zijn zwarte haar zag er niet al te netjes uit.

In de lente, toen de wegen droog genoeg waren, ging ze te voet naar Boländerna en zocht het huisje dat Hanna Klarin met haar zuster deelde.

Wat had ze zich voorgesteld? Dat haar grootmoeder ontroerd zou zijn en dat ze haar zou verwelkomen? Het oude mens reageerde nogal vijandig. Of misschien bang. Hoewel Hillevi maar zestien jaar was, was ze hier in deze buurt een bijna ondenkbare verschijning met haar bruinrode wollen mantel en haar hoed in dezelfde kleur en met haar witte zijden sjaaltje met kanten boord dat in een strik vooraan op haar mantel geknoopt zat. Ze had zich in haar nieuwe mantel en hoed uitgedost om er goed uit te zien wanneer ze haar grootmoeder voor het eerst zou ontmoeten. Maar daar had ze spijt van zodra ze het huisje betrad.

Ze praatten niet zoals zij. Ze hadden geen foto van haar mama. Geen van beide vrouwtjes wilde over Lissen praten. Want zo noemden ze haar. Dat was het enige wat ze te weten kwam: dat haar mama, die als Elisabeth in het kerkregister stond, altijd Lissen was genoemd.

Ten slotte werd het stil. Ze hadden niets meer te zeggen en dus zwegen ze. Hillevi was zulk gedrag niet gewend. Ze was opgevoed om mooi en vriendelijk te praten, zonder ophouden, ook met het gewone volk. Vooral als er iets pijnlijks gebeurde, moest je praten. Dan werd tantes stem nog hoger. Ze zocht klaterend een uitweg uit de verlegenheid. Je had de plicht tegenover jezelf en de anderen om de stilte en de gêne te doorbreken. Maar de twee oude vrouwen in de donkere keuken, waar het niet echt fris rook, schenen deze plicht niet te erkennen en ze weigerden nog iets te zeggen.

Lissen. Dat was het enige wat ze had meegekregen. En de herinnering aan hun zwijgen.

Trond Halvorsen kwam na ruim een week terug. Hij had twee gladde verlovingsringen van goud en een zilveren sierringetje met een amethist bij zich. Hij had een zijden jurk voor haar gekocht. Het was er een met roze en violette streepjes en een kanten kraagje waarin een dun zwart zijden lint geregen was. Bij de jurk hoorde een zwarte elastische ceintuur met een vergulde gesp in de vorm van twee trekkebekkende vogels. Verder had hij een hoed gekocht van donkerviolet zijden fluweel dat rond een frame gemonteerd zat. Hij zou op een enorm ondersteboven gedraaid schepvat hebben geleken als de hoedenmaakster het fluweel niet wat volume had gegeven en het in zachte golfjes op de hoedenbol gedrapeerd had. Rond de hoed liep een lichtpaars zijden lint en daarin zat een broche in de vorm van een vikingschild.

Hij had ook een hondje voor haar gekocht.

Hillevi wist niet of ze moest lachen of huilen. Het was een teefje en Trond Halvorsen had haar zo aandoenlijk gevonden omdat ze op een klein zwart spitshondje leek. Maar ze had geen staart en het ras had een buitenlandse naam die hij vergeten was.

Hillevi wierp op dat een vroedvrouw toch werkelijk geen hond kon hebben. Vooral vanwege de hygiëne. En wie zou er op de hond letten wanneer zij huisbezoeken aflegde?

Toen zei Trond Halvorsen dat Aagot dat zou doen. Want Hillevi zou naar Svartvattnet verhuizen om boven de winkel te gaan wonen. Daar stonden nog de oude kamer en het keukentje leeg, waar ze hadden gewoond tot zijn vader het huis gebouwd had.

Van de zomer ga ik bouwen, zei hij. Zodra de vorst uit de grond is en het droog wordt.

Hij zou een huis voor ze bouwen. Hij zou haar laten zien aan welke plek hij gedacht had. Vlak bij het meer.

— * —

Ik kroop op handen en voeten tot bij de oude Elle. Haar deur was zo laag. Onder mijn knieën ritselde het droog. Ze was oud, ze had hulp nodig om het berkenrijs op de vloer van haar hut te vervangen.

Het is lang geleden. Het was tijdens de oorlog. Maar uitgerekend toen, enkele weken of maanden lang, konden geen bommen en geen Hitler en Churchill me iets schelen. Zelfs de Noorse koning Haakon, die nog maar een paar maanden eerder driemaal een nee had uitgesproken en die met lange benen was vertrokken, liet me koud. En ik wist niet dat de haven van Namsos, slechts een paar tientallen kilometers verderop, platgebombardeerd was. Ik leefde in mijn eigen wereld.

Nee, ik was zelf een wereld.

Zij was de eerste aan wie ik het vertelde. Dat is best merkwaardig.

Elle genoot natuurlijk het respect dat oude mensen vroeger toekwam. Maar niemand vond het nog nodig om zich te schikken naar wat ze zei. Dat ging immers alleen over ons eigen kleine wereldje. Ze mompelde aan één stuk door over hoe alles moest verlopen. Het gemompel kwam tussen haar tandstompjes uit en werd omgewenteld door haar tong, die te vaak te zien was. Dat heb je zo met heel oude mensen, en een gezonde kleur had die tong overigens ook niet. De oude Elle ging langzaam heen, ze verflenste als de berkentakjes waarop ze zat.

We zaten boven in de berkenbosgordel van de Skårefjell. Half april waren we aan onze tocht begonnen. Ik wist toen nog niets en was net als iedereen volledig in de ban van de bezetting en stomverbaasd dat die mannen met hun stalen helmen en uniformen zelfs hier bij ons opdoken, tussen de berghutten in Langvasslia. De rendierkoeien moesten zoals altijd gaan kalven, dus wij moesten dringend vertrekken. Maar we mochten de oude trekroutes niet volgen. Het was nu verboden om de grens te naderen.

De mannen waren radeloos. Ze wisten dat de rendierenkoeien zo snel mogelijk naar het kalverland moesten. Hoe konden ze de dieren nieuwe paden laten volgen en hoe zouden de wijfjes in alle rust voor hun kalveren kunnen zorgen in een vreemde omgeving?

We trokken 's nachts over de harde ijslaag die bovenop de sneeuw lag. Het was de eerste keer voor mij, maar ze zeiden dat ze dat altijd deden, want overdag was het ijs niet hard genoeg. Maar deze verwarde rendierkudde die aan zonneblindheid en een tekort aan slaap leed, trok ook overdag verder. We hoorden huilen en vloeken. Zo ging het vroeger nooit, zeiden de ouderen. Het zou slecht aflopen als de rendierkoeien gejaagde stemmen hoorden en bruutheid voelden. De honden gingen waanzinnig tekeer. Ze waren door de oorlog gegrepen, zeiden Elle en andere oudjes. Honden zijn vlug in het nadoen van mensen.

De rendierkoeien kalfden uiteindelijk toch en wij verbleven op plekken waar van tevoren niet veel in orde was gebracht. Andere Lappen kwamen de weilanden opeisen die wij nodig hadden en er werd voortdurend gediscussieerd, wat soms op ruzie uitliep, hoewel iedereen wist dat de ellende te wijten was aan het machtsvertoon van de Duitse bezetter.

Midden in het tumult begon ik te merken hoe het met mijn lichaam gesteld was. Dat inzicht kwam gaandeweg en zachtjes, alsof de oorlog en de gejaagdheid om me heen niet bestonden of heel ver weg waren.

De onrust die stilaan in me groeide, had niets met het gifgas en de bommen te maken, hoewel iedereen het daarover had. We dachten namelijk dat het net zo zou gaan als tijdens de vorige oorlog. Maar dat drong allemaal niet tot me door.

Ik had een wit kalfje zien rondwankelen op zijn zwakke poten. Elke dag volgde ik het bij het zogen en algauw merkte ik dat het blind en doof was.

Maar de oude Elle zei dat de ergste gevaren voor de vrucht in een moederbuik door de deur naar binnen kwamen.

Sarakka Uksakka Juksakka, mompelde ze. Ik wist niet wat het betekende, maar het stelde me gerust. Ik had natuurlijk met Hillevi willen spreken. Maar de oorlog scheidde ons. Er waren tankversperringen op de weg langs Aagots huis; ik heb ze nog gezien toen het allemaal voorbij was.

Hillevi was een en al kennis en verstand. Maar ik vroeg me af of ze wel wist hoe dat gemompel zich vastgreep in de ziel van iemand die pas begrepen had dat ze een kind verwachtte.

Elle zei dat er drie oude Akka's waren die moeders en hun kinderen beschermden. Ik lachte een beetje om haar, want dat hoorde erbij, vond ik, en ik gaf haar een zakje met mijn laatste bonen. Ze maalde de bonen en vertelde dat Sarakka me tijdens de bevalling over de pijn en het gevaar heen zou helpen. Zij zou ervoor zorgen dat de nageboorte eruit kwam zoals het moest en dat het bloeden zou ophouden. Juksakka zou het tere hoofdje van mijn kind tegen slagen en stoten beschermen. Ja, nog lang zou deze Akka het kind voor vallen blijven behoeden.

Maar Uksakka zou mijn toeverlaat worden, want zij bewaakte de ingang van mijn hut en hield het kwaad buiten.

Het oudje was zich trouwens meer bewust van de oorlog en de slechtheid van de mensen dan ik rond die tijd. Ik bewoog me in een wereld die suisde van mijn eigen bloed en moest denken aan kinderen met twee hoofden en kinderen met horrelvoeten en kinderen die geen ogen hadden. Maar ik plaagde Elle toch een beetje, want ik vond dat dat erbij hoorde, en zei dat haar Akka's nu wel heel oud en schrompelig zouden zijn; niemand zou nog het verschil zien met een berkenwortel of een oude leren zak.

Maar soms denk ik nog terug aan wat ze vertelde over het kwaad dat door de deur naar binnen komt. Ik wou dat er een Madderakka bestond die macht over de wereld had. De rechten van moeders en kinderen zouden groot zijn.

— * —

Toen Hillevi wist dat Edvard Nolin naar een contractvergadering was vertrokken en dat hij drie dagen weg zou blijven, ging ze naar de vrouw van de dominee, die nu haar bezittingen in dozen aan het inpakken was om naar Östersund te verhuizen. Ze vertelde haar dat zij ook ging verhuizen en dat het al een van de komende dagen zou gebeuren.

Ik wil in Svartvattnet wonen, want dat is centraler gelegen, zei ze. Dan hoef ik niet meer zulke lange tochten naar Skinnarviken en Lakahögen te maken. En er is ook telefoon in de winkel. Een vroedvrouw moet telefoon hebben.

Trond Halvorsen en zij waren overeengekomen dat ze het aanvankelijk zo zou uitleggen. Ze wilden ten minste enkele weken hun geheim voor zich houden. Maar de vrouw van de dominee had gretig als een ekster het nieuwtje ontdekt, rukte en trok eraan en onderzocht het aan alle kanten.

Wat zei de gemeenteraadsvoorzitter van deze verandering en wat zeiden de raadsleden? Zouden ze wel betalen voor een andere woonplaats dan de kamer boven de school waar ze haar ondergebracht hadden?

Niemand kon verwachten dat de vroedvrouw voorgoed zo slecht bleef wonen, zei Hillevi. Tochtig en klein. Geen keuken, alleen een kookhoekje. Nee, dank u, zo was het welletjes. Had ook de vorige vroedvrouw hen er niet over aangesproken?

Die mocht haar koffers pakken, zei de vrouw van de dominee. Ze vonden haar nogal veeleisend.

Op 3 oktober stapelde Halvorsen de koffer en de dozen achter op een kar en Hillevi verhuisde.

Ze legde kastpapier op de planken en maakte gehaakte plankkleedjes vast. Ze hing gordijnen op. Laat op de avonden kraakte de trap. Ze ontving hem op haar hoog opgemaakte bed, dat ritselde en naar stro geurde wanneer ze zich tegen elkaar aan bewogen.

Het in een schone matrasovertrek gestopte stro was maar voorlopig. De matras droeg niet haar goedkeuring weg. Hygiëne boven alles, had ze gezegd. Hij had vermoed dat hij dat woord nog vaak te horen zou krijgen en hij schreef meteen een brief om een nieuwe te bestellen bij een zadelmaker in Byvången die paardenharen matrassen vervaardigde.

Het zwarte hondje, dat ze Sissla noemden, had Hillevi met haar bruine blik overwonnen en kreeg een slaapplaats in een doos bij de deur. Ze was zindelijk maar moest vaak naar buiten. Haar blaas was nog niet volgroeid. 's Morgens vroeg, nog voor er iemand wakker was, liep Hillevi met haar de trap af en liet haar uit achter de winkel, of als het droog weer was verderop beneden bij het boothuis.

Fijn plasje doen, zei ze.

Wie die woorden overdag hoorde, lachte stiekem. De mensen waren zulke verbloemingen niet gewend.

Halvorsen zorgde dat hij Hillevi al rond drie uur 's ochtends verliet. Hij liep dan eerst langs de stal en voerde Docka en zijn grote ruin, de Gitzwarte. Ze namen aan dat niemand merkte hoe hij kwam en ging, maar maakten zich er niet al te druk over. Alles zal geopenbaard worden, zei Halvorsen en zijn bruine ogen fonkelden.

Op een ochtend toen ze in het donker naar beneden liep om Sissla uit te laten, struikelde ze over iets wat op de onderste tree van de trap lag. Ze zag niet wat het was en Sissla merkte niets, want Hillevi droeg haar de trap op en af.

Toen ze later die ochtend naar buiten ging, zag ze waarover ze gestruikeld was. Het was een pakje in bruin papier. Het zag er keurig uit. Het was dichtgebonden met een koordje dat in het midden een kruis vormde. Ze voelde eraan. Er zat iets in wat tegelijk hard en zacht was, en de gewaarwording in haar vingers toen ze tastte en door het papier heen probeerde te voelen, gaf haar een gevoel van onrust. Ja, ze voelde echt onbehagen.

Het kon alleen maar voor haar zijn. Hier woonde niemand anders. De trap ging direct naar haar zolderkamer. Het kleine portaaltje hing vol geuren van de winkel en het pakhuis waar die tegenaan gebouwd was.

Het gevoel onder haar vingertoppen weerhield haar ervan het pakje ter plaatse open te scheuren. Ze stopte het weg en liep terug naar boven.

Op het aanrecht, waar haar afwasteil stond, haalde ze het weer te voorschijn. Ze knipte het koordje door. Ze had niet het gevoel dat ze tijd genoeg had om aan die knoop te staan prutsen. Ze wikkelde het papier open, dat al meerdere malen gebruikt scheen te zijn. Er lag een afgesneden hondenpoot in.

Eerst voelde ze zich alleen maar verward. Ze wikkelde gauw het papier weer dicht om de inhoud te verbergen. Ze kreeg een vlugge ingeving om de klep van het fornuis te openen en het pakje erin te gooien. Maar ze wist dat het zou stinken. In plaats daarvan verstopte ze het pakje onder de bovenste blokken in de houtkist. Een hele tijd stond ze volkomen verward naar het deksel van de kist te staren. Vervolgens wilde ze naar Trond hollen om te vertellen wat ze gevonden had. Maar ook die ingeving ebde weg.

Het viel haar op dat het pakje zo op de trap had gelegen dat je erover moest struikelen. Maar de laarzen van Trond hadden er niet tegen gestoten toen hij een paar uur eerder de trap afliep. Het lag midden op de laatste tree. Als het er toen al gelegen had, zou hij het gemerkt hebben.

Iemand moest het pakje er wat later neergelegd hebben. Was het iemand die wist dat zij rond die tijd alleen was? Was het de bedoeling dat zij en niemand anders het zou vinden?

Zo begonnen deze overpeinzingen.

De winkel stond oorspronkelijk vlak naast het huis waar ik woon. Het was een klein gebouwtje, maar er was wel een bovenverdieping, zij het met een laag plafond. Morten Halvorsen scheen het te hebben gebouwd toen hij besloten had zich hier voorgoed te vestigen. Hij kwam uit Fagerli aan de Noorse zijde.

Hij trouwde met de dochter van de Lakakoning en verdiende een vermogen in de bosbouw. Maar in het begin was hij alleen maar een marskramer die met zijn handeltje op een kar rondtrok. Hij kwam langs op de boerderijen en haalde pakjes naalden, broches, spiegeltjes, stof voor japonnen, bretels, snuifdozen, scheermessen en kousenbanden te voorschijn. Prullen vooral. Maar hij verkocht niet slecht.

Toen hij voor het eerst besloot om helemaal naar Svartvattnet te gaan, was dat zeker omdat hij wist dat de mensen daar een aardige cent in de buidel hadden. De tijd van de grote bosbouwbedrijven was aangebroken. De zagerijen aan de kust moesten hout hebben. De heren van deze bedrijven kochten bos op en de mannen op het land konden aan de slag als houthakkers en vervoerders. Ze werden met geld betaald, maar hadden niets om het aan uit te geven, want er was geen winkel in Svartvattnet. Het sprak vanzelf dat er van alles nodig was, zoals kettingspanners, paardenvoer en Amerikaans spek voor de houthakkers.

Dus die marskramer uit Fagerli, die zijn koopwaren meebracht uit Namsos, waar ze aan boord van volgeladen zeilschepen aangevoerd werden, moest van plan geweest zijn om in Svartvattnet te blijven en handelaar te worden. Op zijn vracht zaten twee dozen spek vastgesjord en een zak Braziliaanse koffiebonen. Zowel houthakkers als vrouwen hadden koffie nodig.

In zekere zin was het niet slecht bekeken om nu halt te houden en te overwinteren, want het liep naar de herfst en hoewel de dagen nog helder en hoog waren, werden ze steeds korter. De bergmeren waren zwart geworden in de eerste herfststormen en toonden witte brandingsgolven die gemeen grijnsden als hondentanden.

Hij liep in diepe wielsporen met zijn kar. Niets dan bos, bos, bos. Hij ging kijken naar de mijlpaal, die toen geen grenssteen was, want we waren nog in de tijd van de Zweeds-Noorse Unie. En het bos stond er als een muur. Hij kon het meer niet zien glimmen tussen de sparren, maar hij wist dat het daar ergens moest liggen. Toen kwam hij bij een plek waar de weg een duidelijke tweesprong vormde. Hij hoorde water stromen en begreep dat er vlakbij een rivier was, want het was een vrij krachtig bruisen. Nu was de grens niet ver meer.

Hij bleef staan met zijn kar, onzeker welke richting hij moest kiezen. Toen kwam er een Lap aan op de weg. Het was een korte man in een leren kiel en met een verschoten blauwe muts hoog op zijn kruin.

De marskramer groette beleefd:

Goedendag!

De pijp van de Lap pruttelde. Maar hij zei niets. Toen vroeg de marskramer de weg naar Svartvattnet. De Lap keek naar zijn vracht. De handelaar voelde zich genoodzaakt uit te leggen dat hij waren bij zich had die hij te koop wilde aanbieden. Om de Lap spraakzamer te maken zei hij dat er wel een of andere leuke kleinigheid bij kon zitten.

Voor de kinderen, zei hij.

Het leek alsof de Lap diep nadacht. Toen nam hij zijn pijp uit zijn mond en wees met de korte steel naar de half dichtgegroeide karrensporen die naar rechts liepen. Hij bleef op de tweesprong staan toen de handelaar zijn kar bergafwaarts begon te duwen. Dat was niet zo eenvoudig. De grasrug tussen de sporen was hoog en de kar wiebelde op de met ijzer beslagen wielen. Hier reden de mensen kennelijk het dorp meestal voorbij, want de weg naar links was beter. Hij draaide zich om en wilde nog wat tegen de Lap zeggen over deze eigenaardigheid. Maar hij was al verdwenen. Hij was nergens in de omtrek te zien. Hij moest recht het bos of het moeras in gelopen zijn. Weg was hij in ieder geval.

De handelaar zwoegde verder met zijn kar, ontweek stenen en probeerde zijn zware vracht zo goed en zo kwaad als het ging het spoor te laten volgen. Het geluid van de rivier werd steeds sterker. Soms klokte en gonsde het, zoals van stemmen. Maar het was gewoon water dat tussen de stenen liep. Hij wenste dat hij iemand had om mee te praten. Het was bar koud zo laat op de middag en de sparren wierpen lange schaduwen.

Opeens werd het lichter. Er stonden minder sparren. Hij zag berken en lijsterbessen en wilgen en even later stond hij met zijn kar bijna boven het water van de rivier. Er was een bruggenhoofd. Maar geen brug. Aan de overkant was er ook een stenen fundering. Maar de brug zelf, die niet bijzonder groot geweest kon zijn, was vermoedelijk een van de vorige lentes door het smeltwater meegesleurd. Tussen de funderingen stortte het rivierwater verder.

Hij was in de war. Dat was wel het minste wat je kon zeggen.

Een koud gevoel bekroop hem. Het was alsof de sparrenschaduwen nog donkerder werden en de lucht in zijn gezicht beet. Ja, zijn neus werd koud.

Eigenlijk had hij nu rechtsomkeert moeten maken, dat begreep hij. De bewoners van deze streek tussen Svartvattnet en Gremså hadden natuurlijk een nieuwe stenen brug gebouwd en de weg die boven naar links afdraaide, leidde erheen. Dit was tegenwoordig niets anders meer dan een doodlopend pad. Maar hij wilde de kar niet draaien en weer bergopwaarts lopen.

Om de waarheid te zeggen, hij durfde niet.

Smerige Lap, zei hij tussen zijn tanden.

En nog steeds had hij geen idee wat hij moest doen. Hij stond hier open en bloot bij het bruggenhoofd. En het water suisde en kletterde tegen de stenen zoals het altijd al gesuisd en gekletterd had. Of er nu een mens luisterde of niet.

Godverdomme, zei hij. De duivel speelt ermee.

Hij meende dat hij een takje hoorde knakken. Maar hij was niet helemaal zeker. Dat verdomde water overstemde alle andere geluiden. Hij greep vlug zijn handkar en duwde die tussen de bomen. Makkelijk ging dat niet. Stenen en hoge graspollen zaten in de weg, maar hij kreeg zijn kar toch waar hij die hebben wilde. Zoals de kar daar stond in een bosje wilgen en jonge berken, waren de wielen verborgen maar de vracht was vanaf het pad nog helemaal zichtbaar. Maar van verder weg was er niets te zien.

Hij liep eromheen en begon haastig de sjortouwen rond de lading los te maken. Hij haalde zijn buks te voorschijn. Het gaf een goed gevoel die in de hand te hebben. Tastend tussen de zakken en tonnetjes vond hij zijn kruikje brandewijn. Hij laadde eerst zijn geweer voor hij zich de tijd gunde om een paar flinke teugen van de kruik te nemen. Het deed goed in zijn borst. De zware hartkloppingen namen af.

Toen hij al een tijdje achter de kar zat met zijn ene hand rond de kolf van het geweer en met zijn andere op de kruik, vloog er een korhoen over. Hij had de vogel niet horen opfladderen. Hij kwam uit de richting vanwaar hij zelf zopas nog met de kar gekomen was, en het was duidelijk dat hij opgeschrikt was.

Nu was hij gewaarschuwd, al hoorde hij niets bijzonders. Vlug boog hij een wilgentak om en hakte die met zijn mes af. Hij plantte de stok stevig in de grond. Op de stok hing hij zijn pet, zodat die boven de vracht uitstak. Daarna nam hij zijn geweer en sloop voorzichtig, bijna kruipend weg tussen de stammen.

Hij ging achter een dicht wilgenbosje zitten. Van hieruit kon hij het pad zien. In de bocht verscheen wat later de Lap. Hij liep niet op het karrenspoor maar sloop langs de rand. Soms werd hij aan het zicht onttrokken door het jonge rijshout. Hij liep zeker geruisloos. Niet dat hij anders wel te horen zou zijn geweest. Alleen het eeuwige water was te horen. De handelaar zou voor de rest van zijn leven een hekel aan dat geluid hebben. Hij vertelde later vaak dat het beangstigend was.

De Lap was een tijdje verdwenen, stond vermoedelijk te luisteren. Nu verscheen hij beneden bij de fundering van de brug. Hij hield zijn geweer schietklaar. Toen hij merkte dat daar geen kar stond, raakte hij zichtbaar in de war en keek om zich heen. Daarna trok hij zich snel in de bosjes terug. Nu liep hij de andere kant uit, voorzichtig sluipend. De handelaar had hem bijna ononderbroken in zicht en hij zag hoe de Lap de kar in het oog kreeg en aanlegde.

Het was stil. Wel een minuut of nog langer dacht de handelaar na. Maar zo lang duurde het in feite niet. De tijd was trager gaan lopen. In de rivier stroomde het water daarentegen even snel als altijd.

Opeens schoot de Lap. Hij had ongetwijfeld de pet geraakt, want lenig als een kat sprong hij op het pad, en toen hij naar de kar begon te lopen, legde de handelaar zijn geweerkolf tegen zijn schouder. Er was geen reden om nog te talmen. Hij had hem goed op de korrel en hij schoot zonder aarzelen.

Daarna kwamen opnieuw de hartkloppingen. Zijn adem stokte. Hij moest tegen een berkenstam leunen en zijn ogen sluiten. Zijn gezicht jeukte en hij voelde zich gezwollen en had het te warm.

Toen hoorde hij een stem:

Guktie vöölti? Guktie vöölti?

Dat betekent: Hoe is het gegaan? Hoe is het gegaan? Een klein vrouwtje kwam het pad af hollen. Ze liep zich zo te verkneukelen dat ze met haar rookpijp zwaaide. Toen zag ze de hoop op de weg. Want op veel meer leek het niet, wat er van de Lap over was. Toen reageerde ook zij als een kat. Kwam niet veel dichterbij, maar een beetje. Zag het bloed op het gras. En draaide zich met een ruk om en holde het bos in.

Hij zag haar nooit meer terug.

De handelaar duwde zijn kar nog dieper in het bos en sleepte vervolgens het dode lichaam van de Lap onder de struiken. Hij ging zitten om de zaak te overdenken. Enerzijds was het allemaal wel duidelijk, ook al waren er geen getuigen. Er was het geweer van de Lap, dat afgevuurd was, en er was het gat in zijn eigen pet.

Hij had uit zelfverdediging gehandeld. Niemand kon iets anders beweren.

Maar anderzijds was het geen al te goed begin om in een dorp als Svartvattnet te arriveren met een lijk op zijn kar. Of de plek aan te wijzen waar die magere stakker met een bloedvlek op het borststuk van zijn kiel lag. Dat was geen gezicht.

Hij besloot zonder zo'n vrachtje naar Svartvattnet te gaan. Het moeras achter de weggeslagen brug was uitgestrekt en hier en daar ook diep.

God alleen weet wat hij deed. Hij was immers helemaal in zijn eentje. Had hij een spade op zijn kar?

Ja, er waren ook spaden in zijn lading. Zonder steel. Nam hij een mes en een bijl en maakte hij een spadensteel? Niemand die het weet.

Wie hier naar onze streek in de bergen komt, denkt gemakkelijk dat hij een verlaten wereld betreedt. Hij kan zich onzichtbaar wanen. Het bos lijkt alles te kunnen opslokken. En de veenmoerassen zijn soms eindeloos lang en zonder paden.

Maar wie hierheen komt, wordt altijd gezien.

Twee schoten gingen af en daverden tussen de bosrijke hellingen.

Er viel evenwel op te merken dat de marskramer pas een volledige dag na de schoten met zijn kar in Svartvattnet opdook.

Over wat er zich zo lang geleden afgespeeld heeft, kun je niets zeker weten. Niet eens dat het Morten Halvorsen was. Maar dat was wel wat de mensen zeiden.

Want Halvorsen kwam immers met een kar over de bergen en zette een handelszaak op. Hij verdiende rijkelijk aan de toeloop van arbeiders tijdens de eerste hoogtijdagen van de bosbouw in het dorp. Hij was het die de Lap doodgeschoten had, zeiden de mensen. Maar hij lachte ze uit. Hij was toch verdomme nooit zo'n arme luis geweest dat hij zonder paard reisde!

Toch zeggen de mensen dat alleen hij en nog iemand wisten wat er met die Lap gebeurd was.

Die andere, dat was de overgrootvader van de jongens van Lubben. De man die ze de Eekhoorn noemden, de vader van Eriksson van Lubben dus. Hij zou iets gezien hebben. Er zijn er die zelfs beweren dat hij Halvorsen zou hebben zien graven.

De Lap had dus ook een vrouw, zij die heel even op het pad verschenen was en geroepen had:

Hoe is het gegaan? Hoe is het gegaan?

Maar zij zei niets. Nooit ofte nimmer. Dus was het net zo aannemelijk dat haar man niet uit de bergen teruggekeerd was. Als Eriksson van Lubben later tenminste niet hier en daar een woord had laten vallen over wat zijn pa verteld had. Alleen aan zijn zonen. Maar toen de grootvader dood was, beweerde in ieder geval de oudste kleinzoon dat de ouwe geweten had waar Halvorsen de Lap had begraven. En dat hij daar een merkteken had geplaatst.

Maar anderen zagen niets anders dan een droogstel voor turf op die plek.

Wie zal het weten?

Toen ik dat oude, lelijke verhaal had gehoord over de handelaar die de Lap had doodgeschoten, was ik dom genoeg om het thuis aan Myrten te vertellen, en zij vertelde het uiteraard aan Hillevi.

Woedend nam die me onder handen. Ze vroeg of ik zo dom was dat ik geloofde dat Morten Halvorsen de bergen overgestoken was met een handkar. Dat hij geen paard had.

Snapte ik dan niet dat zulke verhalen altijd verteld werden? Al sinds de achttiende eeuw, toen de mensen zich hier voor het eerst vestigden. Ze plakten er alleen nieuwe namen op. Ze vroeg, nogal schamper vond ik, of ik het bij Jonetta aan de keukentafel gehoord had. Nee, daar niet, zei ik. Het was buiten op het erf. Toen zei ze dat het maar goed was dat Jonetta in ieder geval niet zat te luisteren wanneer er strafbare dwaasheden over haar eigen vader verteld werden.

Hillevi zei dat ik daar niets te zoeken had. Ik moest mezelf te goed achten om aan Jonetta's keukentafel te zitten luisteren naar Anund Larsson en andere leugenaars. Ze greep me hard vast aan mijn arm en vroeg me of ze bij Aagot misschien aan de drank zaten. Ik zei dat ik nog nooit iets anders dan koffie had gekregen.

Daarop bedaarde ze een beetje en ze zei dat ik moest begrijpen dat ik bij normale mensen opgegroeid was. Ze gaf toe dat er het een en ander in de dorpen was gebeurd waar men maar beter niet over moest praten. Maar zoiets gebeurde niet bij mensen die een normaal leven leidden.

En dat hebben wij altijd gedaan, zei ze.
Dat herkende ik.
Dat is niet erg hygiënisch, zei ze altijd. Of:
Dat is niet normaal.
Dan wist je het wel.
Ik waagde het niet meer om nog over die handelaar te praten, wie dat ook mocht zijn, die de Lap had doodgeschoten. Maar het verhaal stierf niet. Ik hoorde het laatst nog vorige winter. Het was tijdens al die heibel over de vraag in welk dorp de school mocht blijven voortbestaan. Er kwam toen heel wat naar boven.

— * —

Er lag dus een afgesneden hondenpoot in de houtkist bij Hillevi Klarin en zij liep daarover te piekeren. Ze wilde hem in het fornuis gooien of ermee naar Trond rennen, maar die eerste ingevingen gingen snel over.
Ze ontdeed zich van het ding, maar wel in het geheim. Toen ze Sissla uitliet, liep ze naar het boothuis en aan het zicht onttrokken gooide ze de poot in het donkere water. Het was een winderige oktoberavond. Korte driftige golven sloegen tegen de stenen van de oever. Er liep een trilling door het lichaam van haar hond toen ze poot weggooide, maar Sissla deed geen poging om het water in te stuiven en erachteraan te gaan. Ze ging zitten en keek op naar Hillevi. Het was als de blik van een kind.
Toen zei Hillevi bij zichzelf dat als het kind eenmaal geboren was, al dit gedoe maar eens afgelopen moest zijn. Dan zal alles open en licht zijn. Kinderen hoeven niet met zo'n blik naar hun ouders te kijken. Godzijdank is dit maar een hond.
Ze kwam niet te weten wie het pakje op haar trap gelegd had, maar ze begreep dat iemand haar er iets mee wilde zeggen. Ze begreep ook dat ze erop moest antwoorden. Een gesprek was aangegaan.
Het is moeilijk om te praten met iemand wiens taal je onvoldoende beheerst.
Ze dacht aan honden. De poot was van een zwarte hond. Maar er zat ook wit op, bovenaan. Een zwarte hond met witte vlekken.
Er was er een waaraan ze onmiddellijk moest denken. Die hond had twee witte vlekjes op zijn voorhoofd. Die leken op starende ogen.
Ze dacht dat degene die het pakje op de trap gelegd had, wilde dat zij aan juist die ene hond zou denken. Reden temeer om er tegen Trond met geen woord over te reppen. Want dan betekende de poot:
Maak dat je wegkomt.
Dat stemde wel overeen met het feit dat ze dichterbij gekomen was, nu ze naar Svartvattnet was verhuisd.

Op een middag zag ze Vilhelm Eriksson van Lubben in de winkel. Hij keurde haar geen blik waardig. Maar nu wist ze hoe ze moest antwoorden. Er was niets anders nodig dan wat vanzelf zou komen. Toen er aangekondigd werd dat Trond en zij in ondertrouw gingen, was dat als antwoord duidelijk genoeg.

Op een bitterkoude januaridag in het nieuwe oorlogsjaar 1917 bogen de Gitzwarte en een oudere ruin die Siback heette, hun hals en trokken een zwaarbeladen slee met mensen, koffers en paardenvoer op gang. Trond Halvorsen mende. Hij was op weg naar zijn grootvader in Lakahögen en naar zijn eigen bruiloft. Naast hem zat Hillevi's neef Tobias Hegger. Achter hen zaten de zus van Halvorsen, Aagot, en de zus van Hegger, die Sara heette.

Na de grote slee kwam Docka met een kleinere. Het was dezelfde als die waarmee Halvorsen tien maanden geleden Hillevi van Lomsjö naar Röbäck gebracht had. Nu zat zij met de teugels in haar handen. Naast haar zat Tronds oudste zus Jonetta.

Allen droegen ze wolven- of hondenpelsen en ze waren goed ingepakt in schapenhuiden of rendiervellen. Aan de gasten waren soepele rendierleren laarzen en wollen sokken geleend. Trond Halvorsen droeg zijn dikke vossenbonten muts en Hillevi had Tobias tegen Sara horen zeggen dat hij op Djengis Khan leek. Ze was blij dat zijn humeur beter was en dat hij een beetje romantiek om zich heen kon zien. Hoewel Halvorsen dan wel geen plunderaar was. Hij was een hardwerkende dorpshandelaar en bosarbeider die nu de consignaties van zijn vader had overgenomen en de zaak in z'n eentje voortzette. De winkel bleef tijdens het eerste oorlogsjaar nog van de vader, welteverstaan, want de zoon was gemobiliseerd en lag aan de kust. Hillevi kon alleen maar vermoeden hoeveel Morten Halvorsen aan de oorlogspaniek van dat jaar verdiend had, toen iedereen die rendieren of bosgrond had, zijn voorraden gepelde rijst, suiker, tarwemeel, koffie en zeep kwam opkopen. Nu had Trond de licenties en de schaarste, terwijl de gezichten van de mensen steeds grauwer werden.

Wegens al zijn commissiereizen had zij leren mennen. Hij reed rond met rendierleer, berkenbast voor dakbedekking, teertonnen en traditioneel handwerk van de Lappen. Met auerhoen, korhoen, sneeuwhoen en met gedroogde vis. Met kaas, boter en weikaas. Hij kwam terug uit Östersund met wat hij buiten de licenties om te pakken kon krijgen. Op een keer was het macaroni, een nieuwe spijs. Hillevi stond achter de toonbank en legde uit hoe je die met melk en meel tot een papje moest koken. Maar je mocht er geen suiker op doen, zei ze. En die raad was gemakkelijk te volgen, aangezien er maar zelden suiker was. Zelfs ten huize van de handelaar werd de moutkoffie nu met zuurstokken gezoet.

Ze had gedacht dat ze het een tijdje rustig zou hebben met haar uitzet. Tot in de schemerende winteravonden toe zou ze aan borduursels voor lakens en theedoeken zitten werken. Maar zo draaide het niet uit. De winkel kende een toeloop, een werveling van verzoeken die niet afgewezen konden worden. Ze was bang dat Trond geld zou verliezen. Lastige klanten voegden nog overvolle scheppen toe wanneer de weegschaal de juiste hoeveelheid afgemeten had. Aagot had zeker beter zorg gedragen voor haar broers eigendom, maar toen Hillevi boven de winkel kwam wonen, werd ze slordig. Ze konden het niet met elkaar vinden. Moeilijk te zeggen waarom niet. Zo was het nu eenmaal. Daarom was Hillevi opgelucht dat Jonetta naast haar in de slee kwam zitten. Ze had even donker haar als Aagot maar niet zo'n rechte rug en ze had haar tanden verloren.

Halvorsen was er niet zo voor dat Hillevi elders vervoer huurde als hij weg was. Zelfs al betaalde de gemeente haar reiskosten. In het begin reed Haakon Iversen een paar keer. Hij was afkomstig uit Fagerli en was vele jaren geleden bij Morten Halvorsen beginnen te werken. Hij zorgde nog steeds voor de stal en wanneer Halvorsen op reis was nam hij alle zware karweien over.

Kort na Allerheiligen had een sneeuwstorm de sneeuw hoog tegen de deur van het pakhuis gedreven. Haakon moest sneeuw gaan ruimen rond het huis terwijl Hillevi hem als sledemenner nodig had, en liever dan Isak Pålsa te vragen, die volop bezig was de weg sneeuwvrij te maken, greep ze zelf de teugels nadat Haakon de slee opgetuigd had. De lieve Docka vond bijna op eigen houtje de weg naar de wachtende hoogzwangere vrouw.

Die dag in januari had Docka een tuig met belletjes gekregen. Ze rinkelden samen met de belletjeskrans van de Gitzwarte en van Siback. De zon scheen. Svartvattnet was een verblindend witte sneeuwvlakte. Terwijl ze over het meer reden, draaide Tobias zich nu en dan om en wuifde naar Hillevi. Hij scheen in een opperbest humeur te zijn en dat gunde ze hem van harte, want hij had een paar zware dagen gehad.

Ze had hem gevraagd een karbonkel open te snijden die ze zelf niet aangedurfd had. Het was er een zo groot als een knoedel en die zat in de nek van een oude bosarbeider.

Tobias ontving hem op het pension waar hij en Sara logies hadden gekregen. Toen hij de etter en talg uit de steenpuist had geknepen en de nek met zijn bruine kwabben had genaaid, riep Verna Pålsa van de benedenverdieping:

Alfressa is ook gekomen!

Hillevi legde uit dat een zekere Alfredsson klachten had op een plek die zij zelf moeilijk kon onderzoeken. Ze was bang dat het een geslachtsziekte was, want hij had gewerkt op een van de schepen die met goederen tussen Namsos en Bergen voeren.

In Bergen zijn er ook melaatsen, zei ze.

Toen ze terugkwam en Tobias klaar was met Alfressa, zei hij dat de man zich moest wassen op een bepaalde plek. Dat was alles. Die diagnose stelde Hillevi niet gerust. Ze vreesde dat Alfressa, die een vlot type met strak aangetrokken broekriem was, bij de meisjes rond zou lopen met die wond van hem. Ze riep hem terug en vroeg aan Tobias om nauwkeurig te kijken.

Het is een ernstige zaak voor het dorp als hij dat soort ziekte heeft, zei ze. Kijk nog maar even nauwkeurig.

Dat deed Tobias. Hij nam een slok cognac uit zijn zilveren reisflacon en vroeg daarna Alfredsson om binnen te komen en opnieuw zijn broek los te knopen. Achteraf gaf hij toe dat het er bedenkelijk uitzag. Een heel klein wondje, maar diep. Of hij hem had kunnen overtuigen om naar een ziekenhuis te gaan, dat wist hij niet, want ze begrepen niet al te veel van elkaars taal.

Laat dat maar aan mij over, zei Hillevi.

Nog geen kwartier later daagde een volgende patiënt op met een gezwollen, ontstoken duim. Hij had zelf een hakwond met grof garen genaaid maar had de wond niet voldoende kunnen reinigen. Daarna kwam er een meisje met etterende ogen en uitslag rond haar mond. Ze had ook knobbels in haar hals. Hillevi wilde dat Tobias vaststelde of het scrofuleus was en ze naar een sanatorium moest. Een jongetje, nog niet geconfirmeerd, kwam met gezwollen klieren in zijn hals die vermoedelijk ook scrofuleus waren. Het was ook Hillevi die erachter zat toen twee vrouwen hem kwamen vragen druppels uit te schrijven, zoals ze dat zeiden, onduidelijk waarvoor. De ene was achttien keer bevallen, de andere had tien kinderen. Hillevi nam Tobias apart in de gang en zei dat hij met ze moest praten over de ringen van paardenhaar en berkenwortel die ze droegen om pijnlijke verzakkingen te voorkomen. Ze wilde dat die twee naar het ziekenhuis van Östersund werden gestuurd voor een operatie, en dacht dat hij zijn woorden meer gezag kon meegeven. Ze wisten niet dat hij nog niet afgestudeerd was, doodsbang en onpasselijk. Hij mocht natuurlijk niet hun genitaliën zien, maar Hillevi vertelde hoe de baarmoeder van de jongste na haar laatste bevalling als een blauwrode vrucht tot in de schedeopening was gedrongen toen ze opnieuw wateremmers en hooibundels begon te tillen. Ze wilde dat hij al zijn gezag aanwendde om hen ervan te weerhouden voorwerpen in hun schede in te brengen die infecties konden veroorzaken.

Terwijl er de volgende dag en de dag daarop mensen kwamen die geduldig in de gelagkamer van het pension gingen zitten, vroeg Hillevi of hij ten minste wilde praten met hen voor wie hij niets kon doen. Hij moest waarschuwen voor homeopaten, voor zogenaamd wijze oude mannen en helpsters die dood en besmetting naar de kraambedden brachten. Hij had haar nog nooit zo strijdlustig gezien. Ze had het in het bijzonder over een homeopaat die Lundström heette. Ze zei dat hij erger was dan de ergsten. Zijn broekzakken puilden uit van het geld.

Tobias sneed weg wat hij weg kon snijden, naaide wat er genaaid kon worden en praatte met de rest. Hij dacht niet dat ze begrepen wat hij zei. En Hillevi had gemerkt dat hij bang was.

Ze zat in de slee naast de stille, goedhartige Jonetta en voor het eerst in enkele maanden vond ze dat ze tijd had om na te denken. Als ze erover nadacht, wist ze dat ook zij bang was geweest. Maar nu niet meer.

Op een dag toen ze in de slee zat op weg naar een pachtboerderijtje dat Kroken heette, zag ze een vormloos pelsachtig wezen uit het bos afdalen. Een beer, dacht ze verstijfd van schrik en pas achteraf besefte ze dat Docka niet had gesteigerd of zelfs niet schichtig had gereageerd. Het wezen lummelde van de helling af die de geiten van Kroken kaalgevreten hadden, en scheen recht op haar af te komen. Ze klapte de teugels op de rug van Docka zodat die begon te draven. Maar zelf zat ze met haar hoofd opzij gedraaid en zag hoe de harige gedaante naar de weg waggelde. Nu was te zien dat het een tweevoeter was en dat maakte haar er niet bepaald geruster op.

Hij zat de hele middag en avond in de keuken in Kroken terwijl zij daarbinnen zijn vrouw bij de bevalling hielp. Hij heette Egon Framlund. Toen ze klaar was met zijn vrouw, sneed ze een kleine steenpuist op zijn neuswortel open, die ze er nogal lelijk vond uitzien. Hij woonde 's zomers in een hut die eigenlijk een grot in de rots was. 's Winters was hij in de kost in Kroken. Vroeger was hij zeeman geweest, zei hij. Hij was heel filosofisch en was geboren in Sundsvall.

Toen ze Trond over haar ontmoeting en haar schrik vertelde, moest hij smakelijk lachen en zei dat Framlund een goeiige, ouwe praatjesmaker en fantast was, die nog het meest in de sterrenhemel geïnteresseerd was. Achteraf dacht ze: je moet alleen bang zijn als je weet dat je daar reden toe hebt.

Tobias nam zijn pet af en zwaaide ermee. Met zijn in een grote want gestoken hand wees hij in de richting van het meer: rendieren! Ze moest om hem glimlachen. Hij was als een kind in een sprookjesbos vol merkwaardige dingen. In een lichtschittering stoof de sneeuw onder de hoeven op. Het zonlicht sloeg je in de kou met halfblindheid en bracht je in een roes. De wereld werd een en al vonken en goud en een verschrikkelijk blauwe hemel die naar het zenit toe zwart werd. In de verte tegen de Brannbergshellingen was een kleine kudde rendieren op het meer te zien. Ze leken wel insecten.

Ze dacht aan Trond die de verantwoordelijkheid voor het hele gezelschap droeg in deze kou, die ervoor moest zorgen dat het tuig het uithield en moest weten wat te doen in deze overdonderende witte eenzaamheid als een dissel brak of een paard kreupel werd. Ze hadden samen de vellen, huiden en pelsen geteld die nodig waren om iedereen warm te houden en ze had teruggedacht aan die eerste sleerit met zijn tweeën. Nog maar tien maanden geleden had zij er zelf net zo bij gezeten als Sara nu, onwetend en zonder verantwoordelijkheid voor de reis.

Sara had zich niet laten afschrikken zoals Tobias. Ze glipte gauw naar Hillevi's kamer waar ze hielp met de nog steeds verwaarloosde uitzet. Wanneer ze wandelingen maakte, leek ze een echte bergtoerist, want ze keek voortdurend westwaarts naar het Noorse hooggebergte en ze vertelde dat ze van de zomer terug wilde komen.

Hillevi had geprobeerd hen te doen afzien van de lange reis voor de bruiloft. Oom Carl en tante Eugénie hadden geweigerd, hoewel ze eerlijk gezegd niemand van de familie had uitgenodigd. Maar Sara en Tobias hadden het in hun hoofd gekregen dat dit een groot avontuur was dat ze mee moesten maken.

Dus kregen ze het grijze huisje te zien waar Trond met zijn zussen woonde. Hillevi had liever gehad dat ze pas waren gekomen als het nieuwe huis klaar was. Tobias moest gesnapt hebben dat ze zwanger was. Haar buik begon te zwellen en ze was ronder in haar gezicht. Trond had al drie weken na de verloving willen trouwen. Het was Hillevi die het wat liet aanslepen. Ze had zich er niet toe kunnen brengen om met Edvard te praten. Dat hij hen zou trouwen was uitgesloten. Maar hoe konden ze voorkomen dat hij hun huwelijksafkondiging voorlas?

Hij had haar ten slotte opgezocht, erg onthutst dat ze uit Röbäck vertrokken was. Maar ze had hem niet binnengelaten. Nu lag dat voor háár moeilijk. Hij merkte het. Hun gesprek verliep stijfjes. Maar ze had niet gedacht dat het zo moeilijk zou zijn.

Ze wandelden voor het oog van iedereen terwijl ze met elkaar praatten. Tussen hen in liep Sissla aan de lijn. Ze had Edvard voor het eerst ontmoet bij een doop in het ziekenhuis. Toen had ze zich onderdanig gevoeld. Niet beter dan toen ze tijdens haar opleiding in Kraamkliniek Zuid als een sloof steekbekkens liep te spoelen. Destijds mochten de leerlingen niet praten in aanwezigheid van dokters of dominees.

Nu droeg ze de grote zwarte hoed die ze uit Uppsala meegebracht had. Ze had een nieuwe struisvogelveer uit Östersund laten komen en rond de bol van de hoed gemonteerd. Ze zag gezichten achter de ramen maar verloor haar beheersing niet. Dat was nu trouwens toch te laat.

Ze liepen helemaal tot aan de rivier en over de brug. Bij het huis van de grenswachter keerden ze om en liepen weer terug zodat ze de hele tijd in het zicht van het dorp bleven.

Ze voelde een beweging in haar middenrif toen hij zijn handschoen uittrok en ze zijn fijne hand zag. Het deed haast pijn. Ze zag zijn donkerblonde haar onder de muts van persianerbont en de gladgeschoren wangen. Hulpeloos dacht ze aan zijn verlegen, ja, beschaamde omhelzingen.

Maar dat ging over toen hij dat ene woordje zei:

Wat?

Hij zei het heel scherp, met een open a-klank. Het was omdat zij de keet had gezegd toen ze het over de winkel had. Ze werd kwaad en besloot het hele zaakje nu maar af te handelen.

Heb je een aanvraag ingediend om dominee Norfjell op te volgen? vroeg ze.

Hij schudde het hoofd.

Dat was eigenlijk wat ik u wilde vertellen, Hillevi, zei hij. Het zal niet gaan. Ik pas hier niet. Ik heb om steun gebeden, maar ik zie in dat hier mijn taak niet ligt.

Ze sprak hem niet tegen.

Hoe houdt u het vol, Hillevi? vroeg hij. Toen ze niet meteen antwoordde, zei hij geestdriftig en bijna verhit:

Ik ben van mening dat u deze streek moet verlaten. Er is geen reden om hier te blijven!

En toen werd hij vuurrood. In ieder geval roze. Ze had wel kunnen lachen. Als het niet zo in haar sneed. En altijd maar u. Geen jij meer. Geen jij jij jij. Zoals destijds met z'n tweeën.

Ik blijf, zei ze.

Hoezo?

Hij klonk verbluft. Niet zo scherp meer.

Edvard toch, jij kwibus, zei ze met een soort lachje.

U bent waarlijk ingeburgerd, zei hij. Zelfs in uw taal.

Wanneer vertrek je? vroeg ze en probeerde rustig te klinken.

Tegen Kerstmis.

Dan hoeft hij de huwelijksafkondiging van mij en Trond niet voor te lezen, dacht ze. Maar dan zal die wel laat komen en heel wat mensen zullen zich over ons vrolijk maken. Maar dat was wel het minste wat ze hem schuldig was, vond ze. Want hij is toch een aardige man, dacht ze. Zowel vanbinnen als vanbuiten. Ik wens hem geen kwaad.

Hij verdween in zijn zwarte overjas naar het pension. Ze bleef hem nakijken. Daarna liep ze naar de winkel.

De zon scheen op het water. Het glinsterde zomerblauw hoewel de herfst al vergevorderd was, maar van de Noorse bergen kwam de wind met dunne, kleine sneeuwsluiers, die snel smolten wanneer ze de golven beroerden.

Haakon was bezig bundels rendierhuiden op een platte wagen te leggen. De binnenkant van de vellen was blauwwit met bloedstrepen. Ze hoorde Trond in het pakhuis roepen dat hij ze moest tellen en het aantal op moest schrijven voordat hij wegreed. Twee Jämtlandse spitshonden liepen rond de lading te snuffelen, maar de kleine Sissla ging afwachtend op de trap zitten.

Hillevi bleef even staan en liet de zon in haar gezicht schijnen. Toen liep ze naar het huis. Ze wilde kijken of er nog echte bonen waren om te roosteren, al was het maar een eetlepel. Ze snakte naar koffie.

De hoed met de struisvogelveer legde ze op de keukenbank. Ze voelde zich dankbaar voor dat ding en ze verlangde naar haar koffie. Terwijl het fornuis op gang begon te komen en ze wachtte tot het water kookte, stond ze door het raam naar het blauwe water te kijken. Ze dacht aan Edvard, dat het uit was met hem.

Nu ging ze trouwen met een man die asemen en kallen zei in plaats van ademen en praten.

Nadat de paarden de sleden omhooggetrokken hadden vanaf het meer dat eindigde bij Tullströmmen, vervolgden ze hun weg in oostelijke richting naar Lakahögen. Ze reden door een bos dat in de zomer stenig en ontoegankelijk was, maar nu slapend en afgevlakt onder het sneeuwdek lag. Het ging voortdurend bergopwaarts. Morten Halvorsen had beloofd dat de weg vanaf Korpkälen sneeuwvrij gemaakt zou zijn. Maar wat betekenden beloften en vooruitzichten in deze stilte die oorverdovend zou zijn geweest als de paarden geen tuig met belletjes om hadden gehad. Hillevi meende dat de belletjes nu een droger geluid voortbrachten, ze ruisten en ritselden in de kou. Ze dacht voortdurend aan Tobias. Sara kroop als een kind weg in de vellen en gaf zich over. Ze had een vertrouwen in de wereld dat haar niet in de steek liet, hoewel het maar beter niet veel verder dan Öfre Slottsgatan in Uppsala moest reiken. Maar Tobias, duizelde het hem niet nu hij daar in de paardendamp en het geklingel van de belletjes zat? Hij wist immers niets van de dorpen die als flikkerende merktekens in de eindeloze duisternis lagen.

Hillevi was zelf nog niet eerder naar Lakahögen gereden. Maar niet alleen het reizen bond de dorpen samen. Grote gebieden met dennenvlakten, plassen en bosrijke heuvelruggen tot aan de venen op de berghellingen waren haar al bekend, ja, haast vertrouwd door alle verhalen over wat daar gebeurd was, wie er woonde en wat hun overkomen was. Nu waren ze Isaksvältan gepasseerd. De plek was genoemd naar een boer uit Greningen, die er met een lading hout gekanteld was. Jonetta vertelde het en ze wees ook omhoog naar de den van Hökhack op de heuvel. Lusflon, Klösta, Flärken waren bakens in de witheid. De beken kwamen hier uit het noorden en hadden voorzover zij wist geen namen. Maar natuurlijk hadden ze namen en natuurlijk hadden de mensen elke drassige zink en elke bult in deze waterrijke grond vernoemd naar ontmoetingen met beren en ongelukken met hagelgeweren en bijlen of met zware houtsleeën. Ver beneden lag nu het Rösmeer met de kerk en daarachter het Botelmeer, waar de grootvader van Märta Karlsa op een vroege lentedag met zijn lading door het zwakke ijs gezakt was. Zijn paard was erin gebleven. Ginds stond de kapel op de landtong, waarover voorspeld was dat er een kerk zou staan en dat die ooit zou afbranden. Niemand wist of deze landtong, de Ante, vernoemd was naar de Lap die het voorspeld had of naar de man die de wortelstronk van een spar had uitgetrokken en toen een zilverader had gevonden, nu uit het zicht maar nog niet uit het geheugen.

Halvorsen hield halt en dat deed hij in een bocht zoals Hillevi hem had gevraagd. Dat was omdat ze zich even wilde terugtrekken met Sara en Jonetta om in de sneeuw neer te hurken. Ze voelden zich stijf maar waren nog vrolijk en Sara's wangen gloeiden.

Terwijl Hillevi half hurkend met opgetrokken rokken in de sneeuw plaste, voelde ze voor de eerste keer het kind in haar buik. Geen draaibeweging of trap. Nee, iets kleins, maar toch heel duidelijk. Gefladder van vleugels, daar dacht ze aan. Van een heel klein vogeltje. Zoals de mezen onder de daklijsten wanneer ze bewogen in de kou van de winternachten.

Ze trok haar onderbroek en haar lange wollen maillot weer op en liep terug naar de slee en wikkelde zich in enkele vellen. Sara druk pratend naast haar. Ze wilde haar niet antwoorden. Het was te merken dat ze met rust gelaten wilde worden, want Sara ging naar de andere slee en zij bleef alleen achter.

Ze voelde zich rustig. Trond stond daarginds, voelde aan de dissels en de riemen. De paarden aten uit hun voederzakken. Iedereen stond te babbelen, maar Trond zweeg en keek opzij naar haar.

Ze voelde zich als een brede stolp rond het kind dat in haar bewoog. Zo zou het dus worden, dacht ze. Dat wist ik niet. Maar nu weet ik het.

Jij en ik.

En Trond daarginds met zijn blik op ons. Of we het goed maken. Of hij zich niet ongerust over ons hoeft te maken.

Hij heeft zwart haar en is smal en levendig. Maar hij is een hardwerkende man. Hij zal nooit slaan. Dat weet ik. Over zoiets zou ik vroeger nooit nagedacht hebben. Maar dat doe ik nu wel. Ik heb veel gezien. Ik weet nu dat zulke dingen ook in Uppsala te zien waren. Maar ik zag ze niet.

Nu kijkt hij naar ons.

Naar jou en mij.

Er stond een pachthoeve op het kroondomein bij Vitvattnet, zo een die voor de Lappen was gebouwd zodat ze ergens onderdak hadden wanneer er tijdens hun tochten slecht weer opstak of wanneer ze ouderen of zieken achter moesten laten. Daar hielden de bruiloftsgangers hun middagpauze en konden de paarden rusten.

De pachters heetten Persson. Hij was een Lap en zij kwam uit Greningen. Ze waren vrij oud. Hun jongste was de enige die nog thuis woonde en hij zou volgend jaar geconfirmeerd worden. Ze geloofden dat ze daarna helemaal alleen achter zouden blijven. Hij zat op een stoel met de kat in zijn armen, en hij bekeek haar de hele tijd. Zijn haar hing in zijn gezicht. Hillevi dacht dat hij het ouderlijk huis wellicht nog niet zo gauw zou verlaten.

Het huisje had maar één kamer. In een hoek was de kachel gemetseld. Daarnaast stond een hakblok en aan de muren hingen visnetten, vossenklemmen, knipvallen en ransels.

Ze aten gerstebrij die de vrouw in een ijzeren ketel op een drievoet had gekookt. Ze had een grote houten spaan om mee te roeren. Sara staarde naar Hillevi toen er twee houten kommen en een bord met bloemetjesmotief rondgingen waar om beurten uit gegeten moest worden. De geiten stonden droog, dus melk was er niet. Maar ze hadden oude kaas, gezuurde vis en spekvet om tussen de stukken brood te leggen die de vrouw uit een doos haalde. Het enige waar Trond mee bijdroeg, was een zakje gemalen moutkoffie, goed gemengd met geroosterde bonen.

Hillevi vroeg zich af wat Tobias en Sara dachten. Zelf wist ze wel dat Trond niet erg gesteld was op mensen die niet op gastvrijheid konden ingaan zonder eigen eten boven te halen en hun overvloed te tonen. Er waren er die het zo belangrijk vonden om altijd het hoogst te staan dat ze zelfs betaalden.

Nu wist ze dat Trond nog zaken met de oude Persson te regelen had. Hij had huiden in commissie verkocht. Het zou vast heel goed uitvallen voor de oude man. Maar belangrijker was dat ze uit Vitvattnet vertrokken zonder iemand te hebben vernederd. Hillevi wist dat zij zelf meerdere malen fouten had begaan. Ze had nog steeds een schild nodig tussen zichzelf en deze mensen, van wie ze eigenlijk zo weinig wist.

De laatste kilometers legden ze in het donker af, maar de zwarte hemel was doorzeefd met lichtjes. Er vormde zich ijs daarboven. Vuurhaarden leken te ademen. Brokken licht braken los als van een suikerbrood en vielen neer in het niets. De Grote Beer en de Gordel van Orion waren zichtbaar, maar een korrelige wirwar van zwakkere sterren die over het zwart uitgestrooid waren, verloren hun contouren.

Ze dacht aan de grijze wolven die op de bevroren meren rondslopen en aan de beer die nu in zijn winterhol lag te slapen en aan die taaie bijter van een veelvraat die op zijn dikke platte poten in de sneeuw tussen de bomen sjokte. Ze dacht aan Docka en was bang voor de groene glinstering van een paar ogen in het flakkerende lantaarnlicht. De kleine merrie zou kunnen schrikken van een schaduw die leek te hurken of van het licht op een droge spar met een kroon die op klauwen en grijparmen leek. Docka moest aan de teugels haar waakzaamheid voelen en ze moesten het spoor van de grote paarden aanhouden.

Toen ze tussen de eerste huizen van Lakahögen reden, voelde ze dat ze doodop en stijf was van de lange rit.

Het huis lag hogerop, het witte vlak van het meer was beneden te zien. Er scheen licht door de ramen. Ze hadden elektrisch licht van een hydraulisch pompje dat klopte in een bergbeek. Ze had Tobias vooraf gewaarschuwd dat het voorzover zij wist geen massief gebouw was. Er zouden veel prullerijen en glazen veranda's aan zijn. Maar nu het licht blikkerde achter het gekleurde glas, vond ze het er wel chic uitzien. Ze kreeg wat hartkloppingen bij het vooruitzicht dat ze de Lakakoning zelf zou ontmoeten.

De vader van Trond was in Svartvattnet geweest om zijn aanstaande schoondochter te monsteren. Hij was een gedrongen, vierkante, kleine man. Hij kwam nu naar buiten om hen te begroeten en hij had knechten bij zich die voor de paarden zorgden. Ze konden hun pelsen afdoen en de herenkamer betreden waar baltsende auerhanen en korhanen met opgezette liervormige staarten aan de muren hingen en waar de vloeren kriskras met huiden bekleed waren. Rendier en wolf rustten zij aan zij in de vrede des doods. Voor de schommelstoel zette Sara haar voeten op een kleine ronde beverhuid die heel oud en afgesleten was.

Uit een diepe kom van matglas schenen lampen met een onregelmatige sterkte, het ritme volgend van de pomp buiten in de ijskoude beek. De lamp aan het plafond had een koperen krans van gehamerd loof, de zitbank was van eikenhout met bruin kunstleer. Er hing een wandtapijt boven dat in bruin, groen en gouden fluweel bierdrinkende mannen met korte broeken en Tiroolse hoedjes voorstelde. Op een plank stond een hele rij tinnen bierpullen.

Hillevi zag eigenlijk niets zelf; ze zag alles door de ogen van Sara en Tobias. Maar ze wist niet goed of ze zich moest schamen of niet. Het was niet meteen wat tante Eugénie met chic bedoeld zou hebben. Maar statig was het wel: de grote kussens met overtrekken, geborduurd in zigzagpatroon, het servies van nieuwzilver in de buffetkast, de kristallen vazen, de vergulde lijst rond de foto van Tronds overleden moeder.

De oude man, die de Lakakoning werd genoemd, vertoonde zich niet die avond. Hij rustte voor de bruiloft, zei Morten Halvorsen. Maar hij had een geschenk voor de bruid meegegeven.

Dus moest Hillevi naar voren komen om haar schoonvader een ring rond haar vinger te laten schuiven. Het was er een van dik gegraveerd goud met een rode steen erin. Ze voelde zich gegeneerd voor Tobias en Sara. Ze vonden waarschijnlijk dat haar nieuwe familie het nogal gemakkelijk opnam dat ze duidelijk in verwachting was.

Nadat ze gegeten hadden, viel ze bijna in slaap op de bank. Haar armen deden pijn. Ze had die bijna de hele dag zittend voor zich uitgestrekt, bang om de teugels te vieren. Vannacht zou ze met Sara in een kamer op de bovenverdieping slapen. Maar haar schoonvader was nog steeds met Tobias aan het praten en het was te merken dat hij verwachtte dat Jonetta, Aagot, Sara en Hillevi stil op de bank bleven zitten. Hij praatte over spoorwegcommissies en stoombootdiensten, over het bankwezen hier in de noordelijke provincies en over de Zweeds-Noorse handel. Ze wist niet hoe ze deze toestand kon doorbreken. Er was een macht in deze donkerbruine, zilverglimmende kamer die haar aan het boerderijtje op Tangen deed denken en aan het stoppelige silhouet van de ouwe van Lubben tegen het grauwe licht van het raam. En dat was wel het laatste waaraan ze wilde denken.

Trond was buiten voor de paarden aan het zorgen. Maar hij kwam weer binnen en nam haar mee naar het portaal. De lucht ritselde en knetterde. Er trokken sluiers over de hemel die trilden en wegdeinden en opnieuw opkwamen. Een lange poos stonden witte flarden helemaal tot in de kruinen van de sparren. Daarna kwam een golf zonder wind die ze oploste. Het leek wel of ze wegdreven en door halfdoorzichtige golven afgelost werden. De sterren priemden erdoorheen. Ze werden felgroen en verbleekten dan weer.

Hillevi werd diep geraakt door het schouwspel. Het was de eerste keer dat ze het noorderlicht zag.

Dat is een teken, zei Trond.

Ze wist dat hij een teken voor hem en voor haar bedoelde. Maar hij bedoelde niet geluk. Hij bedoelde dat wat ze zouden doen van grote betekenis was.

Door de week was hij kwiek als een eekhoorn, zich bewegend tussen het stroopvat en de lade met speelkaarten in de winkel. Hij had zelfs zo'n ergerlijk potlood achter zijn oor, dat Tobias en Sara hopelijk niet te zien zouden krijgen. Maar hij zag betekenissen die ver buiten henzelf lagen. Als kind hoorde hij zijn vader altijd praten over de toekomst en zijn grootvader over de oude tijd.

Hij keek zowel naar de Zweedse als de Noorse kust. Hij zag de bergen waar je overheen moest op weg naar de westkust en de rivierdalen en de boerendorpen als je naar de oostkust ging. Ze wist dat hij niet bijzonder godsdienstig was. In de kerk viel hij in slaap of dacht hij aan zijn licenties. Maar hij dacht bijbels. Velen hadden die manier van denken. Ze beschouwden hun vaders als patriarchen.

Iemand was naar het bosje in Mamres gekomen en had een steen onder een terebintboom opgericht. Hier had iemand een merkteken op de hoogste spar gezet.

Ze legden nu wegen aan en vertelden over iemand die vroeger tientallen kilometers over de bergvenen had afgelegd om een station te bereiken, de trein naar Östersund te nemen en op de rechtbank aldaar zijn plicht als jurylid te vervullen. Ze waren trots over dingen waar zij nog nooit van gehoord had voor ze hierheen kwam.

Nu werkte Trond hard om zelf geld in de bouw van de krachtcentrale te stoppen zodat hij niet meer van zijn vader hoefde te lenen. En hij zei:

Zodra de weg tussen Röbäck en Svartvattnet klaar is, koop ik een auto.

Hij had Tobias de grote bospercelen laten zien die van zijn vader en grootvader waren. Tientallen kilometers lang strekte het bos zich zwart en veelbelovend uit. Hij zei dat er veel werk voor de mensen zou komen. Er zouden nieuwe wegen getrokken worden en de dorpen zouden uitgroeien tot handelscentra en heuse steden.

Dat ze gingen trouwen had zoals alles wat ze ondernamen een grote betekenis. Het vlamde in de lucht erboven. Hij zou weldra in de gemeenteraad zitten, daar was ze van overtuigd.

Nu pas zou ze iets gehad hebben om te schrijven in het boek met het rode fluwelen kaft dat ze van oom en tante had gekregen. Want ze trouwde in een wereld van betekenissen.

Maar wat ze beleefde hoorde niet thuis in dat boek.

Opgeruimd en toch diep ernstig zag ze de lichtsluiers wegtrekken over het bos. Dat is in percelen opgedeeld, dacht ze. Bos betekent percelen en die percelen zijn van de grootvader van mijn man. Toen ze voor het eerst naar Röbäck kwam, was het niet in haar opgekomen dat het bos van bepaalde mensen was. Nu dacht ze aan de wegen die erdoorheen getrokken zouden worden.

Ze zouden schrijven, maar niet in een boek. Hun verhalen zouden in de bossen zelf ontstaan. Ze zouden ze schrijven met de wegen die ze aanlegden.

— * —

Aan de oever van het Botelmeer zat op een keer een oude Lap een dutje te doen. Het was lang voordat er daar een kapel stond. Toen hij wakker werd, waren zijn ogen star en scheen hij niet te zien wat er rondom hem was. Wat ook niet veel was: mos en schrale sparretjes. Stilaan kwam hij weer bij, dronk iets warms en zong dan:

Nananaa
Daesnie gerhkoe edtjh tjåadtjodh...
hier zal de kerk staan
hier op deze plaats
waar ik nu zit
de kaarsen branden na na...
wanneer de kaarsen uitgaan
wanneer de zwarte pitten roken
wanneer het koud is
dan zal er bloed zijn in de kerk
bloed en haar
maelie jih goelkh
aj ja ja ja bloed en haar
en dan brandt de kerk
ja dan brandt ze, de kerk
na na na nana
dihte buala...
ze brandt
ze brandt, de kerk

Niemand vertelde ooit aan de Lakakoning wat de Lap had gezongen. Misschien hadden ze dat beter wel gedaan.

Trond Halvorsens vader had zijn geluk verzekerd door de goed bewaakte dochter van de Lakakoning zwanger te maken. Ze was donkerharig, een kop groter dan haar man en bijna tien jaar ouder. Op de foto die nog steeds boven het buffet in de kamer hangt, draagt ze de traditionele zijden doek zodanig gedrapeerd dat die van voren op een tulband lijkt. De buffetkast heeft een bovenstuk met spiegelglas gekroond met houtsnijwerk in de vorm van sparrentakken en -kegels. Hillevi vertelde me dat die uit Penningbacken kwam, de boerderij van de grootvader van Trond Halvorsen in Lakahögen.

Oorspronkelijk heette die Per Nisjbacken, naar iemand die daar vroeger had gewoond. Dat ze zich vrolijk maakten over de naam en hem een lucratieve bijklank gaven, dat kon de Lakakoning niet deren. Penningen en bospercelen hadden op den duur een overtuigende ernst over zich en dat wist hij.

Morten Halvorsen herinner ik me nog. Hij droeg een rijbroek en groene beenwindsels. Uit zijn broekzak diepte hij een zakje karamellen op, die door zijn lichaamswarmte kleverig waren geworden. Hij voerde kinderen als eekhoorns. Ik was een beetje bang voor hem toen ik klein was. Ik was hoe dan ook bang voor iedereen die een spitsneus had.

Ze zeiden vaak over hem dat hij op zichzelf niets voorstelde. Maar ik geloof niet dat dat waar was, want hij moet meer lef in de houthandel hebben gehad dan zijn schoonvader . Hij was vooral beweeglijker. Hij bracht per slot van rekening de Lakakoning in contact met Wifsta en Mon en vele andere zagerijen aan de kust.

De Koning zat graag in ledigheid te wachten totdat de mensen naar hem kwamen. Ging hij al op reis, dan waren het onrendabele tochten naar de Lappenkampen. Uiteraard was het aardig meegenomen om honderden rendieren te hebben, en na verloop van tijd misschien wel duizenden, en om toezicht te hebben bij het scheiden van de kuddes. Maar zijn schoonzoon was van mening dat er geen toekomst meer zat in dat makkelijk te stelen en aan ziekten onderhevige kapitaal.

Het bos en de wegen, zei hij. Dat is de toekomst.

In tegenstelling tot alle andere mensen, die een nauwkeurig onderscheid tussen Zweeds en Noors aanhielden, sprak hij een mengtaaltje. Het maakte hem dubbelzinnig. Ik herinner me de bittere trek om Aagots mond toen ze een keer over haar vader vertelde.

De Lakakoning had oude ideeën. De dorpen moesten zich losmaken van de steden aan de kust en van Östersund en omstreken. Ze moesten zelf in alles voorzien. Hij sprak nooit een andere taal dan het oude Jämtlands. Hij was in staat het over de sagenkoning Sverre of over gouverneur Örnsköld te hebben alsof die hadden geleefd net voordat zijn geëerde koning Oscar gestorven was.

Hij had het meest in pels gehandeld met de Lappen aan de Noorse kant. In Namsos haalde hij ruilwaren, die uit Trondheim en Bergen aangevoerd werden. Hij bestelde ook Lappenzilver bij de goudsmeden in de kuststeden. Toen de unie tussen beide landen ontbonden werd, vond hij dat Zweden ernstige schade was toegebracht en hij voorspelde dat het land zich nooit meer tot zijn vroegere grootheid zou kunnen verheffen. Hij zei dat schurken in de regering de rechtschapen koning Oscar in deze catastrofe hadden meegelokt.

Rond die tijd begon hij te verouderen en zich terug te trekken. Hij ging erover piekeren dat hij in de overmoed van zijn beste jaren van een kapel een leerlooierij had gemaakt. Hij had die weliswaar gekocht van de Zweedse Kerk, die niet langer wilde instaan voor het onderhoud van de oude kapel bij het Botelmeer, nu de parochie toch een kerk in Röbäck had.

Maar vele Lappenfamilies hadden hun voorvaderen bij de oever van dat meer begraven. Daar zakten ijzeren kruisen en stenen weg in het mos. Ze beschouwden de stinkende looierij als een belediging van hun doden. Niettemin kwamen de jongeren onder hen met ladingen rendiergeweien, die in stukken gehakt en versplinterd werden om naar de lijmketels in de voormalige kapel te gaan. Maar de ouderen waarschuwden: alles kan niet worden afgemeten in geld en winst. Je moest ook rekening houden met de doden.

Hun doden waren vol onrust. Zo nu en dan vingen ook de jongeren een glimp van ze op en voelden ze de greep van hun koude handen, daar bij de leerlooierij.

De doden ademden kou uit en betastten de schouders van de ingespannen rendieren, waardoor ze op hol sloegen. De Lakakoning besloot de doden en zijn geweten te sussen. Hij zou opnieuw een kerkgebouw van de leerlooierij maken. Boze tongen zeiden dat die toch zijn laatste dagen had gekend, want de ouwe z'n eigen schoonzoon voerde nu huiden naar Östersund en kreeg er daar een hogere prijs voor.

De Koning liet al het stinkende houtwerk afbreken en herstelde het gebouwtje in zijn vroegere staat. De Lappen hielpen hem door te vertellen hoe het er vroeger uitgezien had. De wanden waren wit geweest met blauwe strepen erop. Zo zou het nu ook worden. Er werden banken en een altaar getimmerd en toen alles klaar was kocht hij een orgel. Op een gedenkplaat in het voorportaal stond:

Efraim Efraimsson
Lakahögen
herstelde deze kapel
en schonk haar Anno 1909 terug
aan de parochie van Röbäck
Gebouwd Anno 1783
Mattheus 23:19

De parochie, die er dus niet in geslaagd was zich van de kapel te ontdoen, moest als dank zorgen voor een inwijding, aangezien de kwestie uitentreuren besproken was, tot in het domkapittel toe. Mattheus 23:19 luidt: *Want wat is meerder, de gave of het altaar dat de gave heiligt?*

Het was niet de onrust van de doden die uiteindelijk een weigering onmogelijk maakte.

— * —

Toen de Lakakoning hoorde dat zijn kleinzoon met een meisje uit de universiteitsstad Uppsala ging trouwen, zou hij hebben gezegd:

Er zijn daar zeker veel aardige meisjes. Maar een goed vrouwmens vind je daar niet.

Hillevi wenste dat hij spoedig naar beneden zou komen, zodat ze elkaar met hun blikken konden opmeten. Ze was niet van plan haar ogen neer te slaan.

Maar hij kwam niet. De hele dag reden er sleden aan met gasten voor de bruiloft. Ook dokter Nordin uit Byvången kwam opdagen, hij die zelfs als een kraamvrouw dood dreigde te bloeden, met tegenzin in een slee ging zitten.

Ja, ze liep zich daar een beetje op te winden. Het volk stroomde maar aan. Dit trouwfeest was te groot. In de vijfde maand moest je wat discreter zijn. Maar

Trond en zij hadden er niet veel over te zeggen gehad. Zij had in ieder geval geweigerd die gedrochtelijke bruidskroon te dragen die van Tronds grootmoeder was geweest. Hij bestond uit een houten statief dat rond het hoofd uitstak, vol papieren bloemen, parels en zilveren hangertjes die gepoetst moesten worden. Toen de Koning te weten kwam dat zij zich had vervrijd, zoals hij dat uitdrukte, liet hij de kroon weer in papier inpakken. Dus wist ze eigenlijk niet of hij haar weigering aanvaard zou hebben.

Een zwarte zijden japon zou ze dragen. Ze had liever wit gehad. Dat was nu modern, maar dat kon niemand wat schelen. Trond wilde dat ze de japon al de dag tevoren zou dragen wanneer ze de bruiloftsgasten ontvingen. Daarna zou ze hulp krijgen van een bruidskleedster om de sluier en de wassen bloemen op te zetten.

In oktober was ze naar de achterkant van het boothuis gelopen en had haar mirte in het meer gegooid. Die zag er overigens toch maar schraal uit. Het was alsof de vorige Hillevi had vermoed dat het niets zou worden met Edvard Nolin.

De commissaris was gekomen en de boeren en de eigenaren van de zagerijen van de streek. Nu arriveerden de vrienden die de Lakakoning onder de Lappen had. Het waren voornamelijk twee families waarvan de hoofden Matke en Klemet heetten. Hun leren kielen waren op de borst samengebonden met grote zilveren spangen en Klemet droeg aan meerdere vingers een ring. Die rinkelden wanneer zijn handen bewogen, want er hingen kleine zilveren ringetjes aan. Ze waren beiden goed voor duizenden rendieren en hun vrouwen droegen zware zilveren kragen en hoge mutsen met fraaie linten in de hoofdbanden.

Pas toen zij aangekomen waren, vond de Lakakoning dat het tijd was om naar beneden te komen. Hij werd voorafgegaan door zijn schoonzoon Morten Halvorsen en door een meisje in het zwart met een wit schort, dat de deur voor hem openhield.

Hillevi had een krantenfoto van hem gezien, die Trond had bewaard. Daarop stond hij in wolvenpels voor een omheining. Het bijschrift luidde: HOOG BEZOEK OP GREGORIUSMARKT. Daarom had ze een enorme en fijn uitgedoste man verwacht. Maar door de deur kwam een klein, mager heertje in geklede jas.

Hij begroette eerst Klemet en Matke. Ze riepen vreemde woorden en sloegen elkaar op de schouders en schudden elkaar lang en met veel zilvergeklingel de hand. Bourregh! Bourregh! zeiden ze. Toen hield hij zijn hoofd met het dunne witte haar scheef en keek uit over het gezelschap in de eetzaal.

Wie is de bruid? vroeg hij in zuiver Jämtlands.

Er ging een gesuis door het volk. Iedereen keek naar Hillevi en ze moest naar voren komen. Tot haar ergernis voelde ze dat haar wangen warm werden. Het was zo onverwacht en idioot dat haar ogen vol tranen schoten en ze omlaag moest kijken. Hij nam haar uitgestoken hand in zijn kleine witte klauw en zij neeg. Nu vroeg hij of ze ook haar andere hand wilde geven.

Ik wil zien of de ring past, zei hij.

Zij had moeten zeggen dat hij uitstekend paste, dat hij heel mooi was en dat ze hem hartelijk dankte. Maar ze raakte helemaal van haar stuk en liet hem haar hand wenden en keren zodat iedereen de ring zag. Opnieuw het gesuis. Daarna gaf hij haar een klopje op haar wang en ging naar de vrouwen van Klemet en Matke.

Hun dochters giechelden en bloosden hevig toen hij grapjes met ze maakte en vroeg of ze toch niet waren gevallen voor die flauwekul met lange kousen en jarretels. Hij tilde hun rokken op en prees ze toen niets anders dan dunne leren broeken te zien waren. Naast hen stond Sara, die vreselijk geschrokken leek.

Ze werden de volgende dag getrouwd door een dominee uit Byvången die zichtbaar nerveus was. Een ladekastje was in de eetzaal geplaatst om dienst te doen als altaar. Na afloop vouwden de meisjes de kanten doek vlug weer op, want de ladekast moest weg om plaats te ruimen voor de feesttafels. Er stonden er tot in de hal toe.

Er was geen vrouw des huizes. De Lakakoning was gastheer, maar zijn schoonzoon gaf de muzikanten het teken om de muziek in te zetten. Daarop ging iedereen aan tafel, plechtig langzaam.

Eerst aten ze rendiertong en belegen geitenkaas bij een borrel. Dan puree van aardpeer met croutons. Daar kregen ze sherry bij. Daarna kwam wat de eerste schotel genoemd werd. Het was een grote gepocheerde rode forel met blokjes gelei. Hij werd op verschillende plaatsen langs de tafels opgediend met scherpe saus en gekookte amandelaardappeltjes. De wijn kwam uit de Rijnstreek en was goudgeel.

Vervolgens aten ze rendiergebraad met geglaceerde uitjes en saus van gedroogde morieljes die in madera hadden gelegen. Er was ook veenbessengelei en ingemaakte rozenbottel. Hierbij werd een moes geserveerd van een ander soort aardappelen die witter dan de amandelaardappeltjes waren en beter geschikt om puree van te maken. Een huishoudster hield de dienstertjes in het oog en antwoordde op Hillevi's vragen over de gerechten. Bij het gebraad dronken ze rode wijn met een donkere grondsmaak.

Na het rendiergebraad volgde onverwachts boter en brood. Ze begreep dat dit voor de tweede borrel was. Daarna kwam het gevogelte. Aan de hoofdtafel werd auerhoen geserveerd, verderop korhoen. Nu kregen ze opnieuw van de donkere rode wijn. De sausen waren korrelig van de gehakte vogellevertjes. Hillevi vond dat ze die door een doek hadden kunnen wringen.

Er volgden nog meer borrels bij de kaas die na het vlees op tafel kwam. Er was kruidenkaas met cognac en groene schimmelkaas, grote stukken belegen Västerbotten en zachte rendierkaas.

Het dessert was een charlotte-russe waarvan de moussevulling niet van frambozen maar van veenbramen gemaakt was. Ze kregen ook amandelkoekjes en toen de koffie kwam, werden er nog boterkoeken opgediend. Als laatste kwam de bruidstaart en Trond mocht aansnijden. Voordat hij van de roomlagen nam, legde hij de roze marsepeinroos op Hillevi's bord, waarvoor hij applaus en vioolspel kreeg.

In deze warmte werden toespraken gehouden, maar achteraf herinnerde Hillevi zich er even weinig van als van de huwelijksviering. Maar het feestmaal prentte ze in haar geheugen. De volgende dag schreef ze op wat ze allemaal gegeten hadden. Ze gebruikte het schrift met het zwarte wasdoekkaft.

Twee muzikanten liepen voor Trond en Hillevi de herenkamer binnen toen het tijd voor de cadeaus was. Het was er erg warm en ze was blij dat de perioden van misselijkheid achter de rug waren. In het zwart geklede mensen verdrongen zich en hielden de cadeaus klaar die ze dadelijk zouden overhandigen. Tobias werd als eerste naar voren geroepen. Hij moest de overleden ouders van de bruid vertegenwoordigen, zoals Morten Halvorsen zei en misschien ook geloofde. Tobias nam Sara met zich mee en ze droegen samen de grootste stukken van het servies dat tante en oom meegegeven hadden. Het was wit met roze rozen en goud rond de golvende rand van de borden. De rest stond in een doos voor de cadeautafel. Tobias droeg de soepterrine, Sara de grootste vleesschotel. Ze begon te huilen in de warmte en legde haar gezicht tegen Hillevi's witte kanten fichu.

Ik zou ook willen doen wat jij doet, snotterde ze.

Dat zou je niet durven, fluisterde Hillevi in haar verhitte oor.

Daarna kwam Morten Halvorsen, die hun een houtfornuis voor het nieuwe huis beloofde. Als symbool had hij een gloednieuwe pook meegebracht, die hij op tafel legde. Er werd geapplaudisseerd en de muzikanten speelden een riedeltje. Hillevi vroeg zich af waarom ze niet gespeeld hadden toen het servies aangeboden werd. Pas na Tronds vader kwam de Lakakoning zelf. Hij had een papier in zijn handen en hield zijn hoofd schuin zonder iets te zeggen. Trond moest het zelf lezen en vertellen dat het een schenkingsakte voor Svartvattnet 3:22 was. Toen begonnen de muzikanten heel luid en gedreven te spelen en de mensen applaudisseerden. Het scheen hun duidelijk te zijn over welk perceel het ging. Trond fluisterde Hillevi toe dat het vanaf Krokvattnet helemaal tot boven in het bergbos liep.

Matke en Klemet schonken elk de eigendom over twee rendierkoeien in hun kuddes. De Lappenmeisjes gaven linten die ze zelf hadden geweven en de vrouwen gaven kleine zilveren lepeltjes met ringetjes op de steel.

De dominee maakte voortdurend aantekeningen. Trond had hem voorzien van gelinieerd foliopapier waarin hij kantlijnen had gevouwen. Bij elk geschenk schreef hij op wie het had gegeven. Koperen ketels en wasstellen van gebloemd porselein werden aangeboden door mensen van wie Hillevi nog nooit had gehoord. Maar ze begreep dat hier behalve familiebanden en goed nabuurschap ook connecties en zaken aan de orde waren.

Toen alle cadeaus overhandigd waren, kwam de dominee met zijn lijsten en zei tegen Hillevi dat er nog een pakje ongeopend was en dat hij dat dus niet had kunnen opschrijven.

Ze zag het pas toen hij het aanwees. Het lag tussen de andere cadeaus en was ongeveer anderhalve decimeter lang en in bruin pakpapier gewikkeld.

Laat maar zitten, zei ze.

Haar stem klonk ineens zo scherp dat ze zich eruit moest praten. Ze keek zijn lijsten in en gaf haar waardering te kennen.

Dat pakje open ik later wel, zei ze. Daar hoeft de dominee zich geen zorgen over te maken.

Toen liet hij haar een kladje zien voor een bericht in de krant:

Op 15 januari werd in Lakahögen ten huize van boer en houthandelaar Efraim Efraimsson diens kleinzoon handelaar Trond Halvorsen in de echt verbonden met vroedvrouw juffrouw Hillevi Klarin, dochter van wijlen zeekapitein Claes Klarin. Het huwelijk werd voltrokken door ds. J. Vallgren en op de plechtigheid volgde een rijkelijk feestmaal voor tachtig genodigden. Het bruidspaar ontving een groot aantal geschenken, waarvan in het bijzonder een luchter van albast en een porseleinen servies te vermelden zijn.

Er zaten enkele fouten in de tekst. Haar vader heette niet Klarin. Maar daar had niemand iets mee te maken. Ze zorgde er wel voor dat ook Tronds vader werd genoemd en dat rijkelijk werd geschrapt. Het was niet nodig om de mensen in tijden van crisis te ergeren. Ze wist niet waarom het servies en de lamp vermeld werden maar het bosperceel, dat het grootste cadeau was, verzwegen werd. Misschien was dat de wens van Tronds grootvader. Ze liet het zo, maar zei tegen de dominee dat hij gerust kon schrijven: *Dominee J. Vallgren hield ook een pakkende toespraak tot het bruidspaar.* Daarop bloosde de jonge dominee. Ze voelde zich een ogenblik verward. Hier stond ze zijn schrijfsels te beoordelen en hem te vertellen wat hij moest schrappen. Ze dacht aan Edvard. Het zou onmogelijk geweest zijn. Maar nu was er wel iets gebeurd. Van de inzegening herinnerde ze zich eigenlijk niets anders dan de warmte in de kamer en het gekraak van leer wanneer de gasten hun voeten in hun nauwe hoge schoenen bewogen. Maar vanaf nu waren ze dus getrouwd.

Ze stond met haar rug naar de cadeautafel en sprak met ieder die haar wilde feliciteren. Achter zich had ze het pakje. Het lag tussen een etui voor nieuwzilveren lepels en een rond een stang gewikkelde linnen doek. Toen ze een ogenblik alleen was, draaide ze zich om en griste het weg. Ze hoopte dat niemand haar de hand wilde schudden want nu hield ze het achter haar rug. Toen haar schoonvader in zijn handen klapte als teken dat de dans zou beginnen, stapte ze achteruit en liet het pakje in het vuur vallen. Het ging zo snel dat ze er zeker van was dat niemand het merkte. Daarna nam Trond haar om het middel en ze liepen naar de eetzaal om de bruidswals te dansen.

Trond schaarde met zijn benen toen ze 's nachts de trap op klauterden naar de oude slaapkamer van de grootouders, die als bruidskamer ingericht was. Hij was heel vrolijk en aangeschoten en leek zich goed te voelen, dus ze hoefde niet bang te zijn voor ongelukjes. Het zou vervelend zijn geweest als er iets was gebeurd met de linnen lakens met de brede kanten versieringen.

Het bed lag natuurlijk vol boenborstels en andere ongein. Bij het voeteneinde lag een ontkurkingsapparaat waarvan Trond de constructie bijzonder interessant vond. Hij viel in slaap met het ding nog in zijn handen. Buiten waren schoten en joelende mannenstemmen te horen.

Ze had niet gedacht dat ze zelf de slaap zou kunnen vatten, maar dat deed ze toch zodra het vuur van de tegelkachel uitgegaan was en ze de klep had dichtgeschoven. Het was nog donker toen ze wakker werd, maar ze had een ochtendgevoel in haar lichaam. Ze wilde niet riskeren Trond wakker te maken door een kaars aan te steken, dus tastte ze zich een weg naar haar sjaal en pantoffels. Voorzichtig daalde ze de trap af naar de herenkamer. Maar ze kwam te laat. Een van de meisjes in de keuken was al op en was bezig de as uit het houtfornuis te scheppen.

Kijk nou es wat ik in de as gevonden heb, zei ze.

Het was een suikertang.

Hillevi zei dat hij niet beschadigd was als hij van echt zilver was. Ze stonden even praktisch te redeneren hoe het ding opgepoetst moest worden. Maar haar hart bonsde.

Ze dacht aan degene die een pakje op haar trap had gelegd. Ze had gedacht dat er meer zouden komen. Het ene na het andere. Maar dat hoefde niet. Hij had zijn spoor al in haar achtergelaten.

Vier en zestien en zeven en driekwart
dumelie dumdum dum
voor top en voor lengte en voor wortel
dongelie dingdong dong

en de meter blaft zich hees als een hond
dumelie dumdum dum
en de teller noteert maar zijn hoofd tolt rond
dongelie dingdong dong

we krijgen een boete want de stronken zijn te hoog
dumelie dumdum dum
en daarna moeten we schrijven wat de meter loog
dongelie dingdong dong

hij heeft een meetlint, een klaaf en een staf
dumelie dumdum dum
is het rechtvaardig, dat vraag je je af
dongelie dingdong dong

twee en veertien en drie en een kwart
dumelie dumdum dum
dan kromp het geleidelijk in de kou
dongelie dingdong dong

de voerman vloekt over het voer en het eten
dumelie dumdum dum
de houthakker is lui, dat mag ieder weten
dongelie dingdong dong

altijd was de houthakker miezerig en arm
dumelie dumdum dum
stopte stro in zijn laarzen, had het nooit warm
dongelie dingdong dong

laarzen waren kapot en het was kil op deze plek
dumelie dumdum dum
kinderen hadden honger en de handelaar was een vrek
dongelie dingdong dong

Dit liedje hoorde ik in het eerste weekeinde van augustus 1981 tijdens de Thuiskomstweek. Mensen die uit Svartvattnet waren verhuisd, kwamen terug naar huis met hun kinderen. Mijn oom was al vele jaren dood. Maar zijn liedjes werden op het podium van het feestterrein gezongen.

De leden van de folkloristische vereniging waren verkleed als melkmeid of als houthakker met slappe vilten hoed. De mannen braadden met veel omhaal spekkoeken, en de vrouwen, die het deeg geklopt en het spek gesneden hadden, verkochten ze op kartonnen bordjes voor twintig kronen per stuk.

En in die wirwar van dorpsbewoners en toeristen stond een oudere man die Efraim Fransa heette en voor de geschiedschrijving zorgde.

Die Anund Larsson heeft bij mijn weten nooit een bijl aangeraakt, riep hij. En een vrouw en kinderen had-ie ook al niet. Het was een verdomde luiwammes!

Het komt erop aan zich het langst in leven te houden.

Nu zijn ze allemaal dood, alle mannen die bepaalden wat juist en wat fout was in de liedjes van mijn oom. Maar ze worden nog steeds gezongen.

Ik geef ze gelijk in die zin dat hij nooit in een houthakkersploeg heeft gewerkt. Maar hij is op zee geweest en in de mijnen. Niet de schaamte of de armoe joeg hem weg van huis. Het was het verdriet.

In juli 1931 was hij in ieder geval alweer een jaar of zes, zeven thuis en hij was nu een volwassen man. Zijn verdriet was er niet minder bitter op geworden, maar tegen schaamte was hij gehard. En hij was dus een liedjesdichter. Hij zong zijn liedje over de teller en de houtmeter in het schutterspaviljoen. Het ging er toen hetzelfde aan toe. Maar wel met meer dronkemansgelal en meer stemmen.

Wat weet jij verdomme van houthakken! Jij hebt nog nooit een bijl in je hand gehad!

De lucht was dik van de muggen en de wrokkigheid, want het rare is dat mensen van liedjes willen houden, maar minachten wie ze geschreven heeft.

En mijn oom werd natuurlijk kwaad. Zijn woede begon te zieden toen hij brandewijn te drinken kreeg in het sparrenbos (het was een feestje van geheelonthouders, dus moesten ze met hun flessen ergens anders naartoe) en hij sprong weer op het podium, terwijl de muziek al was ingezet, legde de accordeon en de viool het zwijgen op en riep:

Nu ga ik zingen! Het is het verhaal van de houthakker die kleine jongens brandewijn liet drinken en dan hun broek afstroopte. Jullie zijn allemaal echte houthakkers, hè, en jullie willen horen hoe sterk je was en wat voor geweldig grote bomen jullie aankonden. En de teller wil horen hoe snel hij schreef en de meter hoe eerlijk hij was en de handelaar wil horen hoe hij het volk werk gaf en hoe redelijk hij met krediet omging. En de vrouwen willen horen hoe beleefd de mensen vroeger waren en hoe hard ze werkten. Maar jullie krijgen iets anders! Jullie zullen pijn krijgen, brulde hij. Wolvengal zullen jullie krijgen! Wolvengal en berenscheten en vossenkots!

En toen begon hij dezelfde melodie te zingen. De enige woorden die ik verstond waren de paardenbeul van Tangen. Hillevi greep mij en Myrten bij de hand en liep met kordate mars weg, zodat het veenpad op en neer deinde. Achter ons hoorden we ze lachen en gieren en ik weet niet wat ze met Laula Anut deden.

Mijn grootvader Mickel Larsson verloor zijn hele rendierkudde. Na enkele jaren met strenge winters waarin het rendiermos onder een ijskorst zat en wolven de kudde teisterden als brand, was hij straatarm geworden.

Toen Anund groot genoeg was om op de rendierwei te gaan werken, was zijn rendiermerk niets meer waard. Dat van mijn moeder ook niet. Grootvader had geen rendierkoeien meer die nog kalfden. Laula Anut moest als knecht bij rijke Lappen gaan werken.

Grootvader was dood en ik was bijna volwassen toen ik voor het eerst zijn huisje bij het oude lente- en herfstverblijf aan de voet van de Giela betrad.

Niemand had me ooit verteld dat ik daar geboren ben. Toen ik klein was, wist ik ook niet dat ik een oom had. Maar hij kwam terug en ik kwam hem tegen op de brug. Toen het me duidelijk was geworden dat ik hem kon opzoeken bij tante Jonetta, zoals Myrten en ik haar noemden, kwam ik aan de weet waar mijn grootvader had gewoond en waar ik ben geboren.

Daar was Hillevi niet bepaald blij mee. Daarom duurde het lang voordat ik naar het huis durfde te gaan – of naar de Lappenhut zo je wilt. Het was meer een combinatie van de twee. Je kroop naar binnen door een portaaltje. Er was een echte deur met een getimmerd kozijn. Die hing nog aan één enkel verroest scharnier, maar het vensterglas van het deurpaneel was niet ingeslagen. Er waren ook ramen in een lang, smal gedeelte dat doorliep tot aan de eigenlijke turfhut. Er lag een plankenvloer en de stookplaats bestond uit een klein gietijzeren fornuis. Daaruit steeg een ijzeren rookpijp op tot in het kegeldak.

Ik had vaak voor het huis gestaan. Maar in die tijd joegen ze de kinderen schrik aan voor de doden. Ze zouden in verlaten hutten rondwaren. Het zag er anders nogal alledaags uit rond het huis van grootvader. Bij de deur stond een kale wilg waaraan mijn opa altijd zijn kuipen en emmers te drogen hing. Ik bedacht dat het er misschien toch niet spookte en dus bukte ik me en kroop naar binnen. Maar op de vloer achter de deur lag een dode vos. Hij was erg aangevreten maar grijnsde met zijn witte tanden. Die keer kwam ik niet verder.

Toen ik me uiteindelijk toch naar binnen waagde, was ik even oud als mijn moeder toen ze mij daar ter wereld bracht.

Ik zag het fornuis, dat rood van de roest was. Er stond een margarinedoos met een stuk geruit wasdoek, dat op de bovenkant vastgespijkerd was, en een paar andere dozen die op elkaar gestapeld waren om als plankenkast te dienen. De pannen stonden er nog, zwart op de bodem en vol deuken. Op de vloer lagen geëmailleerde mokken met grote zwarte vlekken waar het zwarte metaal te voorschijn kwam. Overal lagen er keutels van muizen en hermelijnen, die waarschijnlijk de mokken en koffiekoppen omgestoten hadden.

Werktuigen waren er niet. Vermoedelijk had mijn oom ze meegenomen. Ik dacht dat ze geen tafel hadden gehad om aan te eten, tot ik begreep dat het houten vatdeksel dat tegen de muur gekanteld stond, op de drie houtblokken bij de haard had gerust en als tafel had gediend. Er stond geen bed. Toen ik geboren werd lagen ze zeker op rendierhuiden boven op een verende onderlaag van berkentwijgen. Maar hoe sliep je op een plankenvloer?

Ik wist niets. Ik dacht aan de kinderkamer waar Myrten en ik in witte bedjes sliepen. Toen werd ik bang. Het was er eigenlijk veeleer meelijwekkend dan beangstigend, maar ik werd bang en liep weg.

Mijn oom vertelde dat grootvader nog maar een tiental rendieren had toen hij in zijn hut aan de voet van de Giela achterbleef, en dat hij er het nut niet meer van inzag om ze naar het hogergelegen kalverland te drijven. De volgende winter was koud en sneeuwrijk en de veelvraten gingen driest tekeer. Maar zijn allerlaatste rendierkoe slachtte hij pas het derde jaar.

Toen was het afgelopen.

Voortaan was Mickel Larsson vallenzetter en visser en zijn dochter Ingir Kari molk een kleine kudde geiten. Zo ging dat.

Zie je de bokken
Een bos van geweien
machtige geweien
vele takken
wiegen wiegen
nanana na na na...
de wijfjes lopen op de Giela
lopen op de hellingen
zie je zie je
hoe ze schitteren
als zilver schitteren
nananaaa
lopen lopen
in de schemering lopen ze
nanananana na na

Niemand had Mickel Larsson ooit horen jojken, behalve Laula Anut en dat alleen wanneer zijn pa niet wist dat hij luisterde. Hij zong uit het diepst van zijn hart. Maar hij toonde nooit verdriet om zijn verlies.

Anund was nog een jongen toen hij hem hoorde zingen. Hij vreesde dat er anderen in de bergen zouden luisteren wanneer zijn pa zong over rendieren die er niet meer waren.

Zoveel verstond ik er wel van, vertelde hij later.

Maar ondanks zijn schaamte ging hij dezelfde weg op. Hij kon het niet laten.

Soms geloof ik dat de jojk-liederen van mijn pa nog steeds voortbestaan, daarboven, zei oom Anund. Dat ze in de wind hangen. Als ik ga liggen in het mos, met alleen stilte en wind, dan hoor ik ze. Nananana na na nanana na... Dan lopen zijn rendierkoeien naar het kalverland, dag en nacht lopen ze tegen de wind in om thuis te komen, om veilige plekken te vinden. Maar de arend cirkelt boven ze.

De kalveren dansen
brommen
nanana na na
maar boven vliegt de arend
hij wacht
ajaj jaaaja
een schaduw volgt de kalveren

Toen werd ik bang, want ik was zelf ook door een arend geroofd. Ik dacht terug aan ruwe klauwen en steile rotswanden, vuil van de uitwerpselen.

Op een decembermiddag enkele jaren voordat ik geboren werd, waren enkele boerenjongens op hazen aan het jagen. Hun hond liep ver in het rond te zoeken en het duurde lang voor ze iets te schieten kregen. Op hun terugweg besloten ze een kortere weg te proberen over het nabije meertje, de Lomtjärn. Of Lomtjenna zoals zij het uitspraken.

Ze kwamen van boven bij de Bjekkertjärn en ze wisten dat de afdaling naar de Lomtjärn moeilijk zou worden. De ronde vennen lagen als in diepe traptreden op de heuvels in het oosten. Het donker viel snel in en ze vonden dat ze een poging moesten wagen. Het was er natuurlijk veel te steil en ze moesten hun ski's afdoen en naar beneden gooien en beetje bij beetje neerklauteren. De sneeuw reikte tot boven hun dijen. Zulke dwaasheden kunnen alleen maar heel sterke jonge mannen uithalen.

Ze bereikten toch het meer en belandden vlak bij de plek waar de rots een loodrechte wand vormde en 's winters bedekt was met dikke ijsstrengen van een bevroren beekje. Nu de mensen tegenwoordig met scooters overal kunnen komen, hebben natuurlijk velen die plek gezien. Ze hebben er hun doosjes snuiftabak en bierblikjes achtergelaten en hun sinaasappelschillen en de plastic verpakking die rond de worst zat. Maar in die tijd was het in zekere zin nog iets merkwaardigs.

De ijspegels hingen pukkelig en grof, versmallend naar het stukje oever, en van dichtbij was de kleur ijsgroen en geel. Ze trapten natuurlijk tegen de pegels, zoals jongens doen, en het lukte hun er enkele af te breken en te laten vallen. En toen zagen ze de grot die een eindje in de rots gaat. Ze kropen naar binnen en vonden daar een geslachte en in stukken verdeelde rendierbok.

Ze begrepen dat dit het werk van een Lap was, want de rug was weg en de poten en de ingewanden. Rug en mergpijpen, lever en nieren, dat is precies wat een Lap voor de eerste stoofpot neemt, zeiden ze tegen elkaar. De kop, met delicatessen als mondhoeken en ogen, lag keurig bij de ingang van de grot samen met de hoeven en het hart. De zijstukken, schouders en achterbouten lagen verder binnenin. Alles was met sparrentakken overdekt. Ze begrepen dat degene die het dier had geslacht, weldra terug zou komen om de rest op te halen voordat een veelvraat of een vos het vlees zou vinden.

Ze beweerden achteraf dat ze vermoed hadden wie de dief was en dat ze hem schrik wilden aanjagen, want het was bekend dat hij bijgelovig was. Ze wisten natuurlijk wel dat hij vooraf gewaarschuwd zou worden door de sporen van hun kwajongensoptreden. Maar ze hadden geluk. Er kwam een sneeuwstorm die verscheidene dagen aanhield. Die veegde alle sporen uit en ze namen aan dat de dief in het beste geval zou vermoeden dat de ijspegels die ze stukgetrapt hadden, door de storm gevallen waren.

Het was ook een meevaller dat het zondag was toen het weer luwde, zodat ze zogenaamd weer op hazenjacht konden gaan. Ze gingen naar de Bjekkertjärn en brachten deze keer een Lappenjongen mee.

Urenlang liepen ze boven op de hellingen over de Lomtjärn te turen. In de schemering, net toen ze het wilden opgeven en weer aan de afdaling begonnen, zagen ze een gestalte op ski's over het meer naderen. Hij kwam lijnrecht op de grot af. Meteen lagen ze verborgen boven de ijspegels. De Lappenjongen lag vooraan. De bedoeling was dat hij de dief zou laten schrikken door iets in zijn eigen taal te roepen. Dat deed hij ook. Zodra de man, die mijn grootvader Mickel Larsson was, beneden in de grot verdwenen was, begon de jongen te roepen dat hij honger had en dat hij vlees en bloed wilde.

Geef me bloed, anders scheur ik je zak van je lijf! schreeuwde hij met een ruige stem. Ik kook je ballen in een ketel en snij de borsten van je dochter af en gooi ze weg. Geef me vlees, vuile dief!

Met verhaaltjes over de boeman kon je destijds kinderen bang maken, maar niet een volwassen en sluwe vent als mijn grootvader. Dat hij er toch halsoverkop vandoor ging, was begrijpelijk. Maar ze haalden hem in op het ijs. Ze waren snelle skiërs en veel jonger en sterker dan hij.

Ze toonden achteraf het hart en de hoeven die hij nog onder zijn kiel had kunnen stoppen. Daaruit valt af te leiden dat ze hem te grazen namen. Ze waren met z'n drieën.

Hij heeft nooit verteld dat hij een pak slaag kreeg.

Mijn oom zei daarover: het is toch niet vreemd dat een Lap die al zijn rendieren kwijtgeraakt is, snakt naar mergpijp en niervet. Anderen hadden rendieren van hem gestolen, dat was een deel van zijn ongeluk en zijn verloren rendierkudde. Maar hij zou het niet gedaan hebben als mama nog had geleefd.

Hadden ze hem maar op water en brood gezet in Härnösand, zei mijn oom. Dan had hij boete kunnen doen voor zijn schuld, als er al sprake was van schuld, en bovendien zou hij ook een keertje een stukje van de wereld hebben gezien. Maar ze deden geen aangifte.

In plaats daarvan werd de lucht vet van de geruchten en leugens, als in een slecht verluchte keuken. Er was geen want verloren geraakt, of Mickel Larsson had die gestolen. Hij stal uit de schuren, zeiden ze. Hij stal de netten uit het meer.

Knecht van een rijke Lap zijn was geen pretje, zei mijn oom. Maar een meid had het nog erger. Zij moest al het hout hakken en de twijgen verzamelen die in de hutten op de grond gelegd werden. Zij moest water dragen en helpen bij het melken van de rendierkoeien. Ze haalden er telkens niet meer dan een koffiekopje uit, maar van die kostbare druppels maakten ze kaas.

Zij moest 's morgens en 's middags melken en bovendien haar dieren hoeden. Dan slenterde ze achter de grazende kudde aan en wanneer ze bij dageraad rustten, zat zij aan haar breikous te werken en zo ging het ook tijdens de middagrust en de avondrust.

Een koe, een kalf en kleren voor een jaar, dat kon ze als loon verwachten. Door al het gesjouw met brandhout zou ze net zo krom worden als een dwergberk en pijn zou ze eraan overhouden en gemene knobbels op haar gewrichten.

Grootvader, die voortaan alleen nog maar Vleesmickel genoemd werd, vond destijds natuurlijk dat dit het juiste leven voor een Lappenmeisje was. Hoe moest het anders gaan? Dat het zwaar was om bij anderen in dienst te zijn, dat wist hij en daarom hield hij haar thuis zolang hij kon. Hij had trouwens ook brandhout nodig en de geiten moesten gemolken worden.

Maar Ingir Kari had iets waardoor zij eerder dan anderen opgemerkt werd. Verna Pålsa wilde haar als hulpje in het pension hebben zodra ze haar confirmatie had gedaan. De bergtoeristen zouden het leuk vinden om een pront Lappenmeisje in de eetzaal te zien en Verna bood aan om haar aan nieuwe kleren te helpen.

Waarom kreeg ze zo veel aandacht? vroeg ik. En oom Anund antwoordde dat het kwam omdat ze zo snel was. Later begreep ik dat hij daarmee hetzelfde bedoelde als wanneer Hillevi mooi zei.

Grootvader was er eerst niet voor te vinden. Hij vond het erg dat er geen meereizende Lappenscholen meer waren en zijn kinderen verplicht waren om beneden in het dorp naar school te gaan. Ze kregen Zweedse manieren en leerden de gebruiken van de dorpelingen, zei hij. Maar hij vond het goed dat ze hadden leren rekenen. Dan werden ze niet zo gauw bedrogen.

De kleren gaven de doorslag. Zoiets was kostbaar. Ingir Kari kon in het pension aan de slag. En vervolgens ging ze mee met Verna naar Torshåle, waar ze opdiende voor het Schotse gezelschap.

Ja, na de oorlog kwamen ze weer. De admiraal was dood en de oude lord Bendam ook. De nieuwe lord die nu een jachtgezelschap leidde, was al eerder van de partij geweest. Maar toen was hij nog een slungelige, roodharige jongen met grote knieën die nog maar pas met een buks had leren omgaan. Zei Paul Annersa in ieder geval.

Waarom kwam hij terug?

Dat moet mijn grootvader zich toch afgevraagd hebben. Hoewel je dat niet zeker weet met die ouwe. Maar mijn oom Anund had zich ongetwijfeld met bitterheid die vraag gesteld, in ieder geval in het begin, want hij hield veel van zijn zus.

En zij? Dat weten we niet. Daar is het als een donker gat.

Op foto's die daarboven gemaakt zijn, staat ze natuurlijk niet. Van de dragers en gidsen, de houthakkers en voerlieden of van alle anderen die vogels plukten en vis schoonmaakten en kookten en stookten en badwater warmden, stond niemand op de foto's. Myrten en ik keken vaak nauwkeurig naar de weerspiegelingen in de vensters van de houten muur achter het jachtgezelschap, of we binnen geen gezicht konden ontwaren.

Zelf kan ik het natuurlijk niet betreuren dat hij terugkwam. Je kunt je moeilijk voorstellen dat je er anders niet geweest zou zijn.

Ik geloof dat Myrten anders redeneerde. Zij dacht dat ze ooit een ziel was geweest die nu een thuis op aarde had gezocht. Ze had best gewild dat het de pastorie in Röbäck was geworden en dat Edvard Nolin haar vader was. We hadden in de laden van Hillevi gerommeld, zoals kinderen doen, en een brief van dominee Nolin aan Hillevi gevonden. Ik weet nog tot de dag van vandaag hoe die begon: *Mijn lieve meisje!*

Daarom keek Myrten met verlangen naar Edvard Nolins fijne, bleke gezicht op de foto van Torshåle. Myrten had een zwak voor verfijndheid en niet zonder reden. Ze had het zelf in haar lange smalle handen en in haar voeten die nooit schoenen met een voldoende smalle leest konden krijgen.

Ik ben klein van gestalte en toen ik geconfirmeerd ging worden, had Tore medelijden met me. De Heer heeft je met flinke voeten bedeeld, zei hij. Maar het waren vooral die winterschoenen, die werden altijd gekocht om in te groeien.

Verfijndheid is een lachertje, wilde ik tegen Myrten zeggen. Jij hebt die gekregen en nu heb je die, hoewel je niet de vader hebt die je heimelijk wenste.

Kijk naar mij, wilde ik zeggen. Korte beentjes en klein van stuk en met schoenmaat veertig. En toch gaan mijn voorvaderen terug tot in de tijd van koning Arthur.

Ze zeggen dat Aidan een sprookjesrijk was.

Op een keer vroeg ik mijn oom waar wij vandaan kwamen, van zijn kant. Maar hij zei dat de Lappen nergens vandaan kwamen. Zij zijn hier altijd al geweest.

Ik stond onder aan het podium en hoorde de oude Fransa op Laula Anut afgeven, of Anund Larsson zoals hij hem noemde. Dat hij niets wist van de dingen waar hij over schreef, dat hij nooit ook maar één blok hout gehakt had. Toen ging ik naar huis.

Ik liep niet over de weg maar nam het pad bergopwaarts en kwam uiteindelijk in Storflon uit. Ik liep langs de plek waar ooit het schutterspaviljoen had gestaan. Er is geen houtspaander meer van over, zelfs geen bult in de veengrond.

De wulpen riepen. Er lag een avondnevel in de sparrentoppen. In de verte hoorde ik een stem uit de luidspreker beneden op het feestterrein. Ik kon natuurlijk niet verstaan wat er gezegd werd. Maar ik was tamelijk zeker dat hij over vroeger sprak. Want ik wist dat ze daar graag over hoorden vertellen. Ze wilden horen hoe eerzaam en hardwerkend de mensen vroeger waren.

Het waren jullie voorvaders. Net zo gierig als jullie.

Je wilt horen wat goed en schoon is, hè?

Maar wolvengal zul je krijgen.

Wolvengal en berenscheten en vossenkots.

Elis werd voor de mannen wakker, die zondagmorgen. Hij ging naar buiten en piste en dacht dat de straal zou bevriezen. Toen hij binnenkwam, zorgde hij ervoor dat er weer leven in het vuur kwam. Een oudere man die Dongen werd genoemd, had zijn plakkerige ogen moeizaam open gekregen. Maar hij leek weer in slaap te vallen toen hij zag dat Elis het vuur aanmaakte. Toen dat op gang was gekomen, kroop hijzelf onder zijn rendierhuid om op de dageraad te wachten. Het was bitter koud, maar de luizen waren in hun gewone doen.

Het huis was groot en stevig in elkaar getimmerd, en afgedicht met mos. Van het stalgedeelte kwam een bijna warme paardendamp door de opening. Hij hoorde hoe ze daarbinnen hun hoeven bewogen.

Licht, licht. Kom licht, dacht hij. In het Zweeds. Toen herinnerde hij zich weer wat hij zichzelf opgelegd had en herhaalde het woord in het Noors.

Hij haalde de papieren zak te voorschijn die onder het stro lag. Met zijn mes had hij die opengesneden. Het was nu een groot, grijswit, volkomen vetloos vlak. Kom nu toch, licht, dacht hij weer. In het Noors ditmaal.

Hij stond op om de paarden te voederen. Dan zou Dongen vast weer helemaal in slaap vallen.

Hij voederde eerst de Grote. Ze hadden eigenlijk een andere naam voor hem. Hij zag er anders uit nu het licht binnen begon te kruipen. Het wreef zijn vacht op. Maakte hem donzig en zacht. Het licht was een borstel. Het borstelde sommige vlakken op en maakte andere glad.

Dat de Grote er 's morgens anders uitzag, kwam niet als een verrassing. Zijn ogen waren verschillend op verschillende momenten. Maar het verbaasde hem wel dat anderen niet zagen wat hijzelf zag. De meesten schenen een blok te zien dat het ding voorstelde waarnaar ze keken. Het was alsof ze naar de naam ervan staarden.

Hij grabbelde naar zijn potlood. Het lag nog waar de voerman, die Moen heette, hem had gelegd. Hij deed de boekhouding van de houtkap. Hem zou geen houtmeter kunnen bedriegen. Gelukkig was zijn potlood geen hard anilinepotlood, want daar was niks mee te beginnen. Je moest de punt natmaken om iets uit zo'n rotding te krijgen en dan kreeg je een vlekkerige lijn in paarse inkt die even giftig was als hij smaakte. Maar het zachte potlood gehoorzaamde zijn hand. Op de ruwe zijde van de zak gaf het weliswaar een oneffen lijn. Maar dat vond hij mooi. Hij zou met die zijde beginnen.

De mannen sliepen in een zware roes. Op werkdagen dronken ze nooit. Maar nu was het zaterdagavond geweest. Moen had twee mannen uit elkaar gehaald. De ene had een gezwollen lip, die nu boven de tanden was opgetrokken.

Elis had met de Grote willen beginnen, maar zonder het te willen trok de potloodpunt de contouren van die dikke lip. De neus. De ruwheid van de zak kwam goed uit toen hij de baard deed. De ooglidplooien. Die hij neertrok in zijn kinderlijke dronkemansslaap. Er bubbelde iets uit zijn mondhoeken. Zijn muts was voorover gezakt en bedekte zijn voorhoofd. Ze sliepen allemaal met hun muts stevig over hun oren getrokken.

De ruwe zijde bleek zo geschikt voor alles wat hij zag in huis, dat hij het niet kon laten vlugge schetsen te maken. Het had de Grote moeten worden. Maar zover was hij nog niet gekomen. Eerst tekende hij de braadpan. Die stond op de gietijzeren plaat boven de vuurput en had aan de buitenkant een zwarte, knobbelige huid van oude verbrande vetresten. Hij was nog halfvol grijswit gestold braadvet. Hij merkte dat hij iets begon te tekenen wat hij niet zag.

Ik wilde het oppervlak helemaal plat maken. Maar het was verdorie gestold in een scherpe golf. Er had zeker iemand tegen gestoten terwijl het vet al halfdik geworden was.

Toen viel zijn oog op het zaklinnen waarmee een ingeslagen vensterruit afgedicht was. Het ruwe papier kwam weer goed van pas. Maar het patroon van draden over draden was moeilijk over te nemen in de kronkels. Hij had bijna spijt dat hij papier verspild had aan iets wat hij niet beheerste. De Grote had hij kunnen doen zonder geknoei en geklieder.

Maar er was iets te gezwinds aan een paard met dat achterwerk en die nek. Hij had te veel van die verrekte paarden getekend. Zijn ogen waren inmiddels scherp geworden. Zagen het fundament van grove keien onder de ijzeren kookplaat. Grijs, maar niet zoals potlood. En met roet erop. Overal roet, maar vooral op de planken van de rookvang onder het luchtgat. Een stuk spek was in het vuil op de vloer beland. Waren de ratten helemaal van hun apropos? Doodgevroren. Roze vleesranden in dat stuk spek met het dikke geelwitte vet. Als je iemand als de Lakakoning opensneed, nee want die is verdomme allesbehalve vet, de dokter van Byvången, zo'n echte vetzak, als je zo iemand z'n buik opensneed, dan zou het spek eruitzien alsof het in Chicago ingepakt was. En hij zou schreeuwen als een varken in een slachthuis.

Zo doorliep hij alles nog een keer: de werkjassen en boezeroens die in een kring rond de vuurput hingen, de zeven roetzwarte koffiepotten, vooral zijn eigen pot was erg gedeukt. Kleine vonkjes sprongen van de vuurput op zijn papier en lieten roetkorrels achter. De jongen die ze het Nisj-jochie noemden, had zijn mondharmonica in het vuil laten vallen en nu sliep hij met een dikke trui onder zijn hoofd. Als hoofdkussen. Wie op een echt kussen slaapt, dat zou een rare snuiter zijn, een echte snob. En de braadpan met die vetgolf van tijd die gebroken was en ergens in de golven van het gevecht of nog vroeger in de golven van het lied gestold was. En het scheelde niet veel of ik had daar verdomme verkeerd getekend: hoe is het mogelijk dat ik het oppervlak niet gezien had!

Het oppervlak was gebroken.

Nu merkte hij dat hij zijn beheersing verloren had en teruggevallen was in het Jämtlands of Zweeds of wat voor taal het verdomme ook was die in zijn kop uitgeroeid moest worden als hij hier in Noorwegen wilde blijven, waar geen hond wist wie hij was.

Verdomme, probeerde hij in het Noors en hij hoorde dat het net een tikkeltje anders klonk dan in het Zweeds. Verdomme, verdomme. Gewoon je smoel wat meer opentrekken.

Toen werd de baas wakker.

Het waren best aardige mannen in de ploeg. Niemand deed hem kwaad. In een dronken bui had een man uit Värmland Elis in zijn kruis gegrepen en dat deed pijn, hoewel de wollen stof van zijn broek heel dik was. Hij hield Elis' pijnlijke ballen vast en zei dat hij eens zou laten zien of hij iets had om mee voor den dag te komen. Maar toen zei Moen dat hij dat al gedaan had, en meer kwam er van dat hele zaakje niet. Iedereen lachte om hem, natuurlijk.

Maar het rare was dat hij nooit iets had laten zien. Dat wist de Värmlander dus niet.

Ja, ze waren aardig. Hier zou niemand hem een mep in zijn gezicht geven of hem op zijn achterhoofd slaan voor zoiets als een papieren zak. Niemand zou zeggen dat hij een stuk onbenul was en voor niets anders deugde dan wat geklieder op papier. Toch had hij uit een diepgewortelde voorzichtigheid het tekenen voor zichzelf willen houden.

De oude man die Dongen werd genoemd, voerde zijn ochtendrituelen uit. Hij ritselde in zijn stoppelbaard en spuugde op de grond. Vervolgens stak hij zijn pijp op. Een na een ontwaakten de anderen en gingen naar buiten om te pissen, allemaal behalve de voerman die eerst naar de paarden ging kijken. De kou sloeg naar binnen, droog en metaalachtig, en de eerste woorden waren altijd dezelfde: deur dicht, verrek nog aan toe! Dat was die andere Zweed, die uit Värmland. Toen hij wakker werd, was Elis plotseling op zijn hoede.

De jongen met de dikke lip wankelde naar buiten, en scheen stramme benen te hebben toen hij weer binnenkwam en daar werd om gelachen, maar hij merkte niets. Hij liet zich opnieuw op zijn brits vallen en bleef als bewusteloos liggen.

Ze zetten de koffiepotten op de kookplaat. Brandhout en water was er. Elis had het 's avonds nog bijgevuld, zodat hij van het morgenlicht kon profiteren om te tekenen, voordat de anderen wakker werden. De emmer stond dicht bij de vuurput, er lag maar een dun laagje ijs op.

Toen Bendik en hij vertrokken waren, hadden ze ieder een koffiepot meegekregen. Die van Elis had zo veel deuken dat de houthakkers vroegen of hij misschien de aardbeving van San Francisco had overleefd.

Ze waren niet weggelopen. Bendik had het niet gewild. Daarop begon Elis te doen alsof hij zich herinnerde waar hij vandaan kwam. Vaag in ieder geval, zei hij. Ergens uit het noorden, uit de streek van Namskogan. Bij een rivier. Hij zou die wel terugvinden.

Hadden ze hem geloofd? Misschien. Ze stuurden hem in ieder geval niet naar de dominee om ondervraagd te worden. En hij had Bendik met zich mee gekregen. Maar niet voordat zijn dienstverband was beëindigd.

Ze waren al in Fossmoen op een houthakkersploeg gestuit. De voerman had nog iemand nodig en hij nam Bendik. En Elis mocht zomaar meekomen, net zoals hij vermoed had.

Maar Bendik had spijt gekregen. De avond dat de ploeg zat te drinken bij de herbergier voor ze zich met de paarden op weg begaven om de komende zes tot acht weken weg te blijven, begon hij weer over de zee te praten. Hij wilde mee op een walvisvaarder. Toen Elis laat in de nacht wakker werd, was hij verdwenen. Hij was vast niet naar de haven van Namsos getrokken, maar naar huis teruggekeerd. Hij sprak van thuis hoewel hij er niet geboren was. 's Avonds had hij herhaaldelijk gezegd dat ze goed voor hem waren. Lief, zei hij. Toen hij van de houthakkers brandewijn kreeg, was hij bijna gaan janken. Ze lachten hem uit en noemden hem de walvisvaarder. Hij had een groot, krachtig lichaam, maar hij hield van wie lief voor hem was. Als een kind. Elis schaamde zich maar kon tegelijkertijd zijn lachen niet inhouden.

Hij was in de war, op zijn zachtst gezegd, toen Bendik weg was. Zijn slaap was te diep geweest en had zijn vossengevoel verschalkt na hun lange voettocht. Bendik was erin geslaagd uit zijn bed weg te komen zonder hem te wekken. Hij snapte onmiddellijk dat hij zonder Bendik geen plaats in de houthakkersploeg zou krijgen.

Hij ging er zelf voor dageraad vandoor.

Een paar dagen later ging hij toch op weg naar de kapplaats. Hij rekende erop dat ze hem niet weg zouden sturen als hij erheen ging en als hij zei dat Bendik en hij elkaar kwijtgeraakt waren. Ik dacht dat hij hier was, zou hij zeggen.

De lange tocht vergde veel van zijn krachten. Zijn knapzak raakte leeg. Hij wilde liever niet opnieuw tot stelen overgaan, want hij zou later herkend kunnen worden. Het was best mogelijk dat de houthakkers hem naar de boerderijen zouden sturen voor melk en zo. Als hij mocht blijven. Als hij tenminste de kapplaats bereikte.

Hoewel hij nauwkeurig naar de weg gevraagd had, werd alles vaag en eenvormig. Wegen die er moesten zijn, waren er niet, hele boerderijen waren weg. Of ze waren misschien ondergesneeuwd. Het was doodstil en nergens was schoorsteenrook te zien. Een keer zag hij een kat midden in deze sneeuwhel, waaruit hij afleidde dat er in de omgeving een boerderij moest zijn. Hij liep naar de rivier langs een zijriviertje met een steile boshelling aan de ene kant. De zwartrafelige sparren waren zwaar beladen met sneeuw. Zo nu en dan zag hij dat het sneeuwoppervlak sporen vertoonde van een vleugel of van poten onder een spar, verder was alles wit als de dood en zonder schaduw.

De dag zou dadelijk omkeren en blauw worden. Onder de sparren was er duisternis en die zou meedogenloos te voorschijn komen. Hij voelde zich als een jonge kat recht op weg de zak in.

Toen hoorde hij iets klingelen. En hij herinnerde zich dat iemand doodging als je klokgelui in je rechteroor hoorde.

Het was moeilijk te bepalen of het zijn rechteroor was. Daarom stopte hij zijn wijsvinger in het linker. Het geklingel was nog steeds te horen.

Als hij zou sterven, dan zou dat zeker vannacht gebeuren. Hier was niemand anders die kon sterven.

Het geklingel werd stilaan ratelend en scherp en hij hoorde dat het naderde en dat het paardenbelletjes waren. Hij schaamde zich meteen voor die flauwekul met dat oor en trok zijn want weer aan en was niet langer Elis Eriksson maar opnieuw *kweenie.*

Er zat geen man maar een jongetje op de slee. Hij was hooguit negen jaar. Het paard was een oude dikke merrie. De jongen had bolle wangen onder zijn leren pet. Hij zat van zijn middel tot zijn laarzen in een rendierhuid gewikkeld en je kon zien dat iemand anders hem ingestopt had. Er stonden kruiken en tonnetjes achterop, sommige in stro ingepakt.

Als het een man was geweest, had hij het natuurlijk gevraagd. Nu sprong hij gewoon achterop en kroop schuin achter de jongen in elkaar.

Ik rij met je mee, zei hij en vroeg zich op hetzelfde ogenblik af of zijn Noors wel echt klonk. Hij was veel te lang alleen op pad geweest en was weer in zijn Jämtlands teruggevallen. Maar dat gaf niet. Hij was niet bang voor dit sleemennertje. Het was maar een kind dat ze er met proviand voor een houthakkersploeg op uitgestuurd hadden. Ze hadden geen man meer over.

De jongen vertelde graag. Maar het was moeilijk om iets over de weg aan de weet te komen. Hij wist niets. Het paard vond de weg.

Eerst praatte hij honderduit, daarna werd hij ineens stil. In beide gevallen uit schrik.

Ja, hij was bang.

Ben je bang voor de Grijze, vroeg Elis zonder er al te veel aandacht aan te besteden hoe hij praatte. Het ventje begreep hem ook niet.

Wolven, zei Elis. Ben je er bang voor?

Maar de jongen schudde zijn hoofd. Ze hadden hem erop uitgestuurd met een oud, betrouwbaar paard. Het droeg een belletjesriem omdat het gezellig klonk of om de wolven af te schrikken. Hoewel een wolf zich natuurlijk niet zou laten afschrikken door een rammelende kar met een groot paard. Maar de jongen voelde zich misschien veiliger.

Hij was ingestopt en voldaan en had rode wangen en voelde zich vast heel bijzonder. Het was er zo eentje voor wie ze zich uitsloofden. Een toekomstige boer. Maar nu was hij bang.

Voor mij, dacht Elis.

Hij ging er later meer over nadenken, toen hij eenmaal aangekomen was waar hij zijn moest. Vooral na enkele weken toen die Värmlander er ook was, dacht hij eraan terug. Maar een duivels genoegen schoot er wel door zijn hoofd terwijl hij meereed op de slee. Dat kwam doordat het jongetje zo ingestopt en mollig was. Al het eten dat hij bij zich had. Het was zeker spek en knoedels en bloedbrood en nog meer lekkers. Hij zou Elis niet kunnen tegenhouden als hij een deksel optilde. Als hij spek in zijn mond stopte en naar hem grijnsde.

Maar hij deed het niet. Ze praatten verder niet meer met elkaar. Het had ook geen zin, want het rotjong had geen flauw benul waar ze naartoe reden, hoe de meren heetten of hoe lang de rit duurde. De merrie wist het. Maar zij kon alleen maar draven.

Tegen de avond kwamen ze bij een boerderij en daar hield de merrie halt. Ze trok de slee bijna tot voor de staldeur. De honden blaften en er kwamen mensen naar buiten.

Elis vermoedde dat ze niet meteen dolenthousiast zouden zijn als ze hem zagen. Maar hij kreeg samen met de jongen pap en brood met varkensvlees. Hij hoefde zich niet te bekommeren om dat *kweenie*, want ze vroegen niet naar zijn naam. Hij zei dat hij op weg was naar een kapplaats en dat de voerman Holger Holgersen heette. Daarmee wisten ze genoeg. Hij werd daarna hoger aangeslagen.

Hij mocht in de stalkamer slapen waar nog iemand anders lag, iemand die niet goed wijs was. Het jongetje stopten ze uiteraard in huiden en dekens.

Toen ze 's morgens de tocht voortzetten, was hij niet meer zo bang voor Elis. Maar ze zwegen toch. Ze hadden Elis uitgelegd waar hij eraf moest en zelf omhoog het bos in moest trekken. Hij zag dat het kereltje opfleurde toen hij zei dat het zover was. Bedankt, had Elis willen zeggen. Voor de lift. Maar het ging niet. Er was iets in dat ronde gezicht dat hem ergerde.

Maar daar dacht hij pas over na nadat de Värmlander kwam.

De eerste keer dat Elis het arbeidershuisje binnenkwam, was het avond en warm in huis en hij rook duidelijk de verrottingsstank van het afval onder de tafel en rond de vuurput. Het was een houten huis dat de warmte binnenhield en even later rook hij de geur al niet meer. De mannen waren goed. Ze lieten hem blijven. Zoals te verwachten was, vonden ze Bendik een grote smeerlap. Eerst zijn loon aannemen en dan ertussenuit knijpen. Dat verhoogde het aanzien van Elis.

Zijn armen waren tenger en zijn rug dun en scherp. Maar hij mocht de uitsleper helpen bij het vrijmaken van bospaden.

Daar kwam niet veel van terecht, en maar goed ook want hij beschikte niet over de nodige kracht en hoestte te vaak. Hij moest overal een beetje helpen. De ene dag ging hij mee om te ontschorsen. Dat was zwaar werk in de kou. De andere dag hielp hij de uitsleper om hout bijeen te slepen. Of de trekker. Hij wist niet hoe die hier genoemd werd. Hij lette goed op dat hij zich niet fout uitdrukte. Dan zei hij liever niets. Dat hij niet wist wie hij was of waar hij vandaan kwam, dat hadden ze aanvaard. Met genoegen zelfs. Ze praatten er graag over tijdens de avonden terwijl ze zagen vijlden en schorsspaden slepen of scheuren in hun broeken naaiden. Hij was het zelf beu geworden om altijd zijn eeuwige *kweenie* te zeggen. Daardoor klonk hij als een idioot. Dus zei hij vaak dat hij sommige dingen nog wist. Het een en ander. Hij zei het zo vaak dat hij er een bijnaam aan overhield. *Kweenog*, noemde de Värmlander hem en de anderen deden mee. Hij vond die bijnaam niet leuk, maar het was beter dan niets.

Dus nu was hij *Kweenog*, die het paard water gaf en voor brandhout zorgde en gaten in het ijs hakte en emmers water haalde en alles was ongeveer zoals thuis. Maar wel beter. Binnen vond hij het zonder meer prettig. Gezellig.

Ja, dat vond hij in al zijn onwetendheid. Hij hielp Dongen, die de baas was, om de weg berijdbaar te houden, goot er water over zodat de slee er goed op kon glijden en strooide los zand van mierenhopen op de hellingen om de gladheid te verminderen. Was de weg steil en bochtig, dan legde hij dwarsliggers uit. Hij at van het spek in de voorraaddoos en van het brood en in het begin was hij zo zuinig van de honger dat hij aan zijn wijsvinger likte en elk kruimeltje op de ongeschaafde planken van de tafel verzamelde.

De Värmlander was naar de kapplaats gekomen omdat hij beneden bij Fossmoen had gehoord dat er een man te kort was. Hij was een krachtpatser. Achttien stuks per dag kon hij aan en hij dreef het tempo in heel de ploeg op, tot tevredenheid van de voerman.

Iedereen was tevreden. Behalve Elis. Maar hij had niet onder woorden kunnen brengen wat er scheelde. Hij wist het zelf niet. Alleen maar dat hij op zijn hoede was.

Hij had het gevoel dat de ogen van de Värmlander hem overal volgden. Soms zag hij er geamuseerd uit. Alsof ze samen een geheim deelden. Elis begon te vermoeden dat de man wist dat hij Zweeds was en op de vlucht was. Dus hield hij zich stil.

Hij had al eerder mensen uit Värmland ontmoet. Ze kwamen gewoonlijk als houtvlotters naar Svartvattnet. Sommigen werkten 's winters in een of andere houthakkersploeg. Deze hier was een forse man. En toch was het alsof hij voortdurend de drang voelde om zijn kracht en gehardheid te bewijzen, ook in kleine dingen. De anderen lachten goedmoedig. Hij nam het mes waarmee Holger Holgersen een paardenhoef uitgekrabd had, sneed een lap spek af en stopte het vlees direct in zijn mond. Maar Elis lachte niet en zo ontmoetten hun ogen elkaar. Hij zag een zwarte glans. Maar de man had eigenlijk blauwe ogen en hij had zwart haar, rechtopstaand zoals dat van een Lap. Het stond in rare weerborstels omhoog wanneer hij soms een keer zijn pet afnam.

Toen de mannen 's nachts hadden gevochten en Moen en Holgersen hen hadden gescheiden en enkelen al lagen te snurken in hun kooien, toen had de Värmlander Elis opnieuw vastgegrepen. In zijn nek. Hij wiegde met zijn hoofd, en wat hij uitkraamde moest een soort liedje voorstellen.

De zonde, die is zwarter
dan de zwartste kool

De greep verstevigde.

en het zieltje, dat fladdert
als vleugels van een vinkje

Toen moest Elis terugdenken aan die jongen op de slee en aan wat hij zo leuk had gevonden: dat de angst in de ogen van de jongen flakkerde.

Jochie, zei de Värmlander met een toonval die niet aan de greep beantwoordde. Hij slikte alsof hij huilde. Maar kantelde achterover en viel in slaap toen Moen langskwam.

Het was zondag, maar ze zouden een halve dag werken. Dat was niet het idee van de voerman, maar van Moen. De jonge mannen wilden graag het werk afmaken en terug naar het dorp gaan. Ze hadden niet veel meer over in de spekdoos en als ze eten gingen kopen, kostte dat een van de houthakkers een hele dag. De laatste keer hadden ze Elis niet gestuurd. Hij hoestte te veel, vond Holgersen.

Dus het draaide er die zondagmorgen op uit dat ze allemaal hun gereedschap namen en naar buiten gingen. Behalve de Värmlander, want die wilde nog een uurtje slapen. Hij had een zware kater. En aangezien hij een sterke houthakker was, zou hij de anderen wel inhalen als hij eenmaal op gang kwam. Daarom had niemand er iets op aan te merken.

Dongen had gezegd dat ze niet moesten werken tijdens het uur van de kerkdienst. Het baatte niet. Oude mannen waren ook altijd tegen alles wat niet als gewoonlijk verloopt. Hij kreeg natuurlijk wel gelijk.

Elis hoorde dat Holgersen hem riep. Geen bijlslag was nog te horen en geen zaag die nog jankte. Alleen de stem van de voerman, schel brullend tussen de stammen.

Terwijl Elis door de diepe sneeuw waadde, zag hij Dongen gebogen over die arme stakker die 's avonds een dikke lip had gekregen. Alsof dat nog niet genoeg was.

Het moest een diepe snee zijn, want hij was grauwbleek en keek star omhoog. Wilde zeker niet zien hoe erg het was. Dongen had de broek opengesneden zodat hij de wond dicht kon klemmen, maar het bloed welde op tussen zijn vingers. Hij foeterde onafgebroken op de jongen omdat die de takken van de stam aan de voorkant had afgehakt. Je kon zien dat de takken aan de achterkant al waren afgehakt en dat hij te lui of te moe was geweest om van plaats te wisselen. En toen was het gebeurd. De wond liep schuin omlaag van juist onder de knie tot helemaal in de kuit.

Holgersen schreeuwde tegen Elis dat hij vlug pekdraad en een snijnaald moest gaan halen. Dit moest ter plaatse worden genaaid.

Hij wilde een doorsteek door het bos maken, maar belandde in diepe sneeuw waar hij geweldig doorheen moest ploeteren. Na een poosje kreeg hij een stekende pijn en hij dacht dat hij zou stikken van het hoesten. Hij won geen tijd met zijn kortere weg. Hij moest terug naar het sleeppad en daar bleef hij even op zijn hurken zitten en probeerde lucht te krijgen en zijn krachteloosheid te overwinnen. Hij besefte nu dat hij er ellendig aan toe was en dat de ploeg niets aan hem had. Tot nu toe had hij het van zich afgezet maar zo kon het niet langer. Het zat in zijn borst.

Toen hij in het huis kwam, vergat hij niet voorzichtig te zijn en hij sloop stil langs de brits waarop de Värmlander lag. Hij vond de linnen zak met het naaigerei in de kooi van Dongen en stopte die onder zijn trui. Toen hij weer naar buiten wilde, ritselde het stro en op datzelfde moment zat hij vast.

Jeetje, wat een magere armpjes, zei de Värmlander.

Hij kneep hard.

Heb jij geen botten in je lijf? Laat me voelen.

Met zijn ene hand hield hij Elis aan zijn bovenarm vast en met de andere groef hij tastend over zijn lichaam. Toen hij de gulp van Elis wilde opentrekken, duwde die met zijn bovenlichaam. De Värmlander ging rechtop zitten maar sloeg natuurlijk zijn hoofd tegen de bovenbrits en verloor zijn greep rond de arm. Elis probeerde weg te komen naar de deur, maar de man, die tegen pijn gehard was, greep hem bijna onmiddellijk weer vast. Deze keer hield hij hem niet vast maar gooide hem dwars door de kamer tegen de vuurput. Hij sloeg met zijn heupbeen tegen de rand van het gietijzeren stel en zijn ene hand en arm gleden in de sintels en de as.

Jij kleine smeerlap.

Zijn stem was dik. Hij klonk bijna zoals op zaterdagavond. Elis was op de lemen vloer gezakt en kroop in elkaar bij de vuurput. Nu moest hij zeggen dat er een ongeluk was gebeurd, dat hij met pekdraad en een snijnaald naar Dongen toe moest, want die hield een wond dicht waar bloed uit stroomde.

Maar hij wist niet hoe hij dat moest zeggen. Want behalve zuiver Jämtlands was alles uit hem verdwenen. Geen woord Noors kende hij nog, niks. Hij was bang. Dat was het enige wat hij was. En die angst was in het Jämtlands. Daarom moest hij zwijgen.

Jij bent niks, zei de Värmlander.

Hij stond vlak bij de deur. Zijn haar stond in pieken omhoog, hij had zijn pet nog niet op. Wijdbeens stond hij in zijn onderbroek en wollen sokken. De gaten waren slecht gestopt. Elis zag alles heel duidelijk. De zwarte stoppelbaard. De oogleden die gezwollen waren.

Niks. Weet je dat? Jij denkt dat je zo verdomd bijzonder bent. Met die klotetekeningen van je. Maar je bent niks. Zo iemand als jij, die mogen ze voor één kroon een pak slaag geven in Bergen. Achter een houten muurtje. Of in een portiek, net zo makkelijk. Daar zijn er velen als jij. Weet je dat? Daar zul jij uiteindelijk ook belanden. Dat weet je goed, ook al probeer je het bijzondere jongetje uit te hangen.

Elis voelde een soort kalmte zolang de man praatte. Maar toen hij op hem afkwam, kroop hij in elkaar. Hij wankelt, dacht hij. Het is niet zomaar een kater. Hij is bezopen. Vunzig en vies. Hij moet een fles in zijn brits verstopt hebben.

Hij is een smeerlap, dacht hij toen. Ik steek 'm in zijn ogen met mijn snijnaald.

Maar hij kreeg de kans niet. De Värmlander slofte over de vloer naar de vuurput. Eerst trok hij Elis rechtop en gaf hem twee harde dreunen op zijn hoofd. Het werd zwart voor zijn ogen, maar niet helemaal. Daarna trok hij zijn onderbroek omlaag en greep Elis in zijn nek. Hij duwde zijn gezicht tegen zijn pik die naar zure oude kaas rook.

Nu krijg je een beurt voor een hele kroon, zei hij en slingerde Elis tegen de tafel. Het eindje koord waarmee Elis zijn broek ophield knapte bij de eerste ruk. Hij voelde de splinterige planken van de tafel tegen zijn gezicht. Daarna plofte er iets in zijn achterwerk en hij dacht eerst dat hij de handgreep van een werktuig in zijn darm duwde. Ja, hij zag een priem voor zich en dacht: als hij die maar niet ronddraait. Maar toen begreep hij wat het was. Elke stoot plofte eender. Hij kon niet schreeuwen, want een hand rond zijn nek duwde zijn gezicht neer.

Toen rukte de Värmlander enkele keren en viel ten slotte met zijn hele gewicht boven op Elis. Daarop voelde hij hoe hij zich terugtrok en hij hoorde hem naar zijn brits wankelen.

Elis wist dat hij er nu vandoor moest gaan, maar hij kon zich niet bewegen. Als ik m'n kop optil, word ik misselijk.

Ik heb pijn in m'n reet.

Hij werd het gewaar voor hij bewoog. Maar alleen vanbinnen. Hij dacht: als ik had kunnen spreken. Maar dan was het nog erger geweest. Een Zweed op de vlucht.

Hij lag voorover en hij voelde zich misselijk.

Als hij bewoog, moest hij kotsen. Maar hij bedacht dat hij nog een ding had. Eén enkel ding.

Hij hoorde een kurk uit een fles ploppen daar op de brits.

Jongen, jongen, zei de Värmlander diep in het stro en de huiden. Als je eens wist.

Hij kreeg een brok in zijn keel. Er kwam alleen nog gesnotter uit.

Toen liep Elis weg. Pas buiten het huis durfde hij het touw in zijn broek vast te knopen. Hij had toch nog de snijnaald en de draad mee kunnen nemen. En dan dat ene iets:

Jij weet niet wie ik ben.

Dat weet niemand.

De kinderkamer bracht Hillevi in gereedheid tegen het zware einde van haar zwangerschap. Ze ruimde flink op. Het witte meubel dat Trond had laten komen, bestond uit een kinderbedje, een ladekast en een kindertafel met twee stoeltjes. Ze legde hemdjes met geplooide kraagjes en luiers en manteltjes in de schuifladen en voelde zich tevreden. Het was goed om niet in de winkel te hoeven werken. Ze hield ervan alleen te zijn en het liefst bleef ze de hele tijd binnen met de deuren gesloten. Dan kwam ze tot rust. Maar een volgende dag kon ze net zo goed met zwaarmoedige gedachten zitten. Ze dacht aan doodgeboren of mismaakte kinderen. Dat had ze al eerder gedaan en toen had ze heftig tegen Tronds borst aan gehuild. Maar de laatste tijd was ze teruggetrokken. In eenzaamheid wilde ze het einde afwachten van de slingeringen tussen angst en verlangen.

Tijdens het eerste en tweede trimester werkte ze in de winkel en als vroedvrouw. Precies drie maanden voor ze volgens de berekening zou bevallen, kwam de nieuwe vroedvrouw in Röbäck aan. Ze kwam uit Härnösand en was de dochter van een douanebeambte, zij het veel ouder dan Hillevi. Ze kreeg een kamer met keuken beneden in het gemeentehuis, een berghok op de zolder en een gemak, en ook reparaties voor vierhonderd kronen. Ze stond haar mannetje volgens Märta Karlsa.

Verlegen was ze dan ook niet toen ze de bevalling van Hillevi kwam doen. Hillevi lag in de ontsluitingsfase, zwetend en puffend op die warme vroege zomerdag. Ze werd onderzocht en het bleek dat de baarmoedermond drie vingers openstond. Daarop stevende het mens recht de kinderkamer binnen. Het was te horen hoe ze laden opentrok en zo vreemd was het ook weer niet dat ze kinderkleertjes klaar wilde leggen. Maar de manier waarop ze commentaar en lof gaf, joeg Hillevi op stang en bracht haar in verlegenheid.

Zo had zij dus zelf opgetreden.

Hier ontbrak in ieder geval niets. Hillevi had hemdjes genaaid van fijn madapolam en ze voorzien van kraagjes van Engels borduursel. De luiers waren ook van madapolam. De truitjes had ze genaaid van wit piqué, net als de windsels. Voor de manteltjes had ze geruwd keper genomen. Ze had navelbandjes en kinderzeep en een potje Dialon-poeder.

Maar nu het onverbiddelijke verloop op gang was gekomen, beschouwde ze al haar voorbereidingen als onverantwoorde drukdoenerij van een kind.

Achteraf herinnerde ze zich nauwelijks iets van de bevalling. Ze had zelf de leiding willen hebben, een teken willen geven voor een lavement en willen bespreken wat er nog meer moest worden gedaan. Maar ze lag daar rood en zwetend van de zware inspanning en alles werd wazig toen de echt kwaaie weeën begonnen te komen. Ze herinnerde zich later dat ze cognac gekregen had en melk met een ei erin. Er was ook sprake van een lavement met keukenzout, maar ze wist niet meer of haar dat werkelijk was toegediend.

Of toch – want ze had het mens opgedragen om in godsnaam handelaar Halvorsen buiten te houden wanneer ze het lavement kreeg en het lopen begon.

Het mens werd Ester in de loop van de uren. Ester Spjut heette ze. En ze had stevige handen. In de uitdrijvingsfase, toen het erger dan erg werd, en zwaar als een houtlading – eigenlijk voelde het meer alsof ze probeerde vijftien ton hout op een steile helling af te remmen – toen mocht ze dat mens zonder meer. Omdat ze begrip had.

Kijk me aan, zei Ester Spjut met haar krachtige, ernstige stem. Kijk me aan, mevrouw Halvorsen. Nu. Ronde rug nu, mevrouwtje. Ronde rug. En opzij met de armen – goed zo! U weet het zelf – rond moet die rug wezen. Goed, mevrouw Halvorsen. Nu gaat het goed. Het is weldra voorbij. Maar nu moet u naar mij kijken. Kin op de borst! Zo ja. Nog een beetje. U kunt nog wat meer. Ja ja ja... u perst goed. Nog een beetje. Kin. Zo ja... en nog. En nog een keer!

Uiteindelijk zag Hillevi, in een uitputting en opluchting die aanvoelden als een diepe val, die krachtige handen rond een lichaampje met foetaal vet en bloedstrepen erop, een lichaampje dat veel kleiner leek dan het aangevoeld had. Toen de vroedvrouw het kind had gewassen en omhoog hield, waren het naar verhouding grote scrotum en lid te zien en voor ze het vertelde, wist Hillevi dat het een jongen was.

Een gezond en mooi jongetje. Hillevi telde de vingertjes toen ze hem als een bundeltje van wit piqué en madapolam in haar armen kreeg. Ester Spjut bracht koffie en een boterham met kaas en Hillevi dacht: de teentjes tel ik straks. En toen viel ze in slaap.

Kleed je uit, zei de dokter. Hij keek niet eens op van het glazen schijfje waarop hij iets uitsmeerde. Hij stonk uit zijn bek, zuur als het schraapsel uit een pijp. Onder zijn witte jas droeg hij een pak met een vest en een hemd met een gesteven boord die aan de rand geel geworden was. Zijn pak had bruine ruitjes en zijn das was zwart en dun en hing scheef.

Kleed je uit!

Elis verroerde zich niet en de dokter tuurde naar hem. Hij had haar in zijn neusgaten en lompe handen met rood haar op de rug en de onderste vingerkootjes.

Wel, zei hij.

En toen kleedde Elis zich uit.

Onderbroek ook, zei de dokter.

Hij had ervandoor moeten gaan. Toen de voerman zei: je hebt tering, had hij meteen zijn biezen moeten pakken. Diezelfde nacht nog. Als hij slim was geweest. Daarna had hij een nieuwe houthakkersploeg moeten zoeken. In de zomer werd je altijd beter. 's Winters was je voortdurend verkouden.

In plaats daarvan brachten ze hem naar de dokter. Moen ging mee naar binnen en wat een gezeur er volgde. Hij had het over dat hoesten. Vervolgens bleef Elis alleen achter bij de dokter.

Ik heb geen tering, zei hij. Hij wilde zeggen dat hij alleen maar verkouden was, maar zijn kop werkte niet mee en hij kon er niet op komen hoe je dat in het Noors zei.

Zie je die rode vlekken? vroeg de dokter. Hij kwam zo dichtbij dat Elis opnieuw de tabaksstank uit zijn bek rook.

Hier op je scheen. Je hebt tuberculose. Weet je wat dat is?

Elis zweeg.

Tering, zei de dokter.

De verpleegster kwam binnen. Hij moest gaan liggen en ze gaf hem een thermometer. Hij was verlegen en lag stil zonder op te kijken. Ze zei dat hij 'm erin moest steken.

Recht in je-weet-wel, zei de dokter, die naar de onderzoekstafel kwam waarop Elis lag. Elis voelde dat hij naar zijn achterste tuurde. Twee gehoorzame billen en een gehoorzaam kontgat, dat was wat hij wou. Maar Elis bewoog niet. Daarop stak de verpleegster het glasstaafje in zijn achterste. Juist op die plek. Maar toen was de dokter er niet meer. Hij was in de kamer ernaast aan zijn schrijftafel gaan zitten. Van daaruit kon hij Elis niet in zijn kont kijken.

Hoe oud ben je? vroeg hij toen hij terugkwam.

Kweenie.

Twaalf jaar?

Ouder, dacht Elis.

Twaalf? zei de dokter met nog meer zwarte pijpstank.

Dat was het dan. Twaalf. Maar vanbinnen was hij ouder.

Hoe heet je?

Weet 'k ook niet.

Ben je van huis weggelopen?

Het sanatorium heette Breidablikk, zeiden ze. Daar moest hij met de trein naartoe. Toen hij het ijzeren poortje vastnam waar je instapte, zag zijn handpalm zwart. Vervolgens stond hij op een soort veranda met een ijzeren hek. Ze liepen alle drie door een deur naar binnen. Het rook er naar pis. Ze openden nog een deur en gingen een eindje verder zitten, op houten banken. Nu zat hij in een trein. Maar wie oud is, heeft alles al meegemaakt: in de trein rook het als in een gebedshuis. Overal zaten mensen. Het plafond was rond vanbinnen en geelbruin.

Ze zaten allemaal stil te kijken naar Elis en de twee anderen die waren ingestapt. De locomotief floot en begon te puffen en te suizen. Buiten zag hij witte rook en het stationsgebouw bewoog achterwaarts alsof het wielen had. Er stond een drakenkop op de nok van het dak en heel even scheen er rook uit de muil te komen. De rook dreef weg en buiten was nu het donkere woud te zien. Hij vroeg zich af of er nog wel dieren zaten vlak bij de spoorweg. Het lawaai en de stank hadden ze zeker weggejaagd.

Hij hield zich vast om niet om te vallen. Nu schoven er enkelen op zodat ze plaats kregen op de bank. Ze zaten tegen elkaar gepakt als haringen in een ton en de wagon schudde. Het rook naar steenkool. Alles rammelde en knarste. Het bos op de berghellingen was ruig en je kon de toppen niet zien. Het was te steil. Later die middag zag hij een blauwe fjord. Hij zag een boot in de verte, een met bruingetaande zeilen. Dat was een sjark, zei de man die naast hem zat. De vrouw zat tegenover hem. De dokter had tegen beiden gezegd dat ze hem in de gaten moesten houden tot ze op hun bestemming aankwamen.

Hij is van huis weggelopen, had hij gezegd. Iemand moet op hem passen.

En daarom ging de man met zijn sportpet mee naar de gang toen Elis zei dat hij moest pissen. Hij wachtte bij de deur van het treintoilet en grijnsde. Het was moeilijk te zeggen of het van gêne of leedvermaak was.

Elis probeerde zelfs niet te pissen. Hij herinnerde zich hoe zijn pa en hij een vos hadden gevangen in een val die op een klein huisje leek. Of op een treintoilet. En de vos zat stil, ineengedrongen. Zijn gele ogen loerden intens. Tot de knuppel er een eind aan maakte.

Op de porseleinen pleepot zaten bruine randen van al het vuil. Beneden suisde de grond voorbij. De trein reed te snel, eraf springen ging niet. Toen ze stopten bij een station, opende hij gauw de wc-deur. Maar de man stond er nog steeds.

Van tuberkelbacillen ga je dood. Dat had de dokter zonder omwegen gezegd. Daarom had hij hem naar een sanatorium gestuurd. Daar ging je heen om te sterven. Dat zei hij niet met zo veel woorden. Maar Elis had nog nooit gehoord dat iemand uit een sanatorium terugkwam.

De man met zijn sportpet sprak over het sanatorium alsof hij in een pension ging logeren. Hij was er al geweest en hij vertelde over het eten dat je kreeg en over meisjes die hij kende. Hij zei dat hij een trekharmonica had. De vrouw zei niets. Ze hoestte iets roods op in haar zakdoek. Ze vouwde het zorgvuldig weg, dacht misschien dat niemand het had gezien. Lange tijd deed ze alsof ze sliep maar Elis zag dat ze huilde. De man met zijn sportpet zag het ook. Hij fluisterde dat ze thuis drie kinderen had. Het jongste was nog geen jaar.

Elis wou dat hij zijn kop hield. Maar hij praatte door over zijn accordeon en over wat ze allemaal deden in het sanatorium. Hij zei dat er een hal was met een piano en een open haard. Ze gingen er vaak knusjes bij het haardvuur zitten.

Jakkes, wat een flauwekul.

Elis wist dat hij bij een muur zou moeten zitten in dat gesticht. Zijn gezicht zou grauw worden en hij zou sterven.

Hij werd in een kelder in bad gestopt door een forse vrouw met een schort van geel wasdoek. Ze ontluisde hem eerst en zette hem daarna op een weegschaal. Vervolgens werd hij naar de dokter gestuurd, die hem op zijn rug klopte en luisterde. Hij zette Elis een houten trechter tegen de huid. Het smalle eind zette hij tegen zijn oor.

Diep ademen, zei hij.

Dit was een ander soort dokter. Bleef van andermans kont af. Hij was ook dunner en hij brulde niet. Elis kleedde zich uit.

Hoest! Dat kan beter... hoesten!

De verpleegster bleef er de hele tijd bij. Ze was glad en wit. Tussen haar schoenen en de zoom van haar rok leken haar benen witgeverfd. Je kon niet zien dat het kousen waren want ze zaten helemaal strak.

De dokter keek een document in en zei dat die andere dokter had geschreven dat Elis gezwollen klieren had. Dat was ook op de röntgenfoto's te zien: de klieren bij de longwortel waren vergroot en vertoonden vlekken. Hij zei dat hij maar het bed moest houden. Toen dacht Elis aan wat de ouwe had gezegd wanneer mama in bed lag: 'n mens teert weg in bed. En hij bedacht dat ze dat misschien bedoelden met tering. Hij besefte dat hij zou sterven als ze hem in bed hielden, dat hij grauw zou worden en zou verdwijnen. Dan nog liever bij de muur zitten. Voorlopig had hij nog niets gezegd behalve dat hij niet wist hoe hij heette en dat hij geen tering had. Maar nu zei hij dat hij niet in bed wilde liggen.

Je ben helemaal op, zei de dokter.

Daarmee was het beslist. Hij moest langs vele trappen naar boven in het gebouw. Ze gaven hem een nachthemd. Hij voelde zich draaierig en zag niet eens wie het waren die hem hielpen. Maar later toen hij in een hard en wit ijzeren bed lag met een matras zonder stro om zich diep in te nestelen, toen bedacht hij dat hij had moeten kijken hoe het gebouw er aan de buitenkant uitzag. Het leek wel zo groot als een kerk, erger nog. Het was allemaal te vlug gegaan.

In de zaal stonden acht bedden. De meeste waren leeg. Maar wel opgemaakt. Er hing een strenge lucht. En de grootheid, die kerkachtige overweldiging tot hoog in het dak, zong inwendig als een orgel. Zong over de dood. Jengelde. Hij kneep zijn ogen dicht en hij lag stil alsof zijn einde al nabij was. Ergens verderop in de zaal hoestte iemand lang en omstandig, een beroepshoest. Hij zag in dat zijn grootvader in Lubben gelijk had: het bed is gevaarlijk. Daar raak je je hoest en het bloed in je spuug en het grijze slijm niet meer kwijt. Gezond word je door te werken. Anders ga je om zeep. Direct.

Later kwamen er andere jongens binnen, onder wie twee die in de bedden naast hem gingen liggen. Maar eerst stonden ze beiden over hem heen en vroegen hoe hij heette en waar hij vandaan kwam. Hij wilde niet *Kweenog* zeggen, want dat klonk zo dom. Hij begreep nu dat je niet door het leven kunt gaan zonder naam. Maar hij wist niet wat hij dan wel moest zeggen. Dus zei hij maar dat hij uit Grong kwam, wat in zekere zin de waarheid was, want daar was hij naar de dokter geweest.

Daarna deed hij zijn ogen dicht in de hoop dat ze hem met rust zouden laten als ze dachten dat hij echt ziek was. Dat deden ze ook, een poosje. Maar toen kon een van hen zich niet meer inhouden. Het was de jongste, hij was nog maar een jaar of zestien, zeventien. Hij vroeg of ze Elis gingen blazen. Omdat hij niet begreep wat dat was, zweeg hij. Daarop vertelde de andere dat ze hem in de rechterlong hadden geblazen.

En die daar is 'n dubbelblazer, zei hij wijzend naar de buurman die was gaan liggen.

Zelf moest hij misschien ook worden gebrand, want zijn long was aan het borstvlies vastgegroeid en kon niet samentrekken.

Blazen. Branden. Elis deed alsof hij sliep, hij wist niets beters. Maar zijn hart joeg zo hard dat zijn borst op springen stond en hij kreeg een droge mond.

Die jonge knaap had gezegd dat hij Arild heette. De andere heette Harald Flakkstad. Hij was houthakker, dertig jaar oud, en hij had een vrouw en drie kinderen. Dat vertelde Arild.

Elis begreep dat hij op een plaats beland was waar ze heel veel aan elkaar vertelden. Het liefst alles. Hij had nog nooit van zijn leven zo veel onnodig geklets gehoord. Ook de houthakkers konden 's avonds wel zitten praten bij de vuurput terwijl ze zagen bijvijlden of broeken en kousen verstelden. Maar niet zoals hier. Dit was het gepraat van zieken. Het was zenuwzwak en schokkerig en die Arild kreeg vlekken in zijn gezicht als hij vertelde.

Elis bleef doen alsof hij sliep. Toen hij weer opkeek, kon hij het niet laten om te vragen:

Wat ruikt hier zo?

Eerst zeiden ze dat er helemaal niets rook. Daarna kreeg hij te horen dat het kamfer was. En lysol natuurlijk, zei Flakkstad. Even later vroeg Elis waarom zijn bed zo hard was. Arild zei dat hij op een springveren matras lag. Hij moest hebben gemerkt dat Elis niet wist wat dat was, want hij begon te schoolmeesteren: je bed heeft een bodem met springveren. Elis snapte dat zoiets verdraaid chic was en hij nam zich voor om niets over wandluizen te vragen, waarom er geen te zien waren en waarom er geen een van het plafond neerkwam.

Hij at bijna niets de eerste tijd, want eten deed hem walgen. Dat was zonde van het eten, want zoiets had hij nog nooit gezien. Vet en krachtig voedsel. Maar zo gauw hij een hap nam, keerde die als een harige brok in zijn mond. Dat kwam goed uit. Want dan was het goedkoper. Ze konden toch geen maaltijden rekenen die hij niet gegeten had. Als ze correct waren. Hij ging bij Arild zijn licht opsteken maar die zei tot Elis' verbazing dat het sanatorium niets kostte. Dat kon Elis niet geloven. Hij kon niet zeggen waarom, want dan had hij verraden dat hij zich de dingen wel herinnerde. Natuurlijk moeten we betalen, dacht hij. Ooit wel, tenminste.

Na drie dagen kreeg hij kleren en hij dacht dat hij naar boven gestuurd zou worden. Maar hij moest beneden naar de dokter. Eerst knipten ze zijn haar. De verpleegster gaf hem niet zijn eigen kleren terug, maar kwam met een gewatteerd jasje met twee rijen knopen. Het was van zwart cheviot, net als de broek en het vest. Ze gaf hem ook een hemd en kousen en bretels om zijn broek mee op te houden. Hij moest zijn spuugbakje meenemen, zei ze, het kleine. De dokter wilde een monster nemen en naar de bacteriën kijken. Dus ging hij het spuugbakje met het dekseltje halen dat hij had gekregen. Het was niet veel groter dan een snuifdoos.

In de kelder werd zijn haar geknipt, eerst met een schaar en dan met een apparaatje waarmee de badjuffrouw grondig te werk ging, zodat de bladen tot op de hoofdhuid gingen. Ze smeerde hem in met kwikzalf en liet hem even zitten. Vervolgens waste ze de overgebleven stoppels en depte de hoofdhuid met sabadilazijn.

Hij moest ditmaal in een andere kamer bij de dokter langsgaan. Die zat nu aan een schrijftafel. Hij legde zijn pen neer, nam zijn bril af en keek Elis aan. Daarna schoof hij een boek dat voor hem lag naar voren en draaide het zodat Elis kon lezen.

Volledige naam en beroep van patiënt:
Voor kinderen, naam en beroep van vader:
Jaar (maand, dag) van geboorte:

Hij vroeg of hij zich al iets begon te herinneren.

Nee.

Helemaal niets?

Nee, niks.

De dokter zweeg. Hij nam weer zijn pen en draaide die rond tussen zijn vingers. Het was een lange, magere man met een vooruitstekend hoofd. Hij leek nogal krom. Zijn haar was zwart en hing in pieken naar voren. Elis had nog nooit een meneer gezien met haar over zijn voorhoofd. Hij was vast vergeten zich te kammen. Hij had een lange neus en kleine blauwe ogen die vlak bij de neuswortel zaten. Opeens wees hij met zijn pen naar buiten, door het raam. Hij vroeg Elis of hij wist wat voor bomen er daar groeiden. Ze hadden geen bladeren, maar het waren duidelijk geen espen of lijsterbessen. En berken waren het ook niet. Hij voelde een zekere opluchting toen hij zei dat hij het niet wist.

De dokter stond op en ging een boek halen. Hij sloeg het open en wees op een bladzijde.

Kun je dit hier lezen?

Ja.

Laat horen.

Hij wees met zijn pen:

Karakteristiek voor deze epidemie is dat deze zich nagenoeg uitsluitend in de kindertijd voordoet. De behandeling van deze snellopende ziekte is, wegens de grote afstanden, tot dusver weinig effectief geweest. Dikwijls bestaat mijn werk er enkel in de doodsoorzaak te constateren en medicamenten te verstrekken voor gebruik bij eventuele, later optredende gevallen.

Het ging niet. Het eerste woord was al meteen een hoopje letters die holderdebolder door elkaar geschud leken. Vervolgens zag hij dat er *voor deze* en *is dat* stond, en verderop *werk*. Maar hij kon toch geen woorden lezen, zo zonder samenhang, dat zou dom klinken. Dus schudde hij zijn hoofd. De dokter klapte het boek dicht en dacht een ogenblik na. Daarop zei hij:

Weet je hoe de koning heet?

Haakon, zei Elis.

De dokter knikte.

Weet je hoe oud je bent?

Twaalf.

Weet je het zeker?

Nee.

Weet je nog iets van vroeger?

Elis schudde van nee. Maar daarop zei hij dat hij zich een rivier herinnerde. Dat had hij tegen de houthakkers gezegd, dat hij bij een rivier geboren was.

Weet je het zeker?

Ja.

Bij een rivier geboren zijn leek veilig, want er was geen rivier in Svartvattnet. Hij had er nog nooit een gezien voordat hij aan de Noorse kant van de bergen kwam. Maar meteen schaamde hij zich. Want de dokter was vriendelijk.

Die zuchtte en zei dat Elis een naam moest hebben. Ze moesten hem iets kunnen noemen en hij had een naam nodig als ze in hun boeken schreven over zijn ziekte, over de bacteriën en de koorts. Hij moest zelf zeggen hoe hij genoemd wilde worden.

Elis was zo beduusd dat er lange tijd niets uit hem kwam. Maar de dokter toonde geen ongeduld. Hij zat hem rustig te bekijken en hield weer zijn pen tussen de toppen van zijn wijsvingers.

Ten slotte zei Elis dat ze hem misschien Elias konden noemen. Als dat mocht. De dokter vroeg iets wat hij niet verstond, een lange woordenreeks. Het maakte hem bang. Hij was altijd bang voor zulke dingen. Het kon immers aan het licht komen dat hij alleen de taal verstond die mama en tante Bäret spraken. Hij zou denken dat Elis nooit naar school was geweest. Maar ten slotte vroeg de dokter kortweg in het dialect van de streek:

Waarom?

En toen verstond hij het. Maar het was niet gemakkelijk om een reden te verzinnen. Hij zei dan maar dat hij aan Elias in de bijbel had gedacht.

Je bedoelt Elias die in een vurige wagen met vurige paarden ten hemel voer? De profeet?

Ja, zei Elis.

De dokter noteerde de naam en nam als achternaam Elv, het Noorse woord voor rivier. Want Elis herinnerde zich niet de naam van zijn vader of die van de boerderij waar hij geboren was, alleen een rivier. Hij schreef ook dat Elias Elv twaalf jaar was. Het ergerde Elis dat hij weer een kind werd, hij die al veertien was – weldra vijftien. Maar hij zei er niets van. Want eigenlijk was het ook goed. Niemand zou geloven dat een twaalfjarige had meegemaakt wat hij had meegemaakt.

Vervolgens gingen ze naar de behandelkamer en de dokter zei dat hij zijn jasje en hemd moest uittrekken. Hij beluisterde hem opnieuw en vroeg hem te hoesten. Toen hij eenmaal begonnen was, kon hij niet meer ophouden. Maar de dokter lette er niet op, want hij had het litteken op Elis' achterhoofd opgemerkt. Zijn vingers betastten het heel nauwkeurig. Ten slotte rolde hij een stukje van hem weg. Er zaten wieltjes onder zijn stoel. Een lange poos zat hij hem aan te kijken zonder iets te zeggen. Neus, wangen, het vel onder zijn ogen – alles hing aan dat langwerpige gezicht. Elis was zijn hemd aan het aantrekken toen de vraag kwam:

Ben je van huis weggelopen?

Hij antwoordde niet, keek niet eens op. Het stond hem plotseling tegen deze dokter van alles voor te liegen. Het werd weer helemaal stil.

Als je van huis weggelopen bent omdat ze je geslagen en mishandeld hebben, zei de dokter, dan kun je dat aan mij vertellen.

Elis zweeg en trok zijn jasje aan en knoopte het dicht zonder hem aan te kijken. De dokter rolde weg op zijn stoel en begon het spuugmonster te onderzoeken aan een bank waarop een glazen buisje in een houdertje stond. Hij zei zonder om te kijken dat Elis minstens veertien dagen het bed moest houden. Daarna zouden ze wel zien. Als de koorts zakte.

Ondertussen moet je maar over je levensverhaal nadenken, zei hij. Misschien dat je me iets te vertellen hebt als je de volgende keer komt.

Toen hij terug in bed was, vroeg hij een boek om te lezen. Hij was eigenlijk bang om wat dan ook te vragen. Vooral omdat ze hem misschien lieten betalen. Maar dat risico moest hij nu nemen.

De verpleegster – nu was het een vrolijke jonge meid, nog in opleiding, met vol zwart haar in een dikke, opgestoken vlecht – kwam terug met een bijbel. Hij merkte dat Arild en Flakkstad een beetje verbaasd waren. Ze mochten denken wat ze wilden. Als ze maar wisten dat hij kon lezen.

De dokter zou langskomen, dat wist hij. Hij deed elke dag zijn ronde met een heleboel verpleegsters en sprak met de patiënten en bekeek de papieren in de metalen lijst boven het voeteneinde. Daar stond hun koorts met rode inkt afgebeeld. Je zag hoe die omhoog kroop en dan trapsgewijs duikelde en weer omhoog kroop.

Elis zat almaar te lezen. Hij was niet van plan om zijn bijbel opzij te leggen als de dokter kwam. Misschien zou hij wel een stukje moeten voorlezen. Vermoedelijk vroeg de dokter hem dan om over de profeet Elias te lezen. Hij bladerde. Ergens moest dat verhaal te vinden zijn. Hij voelde zich koortsig, maar dat was omdat hij zo ongeduldig was en bang dat de dokter zou komen voor hij de profeet had gevonden.

Later op de avond vond hij de plaats: Het geschiedde nu, als de Heere Elia met een onweder ten hemel opnemen zou...

Elia!

Zeg dat het niet waar was. Hij heette niet eens Elias. Of toch niet in het Noors. Het was blijkbaar Zweeds en nu had hij zich verraden.

Toen de dokter de volgende morgen langskwam, durfde hij zijn bijbel niet te laten zien. Hij had het boek in de kast gelegd waar het spuugflesje en zijn pantoffels stonden. Hij kon alleen maar hopen dat de dokter was vergeten wat Elis over de profeet had gezegd.

Hij ging door met lezen, want hij had niets anders te doen. En op die manier ontliep hij ook lastige vragen. Arild en Flakkstad hadden respect voor de Heilige Schrift. Ze waren de kluts kwijt. Voor zijn part dachten ze maar dat hij streng gelovig was. Wat kon hem dat schelen?

Er was er ook nog een die Elisa heette. Die bleef op de grond achter toen Elia ten hemel voer en daarbij zijn mantel verloor. Hij nam Elia's mantel en toen ging hij heen en hielp de mensen. Er was een jongen die hoofdpijn kreeg en doodging.

Maar zijn moeder riep Elisa, hij die op aarde achtergebleven was. En toen kwam er iets merkwaardigs:

> *En toen Elisa in het huis kwam, ziet, zo was de jongen dood, zijnde gelegd op zijn bed. Zo ging hij in, en sloot de deur voor hen beiden toe, en bad tot den Heere. En hij klom op, en legde zich neder op het kind, en leggende zijn mond op deszelfs mond, en zijn ogen op zijn ogen, en zijn handen op zijn handen, breidde zich over hem uit. En het vlees des kinds werd warm. Daarna kwam hij weder, en wandelde in het huis eens herwaarts, en eens derwaarts, en klom weder op, en breidde zich over hem uit; en de jongen niesde tot zeven maal toe; daarna deed de jongen zijn ogen open.*

Tore beweerde dat ze hem onder een boomwortel door hadden getrokken. Tegen de Engelse ziekte. Dat moet gebeurd zijn toen hij een jaar of drie, vier was. Maar ik heb dat verhaaltje nooit geloofd. Er was zo veel dat hij vertelde. Ik herinner me hem nog aan de keukentafel met een thermoskan die hij in een paar uur tijd leeg kon drinken. Zijn tanden waren bruin van de koffie. Naast het kopje had hij zijn tabletten op een rijtje gelegd. Ze lagen precies langs een streep in het tafelzeil. Het pakje sigaretten en de aansteker lagen ernaast, langs een andere streep. Een beetje pedant was hij wel.

Die boomwortel, zei hij, dat was zijn eerste herinnering. De tweede was toen Docka wierp en zijn papa Halvorsen hem vertelde dat het veulen zijn paard zou worden. Daarom mocht hij zelf een naam voor de pasgeboren merrie kiezen. Daar stond hij ineens met zijn mond vol tanden. Hillevi maande hem aan om nog eens naar het veulen te gaan kijken, dan zou hij zien hoe het heette. En ze had gelijk, zei Tore. Toen hij in het duister het doffe getrappel van Docka hoorde die met haar hoeven schuifelde, en in het licht van het stalvenster de ogen van het veulen zag, wist hij dat ze Robijn zou heten. Maar ik was toen al ouder, zei hij. En het was lang na die wortelgeschiedenis.

Eerst roeiden ze naar de overkant van het meer. Het moest vroeg in de morgen geweest zijn want er hing mist. Hij zat bij Hillevi op de achterdoft. Een oude vrouw roeide. Hij zat in een deken gehuld, een grijze met blauwe strepen.

Hij wist nog hoe ze door het bos liepen, steeds bergopwaarts. De grote sparren aan weerszijden van het pad joegen hem schrik aan. Het waren oude bomen met kromme takken en grijs rijshout onderaan en er zaten heksenslierten van in elkaar gegroeide twijgen in de kruinen.

En dan was er dat ingezakte huisje op de berg. Daar was hij ook bang voor. Het moet de hut van de Eekhoorn zijn geweest die hij zag. En toen kwamen ze aan bij een grote spar met een dikke wortel die op de ruige arm van een reus leek. Hij vormde een lus boven de grond, dus ze hadden hem zeker uitgegraven. De grond zag er platgetrapt uit en er groeiden geen mos en geen bosbessenstruikjes op die plek. Hij weet nog hoe hij schreeuwde toen hij onder de wortel door moest kruipen. Maar Hillevi was niet te vermurwen. De oudere vrouw stond aan de ene kant en zij aan de andere. En mijn mama maar duwen en die mevrouw trekken, zei hij.

Het liep in elk geval tegen de jaren twintig. De mensen hadden ontromers en gietijzeren fornuizen en vleesmolens en trapnaaimachines. Svartvattnet had elektra van de waterval gekregen. Niet langer die kleine tikker met stroom voor het pension, maar een echte centrale die het hele dorp voorzag. Ik denk niet dat de mensen nog steeds zo bijgelovig waren dat ze hun kinderen onder oude boomwortels door trokken. En vooral Hillevi niet.

Verhalen kunnen zo wonderlijk zijn, zelfs als ze verzonnen zijn. Ik zie het voor me: Hillevi met haar zoontje dicht tegen zich aan in de mist. Ik hoor de slagen van de roeispanen. Ik zie de oude vrouw roeien. Ze zijn volkomen stil. En het zwarte water zuigt aan de roeispanen.

Hij had nauwelijks zijn bijbel opzij gelegd, of Arild stond bij zijn bed en vroeg of de dokter had gezegd waar hij heen moest.

Wat wordt het, tuchtschool of weeshuis?

Hij antwoordde *kweenie* en deed zijn ogen dicht. Maar hij vond geen rust vanbinnen, dus keek hij weer op en vroeg:

Tuchtschool? Wat is dat?

Toen hoorde hij dat er inrichtingen bestonden waar ze weglopers in stopten. Arild stond over hem heen gebogen. Zijn gezicht leek los te hangen. Zijn ogen liepen en de huid eromheen hing slap.

Elis had hem op zijn smoel geslagen als hij niet op zijn rug lag en zo zwak was. Net zo zwak als die verdomde teringlijer met dat loshangende vel van hem. Grijs was het. Die vent was helemaal grijs. Niet grijs als een wolf of als een wollen werkbroek, niet als de stenen van een keldermuur of de pissebedden onder een hakblok. Maar grijs als het goedje op de bodem van een spuugbak.

Hij was er zo een die niets alleen aankon. Had hulp nodig om zich aan te kleden en te eten. Hij at en dronk en ging naar de waskamer en verzorgde zich als een meisje. Frunnikte aan heel zijn lijf. Sliep de ene helft van de dag en rustte de andere.

Een teringlijder.

Grijze botten met slap vel erover. Zijn borst piepte als een kapotte trekharmonica. Hij zou nooit meer kunnen werken. Maar zijn praatjes dropen als hoestslijm uit zijn smoel. Hij wilde altijd alles uitleggen aan Elis.

Vanuit de badkamer had hij naar een gebouwtje aan de achterkant van het huis gewezen. Het raampje zat hoog, je moest op een bank klimmen om naar buiten te kijken. Dat huisje was wit met een zwart dak en zonder vensters. Daar legden ze je als je doodging. Hij zei dat ze de doden 's nachts in zwarte doeken wegdroegen. Maar sommigen waren alleen maar schijndood.

Hij zag er opgewekt uit toen hij dat vertelde. Net zoals toen hij het had over die verbeteringsgestichten en weeshuizen. Elis hoorde zijn stem, het gezeur, maar sloot zijn ogen en zweeg. Hij was geen kind dat ze in een inrichting konden stoppen. Als die grijze zeikerd het eens wist. Hij zou in iets ergers dan een tuchtschool belanden als hij niet zweeg als een graf. Het was goed dat ze dachten dat hij twaalf jaar was. Een jongen van twaalf is nog een kind en heeft niets misdaan. Niet zoiets. Niet iets waarvoor je naar de gevangenis moest.

Hij besefte nu dat hij werkelijk tering had. Het was waar. Dadelijk zou het afgelopen zijn. Hij zou stijf worden en sterven.

Hij wist niet hoe het was om te sterven. Tja, je ging dood. De mensen werden bang voor je. Je bleef de hele tijd op dezelfde plek liggen. Mama, die lag op het kerkhof in Röbäck. Toen ze werd begraven, zei de dominee dat de kerk het zeil was en het kerkhof met het witte hek het schip. Je moest je voorstellen dat het schip recht het meer op zou varen, zei hij. Maar op de dag des oordeels zou het uitvaren in de eeuwigheid met al zijn doden.

Het was niet zeker dat dominee Norfjell daar zelf in geloofde. Hij zei altijd dingen die mooi klonken. Nu was hij waarschijnlijk zelf dood, want hij was bedlegerig geworden na een beroerte. Voorzover Elis wist, ging het met een dominee niet anders dan met het eerste het beste kalf.

Wie doodging, rotte weg. De ogen werden mat en ten slotte bleef er slechts een brij van over. Het haar viel uit. Alles loste op.

Iemand die tering had, begon al op voorhand te rotten. Van binnenuit.

Longen zijn als blazen, had Arild gezegd. Binnenin zit een grijs kleverig goedje dat rondwentelt.

Dadelijk zou het afgelopen zijn. Hij zou zelf doodgaan. Daarom had hij een klok horen luiden in zijn rechteroor. Hij was zo dom geweest om te denken dat hij dezelfde avond nog zou sterven.

De tering zat in heel zijn lichaam en brandde als een lamp in zijn borst. Dadelijk was het uit met hem. Als het allemaal in je borst opgebrand was, ging je dood.

Die ochtend zeiden ze dat hij eigenlijk naar de kinderzaal moest komen. Maar hij mocht blijven liggen, want de dokter had gezegd dat hij in de puberteit was gekomen. Hij was te bang om te vragen wat dat was. Hij vroeg zich af of daarna dat blazen en branden zou komen. Maar aan Arild wilde hij het ook niet vragen. Hoewel hij geen afkeer meer van hem had. Hij was ook niet meer zo kwaad op hem. Hij was niets.

Lange tijd lag hij te denken hoe het was om niets te zijn. Toen kwam dat meisje met het zwarte haar. Ze zei dat hij zijn pap moest opeten. Het was de leerling-verpleegster; ze moesten juffrouw Aagot tegen haar zeggen. Hij dacht aan de dochter van de handelaar, thuis in het dorp. Die heette ook zo en had ook donker haar. Ze vroeg of hij de dagorde in de gang had gelezen. Hij wist niet wat dat was. Het was een getypt blad, zei ze, en hij zou er goed aan doen het te lezen. Want dan zou hij zien wat hij ging doen wanneer hij over veertien dagen zijn bed uit mocht. Dan zou er veel veranderen, zei ze. Hij zou met de kinderen naar school mogen gaan en misschien wel wandelen. Ze vroeg of hij dat niet leuk zou vinden en zei dat hij nu maar snel weer beter moest worden zodat hij zijn bed kon verlaten.

Dit lange gesprek gaf veel stof tot nadenken.

Ten eerste had ze hem opgedragen om de dagorde te lezen. Dus had ze gezien dat hij kon lezen. Misschien zou ze dat aan de dokter vertellen. Ten tweede had ze het over pret maken en spelen gehad. De directrice, de verpleegsters en die badjuffrouw waren allemaal karig met woorden. Ze gaven bevelen, niets anders.

Gebruik je spuugpotje!

Handen wassen!

Hij begreep wel dat ze niet zouden slaan als je niet luisterde. Maar het leek toch het verstandigste om te doen wat ze zeiden. Ze hadden iets strengs en beangstigends. Maar die met het zwarte haar was anders. Ze praatte tegen Elis als tegen een kind.

Zou hij dan toch in de kinderzaal belanden?

Voortaan was hij Elias Elv. Dit was zijn eerste dag. Het was beter dan niets te zijn. Maar hij was er niet zeker van of het beter was dan niemand te zijn. Hij was Elias Elv, twaalf jaar, en ging rechtop in bed zitten om zijn havermoutpapje met gedroogde pruimen te eten. Dit waren zijn taken: eten, pissen, schijten, zich wassen met een lap en zijn voeten wassen met een borstel. En rusten. Dat was het werk van Elias Elv.

Zijn *levensverhaal*, zeg maar.

Hij voelde zich beschaamd en kneep zijn ogen weer dicht. Had hij maar potlood en papier gehad, nu hij alleen was. Maar hij had alleen die verrekte bijbel, waardoor de anderen dachten dat hij zo'n leespiëtist was. Echt alleen was hij overigens nooit. Aan de overkant van de zaal lagen twee anderen die zich ook niet mochten aankleden om rond te lopen. Er kwamen geluiden van hen vandaan.

Gepiep, gerochel. Hoesten en hijgen. Zuchten. Kraken. Snot en spuug.

Daarop begon hij zelf te hoesten. Het scheurde in zijn borst en zwarte vlekken dansten voor zijn ogen. Daarna zweette hij bijna evenveel als 's nachts.

De zaal had witte, gekalkte muren. Tussen de ramen hing een schilderijtje van Jezus. Hij droeg een wit kleed en stond op een groene wei met zijn handen gespreid. Rondom Hem waren bloemen en de lucht was blauw. Andere schilderijen waren er niet. Er waren alleen nog de acht bedden, de nachtkastjes en een tafel tussen de ramen. Er stonden twee stoelen bij de tafel. Op het tafelblad lag een kleine, dwarsgelegde roodgeruite doek en daarop stond een kamerplant met grote bladeren. Een kamerplant, herhaalde hij, maar nu in het Noors. Ik mag niet uit mijn rol vallen. En hij oefende: Nachtkastje. Kamerplant. Spuugpot. Pisfles. Zakdoekhouder.

Aan de hemel dreven dunne wolken. Ze waren als witte rookslierten uit een pijp waar je het blauw doorheen zag. En boomtoppen. Spar. Den. Berk.

Gesuis. Gebruis.

Aan de overkant gedruppel. Dan een volle straal in een fles. En dan drop, drop, drop. Kraak, kraak. Steun. Hoest, hoest, hoest, hoest. Zucht. En ver weg voetstappen op de kurkvloer. En stemmen. Eigenlijk was het nu kuurtijd en moest het stil zijn.

Hij stond op en liep naar het raam. Nu had hij een goed uitzicht op de bomen. Het was maar een groepje, geen bos. Het landschap liep zacht omlaag. Geploegde akkers met restjes sneeuw in de voren. Een glimp blauw water. Was dat de zee? En vlakbij een grindveldje met een vlaggenmast. Zoals bij de dominee van Röbäck.

Hij hoorde voetstappen en kon nog net op tijd weer in bed kruipen. Toen ze binnen kwamen, nam hij zijn bijbel en begon te lezen. Deze keer lag hij niet te bladeren maar begon van voor af aan. Er stond:

In den beginne schiep God den hemel en de aarde. De aarde nu was woest en ledig, en duisternis was op den afgrond; en de Geest Gods zweefde op de wateren. En God zeide: Daar zij licht! en daar werd licht.

Dit was waar leraren en dominees in geloofden. Zeiden ze tenminste. Serine geloofde er ook in. In God en in Jezus. Ze geloofde dat Jezus alles zag wat ze deden.

Ziet die ook wat onze ouwe doet? had Elis gevraagd. En ze dacht van wel.

Krijgt hij dan straf voor altijd?

Maar ze had haar hoofd geschud.

We krijgen allemaal vergeving, zei ze.

Dat was haar geloof.

Maar die rib die een vrouw werd en die slang die een vrucht aanbood, dat kun je toch niet geloven? sprak een stem in zijn hoofd. Serine was even buiten om voor de koeien en schapen te zorgen. Zo gauw ze binnen kwam, zou hij het hardop zeggen. Hij zag haar gezicht voor zich. Op hetzelfde ogenblik schrok hij in afgrijzen op.

Want dat was het ergste van ziek en bedlegerig zijn: je kon je gedachten niet verdrijven. Je viel eraan ten prooi. Er was duisternis die je zelfs niet even mocht beroeren, of je werd er helemaal in opgeslokt.

Wil je horen hoe de dood en de waanzin in ons leven komen?

Nee, nee, dat wilde hij niet horen. Over zulke dingen wilde hij niet nadenken. Daarom moest hij lezen over de slang die listiger was dan alle andere dieren en over Kaïn die zijn broer Abel te lijf ging en hem doodde.

Pas toen hij bij de Zondvloed kwam, vond hij dat hij iets zinnigs te lezen had. Hoewel, er stond dat Noach zeshonderd jaar was toen die overstroming kwam. Dat kon niet juist zijn. Maar voor de rest. Het was slim om een ark te bouwen voordat de vloed alle huizen op het erf verzwolg en de akkers onder water zette.

Hij dacht aan het hoogwater thuis, in de lente wanneer het smeltwater niet tegen te houden was. Sommige jaren zette de dooi zo laat in dat de sneeuw tegelijkertijd in het bos en op de bergflanken ging smelten. Al het water kwam dan in één keer. Het stortte uit de beken en riviertjes in het meer dat bij Lubben de laagste weilanden overstroomde. Het was niet moeilijk je in te denken hoe het zou worden als er steeds maar water uit de bergen kwam terwijl het aanhoudend regende. Wanneer er een echte zondvloed zou komen. Dan zou het water met de dag stijgen. De koeien en schapen en varkens zouden in het water rondzwemmen en proberen een droge plek te vinden. Dan was het goed bekeken om de beesten in een drijvende ark te stoppen totdat de hel over was.

Toen hij over Noach las, dacht hij de hele tijd aan zijn grootvader. Hij kende zijn *levensverhaal* net zo goed als wanneer het in de bijbel had gestaan. Met aren en hectaren en met jaartallen en bedragen. Wie van de kinderen of kleinkinderen van Erik Eriksson van Lubben kon die geschiedenis niet beter en sneller opdreunen dan het verhaal van Adam en Eva? Zijn vrouw heette overigens Eva. Soms gebruikte hij haar voornaam. Meestal zei hij moeder de vrouw.

De ouwe dronk soms. Niet vaak, dat moest je toegeven. Maar soms kreeg hij het in z'n kop om een fles op tafel te zetten en dan was hij in een goede bui. Of wat het ook moest voorstellen. Hoe dan ook, hij praatte en iedereen moest horen wat hij te zeggen had.

Ik zal eens vertellen hoe het gegaan is, zei hij.

En dan vertelde hij iedere keer hetzelfde over het boerderijtje op Tangen, dat later Lubben werd genoemd, naar de ouwe zelf.

Hij was er in 1887 aangekomen met zijn vrouw, drie kinderen en een koe. Elis' vader Vilhelm was het oudste kind, hij werd geboren in 1880. Het jongste kind was een dochtertje, Anna, zes weken oud.

Erik Eriksson had voor vijfhonderd kronen zes are grond gekocht. Dat was gelijk aan een tweeënderdigste deel van een morgen. En hoeveel was een morgen?

Hij overhoorde ons. Wee degene die fout antwoordde of zo bang werd dat hij helemaal niet kon antwoorden. Want dit was de bijbel thuis in Lubben. Dit was het Boek Genesis met Eriksson zelf als God, Adam en Noach. En Job trouwens ook. Maar dat kwam later.

Hij kwam er in de lente en bouwde een hut van twee dozijn planken. Maar de eerste nachten sliepen ze alle vijf nog onder het tafelblad van een baktafel. Heel de zomer tot een eind in de herfst kookte zijn vrouw buiten op een haard die hij van leistenen had gebouwd.

In juni ontgon hij een lap grond. De bodem daar op Tangen zat vol stenen en was zwaar om te bewerken. Wat later in de zomer maaiden ze hooi voor een koe. In de vroege herfst timmerde hij een koeien- en een paardenstal en kloofde hij hout voor de zoldering. Hij richtte de stal in met de planken van de hut en het gezin trok erin samen met de koe. Hij zette netten uit in oktober en ze leefden van gepekelde vis tijdens de wintermaanden.

Tijdens de winter verdiende Eriksson driehonderd kronen als houthakker. In de lente rooide hij en tijdens de zomer haalde hij zeggehooi binnen en kreeg het met de buren aan de stok over het veenland waarop hij mocht maaien. Hij gaf niet toe en de vijandschap was voor altijd. Hij maaide hooi op de boswei en verzamelde loof en lijsterbesschors. Nu had hij wintervoer voor twee koeien en een merrie die een veulen ging krijgen.

De zomer daarop bouwde hij het woonhuis en omheinde hij zijn boerderijtje.

Nu vroeg hij zijn kinderen en kleinkinderen hoeveel vadems omheining hij had geplaatst. Dan moest je opspringen en antwoorden:

Negenhonderdvijftig!

Als je hachje je lief was.

Tijdens de winter was het weer houthakken en in de lente stammen vlotten. Hij ontgon nog meer grond en leende in het dorp een ploeg en een eg.

In 1909 had hij twee en een halve hectare grond in cultuur gebracht.

Hoeveel morgens zijn dat? vroeg hij toen hij bij dit belangrijke jaartal gekomen was. Dan antwoordde je:

Vijf!

Eriksson had nu een goede stal en een latrineput, een voorraadschuur en een hok en ook twee schuurtjes op de buitenweiden.

Hoeveel vrachten steen had hij in totaal uit de grond gehaald?

Zesduizend!

Hij had een paard, twee koeien en drie vaarzen, elf geiten, acht schapen en een ren kippen. Hij verkocht boter, kaas en aardappels voor vierhonderd kronen per jaar. Hij had elf kinderen gekregen van wie er negen overleefden. Alles ging goed. Al rijpte de gerst meestal slecht.

En toen?

Toen kwam er een herverkaveling.

Hoe kreeg hij dan betaald voor zijn werk?

Hij kreeg schulden.

Hoeveel schulden had hij?

Nu deed je er goed aan je een beetje terug te trekken in de kamer. Maar antwoorden moest je wel:

De schuld was vastgesteld op drieduizend kronen. Een lening werd aangevraagd, maar die werd afgewezen door de Landbouwcoöperatie.

Dat was het verhaal van Lubben. Zo diep zat de vreselijke bitterheid van deze man dat niets die kon genezen. Hij beklaagde zich voor God noch voor de Landbouwcoöperatie. Hij verscheurde zijn kleren niet en strooide geen as in zijn haar. Maar hij sloeg.

Als je de ouwe hoorde, zou je geloven dat hij als Adam geweest was daar op Tangen en dat hij nergens vandaan kwam. Maar hij had vijfhonderd kronen bij zich, een vrouw en drie kinderen, een koe, een bijl en een zaag, pannen en een baktafel. En hij kwam eigenlijk van niet verder dan de overkant van het meer. Tante Bäret wist dat. Zij kwam helpen toen mama dood was. Ze ging naar de boerderijen om te kwebbelen, zei de ouwe. En de monden stonden niet stil. Ze kwam uit Jolet, maar dat nam niet weg dat ze veel wist over Eriksson van Lubben. Zelf vertelde hij nooit over het huisje bij de Brannberg en ook niet over zijn pa, die de Eekhoorn genoemd werd.

Dat was een man van het bos, in hart en nieren, zei tante Bäret. Hij rooide niet eens een aardappelveldje, maar haalde zijn levensonderhoud uit het bos. Ze had hem gezien in zijn jeugd. Toen droeg hij een dikke wollen trui en een muts van otterbont. Zijn riem zat strak zodat hij vogels en eekhoorns onder zijn trui kon stoppen. Zijn broek had geen gulp maar een gleuf aan de achterkant en aan zijn voeten droeg hij schoenen van elandhuid met hoornen beslag onder de hielen.

Hij had een vrouw uit een Lappenfamilie met wie hij nooit zou trouwen. Ze woonden in een plaggenhut die hij tegen de berg aan gebouwd had. Hun eten was meestal gevogelte uit het bos, dat gepekeld, gedroogd en gerookt werd. Een enkele keer schoot hij een eland, hoewel ze zeldzaam waren. Hij had een jachtbuks en was zo zuinig met het lood dat hij de kogels uit de aangeschoten dieren peuterde om ze opnieuw te gieten. Eekhoornvel stroopte hij af als een kous van zijn voet. Op de muur achter de haard, die geen muur was maar de ruwe bergwand, plakte hij de witte eekhoornmaagjes. Daar hingen ze vol zaden te drogen. Of hij braadde de magen van die kleintjes op een kolenvuurtje, want hij beschouwde dat als een lekkernij.

De man viste ook en het was het forellenvet waar ze kracht uit putten. Hij ving kwabalen die als boomstammen op de bodem lagen. Zijn vrouw was verzot op de lever. Zelf zoutte hij de ingewanden en kookte die tot pap.

Ze kregen kinderen in hun huisje, maar alleen hun zoon Erik bleef in leven. Hij was klein maar heel sterk. Niemand had gedacht dat er iets van hem zou worden, want tot hij confirmatie deed, had hij enkel en alleen op eekhoorn en marter gejaagd. Maar hij was degene in het gezin die vogels strikte en knippen en boomvallen uitzette en naar het dorp roeide met veren en dons, met gedroogde vogels, vellen van eekhoorns, marters en otters, en die alles ruilde voor dingen die ze nodig hadden. Zijn pa had met zout, meel en kruit genoegen genomen. Maar Erik wilde meer dan die eenvoudige ruilwaren. Er werd nu volop hout gehakt en arbeiders en voerlieden werden in contanten betaald. Na zijn confirmatie begon hij 's winters mee te trekken met houthakkersploegen. Hij was zwijgzaam en lichtgeraakt maar werd gerespecteerd om zijn lichaamskracht.

Zijn vader en moeder stierven in dezelfde strenge winter. Hij kwam met een voorraad eten over het meer geskied en trof ze helemaal verstijfd aan in huis. Hij kon er niet anders van denken dan dat ze het opgegeven hadden, zei hij tegen Pål Isaksa, bij wie hij die winter houthakte. Maar hij begreep niet waarom. Er was vet spek over in een ton.

Er werd over deze sterfgevallen gepraat in het dorp. Men vermoedde dat de Eekhoorn aan een beroerte gestorven was. Toen de vrouw die Eriks moeder was, alleen achterbleef, was het misschien begrijpelijk dat ze het vuur liet uitgaan.

Hij is dood die geen vuur heeft, had de Eekhoorn gezegd toen hij nog leefde.

Erik was 's winters bosarbeider en ging door met het strikken van vogels en de jacht op pelsdieren. Toen de hooioogst over was, ging hij boomstronken uitbreken en teer koken aan de overkant van het meer. Nu gunde hij zichzelf niets en spaarde elke öre. Zodra hij vierhonderdtachtig kronen bij elkaar had, leende hij er nog twintig van Pål Isaksa en kocht zijn zes are grond op Tangen. Hij trouwde met een dertigjarige vrouw uit Skinnarviken, die al drie kinderen van hem had.

Elis dacht hier even over na. Dat had hij nog nooit gedaan.

Hij vrijde met haar en onteerde haar, daar in Skinnarviken, dacht hij. Misschien in een schuur, en ze kregen drie kinderen. Die heetten Vilhelm, Isak en Anna. Toen Erik Eva tot zijn vrouw nam, kreeg hij nog eens negen kinderen. Een heette in ieder geval Halvar. En een Assar. En een heette Berit.

En Vilhelm kreeg Elis.

En Elis kreeg een meisje. Een klein meisje.

Zijn vader en grootvader behandelden hem slecht, dus liep hij weg van huis.

Elias!

Hij hoorde sloffende en rennende stappen in de gang en Arild die riep. Toen hij binnen kwam, had hij zijn warme grofwollen kleren aan omdat hij op het balkon had gelegen en hij had nog zijn stroschoenen aan en zijn capuchon op. Hij zwaaide met de *Adresse Avisen.*

Elias! Lees! Je staat in de krant!

Juffrouw Aagot kwam achter Arild aan hollen en zei dat hij stil moest zijn en terug naar zijn tentbed moest.

Je hebt ligkuur!

Ze nam hem bij de arm mee naar buiten. Maar de *Adresse Avisen* bleef achter op Elis' bed.

Hij werd heel bang. Alleen dieven of handelaars die liquideerden, stonden in de krant. Papa zei altijd dat hun naam bezoedeld werd in de krant. Het was te horen dat hij dat hun verdiende loon vond.

De bijbel lag op de borst van Elis, de krant aan zijn voeten. Nu kwam juffrouw Aagot terug.

Heb je het gelezen? vroeg ze.

Hij schudde het hoofd. Ze nam de krant en las voor met een heldere meisjesstem:

> *Een jongen van vermoedelijk twaalf jaar met gevorderde longtuberculose is opgenomen in sanatorium Breidablikk, alwaar men nu zijn herkomst poogt te achterhalen. De jongen lijdt aan geheugenverlies en kan naam noch woonplaats opgeven. Hij was uitgemergeld en heeft een litteken op zijn achterhoofd dat vermoedelijk van een zwaar ongeluk komt. Verder heeft hij geen speciale kentekens, maar hij is slungelig en lang van gestalte met blauwe ogen en tamelijk licht haar. Met inlichtingen kunt u zich wenden tot geneesheer-directeur Odd Arnesen te Breidablikk.*

Nu zul je zien dat alles goedkomt, Elias, zei ze toen ze klaar was en de krant dichtvouwde.

Dit was ronduit gevaarlijk.

Dagenlang lag hij te wachten tot de dokter zou komen om te zeggen:

Nu weet ik wie jij bent.

Hij las in zijn bijbel om niet te moeten denken aan dingen waar hij niets aan kon doen. Uiteindeljk waren de veertien dagen om en de verpleegster zei dat hij op moest staan en zich aan moest kleden om naar de klas te gaan. De dokter had nog steeds niets gezegd en hij was tot aan het verhaal gekomen waar Saul kwaad werd op Jonathan. Hij was van plan de bijbel van begin tot einde uit te lezen, want hij wist dat er mensen waren die dat deden. Maar zover kwam het niet, nu hij uit bed moest.

Soms las hij 's avonds toch nog een beetje, maar dan zo hier en daar wat en het liefst verhalen die hij leuk vond. Het beste verhaal was dat van Elisa die dat kind tot leven wekte en het zeven keer liet niezen. Hij wist hoe dat voelde. Hij had het kleine meisje tegen zijn lichaam gehouden en haar gewarmd zoals de profeet had gedaan. Hij had haar leven gered.

De lentenacht was koud ondanks de brandende kachel. Buiten waren er schrille geluiden te horen. Eerst leek het op hondengeblaf. Maar welke hond kon vanaf het meer blaffen? Toen dacht Hillevi dat ze misschien de vleugelslagen van de doodsvogel hoorde.

De regen trok strepen op de ruit. Soms ging hij over in dikke sneeuwregen. De nacht was niet volkomen donker. Ze zag de Brannberg wanneer de buien afnamen.

De plaats waar een mens de dood ontmoet, wordt zijn knekelplaats genoemd. En meestal weet je wanneer je die plek bereikt hebt.

Sinds ze hierheen verhuisd was, had ze natuurlijk al veel onzin gehoord. En vooral over ziekten. Volkspraatjes.

Maar het meer daarbuiten was ook een knekelplaats. Voor velen, dat had ze wel begrepen.

Het kind hier in huis. De fluitende ademhaling. De geur uit de ontstoken keel. De droge warmte van de zieke huid. Hij schuurde als een zaag die door droog hout ging.

Hillevi stond met haar voorhoofd tegen de vensterruit te luisteren naar het geluid uit zijn gepijnigde keel. Ze wilde zo graag het ventilatieluikje in het raam openzetten en de vochtige lucht laten binnenstromen. Maar ze durfde het niet.

Zijn knekelplaats. Hij zaagde zich naar de dood.

Deze gedachte bekroop haar en vulde de late nacht. Zulke angst had ze nog nooit van haar leven gehad. Eerder had de schrik zich in haar buik bewogen als een warm dier. Maar deze angst was koud. Achter haar zaagde de *stridor* zich langzaam uit het lichaam van de jongen. Ze ging weer kijken bij het bed.

Het was de derde dag sinds het bezoek van de dokter. 's Avonds had ze de keel van het kind met kaliumchloraat gespoeld, wat ze vier keer per dag deed en ze vond dat het er beter op geworden was. Hij had 's avonds laat een beetje gegeten. Een tarwemeelpapje met boter en suiker. Hij zat een tijdje rechtop in bed en probeerde te spelen met enkele lege garenklosjes aan een touwtje, tastend. Stilaan dommelden ze allebei in, zij op een matras die Trond in de kinderkamer had gelegd.

Ze was wakker geworden van zijn gehuil en had onmiddellijk begrepen dat hij in ademnood was. Ze had de indruk dat zijn lippen blauwachtig waren. Maar dat was moeilijk te zien in het zwakke lamplicht. Zijn lichaampje zwoegde en maakte een piepend geluid terwijl hij probeerde naar adem te happen.

Stridor. Dat was dokterslatijn voor het gefluit. Nu was het gekomen. Het klonk als een zaag. Ze tilde Tore op tot hij half zat en merkte dat het zo iets beter ging. Telkens als hij inademde, voelde ze hoe hij probeerde zijn kleine ribbenkast te verwijden. Maar hij kreeg niet genoeg lucht. En het matte hem af. De zaag piepte. Floot.

Zijn pols was nu honderddertig. Tijdens het meten werd die onregelmatiger en trager. Het leek alsof de jongen iemand anders was. De stank. En steeds dat gefluit. Hij was iemand anders. Hij had niet eens een naam.

Kleine Tore was haar kind. Geurde naar bloemblaadjes, gorgelde en was altijd blij. Kon al papa zeggen en Siback en Docka. En Gitta voor de Gitzwarte. Had een koetsierszweepje gekregen en zat in een ondersteboven gedraaid keukenkrukje te mennen. Dat kind had je moeten zien, net een plaatje, met blonde lokken en een kiel en schortje aan.

Dit was een ander. Dit kind was lelijk.

Maar het was slechts een zieke ingeving in het vale licht. Een ogenblik raakten haar verstand en geheugen verbijsterd toen de wintermorgen langzaam te voorschijn sloop. Zodra ze zijn lichaam vastnam, herkenden haar vingertoppen het. Zo dun als het was. De zwakke ribben. Het haar dat nu vochtig was, had een zachte golvende lok in de nek, nog niet plakkerig van het zweet. Hij was het.

Stridor. Stridor. De zaag piepte. Zijn lichaam kreeg geen rust. Het was slap, het gezicht had een flets blauwe schijn. 's Morgens vroeg stond Trond bij de deur, verborg zijn tranen niet.

Inwendig maalde haar woede, tegen God, tegen Edvard. Het werkte als sterke koffie van echte bonen, het was het enige wat haar nog restte. De kleine Tore verbleef in een schimmenrijk waar niemand hem kon bereiken. Hillevi hield haar hand op zijn hete wangen, voelde hoe droog ze waren, hoe hij gloeide.

Zijn adem stonk. Deze lippen waren bloemblaadjes geweest. Nu hoopte er zich grauwgeel slijm op dat tot vliezen in zijn keel en op zijn gehemelte verdroogde. Ze spoelde en probeerde de stinkende brokken weg te krijgen.

De mensen staarden haar aan toen ze 's morgens in de winkel stond te telefoneren met haar neef Tobias. Ze hoorde zelf dat haar stem schel werd. Ja, dat ze ronduit riep. Hij probeerde haar te kalmeren; de jongen was niet ondervoed, hij zou de crisis te boven komen.

Toen ze naar buiten ging in de verblindende maartse zonneschijn, stond dat mens daar. Hillevi kende haar maar al te goed, maar had nooit een woord met haar gewisseld. Sorpa-Lisa.

Ze richtte kwaad aan, zeiden de mensen. Sopte beschimmeld brood en legde dat op een wond.

Nu zei ze:

Ik heb gehoord dat-ie slecht is. Het is vast en zeker de worgziekte. Zo loopt 't vaak af.

Hillevi antwoordde niet.

De afgelopen avonden had ze namelijk bij zijn bed stiekem in haar medicijnenboek zitten lezen. Ze kende de bladzijde vanbuiten, maar het was als een bezetenheid geworden. *Hoe meer de dood nadert, des te zwakker worden de samentrekkingen.*

Ze had geprobeerd hem te wekken maar hij was onbereikbaar.

De jongen was toch teruggekomen. Maar niet zonder afscheidsgeschenk. Het heette kroep. Of zoals dat mens met haar vuile handen zei: de worgziekte.

Hij was niet de enige die het kreeg. In de late winter van 1919 werden Svartvattnet, Skinnarviken en Röbäck door een difterie-epidemie getroffen. In de loop van drie weken stierven negen kinderen. Koortsig en verward droogden ze uit en kregen een hartverlamming of stikten als het slijmvlies in de slokdarm te dik werd.

Hillevi had geen huisbezoeken afgelegd tijdens de epidemie. Anders probeerde ze altijd te helpen. En ze had altijd gezegd dat besmettelijke ziekten niet over de drempel raakten van huizen waar er geschrobd en geboend werd, waar spuugbakjes stonden en waar kalk in de latrine gestrooid werd.

Difterie was een vreselijk woord. Het had haar zo verschrikt dat ze thuis was gebleven. Ze vond dat ze haar idealen verloochende. En dat was ook zo: ze verloochende haar geloof in reinheid. Door de besmette dorpsgenoten te mijden gaf ze toe dat de ziektekiemen ook keurige huizen binnen konden sluipen.

Ze had het niet willen geloven toen de koorts op de wangen van het kind oplaaide. Vervolgens voelde ze haat. Ze wist hoe de kiemen binnen waren gekomen. Speekselspatten. Niezen. Vingers die net rond de neus hadden gewreven. Ongewassen handen.

Die groezelige nabijheid.

Het werkvolk was bezig de scheidingen tussen zichzelf en de hogere standen te slopen en gelijkheid af te dwingen. Tijdens de oorlog hadden velen gevreesd voor revolutie en Sara had geschreven dat er op de daken rondom het koninklijk paleis in Stockholm machinegeweren opgesteld stonden. In Svartvattnet was het arme volk niet revolutionair. Het was een ander soort gelijkheid waar ze bang voor was. Het soort dat langzaam binnensijpelt. Dat ingeademde lucht bezoedelde en zich ermee vermengde.

Het was hier zo benauwd. Er waren te veel mensen te dicht bij elkaar. Vooral in de winkel. Een voortdurend wriemelen en wrijven tegen andere lichamen en kleren. Ze moest elke avond het spuugpotje legen en schoonmaken. En toch waren er nog die het niet gebruikten. Een echte manskerel spuugde in een richting die hij zelf koos.

Ze had spuugbakjes gepropageerd in iedere keuken, maar dat had niet veel uitgehaald. Loyaal droeg Verna Pålsa een van haar zonen op om zo'n ding maken. Maar als er visite kwam, schoof ze het onder de keukenbank zodat niemand zou denken dat ze verwaand was.

De toonbank waar kinderhandjes aan gezeten hadden, moest worden schoongeveegd. En de weegschaal: ze wilden aan de vogelbekjes voelen die het evenwicht aangaven. Ze poetste de deurkruk. Wanneer ze de vloer veegde, haalde ze het stof weg dat anderen aan hun laarzen naar binnen brachten en dat van vloeren kwam waar niemand een spuugpot gezet had.

Trond schrok van haar haat. Hij wist niet wat hij moest zeggen, hoe hij haar woede kon afleiden en dempen. Hij mompelde dat het voor iedereen hetzelfde was.

Voor iedereen hetzelfde.

Het was de bittere droesem in de kelk die ze leegde.

Ze dacht in die periode vaak na over God en over Zijn barmhartigheid. Edvard Nolins gezicht verscheen voor haar met zijn welgemoduleerde stem. Zo doofde de laatste opflakkering in de gloed. As bleef er nu over. As.

Ze zeiden dat de ziekte met de rondtrekkende Lappen uit Noorwegen meegekomen was. Maar dat geloofde Hillevi niet. Dan hadden de eerste gevallen zich moeten voordoen, kort nadat de Lappen naar het dorp waren gekomen. De late zomer met zijn vocht en de gistende herfst waren de juiste seizoenen voor een epidemie. Maar deze was in de maartse winter uitgebroken. Recht uit de hel kwam ze. En de dokter kwam uit Byvången en verspreidde machteloze woorden om zich heen. *Exantheem* noemde hij de uitslag en de pukkels. Hij onderzocht al op de tweede dag de tong, de gehemeltebogen en de keel van het kind. Het was overal gezwollen en rood. Een helder vocht liep uit het neusje, de ogen waren dof.

Zijn temperatuur was 's avonds maar achtendertig, zei Hillevi. Maar de dokter schudde zijn hoofd. Hij was gedrongen als een oude mannetjesdas. Ze vond hem irritant. Hij had verteld dat hij op Tangen geweest was en in hetzelfde gezin drie zieke kinderen had gezien. Over de jongste zei hij: *prognosis pessima.*

Hij excelleerde. Hij zei dat ze moest proberen om de *excoriaties* weg te krijgen. Dat deed hij omdat Hillevi een opleiding had gehad en verondersteld werd hem te begrijpen. Hij was opgewekt toen hij bij de handelaar kwam. Wellicht verwachtte hij een goed diner, misschien een cognacje bij de koffie en een grog, voordat hij met de slee aan de lange terugreis over de met nat ijs bedekte meren begon.

Hij moest maar naar het pension gaan als hij iets wilde eten. Hillevi week niet van haar plaats bij Tores bed. Beneden at Trond wat hij kon vinden, staand bij het aanrecht.

Tore sliep. Toen ze hem probeerden te wekken om hem te onderzoeken of om zijn keel te penselen, zonk hij onmiddellijk terug in zijn diepe slaap.

De dokter had een flesje gegeven waarop *Sol. chlor. ferrio. spir.* stond. Ze moest de jongen viermaal daags acht druppels in veel water geven. Ze bekeek het etiket.

Geloofde niet dat het zou werken en voelde een vage, diepe twijfel. Die deed haar opnieuw aan Edvard denken: het was zondig te wanhopen. Dat was de allerergste zonde, had hij gezegd.

Ze wist dat ze Edvard nu niet aan haar zijde verdragen zou hebben, biddend. Als het zijn kind was geweest.

In plaats van gebeden las ze in haar hoofd: sol. chlor. ferrio. spir., sol. chlor. ferrio. spir., sol. chlor. ferrio. spir. Het ritme dreunde in haar hoofd en maakt haar op den duur helemaal gek. Ze raakte de hals van de jongen aan en voelde dat de huid warm en vochtig was. Ze sliep enkele minuten, liet haar hoofd zakken.

's Morgens vroeg, Trond had nog maar pas de winkel geopend, stond die verschrikkelijke vrouw er weer. Als de dood zelf.

Ze keek omhoog naar de ramen. Wachtte af. Dacht dat krankzinnige mens werkelijk dat Hillevi Halvorsen, een gediplomeerde vroedvrouw, hulp zou aannemen van een bloedstelpster en handoplegster? Van iemand die met haar gore vingers in ontstoken onderbuiken wroette en kraamvrouwenkoorts verspreidde?

Hillevi had de mensen op zakelijke toon voor haar gewaarschuwd, en toen dat niet hielp, had ze gescholden. Ze had hun het geloof in die onwetende vrouw en haar kunstjes uit het hoofd willen praten.

De lijkbaar. Daarop hadden zeven lijken gelegen waarna die vrouw, die ook aflegster was, er water overheen had gegoten en het had opgevangen om het aan de zieken te drinken te geven.

Ze stond lang buiten in de nattigheid. Hopelijk lekten haar schoenen. Dat ze maar doodviel.

Dat ze maar doodviel en dat Tore mocht leven.

's Middags was hij slap en blauwachtig maar het gefluit was niet meer te horen. Hij ademde kort en ondiep. Trond bleef bij hem terwijl Hillevi beneden naar neef Tobias ging bellen.

Kun je niet komen? riep ze. Desnoods moet hij maar een tracheotomie krijgen. Jij kunt hem opereren!

En daar stond het wijf weer, vlak bij de stroopton.

De crisis is voorbij voor ik bij jullie ben, zei hij.

Buiten op het erf stond ze oog in oog met Sorpa-Lisa. En toen zei ze iets wat ze nooit van zichzelf zou begrijpen. Dat het wijf binnen mocht komen. Ze kon koffie krijgen.

Ze rook sterk maar stonk niet. Hillevi goot de inhoud van de kan in de bezinkselpot en zette nieuwe koffie. Toen ze daar getweeën met hun kopje zaten, zei Hillevi:

Hier zal zeker niets meer helpen?

De vrouw dronk haar koffie zo heet dat haar tanden ervan moesten barsten.

't Is een erge ziekte, zei ze. Stuore namma.

Ze nam rustig de tijd, slurpte, doopte een beschuitje en zoog het weke brood op voordat ze opnieuw sprak.

Ja, een grote naam heeft ze, de worgziekte.

Hillevi wist dat alleen gevaarlijke ziekten, echte epidemieën een grote naam hadden. De pokken bijvoorbeeld. En tyfus.

Mijn moeder zei bosta. Dat zeiden ze in het noorden waar zij vandaan kwam.

Hillevi had gehoord dat Sorpa-Lisa's familie met de rendieren zuidwaarts getrokken was. Op bevel, welteverstaan. Ze hadden hun meer opgeblazen.

Bosttáhallat heette het. De zwelziekte. De keel trekt samen. Het komt uit de aarde. De worgziekte zeggen wij. Ja, die heeft een grote naam. Stuore namma, die kan kinderen worgen.

Ze slurpte weer aan haar koffie en sopte een broodje. Ze was getrouwd met iemand uit het dorp, een zekere Ante Jonsa, en ze hoedde een kudde geiten. Ze woonde allang niet meer in een hut bij haar volk. Hillevi zag dat ze niet zo vuil was als ze had gedacht.

Vroeger zaten er veel ziekten in de aarde, zei ze. Ze kwamen naar boven en namen de kinderen. Allen kregen de ziekte.

Deze lente is het bijna weer zoals vroeger, zei ze. Niemand heeft nog zijn eigen ziekte en de dokter kan er niks aan doen. Want de ziekte komt uit de aarde en niemand ontkomt eraan. Teerwater drinken helpt ook niet. Als de ziekte naar binnen wil, dan is ze niet tegen te houden. Of de mensen nu teer branden of niet. Ze geloven dat dat de worgziekte afschrikt. Maar stuore namma bekommert zich om niets, om geen geur niet en geen dokter niet.

Ze zweeg even en begon daarna gewoon over koetjes en kalfjes te praten. Dat Aagot naar Amerika was gegaan, hoewel ze nog maar zeventien jaar was. Dat Jonetta ging trouwen met een Lap en dat de lamppetroleum zevenentwintig öre de liter kostte. Dat was veel voor een arme vrouw, zei ze. Nu begreep Hillevi dat ze het doel van haar bezoek naderde, zoals zij het opvatte. Hoewel Hillevi niets had gezegd. Godbetert.

Sorpa-Lisa wilde geld hebben. Misschien niet nu. Maar later. Als de jongen het haalde. Dat was vrijwel zeker de bedoeling van het gekeuvel over de petroleumprijs. Maar het was toch moeilijk om te weten wat je aan haar had. Je kon haar blik nooit vangen. Grijze hoofddoek. Gebreide trui. Grofwollen rok. Een gestreept keukenschort met roetvlekken aan de voorkant. Lappenschoenen, flink doorweekt door de smeltende sneeuw. Ze was vast niet zo oud als ze eruitzag. Ze was nog maar een kind geweest toen haar familie een gedynamiteerd meer en een weggevaagd kalverland moest achterlaten en zuidwaarts trok. Hillevi wist dat het bijna dertig jaar geleden was dat de nieuwe Lappen naar het dorp waren gekomen.

Heb je een plukje haar? vroeg ze.

Hillevi moet zichtbaar in de war zijn geweest.

Van de jongen.

Trond hoefde niet te weten dat het mens binnen was geweest. Hij keek wel op toen Hillevi met een schaartje uit haar instrumententas de kamer binnenliep en een lok van het kind afknipte. Maar ze zei niets. Hij mocht denken wat hij wilde.

Sorpa-Lisa nam zwijgend het dichtgevouwen papiertje met de haarlok aan. Ze prutste eraan, vouwde het open. Toen nam ze de haarpluk tussen de duim en wijsvinger van haar linkerhand. Het papiertje stopte ze in een zak van haar schort. Daarop stapte ze op zonder een woord te zeggen.

Ze zeiden dat ze dodenwater uit de mond van lijken opving.

De volgende morgen kwam de ommekeer. De hele nacht had de koorts gegloeid. Tore ademde fluitend en werd steeds slapper na de verstikkingsaanvallen. Ze probeerde hem te laten drinken, maar zijn gekwelde, vergiftigde lichaam stootte alle vocht uit.

Ze zat in elkaar gezakt met haar voorhoofd tegen de witte spijlen van het bedje. Nog half slapend voelde ze de zonnewarmte en hoorde ze een koolmeesje in de berk bij het zijraam. Toen ze zich oprichtte, viel de zon op het gezicht van het kind. Haar eerste impuls was het af te schermen. Maar hij opende ineens zijn ogen. Ze zag onmiddellijk dat hij een andere blik had en toen ze zijn voorhoofd voelde, was dat niet meer warm. Hij maakte trage mondbewegingen en ze begreep dat hij uitgedroogd was en dorst had. Het water stond er al de hele nacht en was niet meer fris. Maar ze durfde geen tijd te verliezen en hield het kopje aan zijn gesprongen lippen. Hij dronk een beetje.

Hij lag in het zonlicht en keek haar aan. Blauw, blauw waren zijn ogen. Ze begon te huilen. Het was geen gesnik meer, geen schokkerige krampen zoals tijdens de ergste nachten. Haar tranen liepen zomaar over haar wangen en hij keek naar haar. Ze waren volkomen stil.

Maar buiten had de koolmees zich opgewerkt tot jubel met zijn twee eenvoudige tonen en ze moest erom glimlachen. Ze was er zeker van dat Tore luisterde maar dat hij niet wist wat het was. De lente was nog niet aangebroken toen hij ziek werd, er zongen geen vogels in de gure nawinter.

Hoor je het vogeltje? vroeg ze.

Zijn mond maakte opnieuw bewegingen. Het klonk een beetje gorgelend. Ze wist zeker dat hij vogeltje zei. Dat vertelde ze achteraf aan Trond.

Hij zei in ieder geval *vo'el.* Heel duidelijk.

Trond veegde zijn handen aan zijn blauwe winkelschort af en ging mee naar boven. Hij stond met zijn hoofd schuin naar Tores gezicht te kijken, naar de wakkere blauwe ogen. Zonder zich naar Hillevi om te draaien strekte hij zijn hand uit en kneep in haar schouder, hard, hard. Ze zag de tranen in zijn ogen en Tores glimlach.

Goed dat je je pet op hebt, zodat-ie z'n papa herkent, fluisterde Hillevi.

Het was de eerste keer sinds weken dat ze weer grapjes maakten. Ze had niet gedacht dat zoiets ooit nog mogelijk zou zijn. De koolmees liet zich opnieuw horen en het kind reageerde gorgelend. Ze rook de slechte lucht uit zijn mond.

De slijmvliezen in zijn keel waren grijsgeel van het laagje dat het bacteriegif afzette.

Dat zou nu verdwijnen. Dat wist ze.

De kamer was hoe dan ook een verloren zaak. Er hing wit behang met roze streepjes en tuiltjes vergeet-me-nietjes, en een schilderijtje met moeder en kind in een ovale vergulde lijst en twee kruissteekmotieven met honden. Er lagen ribbetjestapijten in wit en roze op de vloer en de kinderkamermeubels waren wit. Maar dat maakte niets uit. Ze kon niet vergeten dat ze die nacht zijn knekelplaats had gezien. Nooit zou ze het nog aandurven hem alleen te laten slapen. Ze wilde 's nachts naar zijn ademhaling kunnen luisteren. De witte kamer moest maar leegstaan.

Er waren vrouwen die zeiden dat je niets gereed mocht maken als je een kind verwachtte, want dat betekende ongeluk. Ze had dergelijk bijgeloof scherp gehekeld tijdens haar werk als vroedvrouw. Maar toen ze zelf een kind ging baren, sloeg de schrik haar om het hart. Al had ze een hekel aan geheimdoenerij en bezweringen, ze zei bij zichzelf dat ze een pleegkind konden nemen. Als het verkeerd afliep. Zo bezwoer ze de ramp.

Dat het in zekere zin enkele jaren later werd bewaarheid, verbaasde haar niet. Er is iets als een noodlot, dacht ze toen. Iets ongeziens dat broedend wacht. En dat misschien wel hoort wat je zegt.

Een treurlied is wat ik zing. Iemand moet het nu eenmaal zingen. Maar wel inwendig. Niemand trekt nog de bergen in om voor de natte wolken te zingen.

Een meisje was mijn mama, nauwelijks volgroeid. Het is eigenaardig om daaraan te denken, nu ik zelf oud ben. Ze kreeg lange kousen en een korset met jarretels in het pension. Dat moest ze altijd aanhebben als ze hielp in de jachtvilla op Torshåle. Geen broek, nee. Geen broek van fijn dun rendierleer onder haar rok.

Ik heb het verdriet in me. Ach, ach, wat een verdriet.

Niemand zit nog bij Aagot aan de keukentafel om de wonden van het hart te bezingen. Niettemin staat die keukentafel er nog. Nog steeds dezelfde. Er woont nu een dokter uit Byvången in het huisje. Hij is daar alleen als hij vrij heeft. Hij ziet er soms bedroefd uit. Maar zingen doet hij niet.

Op een keer liet hij me een oude mantel zien die hij op de zolder had gevonden. Die hangt er vast nog steeds. Hij was van zwart laken en was genaaid voor een tenger vrouwtje. Aan de binnenkant had hij een dikke voering van gevlekt hermelijn. Hij was niet van Aagot Fagerli, zoals hij dacht. Aagots mantels waren in Amerika genaaid.

Hij is een beste kerel. Ik had hem moeten vertellen dat die mantel van Jonetta was geweest. Dat haar man, Antaris, die hermelijnen in een boomval gevangen had. Tjietskie noemde hij die diertjes.

Maar ik zei niets. Ik wilde geen verbaasde reacties horen, geen meningen over wat geweest was.

Hij heeft vloerverwarming geïnstalleerd. In de kelder bromt een verwarmingspomp. Heeft hij gemerkt dat het huis vol onzichtbare wezens zit, dat ze 's nachts rondsluipen en fluisteren?

— * —

In de nawinter van 1923 stierf Ingir Kari Larsson in het sanatorium van Strömsund. Hillevi hoorde het in het pension van Verna Pålsa en ze voelden beiden een grote beklemdheid, niet het minst omdat Ingir Kari, hoewel ze ongetrouwd was gebleven, een kind achterliet. Het was een dochtertje van nog geen drie jaar.

Ook de dominee sprak bezorgd met Hillevi over Ingir Kari. Nu ging het over haar graf.

Jon Vallgren was Norfjell als hulppredikant opgevolgd. Het was vlot verlopen en hij wist dat hij het geluk mee had gehad vanaf die dag dat hij de predikant op de grote bruiloft in Lakahögen mocht vervangen. Dat was in 1917 en zijn overste had het aan zijn gal gekregen na een bruiloft in Kloven. Vallgren was erg nerveus geweest, maar Hillevi Klarin, die toen mevrouw handelaar Halvorsen werd, had hem over het ergste heen geholpen. Sindsdien vroeg hij haar graag om raad.

Hij vertelde haar dat Ingir Kari's broer Anund Larsson allerlei ideeën voor haar begrafenis had aangedragen. Allereerst wilde hij dat ze werd begraven in de Laplandse klederdracht die ze van Verna Pålsson had gekregen. Maar dat was volstrekt onmogelijk, aangezien ze al in het sanatorium afgelegd was. Niemand kon verlangen dat de kist werd geopend na zo'n lange tijd om het lijk opnieuw af te leggen. Dat moest hij begrijpen.

Bovendien, had dominee Vallgren gezegd, moest hij er rekening mee houden dat die kleren een niet onaanzienlijke waarde vertegenwoordigden. Ze konden ze maar beter verkopen en het geld aan eten en kleertjes voor het moederloze kleintje uitgeven.

Verder wilde Anund Larsson zingen op de begrafenis van zijn zuster. In z'n eentje zingen, als mevrouw Halvorsen begreep wat hij bedoelde.

Hij had natuurlijk zo tactvol mogelijk geweigerd. Maar Larsson liet zich niet afschepen en zei dat hij allesbehalve van plan was te jojken, als de dominee daar bang voor was. Hij had Vallgren een geschreven document gegeven. Het was een ontroerend lied in het Zweeds dat hij ter nagedachtenis van zijn zuster had geschreven. Dat had hij willen zingen. Het was moeilijk om hem tot andere gedachten te brengen, want hij was blijkbaar de bergen in getrokken om erover na te denken.

Nou, uiteindelijk had hij toch het onmogelijke van de zaak moeten inzien. De begrafenis vond plaats. De lijken van vier andere arme mensen werden gelijktijdig ter aarde besteld. Mickel Larsson, de vader van de jonge vrouw, was niet aanwezig. Hij had geen kleren voor de begrafenis en dat had Anund eigenlijk ook niet. Maar die had er wat kunnen lenen van een jeugdkameraad.

Na de rouwdienst dook hij weer op. Nu had hij een foto van zijn zuster bij zich. Die zat in een kleine ovale lijst met bol glas. Hij wilde hem in een houten kruis vatten dat hijzelf getimmerd had. Hij wilde ook een gedenkplaat aanbrengen onder het kruis op het graf. Daar zou iedereen het lied kunnen lezen dat hij geschreven had.

Dominee Vallgren zei dat het absoluut verboden was om afbeeldingen van overledenen op graven te plaatsen. Dat was onchristelijk. In Noorwegen deden ze dat wel, zei Anund Larsson, en was Noorwegen soms niet christelijk?

Het verdriet had hem waarachtig niet nederig gemaakt. Hij liet de verzen zien, in een mooi handschrift onder glas. Ze luidden:

Teer als de blaadjes van geurige rozen
Zo bloosden altijd je wangen
Heerlijk gestreeld door de hoopvolle wind
Vol onschuld en dartel verlangen.

Al sieren geurende rozen je graf
Al zingt de wind zijn zoete gezang
Ik ga heen met mijn smart als staf
En de levensweg lijkt me lang.

Hillevi vond het gedicht mooi. Dat vertelde ze niet aan de dominee. Ze zag wel in dat voor hem de christelijke hoop erin ontbrak en dat de verzen daarom onmogelijk waren op een graf. Maar ze deden haar wel denken aan Anunds zuster en hoe ze eruitgezien had.

Er worden mooie mensen geboren. Maar toch was het zeldzaam. Hier deden de magerte en de ringwormen en de klierziekte hun werk onder de kinderen, naarmate ze opgroeiden. Maar merkwaardig genoeg niet bij Ingir Kari Larsson.

Ze was voor schoonheid geboren. Het was volkomen onverwacht. Zoals wanneer een witte spookorchis verschijnt, met fijne groenachtige aders, daar waar jaar na jaar niets dan zegge en mos hebben gegroeid.

Ze had zwart haar met bruine ogen die in sterk zonlicht een gouden schijn kregen. Dunne ledematen. Recht. Dat was ongewoon bij haar volk. De meesten kregen immers de Engelse ziekte als kind.

Toen Ingir Kari werd begraven, was de lente al aangebroken, zodat je met de slee niet meer vooruitkwam en het bijna onmogelijk was om te voet over de bergen te trekken. Het smeltwater stortte neer. Maar Hillevi besloot om toch naar de oude berghut te gaan waar Mickel Larsson woonde om te kijken of ze wel behoorlijk voor het kind zorgden. Er woonde immers niemand anders dan de opa en een jonge oom.

Hoewel ze geen vroedvrouw meer was, en alleen nog hielp als het nodig was, vond ze dat ze een zekere verantwoordelijkheid droeg voor de kinderen van wie ze de bevalling had gedaan. Het dochtertje van Ingir Kari had ze echter niet ter wereld geholpen. Niemand had er een vroedvrouw bij gehaald toen de geboorte nabij was.

Toen ze boven aankwam, was ze moe en snakte ze naar koffie. Maar er was geen mens te zien. Een kudde geiten die rond de hut aan het grazen was, kwam aanhuppelen en begon om haar heen te dringen. Een hond stond met een touw aan een berk gebonden en blafte hees. Er waaide een harde wind van de berghei en om beschutting te zoeken, ging ze op een boomstam zitten bij de ingang van een open Lappenhut waaronder brandhout gestapeld lag. Hierboven aan de voet van de Giela was de lente nog niet ver gekomen. De zuring die in stevige bosjes onder de berken groeide, was nog rood. Op de berg lagen nog grote sneeuwvlakten. Het veen was geel en waterrijk. Het had zich nog niet hersteld van de winter.

Ze dutte in. Dat was de vermoeidheid na de lange voettocht. De hele tijd was het bergopwaarts gegaan. Toen ze wakker werd, stond er een kind naar haar te kijken. Het was een klein meisje. Ze begreep onmiddellijk dat het Ingir Kari's kind was. Voorzichtig strekte ze haar hand uit en lokte haar als bij een kat of een jong hondje. Maar het meisje deed een stapje achteruit en toen Hillevi opstond, verstopte ze zich vlug achter een hut.

Pas toen schoot het Hillevi te binnen dat het meisje misschien nog nooit iemand als zij had gezien. Een verschijning met rubberlaarzen en wasdoeken hoedje.

Ze nam haar hoed af. Voorzichtig naderde ze de hut waarachter het kind zich verstopt had. Er sijpelde een zwakke, grijze rook tussen de palen die de hut bovenaan afsloten en het geurde er sterk. Ze vermoedde dat dit de rookhut van Vleesmickel was. Wat hij daarbinnen ook mocht roken.

De hond hield niet op met blaffen en werd steeds heser. Het ging over in razernij toen Hillevi voorzichtig rond de tent liep en het meisje gemakkelijk ving. Ze droeg dezelfde rookgeur bij zich en was halfnaakt in het kille lenteweer. Zwaar ondervoed. Een lichaam vol lelijke wonden. Het leken wel hondenbeten.

Merkwaardig voor een Lappenkind was dat ze lichtrood haar en blauwe ogen had. Haar gezicht was verwrongen van het schreeuwen. Ze was doodsbang en Hillevi probeerde haar te wiegen en te sussen. Maar het kind scheen er niets van te verstaan.

Zo zaten ze daar, het meisje schreeuwend en stijf met tegenstribbelende armpjes en beentjes, Hillevi wiegend en zachtjes brabbelend, toen ze merkte dat ze andermaal gadegeslagen werd. Mickel Larsson stond naast de rookhut naar hen te kijken.

Ze besefte meteen dat het op een krachtmeting zou uitdraaien. Maar ze had wel gedacht dat haar welbespraaktheid de overhand zou nemen. Maar niets daarvan. Ze gaf de oude man op zijn donder voor hoe het meisje eraantoe was en omdat ze nauwelijks kleren aan haar lijf had ondanks de kou. En hij luisterde eerst. Lang. Half door zijn benen gezakt stond hij daar in een kiel die op de borst stijf van het vuil was. Hij droeg een leren broek die strak als een kous rond zijn benen zat, zwart van ouderdom en vet en roet. Op zijn hoofd zat een oude leren pet die ook zwartglimmend was. Zijn gezicht was rimpelig en bruinzwart. Ze vond niet dat hij verouderd was sinds ze hem gezien had op Torshåle, die ene zomer lang geleden. Hij was alleen maar zwarter geworden.

Toen ze alles had gezegd wat ze over erover kwijt wilde, en dat ze van plan was ervoor te zorgen dat het meisje naar het dorp kwam en verzorgd werd en dat ze zich afvroeg of zo'n duidelijke verwaarlozing niet streng berispt moest worden, toen nam de oude man het woord.

Sjo, sjo, sjo, zei hij. Althans, zo klonk het toen ze het later probeerde na te doen. Ze kwam doodop terug. Murwgepraat, lachte Trond. Hij kende Mickel Larsson.

Die man! zei Hillevi. Liedjes schrijven, dat kan hij wel, dat hebben we gehoord. Maar nu is zijn liedje uitgezongen. Ik ga hiermee naar de politie. Dit is kindermishandeling. Het is je reinste verwaarlozing.

Het is z'n zoon die liedjes schrijft, zei Trond. Maar de ouwe zelf heeft een radde tong.

Eerst ging Hillevi met de gemeenteraadsvoorzitter praten en ze wachtte met een aangifte tot hij de ellende zelf gezien had. Hij ging erheen samen met twee betrouwbare mannen en ze kregen hetzelfde verhaal voorgeschoteld. Maar in tegenstelling tot Hillevi wisten ze niet wat ze moesten geloven.

Ze stonden aan de voet van de Giela en spiedden omhoog naar een bepaalde rotsrichel en trachtten de afstand te schatten. Ze namen het meisje op de arm en wogen haar zoals je een grote vis optilt om zijn gewicht te schatten.

Het is niet onmogelijk, zeiden ze toen ze weer beneden waren.

Hillevi kon maar niet begrijpen dat ze naar Mickel Larssons leugenachtige gezwam hadden geluisterd. Ze hadden in plaats daarvan dat kleine meisje moeten helpen. Leugenaars, dronkaards en rendierdieven zouden niet voor kinderen mogen zorgen.

Maar ze vertelden het verhaal verder zodat het in de krant kwam. Soms hebben leugens vleugels. Ze kon nauwelijks geloven dat het waar was, maar op een dag waren Mickel Larsson en zijn zoon Anund tot helden verheven.

LAPPENMEISJE DOOR AREND GEROOFD, las Trond nadat de postauto de krant had gebracht.

Nee maar, dit gaat te ver, zei Hillevi.

De kleine Risten, slechts drie jaar oud, was voor de hut van haar opa Mickel Larsson aan het spelen, toen een arend uit de hoogte neerdook en het kind met zijn harde klauwen greep. Ontsteld zag de opa hoe de arend met het meisje opsteeg en wegvloog naar de bergheiden bij Munsen. Hij laadde zijn oude buks maar durfde niet op de arend te schieten uit angst om zijn kleindochtertje te raken. Hij vuurde een waarschuwingsschot af. De arend veranderde evenwel van richting, waarschijnlijk opgeschrikt door het schot, en vloog naar de Giela. Nog een schot in de lucht en de arend liet zijn prooi vallen! Nu vreesden Mickel Larsson en zijn zoon Anund dat ze het kind niet meer terug zouden zien. Er heerste verdriet in het kamp en toen ze zich op pad begaven, was het om haar lichaam te gaan zoeken.

Nee zeg, bespaar me dit, zei Hillevi. Maar Trond verschoof de snuiftabak onder zijn lip en las verder:

Ze zochten twee dagen en Mickel Larsson was het opgeven nabij. Maar ten slotte verscheen zijn zoon Anund op een vooruitstekende rots hoog op de steile hellingen van de Giela, geestdriftig zwaaiend. Wie schetst vaders verbazing, wanneer zoonlief een paar uur later met de kleine Risten in zijn armen komt afdalen. Ze was toegetakeld door de arendsklauwen, afgemat en hongerig, maar ze had het overleefd! De vreugde was groot die avond en de kleine Risten, of Kristin Larsson zoals haar echte naam luidt, viel heerlijk in slaap in de rendiervachten bij haar opa.

Godverdomme, wat een schoft, zei Hillevi en dat was de enige keer dat Trond haar ooit hoorde vloeken.

Toen ze het verwaarloosde meisje ging halen, had ze de voorzitter van de armenzorg bij zich. Deze keer zweeg Mickel Larsson voornamelijk. Daar was hij dus kennelijk ook in bedreven. Hillevi probeerde verzoenend te klinken.

Het kan niet gemakkelijk zijn om kinderen te verzorgen als er geen vrouw in huis is, zei ze.

Ze hadden gemalen koffiebonen meegebracht, waardoor hij enigszins ontdooide en een vuurtje van sparrentakjes maakte voor de koffiekan. Terwijl hij van de hete koffie slurpte, zei hij dat het voor zijn part goed was als Risten naar het dorp ging.

Waarom? vroeg Hillevi, verbaasd dat hij zo inschikkelijk was.

Ze komt niet uit een Lappenfamilie, zei hij. Niet echt.

Het was een kind met een krachtige stem, dat merkten ze toen ze vertrokken. Ze schreeuwde zolang ze de hut kon zien en de hond die aangelijnd stond te blaffen. Mickel Larsson was stilletjes weggegaan.

Ze was ook sterk, dat merkte Hillevi toen ze haar in bad wilde stoppen en ontluizen. Maar zo mager. De wonden op haar lichaam waren genezen, maar hadden lelijke littekens achtergelaten. Aangezien de kinderkamer leegstond, kon ze daar slapen. Jammer genoeg was ze bang in die mooie kamer. Vooral voor het schilderijtje met moeder en kind. Eerst dacht Hillevi dat het kwam doordat ze nog nooit schilderijen gezien had. Maar toen Hillevi ze wegnam, begon ze weer te schreeuwen met luide, schelle stem. Hillevi liep af en aan met de schilderijen. Ten slotte begreep ze dat het meisje de hondjes in kruissteek op de muur wilde hebben.

Ze heeft een ontzettend willetje, zei Hillevi tegen Trond toen het meisje eindelijk sliep.

Blijkbaar was ze bang om alleen te slapen en Hillevi was bij haar blijven zitten tot ze wegdommelde, roodgezwollen van tranen en woede. 's Morgens vond ze haar op de vloer, helemaal achter in een hoek. Ze had haar deken en kussen meegenomen en toen Hillevi de deken optilde vond ze Sissla dicht tegen het kind aan slapend.

In het voorjaar zou Tronds grootvader van moederszijde tachtig jaar oud worden. De afgelopen twee jaar was hij erg ziek geweest en nu kwijnde hij zachtjes weg. Op een late avond in april belde Morten Halvorsen en zei dat ze zich moesten haasten als ze hem nog in leven wilden zien. Trond geloofde niet dat ze erheen konden. De wegen waren nog te slecht.

Hij ligt onrustig aan zijn lakens te frommelen, zei Morten.

Toen begrepen ze dat hij echt niet lang meer had en de volgende morgen al klommen ze in de slee en vertrokken op hoop van zegen.

Morten had de waarheid verteld. De handen waren witgrijs en de huid doorzichtig. De vingernagels waren lang geworden tijdens zijn ziekte. Als roofvogelklauwen over het laken tastten ze en frutselden aan het brede kant.

Hij was sterker dan ze hadden verwacht. De vele klokken in huis tikten verder in de stilte en dat deed zijn oude hart ook. Soms opende hij zijn witachtige oogleden en keek hij Trond aan, die zich dan vooroverboog en iets tegen zijn opa probeerde te zeggen. Maar hij verdween weldra weer in zichzelf.

Er heerste ongerustheid in Lakahögen, maar daarvan merkte de oude baas niets. De handelaar ging bankroet terwijl ze daar waren. Morten Halvorsen deed bosbouwzaken met hem en Trond vermoedde dat hij ook door het faillissement getroffen zou worden.

Morten scheen zich zowel door het faillissement als door het sterfbed onbehaaglijk te voelen en ging weg ondanks de slechte toestand van de wegen. Hij zei dat hij een auto moest gaan halen die hij in Östersund had gekocht. Ze verwachtten hem na enkele dagen terug, maar kregen in plaats daarvan een telefoontje van de herberg in Lomsjö. Hij had een ongeluk met de auto gehad, maar was niet gewond. Hij was van plan naar huis te komen met een paardenkoets.

Zorgen, zorgen. De oude witachtige vingers plukten. Maar wist hij iets van wat er om hem heen gebeurde? Trond riep hem met zachte stem, maar kreeg geen ander antwoord dan een beving van de oogleden. Na verloop van tijd moest hij terug om voor zijn winkel te zorgen. Hillevi bleef bij Tronds grootvader en verzorgde hem bijna twee weken. Het magere lichaam had zware doorligwonden die geïnfecteerd begonnen te raken. Ze liet een opblaasbare rubberen ring halen om onder zijn dunne billen te leggen, maar ze was bang dat hij niet zou aankomen voor het te laat was.

Het was de eerste keer dat ze weg van Tore was. Hij speelt veel met het Lappenmeiske en maakt veel meer lawaai dan vroeger, zei Jonetta aan de telefoon. Het voelde een beetje raar voor Hillevi dat hij niet verdrietig was omdat ze weg was. Alleen het eerste uur, zei Jonetta.

Efraim Efraimsson stierf op een ochtend in mei toen de laagwei vol lijsters zat die met de vlucht trekvogels meegekomen waren. Hillevi kreeg hulp om hem te wassen en hem in een koude kamer te leggen. Trond zou een kist bestellen uit Östersund, zo werd overeengekomen. Morten Halvorsen, die met zijn schoonvader had samengewoond, was opvallend teruggetrokken en ze vroeg zich af hoeveel geld hij verloren had toen die handelaar op de fles ging.

Ze huurde vervoer en maakte zich via lange omwegen uit de voeten. Het was onmogelijk om door het bos naar Svartvattnet te rijden, aangezien de wegen van de dooi te lijden hadden. In Lomsjö werd ze opgewacht door Trond, die haar en zijn vaders gestrande auto kwam halen.

Ze werden in de eetzaal door de herbergierster bediend en ze waren de enige gasten daarbinnen. In de gelagkamer waren lawaai en ruwe stemmen te horen en de tabaksrook en de kachelhitte kwamen in vlagen naar binnen, telkens als de herbergierster in de deuropening verscheen. Hier was niets veranderd. Maar Hillevi vond dat ze al een heel leven achter de rug had sinds ze hier in de kou had zitten huiveren en haar nachtpot achter het gordijn had weggestopt.

Trond had dat jaar bij Zijne Majesteit de Koning een aanvraag ingediend of hij en zijn gezin hun naam in het Zweedse Halvarsson mochten veranderen. Zodra zijn aanvraag goedgekeurd was, had hij nieuw briefpapier besteld om rekeningen uit te schrijven. Nu was hij het gaan halen en hij had een vel meegenomen om aan Hillevi te laten zien. Er was een briefhoofd met de naam *Trond Halvarsson* in grote gespiegelde letters. In iets wat op een fijne schrijfletter leek stond er:

Magazijn van:

Specerijen, Victualiën
Manufacturen,
Wol en Fournituren
etc.

Verder stond er *De heer*, gevolgd door een stippellijntje voor de naam en dan *Debet*. Het papier lag op het witte kleed met de sausvlekken en de herbergierster was er uiteraard als de kippen bij om te kijken. Ze vond het geweldig chic, zei ze. God weet hoeveel ergernis daarin moest liggen.

Ze had Trond al in verlegenheid gebracht door ongegeneerd over het auto-ongeval van zijn vader te kouten. De mensen noemden de plek waar hij van de weg was gereden Halvorsens kantelplek, beweerde ze. Tja, ze maakten zich natuurlijk vrolijk over hem. Maar eerlijk was het niet. Want de auto was niet gekanteld, alleen maar van de weg af gereden, recht in een aardappelveld. Ze hadden uiteraard graag gezien dat Morten over de kop was gegaan, als het even kon op dezelfde wijze als die handelaar in Lakahögen.

Maar *Halvarsson* zat minder in de problemen dan Halvorsen. Tronds positie zou heel stabiel worden met de erfenis van zijn grootvader. Hillevi vond dat ze over de kop slaande auto's en andere dingen die praatjes in de hand werkten, ver achter zich hadden gelaten. Want nu begon een nieuwe tijd. Niet alleen voor henzelf. De weg tussen Röbäck en Svartvattnet was eindelijk klaar en goederen en post hoefden niet meer naar de overkant worden geroeid als het ijs was verdwenen. Morten had de auto woedend achtergelaten en zei dat hij nooit van zijn leven nog een stuur wilde aanraken. Trond zou hem overnemen om gemakkelijk en snel in de stad koopwaar op te halen. En mensen. Het was een model met een laadbak en plaats voor passagiers. Thuis werd een postkantoor geopend bij de brug.

Nu zouden er vaker reizigers komen, ze zouden komen via de nieuwe weg, misschien wel met auto's, en het zou een andere wereld worden. Minder benauwd. Vrijer en meer open. Misschien zelfs zindelijker. Ziekten en achterklap en oude vastgewortelde vijandschap hoorden thuis in de oude wereld.

Trond was niet even geestdriftig. Hij vertelde verdrietig dat veel verdwenen was met de Lakakoning, zijn grootvader. Maar wat het was, kon hij niet precies zeggen.

Toen ze gingen slapen, legde hij zijn mond tegen haar hals en zijn armen rond haar middel en schikte haar achterste tegen zijn ineengekronkelde lichaam. Zo lag hij haar dan te vertellen over zijn grootvader en over de lange reizen die hij met hem mocht maken toen hij een kleine jongen was. Ze reden met een rendierslee en met Trond diep in vachten ingestopt. De sterren schitterden boven hen en het noorderlicht golfde en trilde aan de hemel. Hij dacht dat ze in het midden van de wereld waren.

Ik dacht dat m'n opa alles de baas kon, fluisterde hij. En in zekere zin was dat ook zo.

De Lakakoning had mensen gekend die van de ene kust naar de andere trokken. Zonder zorgen. Zelf kon hij nu met de auto in enkele uren tijd zowel de Zweedse als de Noorse kust bereiken. Maar dat was niet hetzelfde.

Tore was nu bijna vier jaar oud en hij sliep nog steeds in de lange, smalle garderobe bij de slaapkamer. Er was een raam in de vorm van een schuin vierkant en het plafond helde steil af. Hillevi zette de deur 's nachts open zodat ze naar zijn ademhaling kon luisteren. Soms deed Trond de garderobedeur dicht. Hij deed het stil maar resoluut. Dan had hij ook niet het minste korreltje snuiftabak op zijn tanden en zij bloosde hoewel ze een getrouwde vrouw was.

Ingir Kari Larssons dochter sliep in de kinderkamer. Het probleem was dat Jonetta, die tijdens Hillevi's afwezigheid voor de kinderen had gezorgd, had toegestaan dat ze Sissla bij zich in bed nam. Dat was de enige manier om haar erin te krijgen, had ze gezegd. Nu was ze niet meer bang voor het bed, maar de hond weigerde ze 's avonds los te laten.

Met haar blauwe ogen en rode haar leek ze niet van Lappenkomaf te zijn. Ze leek wel een trol. Een wisselkind. En een willetje dat ze had. Ze wilde Risten genoemd worden, hoewel Hillevi haar vertelde dat dat geen echte naam was. Kristin moest ze heten.

In het begin kende ze geen woord Zweeds. Het kind liep om Laula Anut te roepen en ze vermoedden dat ze Anund Larsson bedoelde. Hillevi dacht dat laula oom betekende, maar dat klopte niet, zei Verna Pålsa. Het was waarschijnlijk gewoon kindertaal.

Laula betekent toch zingen, zei Jonetta die inmiddels met die Lap van haar getrouwd was.

En misschien had ze zo tegen haar oom geroepen: Laula Anut! Zing, Anund! Of Zing-Anund. Wat maakte het ook uit? Want Anund Larsson was naar Noorwegen vertrokken. Wat-ie daar ook te zoeken had. En de ouwe boven op de berg zou wel niet meer naar haar vragen. Hij kwam niet meer naar het dorp. Hij heeft er geen zin meer in, zei Trond.

Er moesten adoptieouders voor Kristin Larsson worden gezocht, zodat ze een goed thuis kreeg, zei Hillevi stellig. In de zomer kwam er ook een echtpaar uit

Östersund naar haar kijken. Het was een tolbeambte met zijn vrouw en ze waren welgesteld. Deze degelijke maar kinderloze mensen dronken koffie in de woonkamer terwijl ze de spelende kinderen gadesloegen. Maar toen ze hun derde kopje op hadden, zei de mevrouw dat ze het meisje erg Laps vond. En de tolbeambte knikte instemmend. Hillevi zei zonder erbij na te denken:

Maar dat is ze niet! Niet echt.

Voor deze toegeving aan het verzinsel van Vleesmickel schaamde ze zich. Maar ze was dan ook zo kwaad geworden. Wat denken ze wel? dacht ze. Dat je bij de handelaar zomaar mag komen kijken? De koopwaar eerst van alle kanten bekijken en dan afwijzen. Terwijl het meisje het kon horen bovendien. Want ze was niet dom. Ze was oplettend en verstandig en had al flink wat van hun taal opgepikt. Maar mooi was het kind natuurlijk niet. Maar dat was Tore evenmin. Hillevi had altijd volgehouden dat hij tenminste lief was.

De tolbeambte en echtgenote vertrokken zonder een beslissing genomen te hebben. Maar ze zouden van zich laten horen. Daar rekende Hillevi niet op en er werd inderdaad niets meer van hen vernomen. Trond vond dat ze moesten bellen om te informeren, maar zij wilde dat niet. Wat later die zomer zei de voorzitter van de armenzorg dat de eigenaar van een boerenbedrijf in Byvången graag naar het meisje zou komen kijken.

Trond kwam binnen uit de winkel en vertelde het en lange tijd zaten ze elkaar zwijgend over de keukentafel aan te kijken.

Ik vond het onaangenaam de vorige keer, zei Hillevi ten slotte.

Zullen we het maar zo laten?

Dat vond ze best.

Maar één ding is zeker, zei ze. Het kind heeft het geluk meegekregen.

Ze keek geheimzinnig en Trond vroeg argeloos:

Hoezo?

Maand na maand was ze teleurgesteld. Ze had haar stelpdoeken bij het boothuis te drogen gehangen wanneer ze de was deed. Zo kon niemand ze zien vanuit de winkel. Maar ze had zich niet alleen geschaamd omdat het dat soort wasgoed was. Erger was dat ze niet opnieuw zwanger raakte en dat dat onvermogen te zien was. Elke maand opnieuw, al die jaren. De eerste keer was het haar gewoon overkomen. Ze was er zo zeker van geweest dat het de daarna ook gemakkelijk zou gaan. Misschien wel te gemakkelijk. Maar nu pas was het eindelijk weer zover.

We krijgen weer een kind, zei ze. Ik denk dat het iets met het meisje te maken moet hebben. Als je een pleegkind neemt, kan dat invloed hebben. Dat is algemeen bekend.

Dan houden we haar bij ons, zei Trond glimlachend.

Zijn er die zich Jonetta nog herinneren? Ze woonde in het huis dat nu van de dokter is. Vroeger zeiden de mensen: het huis van de lerares. En vóór haar was het van Aagot Fagerli.

Maar Jonetta kreeg het huisje van haar vader en kon nu, dertig jaar oud, met Nisj Anta trouwen. Of Anders Nilsson zoals men dat hier verzweedste. Eigenlijk heette hij Antaris.

Misschien moet je zeggen dat ze het eindelijk durfde. Haar oude opa was er altijd tegen geweest, niet zozeer omdat haar verloofde een Lap was, als wel omdat hij geen rooie cent bezat. Maar toen werd de Lakakoning ziek en machteloos en haar pa vond zeker dat hij kon ingrijpen. Antaris en Jonetta waren immers al jaren samen, in het geniep, en achter zijn rug lachten de mensen om de koppige schoonvader. Morten Halvorsen zei dus dat ze nu gerust konden trouwen. Maar hij stelde een voorwaarde: Jonetta zou niet de vrouw van een rendierhoeder worden. Toen de weduwe Fransa stierf, kocht hij het huisje aan de voet van de heuvelrug voor ze.

Antaris zei meteen dat het huis niet deugde. Het kon zelfs gevaarlijk zijn, meende hij. Morten deed dat natuurlijk af als dwaze Lappenpraatjes. Maar Antaris hield vol dat er bezweringen moesten worden uitgesproken in huis. Jonetta schaamde zich en zei dat hij dat dan maar moest laten doen, maar dat hij er niet over hoefde te praten.

Dit heeft Hillevi me verteld. Hoe gek het ook mag klinken, zij was erbij toen een bezweerder van de Noorse Lappen naar het huis kwam.

En nu komt het wonderlijke.

Jonetta leefde niet meer dan zes jaar daar bij de heuvels. Zij plantte de rozenstruiken die de dokter nu zo keurig verzorgt. Rozenvetkruid en muurpeper en bruidssluier zette ze tussen de stenen op de helling. En gele kogelbloemen die in de lente bloeien. Het was alsof ze de hele bergflora naar het dorp wilde halen om Antaris te plezieren. Ze probeerde het zelfs met engelwortel, maar die haalde het niet.

Pas toen Jonetta een jaar dood was, vertelde Antaris hoe hij te weten was gekomen dat het huis gevaarlijk was.

Hij kwam er de eerste keer op een oktoberdag. De eerste sneeuw was gevallen en lag dun op het gras op de helling. Destijds was het niet ruig en verwilderd maar mooi kort gehouden door zeisen en grazende muilen. Hij liep de lange helling op en toen hij bijna boven was, wierp hij toevallig een blik op de stal. Daar stond een vrouw. Ze keerde hem de rug toe maar keek hem over haar schouder aan. Hij kon niet zien waar ze mee bezig was.

Hij vond het natuurlijk vreemd. Het was niet iemand die hij kende. Een knappe vrouw, zei hij. Smalle rug en smal middel. Ja, hij dacht een ogenblik aan zijn schoonzusje Aagot Halvorsen, die naar Amerika was vertrokken toen ze nog maar zeventien was.

Hij naderde haar, maar toen liep ze weg. Ze wierp hem slechts een blik toe en begon het pad naar de heuveltop te beklimmen. Hij werd een beetje boos want het huis was nu Jonetta's wettelijke eigendom. Had die vrouw hierboven iets te zoeken, dan mocht ze ten minste zeggen waar het om ging. Maar ze ging ervandoor, steeds sneller. Hij volgde haar met grotere stappen, maar liep niet zo snel als zij. Merkwaardig genoeg kwam hij er niet toe om te roepen. Het was alsof iets hem deed zwijgen. Een soort angst, zei hij. Ja, angst.

Ze liepen langs het privaat, dat bijna ingezakt was, en de vuilnishoop van de weduwe, waarop haar kunstgebit lag te grijnzen. Toen dacht hij dat het misschien iemand van de nabestaanden was, een familielid uit een ander dorp, langsgekomen om te zien of er nog iets te regelen viel.

Hij versnelde. Maar toen werd de vrouw kleiner. Hij schrok zozeer dat hij pardoes bleef staan. Steeds kleiner werd ze tot ze niet meer dan een pop was. Ze waggelde verder het pad op. Hij begon te vermoeden wat er aan de hand was en durfde haar niet meer achterna te gaan. En inderdaad: boven op de helling veranderde ze van gedaante.

Ze was een sneeuwhoen, zei hij.

De vrouw die klein als een pop geworden was en toen in een vogel veranderd was, verdween waggelend tussen de sparren. Antaris liep terug en hij probeerde niet eens haar sporen in de verse sneeuw te zoeken. Hij snapte wel dat hij alleen zijn eigen sporen zou zien.

Gufihtar heette ze volgens hem. Als ze plotseling ergens loopt te drentelen, dan moet je uitkijken voor die plek, zei hij.

Hoe de vork ook in de steel zat, een gelukkig huis werd het dus niet. Toch bouwde Antaris een koestal bij de weg en probeerde hij op alle manieren boer te worden en het rondtrekken te vergeten. Ze hadden een zomerwei aan de overkant van het meer, waar Jonetta twee keer per dag heen roeide om te melken. Toen was ze al moe en haar gestel werd zwakker en haar huid begon bruin te worden. Ze stierf van zwakte.

Ik vroeg dokter Torbjörnsson wat hij van die ziekte dacht. Had die iets met het huis te maken? Over het rondwaren van de doden in oude huizen durfde ik niets te zeggen, maar ik vroeg of ze ziek geworden kon zijn door vocht in de muren. Of zat er misschien iets giftigs in het behang?

Hij zei dat hij het niet wist. Maar hij vroeg uitvoerig hoe het met Jonetta was gegaan aan het eind van haar leven. Vervolgens zei hij dat het een probleem met de werking van de bijnieren geweest kon zijn en dat het in dat geval een zeldzame ziekte was.

Na de begrafenis van Myrten gaf de dokter me een lift naar huis. Toen we bij de winkel kwamen, vroeg hij of ik werkelijk naar huis wilde waar ik alleen zou zijn.

Wil je niet meekomen? vroeg hij. Eventjes maar.

Ik dacht dat ik vroeg of laat terug naar de eenzaamheid moest, maar ik stelde het graag nog een poosje uit.

Ik bleef bij Torbjörnsson tot laat in de avond. We keken naar het journaal en hij zette thee en we aten de broodtaart op. Ik had meegebracht wat er nog over was van het begrafenismaal. We hadden het over de ziekte van Myrten en over vroeger – zoals die toestand met Jonetta. Maar hij wist zo weinig.

Toch ben ik al vele jaren districtsdokter en ik heb als het ware een puzzel gelegd van al die verhalen die ik over hun ziekten heb gehoord. Want het zijn ook de verhalen van hun leven, zei hij. Van ons leven.

Waarom Myrten moest sterven kon hij ook niet zeggen.

Ze hebben alles geprobeerd, zei hij. Dat moet je weten, Risten.

Ja, dat wist ik wel. Ze kreeg een behandeling met celremmers en een bestralingskanon in de Jubileumkliniek in Umeå. Maar het hielp niet. En ik weet het best: wij zijn ook maar mensen op aarde.

Aagot kwam terug uit Amerika in hetzelfde jaar dat Jonetta stierf en ze kocht het huis van Antaris Nilsson, die er voor geen geld ter wereld wilde blijven wonen. Dat was niet zo verwonderlijk. Maar het is moeilijker te begrijpen waarom Aagot, die in een groot huis in Boston had gewoond en dienstmeisje bij vermogende mensen was geweest, genoegen nam met een huisje met niet meer dan een keuken en één kamer. Meer dan de helft van de kamer die de dokter nu als woonkamer gebruikt, was destijds bakplaats en die bleef onverwarmd als hij niet werd gebruikt.

Alles is nu zo anders, en toch staan de houten balken waar ze staan en zitten de ramen waar ze altijd hebben gezeten. Tijdens koude winternachten verzamelen zich natuurlijk koolmezen en andere vogeltjes onder de daklijsten, zoals ze altijd doen. Op de zolder wonen nog steeds vleermuizen. Een hermelijn heeft zijn hol in de stenen muur tegen de helling en ik heb het diertje gezien toen ik aan de keukentafel zat, eerst bij de lerares en nu bij de dokter. Wit in de winter zodat slechts de zwarte staartpunt en de ogen tegen de sneeuw afsteken, in de zomer bruin met een roomwit befje. Ik vermoed dat het een nakomeling is van de hermelijnen die hier in de sneeuw holden toen ik kind was.

Hillevi en haar neef Tobias zaten aan de keukentafel en keken uit over het meer. Het water was roerloos. Aan de overkant had de schemering al de Brannberg toegedekt. De massa werd dichter.

Twee wilde zwanen lagen stil, alsof ze sliepen, hoewel ze hun snavel nog niet onder hun vleugels hadden gestoken. In het water vermengden hun spiegelbeelden zich met een rode veeg aan de westelijke horizon.

Tobias dronk zijn laatste beetje koffie op en zette zijn kopje zo voorzichtig op het schoteltje dat ze begreep dat hij bang was de stilte te verbreken.

Hier staat de tijd stil, zei hij.

De vogeljacht was afgelopen en hij ging terug naar Uppsala, maar dit zou ze zich blijven herinneren. Ze wilde werkelijk proberen de tijd te nemen om elke dag even alleen in de schemering te zitten. Hij noemde het de duisternis laten invallen in je gemoed. Maar het was zo moeilijk om er de tijd voor te nemen.

Ze kreeg een brief van hem.

Weet je nog de alpengloed die we vanuit jouw keukenraam bewonderden? Gloeit het nog steeds wanneer je 's avonds zit te schemeren? Wat een heerlijke gewoonte – zachtjes de duisternis laten invallen in je ziel terwijl het bergmassief aan de Noorse zijde heet lijkt te worden als ijzer in een smidse! Wat een vergezicht! Wat een zuiverheid in die lucht die ik zo gulzig dronk! Jij hebt het geluk dat je die elke dag inademt, Hillevi! En hier zit ik in de geur van carbol. Dagelijks ontmoet jij die gedegen kerels, die mannen van eer die mij tijdens enkele zorgeloze jachtweken de kunst van het leven leerden. Kon ik die hier maar toepassen!

Het water was net zo zwart nu, maar het had een vliesje van pasgevormd ijs, dat deinde als de wind opstak. De hemel werd steeds vroeger donker. In het westen werd de gloed snel zwakker en doofde. Er lag sneeuw op de bergtoppen, dun en verspreid.

Nu zag ze geen lichtschittering meer in het ijs. Misschien zou het vlies breken als tegen de ochtend de wind harder werd. De echte herfstwinter was nog niet gekomen.

De tijd stond niet stil.

Hij had ongelijk.

De tijd is een rivier, dacht ze. We plonzen er log in als omgehakte boomstammen en drijven mee. Pardoes.

Ze stak de lamp aan. Het werd zo onbarmhartig en snel licht met elektriciteit. Boven liepen de kinderen op de plankenvloer. Myrten stikte van het lachen. Daarna kwam Sissla pootje voor pootje de trap af. Ze begon oud te worden en hield niet van kabaal en drukte.

Ik moet met Trond praten, dacht Hillevi. Maar ze wist niet of ze wel durfde. Hij kon zich in zwijgzaamheid hullen als ze iets te berde bracht wat haar volgens hem niet aanging. In het bijzonder als ze het in het dorp gehoord had.

Maar ze moest wel. Het gaat ook mij aan, dacht ze. Maar dat weet hij niet.

Ze kreeg het vuur aan de gang en zette een ketel met water voor de pap op het vuur.

Hij kwam pas na negenen binnen. Toen hadden zij en de kinderen al gegeten en ze zette brood en wat vlees voor hem klaar. Hij was bleek van vermoeidheid.

Hij ging op de keukenbank zitten met de krant. Hillevi had afwaswater in de ketel geschept en ruimde de borden af terwijl het water warmde. De kinderen sliepen. Nu, dacht ze. Ik moet. Ook in het belang van de kinderen. Ze zei:

Ik heb gehoord dat je twee wissels van Vilhelm Eriksson hebt voor een paardenkoop.

Ze stond met haar rug naar hem toe en hoorde de krant ritselen. Hij zweeg even.

Verdomme, zei hij.

Wat is er?

Wat er allemaal doorverteld wordt.

Ja, ik hoorde het in het pension. Ze zullen het wel van Bäret gehoord hebben. Maar is dat waar? En dat je ze niet hebt verdisconteerd.

Dat klopt, zei hij.

Voor vijf jaar!

De eerste, zei hij. De tweede is voor één jaar.

Het bleef een ogenblik stil en ze dacht: nu zegt hij niets meer. Maar dan hoorde ze door het krantengeritsel heen:

Vilhelm heeft tegenslag gehad met z'n paarden.

Het klonk bijna als goedpraten.

Wat voor rente vraag je?

Drie procent. Als je dat zo nodig moet weten.

Nu was hij nijdig. Maar het was te laat om terug te krabbelen.

Je pa vraagt zeven!

Nu was het zo stil op de bank dat ze niet verder durfde te gaan. Voorlopig niet tenminste. Ze deed de afwas. Daarna ging ze naar boven om even naar de kinderen te kijken. Ze sliepen alledrie.

Toen ze weer naar beneden kwam, was hij ingedommeld met de krant over zijn gezicht, maar hij schoot wakker van haar stappen.

Ik was even ingedut, zei hij.

Hij wilde de kwestie laten rusten, dat begreep ze wel. Maar het was nu te laat. Ze had geen keus meer; ze moest het kwijt.

De Erikssons zijn ons geld schuldig voor paardenvoer en eten. En voor gereedschap! Sinds vorig jaar. Hoe moet dit aflopen! Komt Vilhelm Eriksson nu nog meer halen in de winkel? Voor de komende winter?

Ja, hij was vandaag bomen gaan merken. Als hij moet kunnen betalen, dan moet hij ook hout kunnen hakken.

Ze wist dat de houthakkersploegen begonnen waren met de verdeling van de percelen. De voerlui hadden hun houthakkers uitgekozen en nu zouden de terreinen worden genummerd en verloot. Vervolgens zouden ze de transportwegen gereedmaken en stapelplaatsen aanleggen.

Voor wie werkt hij? Hij zal toch niet zelf rijden?

Jawel, wat moet hij anders doen? Als-ie d'r iets aan over wil houden. Ze zijn nu een eigen ploeg, Eriksson en zijn jongens. We zien wel hoe het gaat.

Maar die jongens zijn nog te klein!

Niet de twee oudsten. Gudmund is tweeëntwintig, geloof ik. En Jon twintig. De jongsten hebben al geholpen om stammen de rivier in te rollen en oevers vrij te maken. Al een paar jaar minstens.

Voor een half mansloon.

Hij zweeg en nam zijn krant op.

Jij ziet je geld niet meer terug, zei ze.

Voorlopig was het onmogelijk om door te gaan. Maar de lust om door te drijven brandde vanbinnen. Toch durfde ze er een tijdlang niets meer over te zeggen. Op een middag bracht Trond een man uit Värmland mee de keuken binnen. Hij werkte als houtmeter voor hem en ze doorliepen samen de percelen. Hillevi stond aan het fornuis en ging net de koffie in de kan klaren toen ze de naam Vilhelm Eriksson hoorde vallen.

Die klootzak, zei de houtmeter. Je had me niet mogen tegenhouden, Halvarsson.

't Was beter zo. Jullie moeten niet vechten tijdens het bomenmerken. Doe dat maar op een zaterdagavond.

Ik heb geen maatformulieren vervalst, da's gelogen.

Hij bedoelde jou niet, zei Trond.

En daarop zeiden ze niets meer over die kwestie. Maar zodra de houtmeter voor de koffie bedankt had en vertrokken was met zijn papieren, vroeg Hillevi:

Bedoelde Eriksson jou dan? Dat jij de maatformulieren vervalst zou hebben?

Ja, iets in die zin.

Ze zag dat hij erg gegeneerd was.

Nu wordt het stilaan tijd om met hem af te rekenen, zei ze.

Maar hij antwoordde niet. En zij bleef staan, nog steeds met het koffievel tussen duim en wijsvinger.

Trond was zo iemand bij wie het diep ging als hij boze woorden naar het hoofd geslingerd kreeg. Hij zweeg en kropte het op.

Ze was er vrijwel zeker van dat hij in zichzelf liep te graven. Het was niet onmogelijk dat hij inwendig naar een bevestiging zocht. Maar waarschijnlijk kreeg hij er geen deze keer: een vervalser was hij niet. Daarna kwam de woede. Die kende ze ook. Die doofde niet gauw. Je zou kunnen zeggen dat Trond wrokkig was. Hij vergat nooit wat diep gegaan was.

Dat merkte ze duidelijk op een middag toen Vilhelm Eriksson de winkel binnenkwam. Trond keerde hem de rug toe. Hij nam zijn jas van de kleerhanger en liep naar buiten.

Eriksson stond bij de toonbank en wendde zich nu tot Hillevi, weliswaar met tegenzin, dat merkte ze. Hij begon op te sommen wat hij wilde hebben. Het was voor zijn houthakkersploeg, begreep ze. Hij begon met spek.

Ze luisterde zonder iets te zeggen. Hij noemde alles op, eindigde met een timmermanspotlood en twee boomwiggen en zei:

Onze Gudmund komt het morgen halen.

Ik weet niet of dat wel gaat, zei Hillevi. Ze voelde zich bijna buiten adem door met hem te praten. Ze had altijd de mannen van Lubben gemeden als ze naar de winkel kwamen. Hij was verouderd in de jaren die verlopen waren sinds ze hem een keer werkelijk in het gezicht had gekeken. Ze vond dat hij op een wolf leek.

Ik weet niet zeker of we nog op de pof geven, zei ze. Ik moet het aan Halvarsson vragen.

Met knikkende knieën draaide ze zich om en begon in het schap met naaigerei te rommelen. Nu pas besefte ze dat ze alleen in de winkel waren, zij en Eriksson. Ze hoorde hem zwaar ademen en hij loste een klodder spuug. Zodra hij de deur weer achter zich dichtgetrokken had, ging ze op een ton zitten. Ze had hartkloppingen.

Die avond werd het niet rustig voordat ze naar bed gingen. Maar toen zei ze het:

Je moet die wissels disconteren en hem alles laten betalen wat al twee jaar op de pof staat. Het heeft nu lang genoeg geduurd.

— * —

Iedereen gelooft dat het de Noor allemaal niets kan schelen. Hij is oud en eenzaam, dat is waar. Hij zegt dat het hem een zorg zal zijn wat ze tegenwoordig uitspoken. Maar met mij praat hij soms over vroeger. Hij lijkt ondanks alles nieuwsgierig te zijn naar deze plaats waar hij beland is. Zich heeft laten belanden.

Je had in Italië kunnen wonen, zeg ik wanneer hij de winter vervloekt. Of op de Bahama's. Voor het geld hoef je het niet te laten.

Dan grijnst hij.

Het water speelt vandaag. Golfjes, de glinstering van de zon. De aarde is in ieder geval groen en draagt de mensen, denk ik. En ik zet de radio af.

Alle luchtlagen, de koude en de warme, de droge en de vochtige, de koude waterlagen diep in de meren, hun glinsterende oppervlak, de bergen en venen met hun zonnevlekken, hun kleine dekens van goud, alle zijn ze de mensen vandaag goedgezind. Het licht dat 's nachts nauwelijks zijn schijnsel dempt, het donker dat komen zal, dat waarlijk komen zal, en de morgen en de avond en het gebladerte en het gras en het bos en de dieren daarin, ze zijn allemaal levend en vriendelijk gestemd. De aarde draagt de mens en hij loopt lichtvoetig op de grond.

Maar ik weet goed dat de aarde hem ook bedreigt.

Koude en honger kunnen de mens te pakken krijgen. Hij kan in een veenput wegzakken. Een mes kan uitglijden. In de handen van een ander is het misschien wel een steekwapen. Dan bloedt hij dood.

Ziekten krijgt de mens en ziekten ervaart hij diep in zich. Niet dat het eenvoudig is om erover te vertellen en ook niet over hoe een vrouw kinderen krijgt, hoe ze bloedt en pijn moet lijden om ze te krijgen.

Maar zij leven hun verhaal, hoe moeilijk het ook is. Iets anders kan hij niet.

Hij krijgt er antwoord op van andere mensen. Dat zei ik tegen hem: niets is ten volle beleefd en ervaren voordat we erover vertellen en een antwoord op ons verhaal krijgen.

Hij grijnsde me alleen maar toe. Een kille grijns. Ik werd geestdriftig, fel zelfs en zei dat er in de verhalen iets zit waar vergetelheid en vernieling niet bij kunnen.

En ik geloof niet dat dat iets ook elders te vinden is, zei ik.

O, zei hij. En ik die dacht dat jij gelovig was.

Hij bleef me voor de gek houden – zoals zou blijken. Eerst klonk hij tamelijk ernstig. Met luide stem zei hij dat verhalen leugens zijn, dat alle mensen zich beter voordoen dan ze zijn. Een mens kan ook niet anders wanneer hij over zichzelf praat. De herinneringen die ze zo zelfverzekerd vertellen zijn in werkelijkheid versleten vodden die met geen woorden aangeraakt kunnen worden. Dan worden ze onmiddellijk leugens.

Een mens is alleen in de wereld. Hij heeft niets met anderen. Niets anders dan al dat gepraat, die stroom van leugens uit zijn mond.

Daarna zat hij een lange poos stil, blijkbaar moe en in gedachten verzonken. Ik zette koffie voor ons tweeën. Hoewel hij niet uit deze streek afkomstig is en hij op vele plaatsen in de wereld is geweest, houdt hij het meest van koffie zoals we die hier koken, zonder filter. Toen we een kopje gedronken hadden en hij opgekikkerd was en zijn gezicht niet meer zo vaalgrijs zag, wilde hij meer weten over

Lubben en over wie daar vroeger gewoond had. Op het uiterste puntje van de landtong, op Tangen.

Eriksson heetten ze, zei ik. De opa noemden we de ouwe van Lubben. Hij kwam op een verschrikkelijke manier aan zijn einde.

Hoe dan?

Toen zei ik dat ik hem alles zou vertellen vanaf het begin.

Vanaf het begin, spotte hij. Wat weet jij daarvan?

Ik weet dat de Erikssons schulden hadden in de winkel, zei ik. Er was ook sprake van paardenwissels. Mijn pleegvader was remittent. Maar uiteindelijk ging het te ver.

Vilhelm Eriksson had tegenslag. Ja, wat heet tegenslag? Hij nam zijn jongens mee om bomen te merken. Dat deed hij om de opbrengst in Lubben te houden. Hij had twee slechte jaren gehad en zijn schulden groeiden maar aan. Nu moest hij alles inhalen. Maar de jongens waren nog niet oud en sterk genoeg. Ze schoten tekort in het werk op de kapplaatsen, in het razen en jagen naar kubieke voet. Hoe hard ze ook zwoegden.

Het was koud die winter en het ontschorsen ging moeilijk. Al het vurenhout moest worden ontschorst en zij hadden de percelen bij Tullströmmen en verder op de heuvel gekregen, met veel spar.

De ouwe van Lubben was ook buiten en hakte of reed wanneer hij kon. Maar van volledige werkdagen was geen sprake want hij moest thuis de dieren verzorgen. Ze hadden geen vrouw in huis die winter. Bäret was bij haar moeder, die met een borstziekte in bed lag in Skuruvatn.

De jongens werkten flink, ze probeerden volwassen mannen te zijn. Maar toen ten slotte de houtmeter op het ijs stond, de prikplank in zijn linkerhand hield, en voor elke boomstam met zijn pen een gaatje in het papier maakte, toen moesten ze de waarheid onder ogen zien. Het was allemaal naar de kloten.

— * —

Twee vrouwen kwamen pleiten voor de Erikssons. Eerst kwam Aagot langsgeparadeerd in een van haar Amerikaanse manteltjes. Ze zei dat ze alleen maar even wilde rondkijken. Aangezien ze dat nog nooit gedaan had, vermoedde Hillevi dat er iets achter zat. Maar dat ze een goed woordje voor Vilhelm Eriksson wilde doen, was moeilijk te begrijpen.

Wat heb jij met die van Lubben te maken? vroeg Hillevi onomwonden.

Daar antwoordde ze natuurlijk niet op. Ze zat op de bank in de salon met het koffiekopje van het fijnste porselein voor zich en keek rond. Haar blik was als die van een boedelbeschrijver. Ze glimlachte om de grammofoon. Waarom was niet helemaal duidelijk. Was die niet groot en Amerikaans genoeg? Of te opzichtig in een dorp als dit?

Ze hadden het nooit goed met elkaar gevonden. Aagot had reisgeld van haar vader bij elkaar gezeurd om niet de meid van Hillevi te moeten zijn. Zo had ze dat gezegd. Ze hadden Noorse familie in Boston en dus liet Morten Halvorsen haar vertrekken. Eerst hielp ze in het pension van haar tante, daarna kreeg ze een mooie betrekking als dienstmeisje. Iedereen was verbaasd toen ze weer naar huis kwam en ging wonen in het huis dat van haar zuster geweest was.

Dezelfde keukentafel stond er nog. En die trok blijkbaar hetzelfde soort volk aan. Er werd enorm veel koffie gedronken, precies zoals in de tijd van Jonetta. Aagot deed niet veel, dat hoefde ze niet. Ze had de erfenis van haar grootvader en kreeg merkwaardig genoeg ook geld uit Amerika. Iedere maand. Daar werd over geroddeld. Het gepraat kwam natuurlijk van het postkantoor in het dorp. Maar Aagot beheerste de kunst van het zwijgen wanneer ze dat wilde.

Trond, die de naam Halvarsson aangenomen had, wilde dat Aagot meedeed aan de naamsverandering. Maar zij diende in plaats daarvan een aanvraag in om zich Fagerli te mogen noemen, naar het dorp waar de familie vandaan kwam. Aan mensen die van elders kwamen, vertelde ze altijd dat ze uit een boerengeslacht aan de Noorse zijde afkomstig was. Maar ze was ook de kleindochter van de Lakakoning, dat wist iedereen. Het had dus geen zin om een nieuwe naam te nemen.

Ze zal nog wel trouwen, zei Hillevi.

Maar anderzijds was het moeilijk om je Aagot getrouwd in het dorp voor te stellen. Het waren niet alleen de hoeden en mantels met passementen rond de knoopsgaten. Er was iets met dat mens. Ze gedroeg zich op een manier waarvoor Hillevi niet het lef zou hebben gehad. Als een dame. En toch ging ze om met lui die Antaris Nilsson had meegebracht. Mensen die de lieve Jonetta nooit op hun nummer zou hebben durven zetten. Ze glijdt toch af, dacht Hillevi, maar dat zei ze niet tegen Trond.

Hoe dan ook, ze wees Aagots ideeën af. Trond kon de Erikssons van Lubben niet bijspringen. Niet jaar in jaar uit.

En de jongens dan? vroeg Aagot.

Het lag natuurlijk moeilijker met die jongens. Straatarme mensen hadden altijd zo veel kinderen. Ze zei dat Vilhelm maar ergens anders werk moest gaan zoeken. Hij net zoals anderen.

Werk? Iets anders dan het bos, zei Aagot. Wat zou dat moeten wezen?

Dat is mijn zaak niet en die van jou ook niet.

Aagot scheen er geen besef van te hebben wat Hillevi in de loop van de jaren gedaan had. Behalve de ziekenbezoeken. Voedselpakketten toen de nood het hoogst was. Afgedankte kleren. Gratis medicijnen.

De vrouwen die Hillevi om raad kwamen vragen over hun krampen. Ze hoopten dat ze druppels had die hielpen. Een vertelde dat ze het zo snel op haar adem kreeg, een ander was draaierig als ze opstond en het duurde tot laat in de ochtend. Geen van allen wilden ze toegeven dat ze overwerkt waren. Liever duizelig door de een of andere ziekte. Ze kende nu hun symptomen en de Jämtlandse woorden die ze ervoor hadden. Maar zij wist dat de ziekte eigenlijk ondervoeding en uitputting heette. De hulp was ontoereikend. En als we nu alles weggaven, dacht ze. Wat zou dat helpen?

En het zou niet eerlijk zijn.

Het was in ieder geval bitter dat niemand Aagot had verteld dat Hillevi eten en afgedankte kleren en medicijnen weggaf. Het was pijnlijk om het zelf te moeten zeggen. Maar ze moest zich verdedigen en daarom zei ze dat ze velen in de loop van de jaren geholpen had.

Maar niet die van Lubben, antwoordde Aagot.

De tweede vrouw was Bäret. Ze kwam nadat Trond eindelijk een besluit genomen had en Vilhelm Eriksson daarvan bericht had gekregen. Ze stond in de keuken met al haar sjaals en met haar bontmuts diep over haar voorhoofd getrokken, ongeveer zoals ze eruitzag toen Hillevi haar de eerste keer had opgemerkt in het duister van de winkel.

Spreek met Halvarsson, zei Hillevi. Hij regelt zijn zaken zelf.

Maar over dit *zaakje* heeft mevrouw Halvarsson zeker haar zegje gehad.

Ze sprak het woord op een aparte manier uit. En ze bleef staan. Hillevi wist niet wat ze met haar aan moest. Ze draaide zich om begon geweekte haring op een krant te fileren. Het scheen haar toe dat Bäret eindeloos lang bleef wachten. Het was zo stil dat ze haar met open mond hoorde ademen. Waren de kinderen maar bij haar geweest. Maar Tore en Risten waren op school en Myrten was rustig aan het spelen in de slaapkamer.

Ten slotte ging Bäret weg. Hillevi was slap in haar benen toen de deur eindelijk dichtsloeg. Ze ging aan de keukentafel zitten en hield haar gezicht in haar handen. Haar vingers roken naar haring. Ze wilde huilen maar kon niet. Toen ze de buitendeur weer hoorde opengaan, ging ze vlug rechtop zitten en streek haar haar glad. Ze dacht: o nee, nu zit die haringgeur in mijn haar. Het was alsof alles misliep, van de kleinste tot de grootste zaken. Toen ze zich omdraaide, stond Gudmund Eriksson binnen. Hij had zijn muts niet afgenomen.

Wat moet je? Als je je tante komt halen, die is al vertrokken.

Hij gaf geen antwoord. Toen ze door het raam keek dat op de winkel en de weg uitkeek, zag ze dat Bäret buiten al op het rijtuig zat.

Wat wil je dan?

Ik kom de groeten doen van m'n pa, zei hij.

Ik heb hier niets in te zeggen. Halvarsson heeft hem laten weten wat hij beslist heeft.

Dat weten we. Maar m'n pa zei dat ik met jou moest spreken. Alleen.

Ik kan niets doen.

Hij was lang zoals alle jongens van Lubben. Blond en grofgebouwd. De blik van onder de halfgesloten oogleden week niet van haar gezicht.

M'n pa zei dat je moet oppassen, zei hij.
Kom jij me bedreigen?
Hij grijnsde ineens.
Vieroog krijgt je nog wel, zei hij. Met de groeten van m'n pa.
En daarop draaide hij zich om op de zware hakken van zijn laarzen en ging weg.
Ze begreep niet wat hij bedoelde en daardoor voelde ze zich nog minder op haar gemak. Ze kon het niet aan Trond vragen, als hij binnen kwam. Over alles wat met die mensen van Lubben te maken had, moest ze zwijgen.
Ze kende niemand die Vieroog genoemd werd. Jan en alleman had hier een bijnaam. De Modepop. Opa Knikker. Er was er zelfs een die de Breipen genoemd werd omdat hij zo mager was. Maar van een Vieroog had ze nooit gehoord.
Diezelfde week bakte ze samen met Verna Pålsa brood. Toen ze voor de oven stonden in het bakhuis – Verna rolde het deeg en zij bakte – zei ze terloops:
Vieroog, weet jij wie dat is?
Verna had geen idee.
Waar heb je dat gehoord?
Dat weet ik niet meer, zei Hillevi.
De meisjes waren meegekomen en stonden aan het eind van de tafel ook wat deeg te rollen. Risten zei:
Vieroog, da's een hond.
O ja? zei Verna. Wie z'n hond?
Dat weet ik niet. Maar mijn oom zei dat er honden met vier ogen bestaan. Ze noemen die Njieljien Tjalmege. Dat betekent Vieroog, zei oom. In onze eigen taal.
Verna schoot in de lach.
Die daar! zei ze tegen Hillevi. Die is niet van gisteren. Durf je dat ook tegen de juf te zeggen?
Nee, zei Risten.

Trond was nu veertig jaar en niet altijd even opgewekt. Toen hij de brief van Tobias te lezen kreeg, lachte hij wel. Maar het klonk een beetje scherp. Soms maakte Hillevi zich ongerust over hem.
Je wordt mager, zei ze. Je bent toch niet ziek?
Dat najaar waren er op Tangen drie gestorven nadat ze een longziekte hadden opgelopen.
Ach welnee, zei Trond. Met mij is niks mis.
Hillevi dacht dat hij zich zorgen maakte over de houtvlotterscoöperatie. Hij had daar de belangen van zijn vader overgenomen. Toen de rivier voor houtvlotten geschikt gemaakt zou worden, had Morten Halvorsen zich teruggetrokken. Hij vond het te veel geld, zei hij. Maar de waarheid was dat hij de bosbouw meer en meer verliet en uitverkoop hield.
Hij speculeert, zei Trond. Nu zijn het weer aandelen.

Aandelen was het enige woord dat hij nog steeds op z'n Noors uitsprak.

We moesten misschien ook maar eens gaan speculeren. Dan hoef je in ieder geval niet te werken.

Ze wist niet of hij meende wat hij zei. Voor een grapje was het bijna te bitter en het was niets voor hem.

Jij bent met te veel bezig, zei ze.

De centen zijn streng, zei hij. Je krijgt er niet minder zorgen door. Geld is een echte opvoeder.

Ze ergerde zich aan dat soort wrange grapjes.

Ja, ik weet nog zo gauw niet of het dat geld is, zei ze. Het is zeker de verantwoordelijkheid. Jij draagt verantwoordelijkheid voor de mensen hier. Dat ze werk hebben en hun boterham verdienen.

Maar voor de Erikssons is alles nu verloren. En daar zijn wij eigenlijk ook verantwoordelijk voor. Of niet soms!

Weet je wat het is, zei ze, voor dat soort mensen hoef jij geen verantwoordelijkheid te nemen. Het is beter dat ze hier weggaan.

Ville en ik waren schoolkameraden.

Hij is minstens vijf jaar ouder dan jij. En jij bent van iedereen de schoolkameraad geweest.

Dit gekibbel was eigenlijk onnodig. Ze wist dat hij een besluit genomen had. De boerderij van de Erikssons zou gerechtelijk verkocht worden. Maar ze wilde het niet laten merken, want ze had het in het dorp te horen gekregen.

Het duurde lang. Tergend lang, vond ze. Maar op de tweede zaterdag van januari was het eindelijk zover. De mensen kwamen kijken, zoals altijd wanneer er iets gebeurde. Een predikant of een veilingmeester, het zou niets uitmaken.

Geen sprake van dat zij er ook heen zou gaan. Maar toen ze alleen achterbleef in de keuken, drong het tot haar door dat Trond waarschijnlijk op Lubben zou bieden. En dan wist je niet hoe het zou gaan. Goedmoedig als hij was, zou hij het niet over zijn hart krijgen de Erikssons op straat te zetten. Ze moesten maar huren of pachten. En wat maakte het dan nog voor verschil?

Dus ging ze er toch naartoe. Ze moest de kinderen warm aankleden en meenemen, want het hulpje in huis had vrijaf gevraagd. Veilingen hebben we hier niet zo dikwijls, had ze gezegd. Maar eigenlijk hadden we er tegenwoordig veel te veel.

Het was een koude dag met een hoge hemel. De kinderen liepen voor haar uit en waggelden als hoentjes, ingepakt in dassen en sjaals. De smalle weg naar Lubben was helemaal platgetrapt door alle mensen en paarden.

Ze was er alleen maar die ene keer geweest. Sindsdien nooit meer. Meestal dacht ze niet aan die plek. Ze was bang voor Vilhelm Eriksson maar had zich nooit voorgesteld wat hij haar had kunnen aandoen.

Of zij hem.

Destijds had hij een hond met twee witte vlekken op het voorhoofd. Ze leken op ogen. Vieroog. Die hond moest al jaren dood zijn. Wie kon dat beter weten dan zij?

Het was ronduit onwerkelijk hoe ze de paardenvijgen ontwijkend over het sleespoor naar Lubben liep en de kinderen tot spoed aanzette, want die roezemoesden en praatten en wilden alle mogelijke omwegen maken.

Ze dacht aan dat meisje, Serine Halvdansdatter. Of ze nog leefde.

Er waren veel sleeën. De paarden stonden uit hun voederzakken te eten. Iemand kwam hen tegemoet en leidde een koe weg.

Stel je voor, een verdwaasde koe de kou in drijven.

Als dit maar snel voorbij was.

Het huisje was zo klein, veel kleiner dan ze zich herinnerde. Mensen liepen in en uit. Er plakte sneeuw aan hun laarzen. Twee van de jongens van Eriksson waren in een lege slee gaan zitten en staarden naar alles wat de mensen meenamen. Ze moesten dertien, veertien jaar zijn maar ze waren zo mager dat ze er veel jonger uitzagen. Vel over been.

Wat kon je anders doen dan de mensen werk geven? De socialisten, die vooral onder de houtvlotters zaten, zeiden dat de mensen uit pure hebberigheid handelden. Al wat de werkgevers deden, deden ze uit gierigheid en slechtheid. Daarom zouden ze van hen afpakken wat ze bezaten: van de boseigenaren het bos en van de fabriekseigenaren de fabrieken.

Maar het was niet rechtvaardig.

Je mag niet van de mensen afpakken wat van hen is. Dat had oom Carl destijds al gezegd.

Het waren toen ook slechte tijden, hoewel ze dat niet had beseft. Of toch, de Grote Staking natuurlijk. Daar had ze van gehoord.

Ze had gedacht dat het goed ging als de mensen maar werk kregen en zich een beetje gedroegen. Maar dan was er ook nog zoiets als slechte tijden, die wereldziekte. Hoe genas je die?

De mensen namen mee wat zopas nog de inboedel van Eriksson was. Een karnton. Een wandklok. Ze keken alsof ze echte koopjes hadden gedaan, maar ze hadden thuis vast al ongeveer dezelfde dingen. De boterkarn van mama, de klok die tikte aan de muur. Een oud vrouwtje sleepte een rendierhuid weg. Ze was niet het bange type. De moeder van deze kinderen was aan tuberculose gestorven. Maar dat was meer dan tien jaar geleden, twaalf misschien. De mensen hadden een kort geheugen.

Ze begreep dat de boedelveiling afgelopen was en dat het gereedschap was verkocht, net als de dieren en de sleeën en de wagens. Iedereen die wilde bieden op de boerderij had zich in het huis verzameld, en Trond was daar ongetwijfeld bij.

Gudmund kwam naar buiten en gaapte haar aan. Er waren uiteraard alleen mannen binnen en daar had ze dus niets te zoeken. Maar ze moest op de een of andere manier Trond te pakken zien te krijgen. Binnen die deur wilde ze geen voet meer zetten. Dat nooit meer. Ze droeg Risten op naar binnen te lopen en oom Halvarsson te vragen of hij even naar buiten wilde komen.

Hij verscheen in de deuropening met Risten die hem aan zijn hand voorttrok.

Kun je even komen? vroeg Hillevi.

We gaan dadelijk bieden.

Zijn gezicht was gesloten.

Ik moet je iets zeggen, zei ze en ze voelde dat er velen nu naar hen stonden te kijken. Ze wist wel wat ze dachten: moeder de vrouw, hoor.

Het is belangrijk, zei ze zacht.

Hij liep een eindje met haar mee. Ze zag Jon verderop bij de stal. Hij maakte een onbeschaamde indruk. Maar Vilhelm noch de ouwe zelf waren te bekennen. Ze keek een laatste keer naar de deur, die openstond, en ze dacht: dit hoef ik nooit meer te zien.

Gaan jullie maar even naar de paarden kijken, zei ze tegen Myrten en Tore die aan Trond begonnen te hangen. Papa en ik hebben iets te bespreken.

Risten gehoorzaamde meteen en nam hen met zich mee. Ze hoorde aan hun stem wanneer het menens was. Ze was een verstandig kind. Ze zorgde altijd voor Myrten, die bangelijk en schuchter was. Bedeesd, zei men. Ze had iemand nodig die kranig was en z'n mannetje kon staan. Zolang ze kon, had Risten met Myrten gesleept, gezeuld en gesjouwd. Nu was ze te groot, maar ze hield haar altijd aan de hand als ze buiten waren. Tore liep hen achterna. Hillevi had liever gezien dat hij ook vriendjes bij de jongens had. Maar op school werd hij gepest. Ze noemden hem Amerikaans Varken. Hij kreeg het hard te verduren vanwege het spek dat Trond verkocht.

Toen de kinderen bij de paarden waren, nam ze Trond bij de arm en ze liepen nog wat verder.

Ik vind dat je niet op Lubben moet bieden, zei ze.

Hij antwoordde niet. Ze wist dat ze hem in verlegenheid had gebracht door hem naar buiten te laten komen. Nu werd hij waarschijnlijk nog bozer. Had hij toch maar iets gezegd!

Ik heb me nooit met jouw zaken bemoeid, zei ze.

Dat ontbrak er nog aan, zei hij met een spotlachje dat haar onzeker maakte.

Nee, ik weet het. Jij het jouwe en ik het mijne. Maar deze keer vraag ik je naar me te luisteren.

Hij zweeg.

Ik wil niet dat je op Lubben biedt. Dat zou ongelukkig zijn.

Ongelukkig? Wat heeft dat nu weer te betekenen? Zaken zijn zaken. Jij hebt toch zelf gezegd dat ik die centen terug moest zien te krijgen.

Dat is van geen belang, zei ze. Doe voor één keer wat ik je vraag. Bied niet op Lubben.

Zijn tong bewoog heen en weer onder zijn bovenlip. Toen spuugde hij iets geelbruins op de grond. Hij was anders altijd discreet met zijn pruimtabak in haar bijzijn. Ze vreesde dat dat niet veel goeds beloofde.

Hij liet haar alleen achter en liep weer naar binnen. Hillevi haalde de kinderen en vertrok naar huis zonder nog om te kijken.

Een paar dagen later hoorde ze in de winkel vertellen dat een houthandelaar uit Lomsjö het hoogst had geboden. Ze durfde Trond niet te vragen of hij toch had geboden en het had moeten afleggen tegen een te hoog bod of dat hij zich meteen had teruggetrokken. Ze wist dat hij er niet meer over wilde praten.

— * —

Er hing damp rond de grote paardenlijven. De mensen sleepten dekens en stoelen weg. Een hond die aan een platte wagen vastgebonden stond, hees na een hele dag blaffen, beet een oude man in de hand toen die het touw los wilde maken.

Het was de man die de wagen gekocht had, zei ik. Hij moest ermee naar huis natuurlijk. Maar het beest wilde hem niks van de boerderij laten meenemen.

De Noor lachte om me. Hij geloofde niet dat ik me daar nog iets van kon herinneren.

Denk je soms dat ik lieg?

Hij lachte.

Dichten, dat is wat jij doet, zei hij.

Maar ik herinner me alles. Negen jaar was ik. En op een nacht brandde de winkel af.

Het ongeluk klopte aan. Achteraf heb ik nooit geweten wiens vuist er op de deur bonkte. Het was na middernacht en wij waren allemaal in een diepe slaap verzonken. Enkele ogenblikken dreunden de slagen zonder betekenis in onze duisternis. Toen rook ik de hondengeur en de vochtige warmte van de lakens. We hoorden zware, gejaagde stappen en ik wist waar ik was. Er liep iemand onze trap af.

Mama! schreeuwde Myrten.

Het schijnsel van een lamp flakkerde op de muren en in haar gezicht. Ze huilde schreeuwend en we kropen bij elkaar in mijn bed met Sissla erbij en hielden elkaars handen vast. Toen kwam Hillevi aangelopen en Trond riep van beneden:

Hillevi, mijn broek!

Ze liet ons onmiddellijk alleen achter, maar het geluid van zijn stem was troostend want dat klonk zo alledaags. Je riep niet om je broek als iedereen zou doodgaan. Sissla sprong uit het bed en rende luid blaffend de trap af.

Hillevi liep weer naar boven zodra Trond zijn broek had gekregen. Ze ging bij Tore binnen en zei hem bij ons in bed te kruipen.

De winkel staat in brand, zei ze en we zagen dat ze huilde. Jullie moeten hier blijven.

Daarop verdween ze de trap af met een sjaal om zich heen. We zaten stil en omklemden elkaars handen, Myrten en ik. We hadden het koud en onze handpalmen waren vochtig.

Als de winkel afbrandt, hebben we geen eten meer, zei Tore. Dan heeft niemand in het hele dorp nog te eten.

Ik zei hem dat hij niet zo stom moest doen.

Myrten zei:

Nu worden we arme mensen.

Ze was nog maar vijf jaar, bijna zes. Maar ze was slimmer en bedachtzamer dan Tore, die al naar school ging.

Ik zei dat ze hun trui en sokken moesten aandoen en hun dekens mee naar beneden moesten nemen. Ik wist dat het in de keuken koud zou zijn en dat niemand tijd zou hebben om het vuur in het fornuis aan te maken.

Beneden klommen we op de keukenbank onder het raam dat op de winkel uitkeek. We zagen de grote vlammen zich tegen de nachtelijke hemel werpen en we hoorden hoe het bulderde. Er renden nu vele mannen door de sneeuw en het vuur flakkerde op hun zwarte kleren. We sloegen de dekens om ons heen en keken toe hoe ze emmers water recht door de ramen naar binnen gooiden. Trond liep rond met zijn nachthemd boven zijn broek. Hij was de enige die een wit schijnsel verspreidde. Toen kwam Hillevi met zijn jas en bontmuts en ook hij werd een zwarte gedaante.

Het was koud die nacht. Zesentwintig graden onder nul, zei Hillevi achteraf. We zagen de hele winkel afbranden en de vlammen waren als die uit een groot fornuis en niet zoals wij ze altijd tekenden met gele en rode krijtjes. Het vuur had een eigen vuurkleur met vele kleuren in de toppen van de vlammen, blauwselblauw en groen als het patina op kandelaars. We zagen koolzwarte asschilfers neerdwarrelen op de sneeuw en verpulveren omdat ze zo dun waren. Vonken spatten op uit een plek die tot dan toe zwart was geweest. We hoorden hoe de lamppetroleum ontplofte en de ruiten sprongen en we zagen het scherven regenen op de sneeuw, die steeds zwarter werd van het roet. De mannen renden met emmers. Er waren er nu veel en ze vormden een ketting naar het meer waar Trond een wak had gehakt. Ten slotte kwam Haakon met de Gitzwarte voor een wagen gespannen. Achterop lagen brandspuiten die hij verderop in het dorp aan de overkant van de brug was gaan halen. Maar niets hielp.

We zaten urenlang op de bank. Ten slotte waren we stijf ondanks de dekens waarin we ons gewikkeld hadden. We hadden een koude neus. Myrten huilde bijna de hele tijd.

Maar arme mensen werden we niet.

Die nacht liep Erik Eriksson van Lubben over het meer. Dat was in ieder geval wat velen achteraf geloofden. De sporen liepen van het boothuis langs de winkel naar de zuidkant en de Brannberg. Maar niemand had in de haast van het nablussen tijd om ze te volgen.

Er kwamen zachtere dagen. Verse sneeuw dwarrelde over het roet rond de afgebrande winkel. De diepe sporen op het meer, die in hardbevroren sneeuw waren achtergelaten, werden zachter en raakten stilaan ondergesneeuwd.

Een paar dagen na de veiling waren Vilhelm Eriksson en zijn twee oudste zonen Gudmund en Jon uit het dorp vertrokken. Ze gingen werk zoeken in Noorwegen. De jongsten gingen met hun tante Bäret mee naar Jolet, waar de familie van hun moeder hun zolang onderdak zou bieden. Maar er moest ook werk voor ze worden gevonden en dat was niet zo eenvoudig.

De ouwe was nergens te bekennen.

Een jonge man die op Tangen woonde – hij heette overigens Nilsson maar iedereen zei Jo Nisja – skiede op een zondagmorgen naar de overkant van Svartvattnet om te kijken of er geen auerhaan in de sparrentoppen zat. Maar niemand hoorde hem schieten. Hij kwam al na een paar uur terug.

Hij had de ouwe van Lubben gevonden in de half ingestorte hut waar hij naar het schijnt geboren was. Zijn lichaam was stijf als een boomstam. Zij die het gingen ophalen, zeiden dat zijn werkjas naar petroleum rook.

Toen ik dat vertelde aan de lange, magere man die ze de Noor noemen, bleef hij een hele poos zwijgzaam zitten en ik dacht dat hij zijn belangstelling verloren had voor wat er zo lang geleden gebeurd was. Maar hij dacht er kennelijk over na, want ten slotte vroeg hij:

Was je bang voor hem?

Ik knikte.

Iedereen volgens mij.

De kinderen?

Ook de volwassenen.

Ja ja, zei hij en roerde verstrooid over de bodem van zijn koffiekopje. Ik schonk hem het laatste uit de thermoskan in. Maar hij scheen niet te merken dat zijn kopje weer bijgevuld werd. Hij keek alleen maar uit over het meer, waar de ouwe van Lubben zo lang geleden gelopen had.

Echt arme mensen jagen ons inderdaad schrik aan, zei hij.

De arme wil iets hebben wat wij niet weg willen geven. We proberen het met bezittingen. We geven hem kleren, geld en eten.

Maar hij wil iets anders hebben.

Was je en laat je ontluizen, zeggen we tegen iemand die straatarm is. Leer toch behoorlijk praten. Poets je tanden en zorg dat je niet uit je bek stinkt. Doe dat en daarna zien we wel.

Maar de arme wil iets van ons hebben zonder iets anders in ruil te moeten geven. Zo onbeschaamd is hij.

Geef me dat, vraagt hij opdringerig.

Zorg maar dat je eerst van die uitslag in je gezicht afkomt, zeggen wij. En van die neten in je haar en van de luizen in de zomen van je kleren. Verwijder die pisgeur uit het beddengoed, daarna zien we wel. Ik wil je ook horen spreken en je moet verzorgd spreken.

Maar het kan de arme geen moer schelen wat wij verlangen. Hij is niet bereid om iets in ruil te geven. Achter zijn versuffing, achter zijn hardheid, achter zijn gezeur en inschikkelijkheid grijnst de eis:

Ik wil hebben wat jij hebt.

Geef me je menselijkheid.

Toen ze de ouwe van Lubben in de hut aan de voet van de Brannberg gevonden hadden, kwam de kou die hem gedood had, terug en werd steeds dieper. Oogvocht bevroor tot glas als je te lang buiten bleef. Op de verkoolde balken in de hoop as die er van de winkel overbleef, groeide niet langer levermos. Alles was koud en stijf geworden en de kinderen staarden door het keukenraam naar de koolzwarte resten.

Hillevi kon het niet opbrengen met ze te praten. Ze kwam nauwelijks toe aan haar normale bezigheden. Wanneer de nacht de kou nog harder maakte, kon ze de muren horen kermen. Ze lag ingesloten in sparrenhout gebreeuwd met mos, in plankenbekleding en behang. Dat leek haar maar een dunne schaal tegen de dood.

Slapen kon ze niet. Haar lichaam stak en deed pijn van vermoeidheid, maar er kwam geen bevrijding uit het donker. Ze kon met niemand spreken, dat wilde ze ook niet. Trond was altijd bezorgd om haar. Maar ze kon zijn troost en zijn verklaringen niet aanhoren. Ze zou er toch niets van geloven.

Ze dacht aan Erik Eriksson, dat die dood was. Ze moest opstaan, een sjaal om haar schouders slaan en naar de keuken gaan om het fornuis aan te maken. Ze kon net zo goed proberen om een beetje warmte uit haar slapeloosheid te putten. Ze bleef luisteren naar het geknetter van de sparrentakjes waarmee ze het vuur aangemaakt had, het was alsof ze in het huisje in Lubben binnenkeek. Dat moest nu leeg en koud zijn.

Ze begreep dat bijna de hele wereld buiten onze gedachten ligt. Maar hij bestaat wel. Ergens bevond zich Serine Halvdansdatter, aan wie ze jarenlang niet had willen terugdenken. Ze kon ook dood zijn.

De jongens bestonden. Ze wist niet hoe de jongsten heetten.

Buiten lag het meer onder een maan die op het gebleekte voorhoofdsbeen van een dier leek. Het was een boosaardig beeld. Ze zag de zwarte stekels van de sparren en dacht weer aan Erik Eriksson.

Het eerste wat Myrten deed als ze wakker werd, was vlug naar het raam hollen en naar de resten van de winkel kijken. Het was zo'n klein vierkantje, alsof er niet meer dan een hok had gestaan. Tranen welden op in haar ogen terwijl ze staarde naar wat stroop en mutsen en zweepjes en karamellen geweest waren. Elke dag vond ze nieuwe dingen die daar geweest waren en die nu in as waren opgegaan. Hillevi had geprobeerd haar te troosten. Maar toen ze te horen had gekregen dat Eriksson doodgevroren in die hut lag, kon ze haar gejammer niet meer aanhoren. Ze snauwde haar af en zei dat de wereld niet verging als meel en suiker en tabak opbrandden.

Papa heeft in ieder geval zijn boeken nog, zei ze. Die liggen in de secretaire in de salon.

Maar Myrten wist natuurlijk niet wat een kasboek of een grootboek was en Hillevi wilde het niet uitleggen. Maar Risten was geduldig. Ze tilde het meisje van de keukenbank en zette haar met Sissla op de sofa. Ze gaf haar een kop warme chocola, en zei dat ze niet verdrietig moest zijn.

Maar wij zijn nu arme mensen, huilde Myrten.

Nee hoor, dat zijn we niet. Oom Halvarsson heeft zijn boeken nog en daarin staat wat de mensen hem schuldig zijn, zei ze. En hij heeft ook een verzekering. Hij gaat het geld op het postkantoor afhalen. Dan bouwt hij een nieuwe winkel. Dus zijn we helemaal niet arm. En nu moet jij je chocola drinken.

Toen riep Hillevi:

Nee, sommigen worden nooit arm! Wat er ook gebeurt, arm worden ze nooit! Voor sommigen is het gewoon onmogelijk om arm te worden!

Ze zag de bedremmelde kindergezichtjes en hoorde zelf hoe lelijk haar stem klonk. Toen sloeg ze haar schort voor haar gezicht en holde recht tegen de salondeur op. Achter zich hoorde ze dat Myrten naar adem hapte en weer begon te huilen. Het klonk nu schel.

Hillevi liep de salon binnen. Ze had pijn in haar hoofd. Zo stom om nu ook nog tegen de deur aan te lopen. En tegen de kinderen te roepen als een viswijf.

Ze snappen het ook niet. Ze geloven dat alles wat wij doen juist is!

Het was schemerig in de salon. De januarimorgen was zuinig met licht. Ze zag het portret van haar overleden schoonmoeder in zijden hoofddoek en hooggesloten zwarte jurk met een zware broche op haar fichu. In de buffetkast blonken de kristallen vazen en het nieuwzilver dat het hulpje gepoetst had voor de kerst.

Uit de keuken was Myrtens gehuil te horen en de pogingen van Risten om haar te sussen. Hillevi herinnerde zich dat zij op een keer zelf schokkend had gehuild. Het had te maken met Edvard; bij een ziekenhuisdoop had hij haar gegroet als een vreemde. Met een blik noch met een klein kneepje in haar hand had hij laten merken dat ze bij elkaar hoorden. Zijn gezicht was stijf en zijn handdruk correct. Dat was een dermate groot ongeluk geweest dat ze thuis had gehuild tot ze niet meer kon. Daarna had ze schokkerig geademd met trillende zuchtjes. Maar toen ze hem opnieuw zag, had ze zich alleen maar geschaamd en niets gezegd.

Maar eigenlijk was er geen schaamte in het huilen. Het was verstandiger geweest dan zijzelf. En nu ze wilde huilen, kon ze niet. Droogte en minachting waren haar de baas.

Minachting was iets waaraan ze niet wilde toegeven. Zij was immers een welwillend iemand. Zij was degene die begrip toonde en altijd klaarstond om te helpen.

Maar wat was al die welwillendheid eigenlijk? De welwillendheid van iemand die het altijd beter wist. Er zat machtsbelustheid in. En was dat niet minachting?

Wat het ook was, het keerde zich nu naar binnen. Er kwam geen einde aan het gevoel. *Mijn voeten glijden...* Kwam dat uit een psalm? Een weg recht de duisternis in. Ze dacht niet. Ze zag: touw en mes.

Steeds kouder kreeg ze het terwijl ze daar op de sofa in de onverwarmde salon zat. Ze kon er zich niet toe zetten om terug naar de kinderen te gaan.

Het was zondag en de twee oudsten hoefden niet naar school. Dus van hen raakte ze niet af. Het ergste was niet het huilen en de angst van Myrten, maar het vroegrijpe gezicht van Risten. Ze hoorde Trond naar beneden komen en zachte stemmen praten. Ten slotte kwam hij bij haar. Hij nam haar verstijfde lichaam vast.

Er werd besloten dat Hillevi naar Uppsala zou reizen. Ze moest er even tussenuit. Ze schreef aan tante dat Trond dat zo had gezegd. Het was trouwens een prima zegswijze. Ze droeg die onderweg met zich mee als een handtasje: *ik moet er even tussenuit.* En Aagot zal wel voor de kinderen kunnen zorgen met de hulp van het meisje. In Uppsala zal ik kunnen slapen, dacht ze. Als ik maar kan slapen, dan wordt alles anders.

Al die jaren was ze niet meer in Uppsala geweest. De reis was lang en ze had altijd zo veel te doen gehad. De winkel vooral. En de kinderen. Toen oom Carl werd begraven, was Myrten nog maar een maand oud. Zowel Sara als Tobias was inmiddels getrouwd zonder dat ze erbij was geweest.

Ze was niet in staat iets voor haar kinderen te betekenen. Een moeder die tegen ze schreeuwde, was geen goede moeder. Die zondagmorgen, als het al niet eerder was, had ze ingezien dat als ze niet zou slapen, ze op den duur de hand zou opheffen tegen een van die zachte gezichtjes die altijd zo vol vertrouwen waren geweest. Nu leken ze wel versprongen als een wandklok door een hevige stoot.

Er even tussenuit komen was veeleer thuiskomen. Uppsala sloot zich vertrouwd om haar heen ondanks al die jaren. Er waren nu natuurlijk veel auto's. Maar het geklapper van paardenhoeven op de straatkeien klonk als vroeger en het rivierwater bruiste. De domkerk stond als een bergwand van rode steen. De schaduwen eronder waren koud en herinnerden haar aan de zondagen toen ze 's morgens naar de hoogmis gingen en op koude banken moesten zitten. Ze herkende het gekrijs van de kauwen en de herrie wanneer de grote zwermen een nachtplaats op de toren zochten.

Hier zou ik mijn leven hebben doorgebracht, dacht ze. Een heel gewoon leven. Hier begrijpen en beschermen wij elkaar.

Ze beschermde tante Eugénie door te doen alsof ze haar nieuwe levensomstandigheden niet merkte. Die werden erg tastbaar toen ze in de voorkamer zat, die ook als salon en eetkamer moest dienstdoen. Tante moest noodgedwongen haar uitgaven beperken, want het was financieel niet echt stabiel geweest na de dood van oom. Tobias zei dat ze jarenlang boven hun stand hadden geleefd. Nu moest tante Eugénie het doen met twee kamers aan de Jernbrogatan 7.

Het gaf een raar gevoel haar koffie te zien serveren uit de kan van nieuwzilver. Er hing iets povers en bleeks over dit huis nu de sigarenrook van oom Carl verdwenen was en het zware echte zilver en de meeste van de donkere schilderijen weg waren. Hillevi, die een gouden halskettinkje had gekregen toen Tore werd geboren en een armband voor Myrten, voelde hoe eigenaardig het was om beter gesteld te zijn dan tante. Haar hoeden, die waren vervaardigd door een hoedenmaakster in Östersund, waren elegant vergeleken met die van tante Eugénie. Het waren om de waarheid te zeggen oude ondingen die ze droeg. Een was zelfs nog van voor de oorlog.

Tante Eugénie vertelde enthousiast over een buurman die baron was. Hij heette Mönch. Het was een net heertje wiens oude zwarte paletot een grijsbruine glans had gekregen. Zijn hoed was versleten van het afborstelen. Na een paar dagen begreep Hillevi dat hij op de zolder in een studentenkamer woonde. Elke ochtend vroeg trippelde hij de binnenplaats over met een pakket van krantenpapier en verdween op het gemak.

Ze kon hier ook niet slapen. Het maakte geen verschil. Haar lichaam voelde niet langer solide. Het was als een open rasterwerk. Kou en sterke gevoelens trokken er recht doorheen en lieten het raster rammelen. Voor vijven zat ze bij het keukenraam naar de binnenplaats te kijken, hopend dat tante niet in de gaten zou hebben dat ze al uren op was. Ze schaamde zich voor haar slapeloosheid. Veel langer zou ze het niet uithouden, en ze speelde met de gedachte om broom te vragen. Voor het eerst vroeg ze zich ook af waarom tante al die jaren broom genomen had. Destijds al, toen het tafelzilver er nog was en toen oom Carl naast haar in de mahoniehouten lits-jumeaux sliep, had Hillevi voorzichtig de pillen voor haar uit een bruin flesje geschud. Het waren grijze, in stuifpoeder gerolde bolletjes. Nu was ze bang voor die dingen.

Alleen tijdens het ochtendgloren en de enkele uren daarna voelde ze zich enigszins levend. Ze was dan helemaal eenzaam en de inspanning om zich sterk te houden was niet zo groot. Ze hoefde niet te glimlachen, niet te praten en vooral niet te slapen. De baron, aan wiens nabuurschap tante zich in haar zinkende wereld vasthield, liep met korte pasjes over de binnenplaats. Aan zijn wijsvinger hing de lus van het koordje waarmee het pakket van krantenpapier samengebonden was. Waarschijnlijk bevatte dat zijn ontlasting. Het was een eind van de zolder naar het wc-huisje en 's winters was het te koud om er te zitten. Met de pot over de binnenplaats lopen, daarvoor was hij te fijn. Hij trippelde in plaats daarvan 's ochtends vroeg naar buiten met zijn pakketje. Het was een maskerade. Het leven van tante was ook een soort maskerade. De woorden *pauvres honteux* schoten Hillevi te binnen en ze bedacht dat armoe een bezinksel van schande had, ook voor iemand die niet uitgehongerd was.

Tobias zag ten slotte hoe het met haar gesteld was en kwam met een slaappoeder dat in een keurig gevouwen papiertje van de ziekenhuisapotheek zat. Vier nachten genoot ze een klinische slaap en evenveel dagen had ze met de nawerking te kampen. Daarna wilde ze proberen te slapen zonder het poeder, maar ze kwam opnieuw in dezelfde licht schrijnende en droge slapeloosheid terecht. Overdag ging het gelukkig iets beter. Het scheen haar toe dat ze vier dagen lang beneveld en verdoofd was geweest.

Naarmate de dagen en zelfs de weken verliepen, begon de vertrouwdheid van Uppsala aan haar te kleven. Ze voelde zich ongeduldig tegenover haar naasten. Hun liefde wilde ze, maar niet hun begrip. Dat was grenzeloos en meegaand als veengrond. Woorden als *geestelijke begeleiding* gingen door haar hoofd. Ze had die uit de mond van Edvard Nolin gehoord, maar ze wist bitter wat die begeleiding inhield: *laat aan God over wat gij in uw menselijke zwakheid niet vermoogt te helpen.*

Maar God was het witgele voorhoofdsbeen van een dier. 's Nachts staarde het haar aan zonder ogen.

Overdag waren haar eigen ogen onbarmhartig. Ze zag hoe vermoeid de nog jonge vrouw van Tobias was na vier bevallingen in vijf jaar tijd. Het uitgeteerde en grijze in haar verlepte meisjesgezicht. Ze zag de rodebietenvlekken op het witte kleed. Kon ruiken wanneer Sara haar menstruatie had. Haar vertwijfelde kinderloosheid stonk. Luisterde naar de klok in de stille voorkamer van tante: een tik dichter bij de dood en nog een.

In de tweede week van maart nam ze afscheid. Trond ging naar de Gregoriusmarkt in Östersund en ze had besloten om vandaar met hem mee naar huis te rijden.

Thuis kon ze haar slapeloze ochtenden niet meer in de keuken doorbrengen, want de bank en de keukentafel, het dressoir en de stoelen waren weggehaald en in een schuur gezet. De keuken stond nu vol tonnen en vaatjes. Zolang de nieuwe winkel nog niet klaar was, zouden ze de specerijen vanuit de keuken verkopen en de grotere artikelen in een schuur die Trond leeggemaakt had. Het rook naar lamppetroleum in het portaaltje, naar haring in de provisiekast en naar zeep en gedroogde vis en koffie in de keuken. Risten miste de mooie dozen van de winkel. Maar het kleinste meisje was nog steeds buiten zichzelf van angst. Waarom was Myrten zo bang dat ze arm zouden worden terwijl Risten, die zonder meer doffe ellende had meegemaakt, dat niet was? Zit angst al vanaf de geboorte als een kiem in sommige mensen?

Maar Risten kon Myrten in ieder geval wat afleiding bezorgen en kreeg haar ten slotte aan het lachen. Nu zou ze haar leren lezen op wasmiddeldozen: Henkel en Persil.

Het wordt tijd, zei ze. Jij wordt binnenkort al zes. Weet je hoe ik heb leren lezen? Buiten de winkel kwam ik oom tegen en toen hij hoorde dat ik in het najaar naar school mocht, zei hij: de eerste dag krijgen jullie zeker de A als huiswerk. Zo ging het in ieder geval bij ons, zei hij. Dat was op de Lappenschool. We waren verbaasd, want we wisten niet wat we met de A aan moesten. We gingen naar huis, denkend aan de A. Want we waren geweldig benieuwd naar de school en wat we daar gingen leren. Maar volgens mijn pa kregen de kinderen boerengewoonten op school. Zelf had hij over Jezus geleerd van een zendeling. Lezen vond-ie maar niks. Maar rekenen was nog niet zo dom, zei hij. Dan worden wij Lappen niet bedrogen.

Ik dacht aan A en aan B en ook aan C toen ik thuiskwam nadat ik met Laula Anut had gesproken. Ik had toen dat ABC-boek met die haan. Ik kende bijna alle letters die erin stonden. Maar ik begreep dat het niet kon dat K alleen maar een Koopman was. K was ook Kristin. En er moesten veel woorden zijn. Ik vroeg Hillevi naar meer en ze zei Kapmantel. Maar zij heeft het altijd zo druk. Ga maar spelen, zei ze.

In haar kast stonden haar boeken, maar daar kon ik niet in lezen. Maar toen ik woorden met een K zocht, vond ik er heel wat in de winkel. Ik hoefde het ook niet te vragen. Gewoon de doos openen en kijken wat erin zat. Dan begreep je dat er Kaneel op stond. Of Keukenzout of Kurk of Komijn. Er was ook een doos met Krijt.

Ik begon weer van voren af aan en schreef alles op, ook wat er op de potten stond.

Aluin Aniline Anijs
Ansjovis
Berlijns-blauw Blauwselballen Brasilia
Blikopener
Bruine Bonen Bleekpoeder Bindtouw
Borax

Dat was een goed woord.

Risten schreef terwijl ze praatte. Ze had een anilinepotlood en geruit papier. Myrten keek toe.

Camfer Coffee Coffeesurrogaat
Corinthen Cathrinepruimen

Ik kreeg potlood en papier van oom Halvarsson en iedere dag schreef ik de woorden in de winkel op. Maar nu maakte ik lijstjes, want hij zei dat dat zo moest. ’s Morgens keek ik na in mijn ABC-boek welke letter er die dag aan de beurt was. Soms nam ik er twee. Ik was flink op dreef.

Deegroller
Doperwten
Dragon

Geen wirwar. Ik bedoel: gelatine, zout, tabak, vitriool, gember, laurier, menie, drop, vijgen, spek, wolkammen, peper, kaarsen, boenders. Dat noem ik je reinste wirwar.

Nu lachte Myrten met een hoog stemmetje. Ze was de armoe vergeten.

Nee hoor, het moet zo:

Rozijnen
Reuzel
Reukwater

Zo moet dat, zie je:

Hars
Hop
Havermout

Thee
Teugels
Tabak

Suiker
Speelkaarten
Stijfsel
Soda
Snuif
Stroop
Speksteen

Quikzilver

Da's de moeilijkste letter. Die heet ku.

De geuren in de keuken gingen algauw op in een walm die op de oude winkelgeur begon te lijken. Gezellig was het natuurlijk niet. Het hele dorp liep af en aan in de keuken en elke dag de vloer schrobben was zelfs niet genoeg. Hillevi kon toch moeilijk in de vroege ochtend opstaan en op een zak suiker of een stroopton gaan zitten tot de anderen wakker werden. Dus besloot ze dan maar naar buiten te gaan.

Het was nu maart en de lente kwam eraan. Het licht stak in de ogen, of er nu bewolking was of een sneeuwbui of de eerste aanzet tot een heldere dag. Ze had een paar goede bergschoenen, die de schoenmaker in het Oude Pension had gemaakt. Als ze die maar goed ingesmeerd hield, kon het smeltwater het leer niet doorweken. Maar vroeg in de ochtend vroor het natuurlijk nog en de sneeuw die tot pap zou smelten, knerpte.

De eerste morgen wandelde ze langs de grote weg naar een kleiner, en afgelegen deel van het dorp ten westen van de brug. Ze stond een poosje te kijken naar de turbines in de waterval, die soms haperden. Er moet weer vis in terechtgekomen zijn, dachten de mensen als de lampen flikkerden.

De sparren waren zwart, zoals altijd in de dooi. Ze zag twee ogen loeren en begreep na een poosje dat het een marter was. Op hetzelfde ogenblik was hij weg. Ze voelde nog de zwarte en glasharde blik; het was alsof die in de grote spar achterbleef. Sissla had niets gemerkt. Ze deed geen stap te veel met haar poten die dun waren in verhouding tot haar romp, oud en misnoegd dat ze in de ochtendkou en sneeuw naar buiten moest.

Hillevi liep langs het huis van de overleden grenswachter, waar nu eindelijk weer mensen woonden. Het had leeggestaan omdat het er spookte. Nu was de nieuwe douanebeambte er met zijn gezin ingetrokken en hij had niemand horen kreunen, behalve oma wanneer ze zich moest bukken om haar veters te strikken.

Aan de overkant stond de brandweerloods. Dat was een van de gemeenschappelijke voorzieningen van het dorp. Het gebouw was zeshoekig. Ze dacht terug aan de trotse blikken van de mannen bij de inwijding, toen water uit de Svartvassån recht uit de brandspuiten spetterde. Maar toen de winkel afbrandde, was het bluswater verdampt nog voor het de brandhaard bereikte.

Op deze vroege ochtenden in maart, wanneer ze de onvrede uit haar lichaam wandelde en zelden een mens zag, leerde ze het dorp kennen op een andere manier dan ze tot dan toe gedaan had. Ze dacht dat de voornaamste bedoeling van de brandspuiten misschien niet het blussen van branden was. Bij klaarlichte dag zou dat natuurlijk een dwaze gedachte zijn geweest. En nog erger als ze er met iemand over had gepraat. Toch was er wel iets voor te zeggen.

De brandweerloods. Het schutterspaviljoen in Flon. De dansvloer ernaast. Het postkantoor in Elsa Fransa's huis. De telefooncentrale in het pension. De krachtcentrale. De kabels waarmee de veeschuit naar de zomerweiden aan de zuidkant werd getrokken. Ja, ook de paden en de wegen. De uitkijkposten van de elandjagers, de schuilspar, de bospaden van de paardenhoeders. Het waren allemaal dingen die gemeenschappelijk waren. Het was precies het tegenoverstelde van afgebrande huizen, een illegaal geslacht rendier of ongeboren wolvenjongen die op een mestvaalt gegooid werden.

Lang geleden was hier een verlaten pachtland geweest waar de boeren van Lomsjö visten en zeggehooi maaiden. Ze roeiden er met hun knechten heen in oktober wanneer de rode forel paaide, en zetten netten uit. Ze strikten sneeuwhoen en schoten auerhoen en ze plukten tonnen vol veenbramen. Deze streek was dus niet onbekend toen de mensen zich er kwamen vestigen. Ze hadden hier allang gemeenschappelijke zomerweiden voor hun dieren. Hier was het bos doortrokken van overeenkomsten tussen mensen.

In het begin waren het boeren uit Jolet die hier hun zomerweiden hadden. De gemeente Röbäck was toen nog Noors. Heel Jämtland was Noors geworden toen koning Sverre en zijn gewapende horde vanuit Värmland door de eeuwenoude wouden hierheen trokken. Ristens oom Anund had uitgerekend dat de koning precies door dit dorp moest zijn gereden op weg naar het rijke Namdal, waar hij zijn kroon zou terugeisen. Hier had de jongste van Sverres getrouwen het inwijdingsritueel ondergaan alvorens de snelle boten met vele roeiers en met de koning op kussens van schapenvachten verder Svartvattnet overstaken. Geloofde Anund. Koning Sverre en de zijnen waren hier bij de stal van Antaris Nilsson voorbij gegaloppeerd, beweerde hij. Op nevelige dagen gebeurde het nog steeds dat men ze zag. Hun beenkappen van berkenbast lichtten op in het duister tussen de stammen.

Bronnen die gezondheid gaven. Offerplaatsen op de berg. Valkuilen voor elanden. Herderspaden. Overeenkomsten waren het, in een taal die in de grond zelf geschreven was.

Ze wist dat de eerste pioniers in de jaren zestig van de achttiende eeuw aangekomen waren. Het waren twee gezinnen en het ene vestigde zich op de helling bij de inham, het andere op Tangen. Er was niets van overgebleven op een grote schuur na. De mensen beweerden te weten dat ze ruzie hadden gemaakt over het hooiland op het veen en vijanden waren geworden. Die eerste zomer hadden ze het kostbare hooi met een sikkel gemaaid. Toen het hooi gedroogd was, hadden ze het in de pasgebouwde schuren gelegd. Maar in de herfst, toen de nachten donker werden, stak de ene pionier de schuur van de andere in brand. Zonder hooi konden de geiten de winter niet overleven, dus moest het gezin wegtrekken.

De vrouwen hadden hen opgehitst, werd er gezegd. Maar dat geloofde ze niet. Ze hadden elkaar vast en zeker nodig gehad. Uitgerekend de vrouwen hadden moeten weten wat goede buren waard waren. Ze moesten bij elkaar terechtkunnen als het vuur uitging. Of om wat gezuurde melk te lenen. Om nog te zwijgen van de weefgetouwen. Natuurlijk heeft een vrouw hulp nodig van een andere vrouw. Wie zou anders de scheermolen vasthouden als zij de ketting schoor? Waar zou ze nieuwe zuurdesem vandaan halen wanneer de bak helemaal schoon geschuurd was?

Hillevi vertrok iedere morgen uit wat ze als het hart van het dorp beschouwde. Maar ze wist dat verder weg waar de mensen en de huizen schraler waren, de winkel gezien werd als een plaats vol gevaren, waar je liever je kinderen naartoe stuurde. Je maakte schulden in de winkel. Het bruingestreepte boek bevatte de waarheid over je armoe.

Op een morgen kwam ze helemaal tot bij de grens, waar iemand woonde die Spar heette. Het huis was niet zichtbaar vanaf de weg, er lag verende veengrond tussen. Hij was slager en huidafstroper. Ze had zijn kinderen wel eens gezien, maar nooit zijn vrouw. Ze zeiden dat hij slachtafval in het moeras stortte en er werd gepraat over een verdwenen man uit Lakakroken die daar ook zou liggen.

Er waren mensen die zich afzijdig wilden houden. Waren ze zo gevaarlijk als sommigen wilden geloven? Misschien behoorden ze eerder tot bos en het moeras dan tot het dorp.

Op Tangen kwam ze nooit. Tot ze op een morgen zowaar een mens op de weg tegenkwam. Het was Kalle Persa, een man met een witte baard en een beetje groen in zijn snor. Hij was altijd de beminnelijkheid zelve, het levende bewijs dat Jämtlanders helemaal niet nors waren. Hij wilde haar een marene geven. Hij had netten onder het ijs en had die zopas bovengehaald. Dus liep ze even met hem mee en ze kreeg de grote vis aangereikt in gebruikt papier van de winkel.

Zo kwam ze toch nog op Tangen. Op een heel heldere morgen wandelde ze er opnieuw naartoe. Ze zag een grijze gestalte zich in de glibberige sneeuw naar het gemak haasten. Maar daarna liet ze mensen en bebouwing achter zich. De weg werd hier niet sneeuwvrij gehouden. Ten slotte kwam ze zo dicht bij Lubben dat ze het huis en de stal kon zien.

Overdag had ze niet dezelfde gedachten als tijdens haar ochtendwandelingen. Dan gonsde de keuken van het gekeuvel en van alles wat de klanten wilden hebben en wat niet meer in voorraad was. Ze moest koken in de benauwde ruimte die er nog in de keuken over was en de salon als eetkamer gebruiken en tussendoor kinderkousen en onderlijfjes wassen wanneer er geen klanten waren. Ze had er een hekel aan haar huishouden te doen met nieuwsgierige ogen op haar gericht. Maar er was niets aan te doen. De slapeloosheid en het plaatsgebrek hadden invloed op haar humeur, maar ze snauwde de kinderen niet meer af. Ze sliep nu zelfs een paar uur in de vroege nacht.

Ze had zichzelf beloofd om nooit meer naar Lubben te gaan. Toch brachten haar voeten haar erheen. Ze liep in de ochtendlijke duisternis. De horizon vertoonde nauwelijks een zweem van licht boven het bos.

Haar lichaam wilde erheen. Het leek tegen haar gezond verstand in naar een ander lichaam getrokken te worden. Maar dit had niets met warmte te maken. Het was slechts een vergeten pijn die weer werkelijkheid wilde worden. Een al te oud zeer trok haar er door de bevroren smurrie naartoe zonder dat ze echt begreep waarom.

Toen ze aankwam had de dageraad de sneeuw blauw gemaakt. De gebouwen zagen er zwart en zwaar uit. Heel traag kroop de grijsheid van het hout eruit te voorschijn.

Het stond nu al meer dan twee maanden leeg.

Waarom eigenlijk?

Om mij gemoedsrust te geven, dacht ze. Maar die heb ik niet gekregen.

Ze zag in dat een mens niet in staat was die rust op eigen houtje te vinden. Ik had het aan Trond moeten vertellen, dacht ze. Maar ze wist dat ze toch niet die kostbare geschenken zou hebben gekregen: nachtrust en een goed humeur. Vergeetachtigheid en haast en drukte. Vlugge gedachten in plaats van als een raaf rond dood en duisternis te cirkelen. Zoals rond aas.

Ze liep naar de staldeur en zette die op een kier en ze snoof een stugge geur uit de kou op. Niet van iets levends. Geen koeienwarmte, geen wolgeur.

Er lag veel sneeuw. Niemand had hier sneeuw geruimd. Ze baggerde erdoorheen en maakte diepe sporen. Als hier iemand zou komen voor de volgende sneeuwbui, zou hij verbaasd kijken. Maar het kon haar niet meer schelen wat de mensen zeiden. Het was allang bekend dat de vrouw van de handelaar 's morgens rondwandelde. Ze mochten denken wat ze wilden.

Nu steeg het licht, maar achter de ramen was het zwart. Ze deed een want af en voelde met haar wijsvinger aan het dunne glas dat vol belletjes zat. Eén enkele ruit tegen de kou. Hoe koud moest het binnen geweest zijn, ook als het fornuis brandde. Een kille vloer. De kleine kinderen hadden 's winters zeker bijna altijd in de bedstee gelegen. En daar zaten de tuberkelbacteriën.

Ze herinnerde zich dat ze in de school kinderen tegen pokken had ingeënt toen ze hier de eerste keer kwam. In die tijd was ze vervuld van haar roeping en haar opleiding. Ze vond dat ze als een geschenk uit de hemel kwam voor deze afgelegen gemeente en wist nog goed hoe trots ze was toen ze in de herberg van Lomsjö haar naam in het gastenboek schreef. Of toen ze in de winkel het blad met de waarschuwing tegen inentingen van de muur ritste. Dat sterke gevoel van bestemming had ze met zich meegedragen naar Lubben zoals de medicijnen in de gevlochten ransel, de instrumenten en de schone handdoeken.

Alles raakte verspreid op een plek als deze.

Voor dat soort mensen hoef jij geen verantwoordelijkheid te nemen.

Herinnerde Trond zich wat ze had gezegd? Vast wel, net als zijzelf.

Wat dacht hij over haar diep vanbinnen?

Ze probeerde de huisdeur en zoals ze verwacht had, was die niet op slot. Het was ongeveer net zo licht of donker als de eerste keer dat ze hier binnen kwam. Maar toen was het avond en het licht zonk stilaan weg.

Het was leeg. Uitverkocht en verspreid. Maar het bed met de luiken stond er nog – ze waren dicht. Ze dwong zichzelf om ze open te trekken en naar de lege bedplank te kijken. Daarna liep ze dwars over de putten in de vloerplanken naar de deur van de voorkamer en opende die.

Hoe lang had het meisje daar gestaan? Hadden ze haar gezegd dat ze daar moest gaan staan toen ze de Juffrouw zagen komen? Of hadden ze haar al eerder weggestuurd?

Hier had ze gestaan in de kou. De foetus had een te groot hoofd voor haar nauwe, rachitische bekken. Het kind.

Het was een kind. Een levend kind.

En wie was de vader?

Ze had aangifte moeten doen. Dan had het meisje tenminste hulp gekregen. Maar in plaats daarvan had ze gekozen om Vilhelm en die jongen die Elis heette, te ontzien. En dat had ze alleen maar gedaan om zichzelf te beschermen.

Ik wilde immers met Edvard Nolin trouwen, dacht ze. Het was zo'n innige wens dat ik alles deed om niet in een rechtszaak te worden betrokken.

Ze liep haastiger terug dan ze gekomen was.

Op de terugweg van Lubben wist ze precies wat haar te doen stond. Ze zou naar huis gaan, koffiezetten en Trond een kopje op bed brengen. Dan zou ze met hem praten voordat de kinderen wakker werden.

Ik heb spijt, zou ze zeggen. Ik vind dat ik de jongens van Eriksson van Lubben verdreven heb. Vilhelm en Jon en Gudmund ook natuurlijk. Maar het zijn de jongens aan wie ik het meest denk. Ik kan er niet meer van slapen. Ik weet niet of ik ooit nog de oude word.

Hij zou het kopje neerzetten en haar ernstig aankijken.

Ik vind dat ik Erik Eriksson ertoe gedreven heb om brand te stichten in de winkel en om daarna weg te vluchten, zou ze zeggen. Om over het meer weg te lopen.

En ze zou doorgaan met dat wat nauwelijks gezegd kon worden: en om zich van kant te maken.

Want dat had hij gedaan.

Ze kende Trond zo goed dat ze wel wist wat hij zou antwoorden. Dat die ouwe vent vele teleurstellingen had meegemaakt. Maar dat ik gelijk had. Behalve in één ding.

Jij was niet de enige, zou hij zeggen. Wij waren het allebei.

Dan zou zij vertellen over die keer dat hij er niet bij was. Over Lubben. Over wat daar gebeurd was in de late winter van 1916.

Maar ze was langer weggeweest dan op andere ochtenden en kwam daarom zo laat thuis dat Trond allang opgestaan en aangekleed was. Bovendien was hij niet alleen. Zijn vader was voor zaken uit Lakahögen overgekomen en had in het pension overnacht. Morten Halvorsen had onder het genot van enkele grogs zitten kaarten tot twee uur 's morgens. Er hing een sigarengeur rond hem en hij had zijn gesteven boord afgenomen. Die was zeker smoezelig geworden na de hele nacht.

Het kan me eigenlijk weinig schelen, dacht ze en ze besefte dat ze een ander mens aan het worden was.

Nee, niet een ander. Je bleef tenslotte je leven lang dezelfde. Maar hemden zonder boord waren al met al maar bijkomstigheden. Vlekken op je vest en op het tafelkleed. Praatjes in het dorp. Meningen.

Er bestond een wereld van gedachten waarvan ze het bestaan nooit had vermoed. Ze kwamen slechts in je op als je je goede slaap verloor. Ze bestonden waar dan ook. Het bos had ze. Maar altijd voor de mensen opstonden en zich in de glibberigheid naar de plee en de stal haasten. Het water en het trillende ochtendgloren in de stroom hadden ze. Merkwaardig genoeg kon je ze ook hier hebben, ondanks het gekeuvel en de ratelende koffiemolen. Dat had ze niet geweten.

En tijdens het gekeuvel, net toen ze uit een beschilderde blikken trommel koekjes nam en die ter ere van haar momenteel kraagloze schoonvader op een nieuwzilveren schaal met een kanten doekje legde, dacht ze:

Nee. Ik zal Trond nooit vertellen wat er in Lubben is gebeurd.

Ze zouden het over de executoriale veiling hebben en over haar spijtgevoelens. Maar niet over het kind. Niet over het wak in het ijs.

Er zijn van die dingen die je voor jezelf moet houden. Ze keek naar Trond en zijn vader aan de koffietafel in de salon. De kinderen waren nu ook op en dartelden om hen heen. Morten Halvorsen nam een puntzakje met karamellen uit zijn zak. Ze kleefden samen en Tore peuterde ze met niet al te schone vingers van elkaar.

Soms moet je jezelf in acht nemen voor het begrip dat anderen tonen.

Toen ze de volgende morgen buiten kwam, vroor het hard. De maan was dun en vlekkerig. Het leek wel of de hemel door die gebroken schijf heen probeerde te dringen. Deze keer volgde ze niet de weg, maar liep ze naar het boothuis. Ze bleef even staan en overwoog of ze haar ski's moest nemen. Maar vervolgens liep ze verder over de harde ijslaag op de sneeuw en merkte dat het ijs droeg.

Het droeg niet toen hij erover liep, dacht ze. Hij liep in het donker. Er stond een heldere sterrenhemel die nacht.

Ze begon te lopen in wat niet langer zijn sporen waren. Toen ze midden op het meer stond, sloeg de schrik haar om het hart. De vertrouwde alledaagse mens in haar waarschuwde: waar ben je mee bezig?

Maar nu was het te laat.

Het bos op de bergflanken vormde zwarte slierten en bontranden rond de ijsvlakte. De hemel was indrukwekkender dan ze ooit had beleefd. Zelfs de bergen aan de Noorse kant kropen ervoor. Lange tijd liep ze in het besef dat ze niet meer was dan een langpootmug in het verkeerde seizoen, voortploeterend op dunne poten in deze witheid. Toen ze de zuidkant naderde, begon de oever haar heel langzaam en met een zekere alledaagsheid te ontvangen. Hoewel de sparren hoog waren, hoorde hun grootte toch meer bij die van haar.

Nu pas dacht ze eraan hoe moeilijk het zou worden om door de diepe sneeuw met de harde ijslaag erbovenop tot bij de hut aan de voet van de Brannberg te komen. Misschien wel onmogelijk. Maar bijna meteen vond ze een skispoor van een vogeljager dat bevroren was en dat haar helemaal tot bij de hut bracht. Het was alsof het de bedoeling was geweest dat ze er makkelijk zou komen.

De sneeuw had zich niet gelijkmatig op het ingezakte spanendak kunnen leggen. Hoe was hij in hemelsnaam binnengeraakt in deze puinhoop van halfverrotte balken en planken? Er was een deur maar die hing niet meer aan de scharnieren. Het was een log gevaarte. Ze probeerde hem met haar handen en armen opzij te kantelen, maar moest er half onder kruipen en wrikken met haar hele lichaamsgewicht. Hij viel met een dof geluid in de sneeuw. Nu kon ze naar binnen.

Een hoop leisteenblokken die waren verzakt door vorstverwering in de lente.

Er was geen fornuis meer. Maar er stond nog een bedplank op korte, stevige poten van sparrenhout.

Geen keukengerei. Geen vergane lompen. Alleen dat bed van gekloofde stammetjes. Licht drong naar binnen net zoals het mos dat gedaan had.

Hier was hij gaan liggen.

Zijn leven eindigde tegen een ruwe bergwand.

De laatste daad die hij stelde voor hij het meer overstak, was slecht. Hij had waarschijnlijk gewild dat de gevolgen nog erger waren geweest. Dat die ons echt had getroffen. Dat de kinderen iets overkomen was. Dat Trond en ik radeloos werden omdat ze honger leden.

Sterven in zulke bittere kou was bepaald niet als in slaap vallen. Het was iets anders. Wat het was zou zij nooit te weten komen. Zelfs niet hierbinnen.

De luizen.

Daar moest ze aan denken. Hoe die weggekropen moesten zijn. Ze kropen uit zijn haar en over zijn koude voorhoofd.

Toen ze buiten kwam, was de maanschijf nog bleker. Als gebeente.

Het voorhoofdsbeen van een dier.

Een God zonder voorzienigheid, zonder barmhartigheid. Die levens in kou en boosaardigheid liet eindigen.

Ze was moe, liep trager op de terugweg. De warmte van de opgaande zon begon het ijslaagje op de sneeuw op te lossen. Ze zou er zeker meermaals doorheen zakken voor ze weer de overkant van het meer bereikte.

Ze liep moeizaam in haar eigen sporen. De lucht was wit. Het was allemaal zo groots dat ze het niet aankon. Niet plotseling maar langzaamaan kwam de gedachte in haar op.

Stel je voor dat ik het ben die de ogen moet zijn voor dat grote blinde dier?

Ze zeiden dat er meer licht in de wereld was dan duisternis.

Ze toonden Elis hun doeken uit Normandië en de Provence en een van hen hield hem een schilderij voor dat in Algiers gemaakt was.

Kijk naar dat licht, zeiden ze. Kijk hoe groot het is.

Zelfs niet tijdens zomernachten hebben wij zulk licht. Wij zitten op de verkeerde plaats. Wij zijn aan de rand van de wereld beland. Wij zitten in een duistere uithoek. Als het winter is, hebben wij een gekloofde huid en mondwondjes en hoofdpijn. Ga naar Frankrijk, Elv, zeiden ze tegen hem. Daar zul je het zien: het licht in de wereld is groter dan het duister.

Maar dat was niet waar. Het was gewoon niet juist wat ze zeiden.

Hij bekeek hun schilderijen. Het waren geen slechte schilders. Daarom was de schaduw zwaarder dan het licht. Hij was kleiner. Maar samengebald en zwarter.

Hoe scherper het licht, des te zwarter de schaduw.

Ze praatten. Maar ze schilderden niet slecht. Hij zag wat ze deden en trok zich niets aan van hun geklets.

Toen hij in zijn eerste sanatorium zat – Breidablikk heette het – had hij een verfkistje met penselen van geneesheer-directeur Odd Arnesen gekregen. Eerst schilderde hij twee sneeuwhoenders op een rolgordijn voor de vrouw van de dokter. Ze waren omgeven door bottende takjes dwergberk en hij was er bijzonder goed in geslaagd de borst van de vogels weer te geven. Daarna gaven ze hem de overgebleven stukken van afgezaagde planken. Hij kreeg een fles terpentijn te pakken en de keukenbazin gaf hem met tegenzin enkele witte vodden. Het hele najaar schilderde hij op resten van houtplanken. In mei kreeg hij van een liefdadigheidsvereniging een schilderspaneel. De dokter had een goed woordje voor hem gedaan en kwam nu even kijken op de zolderkamer waar Elis zijn gang kon gaan. Toen hij zag wat Elis aan het schilderen was, zei hij dat het best mooi zou worden als Elis alle kleuren in de verfdoos gebruikte, en niet alleen het zwart en het wit in de tubes tot verschillende grijstinten mengde.

Maar Elis, die bezig was met de problemen van het zwakke licht, was stomverbaasd. Hij verloor bijna zijn respect voor de brave Arnesen. Zag hij de kleuren dan niet?

Die nacht lag hij tot een uur of vier wakker met pijn in zijn spieren. Zijn hoest werd alleen maar erger. Hij stoorde de anderen en een verpleegster kwam stil op nachtzolen naar hem toe en gaf hem wat Dovers-poeder en een kamferzuurtablet tegen het zweten. Maar eigenlijk waren het de woorden van Arnesen die hem wakker hielden.

Thuis in Lubben had hij slaag gekregen als hij kliederde. In de hut van de houthakkers in Namskogan had hij complimenten gekregen omdat hij zo verdomd goed paarden en auerhanen kon tekenen. De woorden van Arnesen waren de eerste kritiek die hij te verwerken kreeg. Hij werd gewaar wat hij soms al had vermoed: anderen zagen niet zoals hij. Soms dacht hij dat ze helemaal niets zagen.

De problemen waar hij nu mee werkte, leken wel wiskunde. Probleem was natuurlijk een schooljufferig woord. Het deed denken aan zielskwelling. Maar er bestonden oplossingen voor de problemen die hij voor zich had. Met hard werken zou hij ze vinden. Toen hij in Breidablikk was, probeerde hij het zwakke licht te leren kennen. Hij wist toen nog niet dat er zoiets bestond als schakeringen. Maar het scheelde niet veel of hij had zich er helemaal in verloren.

Na Arnesens bezoek op de zolder begon hij in een mengeling van woede en angst de sneeuwnevel over te doen. Daar had hij juist al zo veel werk aan besteed. Hij haalde het zwakke groenblauw naar de voorgrond en verdikte het tot een strook bos. Voorzichtig liet hij het gat dieper worden. Het was moeilijker om de schaduwen van de figuur te schilderen. Dat een mens eenzelfde gedaante kon aannemen als een sneeuwbui, als mist, een meertje of een afgelegen bos was moeilijk uit te leggen op een schilderij. Of je belandde in louter onzichtbaarheid of het werd zoals nu: toen de dokter terugkwam dacht hij nog steeds dat hij slechts een ontwerp zag. Hij zag geen sneeuwnevel. Voor hem was er geen gat met zwart water in het ijs. Hij zag een bron in het bos. Hij zag een meisje dat in het water stond te kijken als in een groot oog.

Jij ziet niets.

Dat was ook wat hij durfde te denken toen Arnesen de volgende keer naar boven kwam en vlak naast hem stond te babbelen.

Jij weet niks.

Het was niets dan verlakkerij, dat wat hij had gemaakt. Nu kreeg hij veel lof.

Hij had een monter herderinnetje bereid gevonden om zich uit te kleden en in een bosmeertje te baden. Het water was zwart. Twee geiten lagen naar haar te kijken. Van de rest van de kudde had hij een achterste en twee hoeven geschilderd. Hij rekende erop dat de toeschouwer het landschap buiten het paneel in zijn fantasie wel kon aanvullen.

In die tijd al had hij begrepen dat er niets was buiten de lijst van een schilderij. Daarom wist hij dat hij Arnesen bedroog.

Bijzondere aandacht had hij besteed aan de kleren van het meisje, aan de hond die er de wacht bij hield en aan de ransel van berkenbast die aan een tak hing. Maar ze vroegen hem het meisje weer aan te kleden, waardoor hij het lichaam en ook de plek waar de kleren hadden gelegen, helemaal moest overdoen. Anderzijds, wie wilde er nou baden in een ijskoude poel? Het schilderij werd na deze ingreep goedgekeurd om te worden opgehangen boven de haard in de grote ontmoetingsruimte. Dat gebeurde tijdens een gezellig samenzijn. Een dame zong een lied uit *Arne's liefde* van Bjørnstjerne Bjørnson en Elis was er zoals gewoonlijk op voorbereid dat het als kattengejank zou klinken. Maar toen brak er iets vanbinnen. Het was toen ze zong:

Ik wil weg – ver, ver weg
over de bergen, door het woud...
Het is hier zo vreselijk benauwd!

Bevend en aangedaan wist hij plotseling wat deze muziek was. Ja, hij was voor eens en altijd geraakt en zag ook dat het schilderij slecht en kruiperig was en knoeierig gemaakt. Hij wilde weg. Ver, ver weg.

En hij ging ook weg, maar wel slechts naar het sanatorium van Vefsn. Daar maakte hij een lange, slome periode door, waarin hij zijn verfkist niet aanraakte en alleen maar tekende. Hij kreeg belangstelling voor skeletten. Ze lieten zich vanzelf zien, dus hier waren aanwijzingen overbodig. Hij begon met handen. Die kende hij zo goed dat hij kon zien hoe de voren tussen de pezen elke dag iets dieper werden. Op de knokkels zat de huid strak. Hij vroeg zich af hoe de huid op de heupen zat en ging in de waskamer zitten om te tekenen. De meesten hadden geen bezwaar. Hij zag hoe de tering het skelet van de mannen en jongens langzaam uitbeitelde. Daar was het dat hij de vingers van een echte tekenaar kreeg. Hij voelde niets bijzonders. Voelen was niet zijn zaak. Zijn zaak was zien.

Dat voorjaar hoestte hij iets schuimachtigs op met rode vegen erin. Hij kwam tot het besef dat hij zelf ook zo'n skelet had. Wanneer de hoest in hem scheurde en sleurde, dacht hij dat het eruit zou springen. Hij moest zijn armen om zich heen slaan en zich vasthouden.

Hij werd uit Vefsn naar het verpleeghuis van Brønnøysund gestuurd. Nu moest alle hoop opgegeven zijn. De hopeloze gevallen werden meestal naar verpleeghuizen gestuurd en de behandelbare mochten in de sanatoria blijven. Maar hij ging koortsachtig door met tekenen en sprak zich moed in: iemand moet het zien.

Hij keek om zich heen naar al die in zichzelf verzonken mensen en merkte dat de dokter en hij de enigen waren die zagen. De dokter at. De dokter was gezond en fit. Dus Elis begon weer te eten. De happen wentelden rond in zijn mond, smaakten harig, zwollen en plakten tegen zijn gehemelte. Maar hij dwong ze door zijn strot, want hij wilde kunnen tekenen. Naderhand werd hij weer beter en hij kwam in Trondheim terecht. Daar werden zijn longen geblazen, waarna hij moest rusten. Het skelet trok zich terug. Maar hij wist dat hij er een had. Binnenin zat een hard dodengeraamte.

Daarom toonde hij geen belangstelling voor kunstboeken, toen hij de bibliotheek mocht bezoeken. Hij leerde eerst anatomie van de plaatjes in geneeskundige boeken. Pas daarna ging hij naar de bibliotheek van het Kunstindustriemuseum. Het was warm daarbinnen. De boekenkasten liepen van de vloer tot het plafond. Hij waande zich beschermd tegen de herfstregen en de vochtige kou. Maar misschien slenterde hij toch te veel rond. Hij liep langs het kanaal en bij de kaden in de haven en tekende motorschuiten en zeilschepen waarmee de kustverbinding met het noorden onderhouden werd. In de cafés waar hij zich ging warmen, tekende hij de verkleumde mensen die langzaam hun koffie slurpten.

Hij had moeten oppassen voor de vochtige lucht en de mist daar bij de kust. Want toen hij dacht dat hij eindelijk van de tering af was, bleek hij weer lichte koorts te hebben en hij kreeg te horen: bacillenonderzoek positief! Maar deze keer werd hij naar Christiania gestuurd. Daar werd hij na verloop van tijd vrij van besmetting verklaard. Hij dacht dat hij voorgoed alle afhankelijkheid uit zich had gespuugd en het deksel erop had geslagen. Hij ging nu werken: dame-jeannes sjouwen voor de apotheek en goederen in het station. Deeg mengen in een bakkerij. De vloer van een kroeg met vochtig zaagsel aanvegen. Het kon hem niet schelen wat.

Maar in deze stad, die dik was van beschaving en genot, was het werk schaars. Werkgrage handen grepen vlug elke bezem, voorhamer en straatstamper. Hij vond onderdak bij een timmerman die hij had leren kennen toen ze het sanatorium verbouwden, en deelde een kamer met een leerjongen. De vrouw van de timmerman nam hem in de kost, maar algauw moest hij verhuizen want alles wat hij verdiende, ging op aan de huur en het eten en de was die zij voor hem deed. Hij vond een kamer bij Pipervika. Ze waren met z'n achten en sliepen om de beurt. Zijn eten was meestal soep van een automaat of gaarkeuken. Zo wilde hij geld overhouden voor tekenpapier, kool en potloden en voor cafébezoek, want tekenen kon hij behalve in de avonduren op de Tekenschool alleen in de kroeg. Hij mocht zich gelukkig prijzen dat een van de serveersters – ze heette Ester – hem pakjes boterhammen begon toe te stoppen en hem liet uitslapen in de kamer die ze met twee andere meisjes deelde. Ze waren overdag in hun cafés, dus kocht hij doek en verf en begon er te schilderen bij schraal noordelijk licht.

In die tijd zat hij in het nachtcafé wanneer de meisjes sliepen, en werkte hij in een bakkerij in de late nacht en de eerste ochtenduren. Zijn darmen kleefden aan elkaar van het tarwebrood, maar samen met de resten die Ester meebracht uit het café, was het toch voedzaam. Hij voelde zich beter en merkte nauwelijks dat hij opnieuw in afhankelijkheid weggleed.

Elke tweede maand ging hij naar Grefsemoen om te spugen en wat hij ophoestte werd onder de microscoop onderzocht. Maar toen dat niet meer hoefde, viel hij toch weer terug. Aan de dokter die hem had geholpen op de Tekenschool te komen, vroeg hij of hij in het sanatorium geen werk kon krijgen. Maar ze hadden al genoeg *halflongen* die vrachtjes sjouwden en boodschappen bezorgden en veegden. Het ging zelfs zover dat hij vroeg of hij de spuugbakjes mocht ophalen en het steriliseerapparaat schoonmaken. Maar dat werd hem geweigerd. Op die plaats wilden ze geen besmettingsvrije patiënten riskeren.

Eigenlijk was hij vooral op het ziekenhuiseten uit. Hij werkte een tijdje in het magazijn en kreeg zo genoeg eten om enigszins aan te sterken. Maar het was ver van de stad en de school vandaan en duur om te pendelen, dus vond hij het niet erg toen dat baantje ten einde liep. Na twee weken waarin hij half verhongerde, kreeg hij een plaats in een apotheek. De dokter had bemiddeld. Hij bleef er lang en was zich niet bewust van de apotheeklucht die hij met zich meedroeg naar de Tekenschool. Zijn werk bestond er meestal in om dame-jeannes met allerlei vloeistoffen te gaan halen en over te gieten in kleinere glazen en flessen. Het was onvermijdelijk dat hij soms op zijn kleren morste en hij stond urenlang in dampen die algauw zijn reukorgaan gevoelloos maakten.

Maar hij begon die geur te haten toen hij eenmaal begreep dat hij die in zijn kleren en zijn huid meedroeg. Stinken als een walgelijke gifslang, verdomme. Stinken als een lijk, als een gebalsemde dode.

Ester zei achteraf dat hij naar kruiden voor bisschopswijn en oleum basileum had geroken. Maar hij geloofde haar niet.

Na een tijdje ontving ze hem met strengere restricties dan vroeger. Hij was niet zomaar altijd welkom. De twee andere meisjes waren verhuisd en hij begreep niet hoe zij alleen de huur bij elkaar kreeg. Maar er is niets verborgen dat niet geopenbaard zal worden en het liefst in een microscoop. Toen hij begreep dat ze hem met een druiper opgescheept had, wilde hij er zelf niet meer langsgaan.

Hij werd de Asfaltmenger genoemd. Dat kwam doordat hij had geprobeerd te bewijzen wat hij over het donker wist. Hij deed het al zodra hij geld genoeg had voor een eerste groot doek. Hij was toen aangenomen als leerling bij Alexander Vold en schilderde elke morgen samen met elf anderen in het atelier vijfhoog in een huis aan de Dronninggaten. Vold zei dat zijn anatomie uitzonderlijk goed was. De kleurenleer was uitstekend. Hij boekte grote vooruitgang met het perspectief. Maar:

Vorming, Elv!

Daar schortte het nog aan. Hij was ook de jongste in het atelier.

In het begin wervelden de woorden zinloos rond, wanneer hij met de anderen in café Kaffistova zat. Ze hadden het over grotschilders. En Franse miniaturisten. Daar wist hij niets van. Handschoenmoraal noemden ze het. De massamaatschappij. Femme fatale. Het kostte hem geen moeite te zwijgen.

In mei 1926 werd een tentoonstelling gehouden door de groep die altijd samenkwam in de Stova. Ze noemden zich De Jongeren. Elis mocht met twee doeken deelnemen. Hij verkocht er een van.

Hij stond tegen de muur gedrukt in het Kunstenaarsgenootschap toen het gebeurde. Zijn leraar Vold wenkte hem. En de professor van de Kunstacademie zei:

Hier hebben we Elias Elv, de kunstenaar!

De professor droeg een lichtgele voorjaarsjas. De weduwe van de scheepsreder, die het schilderij had gekocht, was in het grijs gekleed. Op de borst van haar mantel welde iets op als bij een vogel die door een uil gedood was, maar het was zijde met parels, geen ingewanden. Ze gaf een hand met drie smalle vingers en sprak. Het duurde vier minuten en ze kreeg weinig antwoorden. Zo bleef hij alleen achter met Vold en de professor, die vertelde dat de weduwe een Van Gogh en twee Seurats had.

Hij dacht nooit terug aan Lubben. Maar nu deed hij dat wel. Als hij had gezegd:

Ik heb een schilderij verkocht voor vijfhonderd kronen. Het stelt een merrie bij een houten hek voor.

Dan wist hij het antwoord al:

Ja, hekken verven, dat kun je wel.

De professor zei dat het samenspel van volumes niet noodzakelijk naar geslotenheid en zwaarte moest werken en toonde dat op het schilderij. Hij zag tegenstrijdige bewegingen, zei hij. Een bewegingsspanning van de tonnen op de kar naar het paard. Daartussen was een krachtenspel aan de gang. Een labiele verhouding, maar toch een evenwicht. Geen statuaire zwaarte.

Ze hebben talent.

De professor had een sigaar opgestoken en gebaarde ermee naar het hek. Maar Vold vreesde waarschijnlijk dat Elis iets doms zou zeggen. Hij zei:

Maar vorming, Elv, vorming! De Jongeren bekritiseren erkende kunstwerken. Maar de vorming ontbreekt.

En de idealen, zei de professor.

Hij hield Elis zijn sigarenkoker voor. Elis nam er een maar wist niet wat hij ermee moest doen. Opsteken? Nee. In zijn zak steken? Dat deden ondergeschikten. Hij hield hem dan maar in zijn hand. En de professor ging verder.

Ze zoeken het te vlug bij Cézanne en Matisse! Onthoud dat de weg lang is!

Na afloop liep hij de straat op. De markiezen kletterden in de voorjaarswind. Hij had de indruk dat iemand hem achtervolgde, dus glipte hij bij een automaat binnen en stopte een muntstuk van vijfentwintig øre in de gleuf. Nadat hij een bekertje koffie had genomen, zag hij dat het juffrouw Blumenthal was. Ze stond te trappelen voor het raam. Hij dronk van zijn koffie, die heet was maar smaakte alsof hij door lekke schoenen was gezeefd. Hij wilde alleen zijn.

Ze kwam natuurlijk naar binnen.

Ik wist het! jubelde ze.

Toen hij in Christiania aankwam, was hij een paar maanden haar leerling geweest. Ze gaf les aan dames die aquarellen schilderden. Haar geloof in hem had nooit gewankeld en ze had hem gratis lessen gegeven toen de vrouwenvereniging zijn lesgeld niet meer betaalde. Haar oude paarse fluwelen hoed, de schoenen die wiebelden in de overschoenen, de veel te lange mantel – alles was natuurlijk net zo belachelijk als de kleurentechniek die ze aanleerde. Maar hij vond beter zijn draai bij haar dan bij de kunstprofessor. Maar het liefst wilde hij alleen zijn. Want hij dacht maar aan één ding: de Østensjø-school.

Ze had platte zwartbruine ogen als een pekinees. Niets vond hij zo moeilijk te begrijpen als ogen. In de ogen van juffrouw Blumenthal welden nu tranen op en de harde oogschijf was vochtig.

Beste jongen, zei ze. Ik heb altijd in u geloofd.

Daarna liep ze weg. Ze hinkte een beetje.

Hij bleef alleen achter.

Dagen aan een stuk had de hemel een zware grijsgroene tint gehad en de regen droop onophoudelijk door de blauwe boomkruinen van het Slottspark. Stilaan werden ze als kieuwen; ze zeefden water en zuurstof. Zijn schoenen zogen vocht op en weekten zijn tenen, van zijn talent was niets meer over en hij had maar twee Noorse kronen en geen warme kleren. Maar hij had zijn paard bij het hek verkocht en achteraf kon hij een sigaar roken. Als een veekoopman.

Hij was uitgeput, hij moest even rusten en kwam op een bank in het Slottspark terecht in het heel milde groene licht onder de bomen, dat goed was tegen de gejaagdheid.

Er kwam een hond op het grindpad aan lopen. Hij draafde een beetje scheef zoals honden doen. Het was een groot en knokig beest met een zwarte vacht.

Nu was het zo dat Elis liever geen honden meer moest tekenen. Of paarden. Hij zou helemaal geen dieren meer moeten tekenen. Maar het is als bij een erectie. Die krijg je.

Hij nam dus zijn potlood en zijn kleine schetsboekje uit zijn binnenzak en tekende de ruglijn van een slenterende hond. Het was een reu. De ballen glommen, het orgaan hing zwaar in zijn behaarde zak.

Wat zoek je? Jij oude rekel, dacht hij.

Vrouwtjes zocht hij niet. Eerst eten. Dat is een gezonde houding. Hij snuffelde aan de banken. Of niemand daar met een pakje boterhammen had gezeten.

Die ribben. Elis kende allerlei skeletten. Mens en wolf. Hij kon bijzonder genieten van de huid en de spiermassa onder de punt van zijn potlood wanneer hij het skelet eronder wist te zitten. Hij was de Natuurhistorische Collecties gaan bezichtigen en had skeletten nagetekend. Op de academie tekenden ze naar gips.

Gips is troep, zei hij tegen de hond.

In gips zou jij je tanden toch niet zetten?

De hond had een zonnig plekje tussen twee linden gevonden. Het gras was droog. In de lucht het gezoem van kleine gevleugelde kwelgeesten met een skelet aan de buitenkant, zo een van chitine. Hier verspreidde de opgespaarde zonnewarmte zich in zijn stijve ledematen. Botten. Een gezwollen zoolkussentje. Daaraan moet je likken, heel nauwgezet.

Ja ja, eenieder heeft het zijne.

De aanhechting van een spier is als een knie of een pols; het verraadt de amateur in de tekenaar. Jij en ik in de zon, luizige wolf. We zijn niet van gisteren, wij. Je geniet ervan even te likken. Maar voor de rest ben je een doorgewinterde zwerver. Weet hoe je op de achterplaats van het café komt en waar er altijd van alles uit de propvolle tonnen valt voordat de vuilnisman komt.

Je dij met het bot bovenaan bij het heupgewricht. Zo hang jij aan elkaar. Op die manier ben jij gemaakt om je voort te bewegen in deze wereld.

Nu teken ik je gelittekende snuit, je halfopstaande oren en je stoffige staart. Dan scheiden zich onze wegen, luizige wolf.

Toen hij het dunbladige schetsboekje weer in zijn zak had gestopt, voelde hij dat de gejaagdheid over was. Het was vlug gegaan en het gebeurde toen hij de hond zag. Hij begon behaaglijk te mijmeren, mijmeringen over vijfhonderd kronen.

Een muurschildering.

Een proefstuk om tot de Østensjø-school toegelaten te worden.

Nu zou hij zich dat kunnen veroorloven.

Hoeveel kandidaten zouden er zijn?

Hij wist dat hij niet de enige was die met grootse ideeën rondliep. Het moest nu iets groots worden. Liefst al fresco. Het waren ook maar natte dromen. Maar allemaal hadden ze honger naar geweldige muurvlakken.

De fresco's van Alf Rolfsen in het Telegraafhuis kon hij met zijn ogen dicht natekenen. Verdomme, wat had hij naar klaarheid verlangd. Constructie. Logica. Niet naar gevoelens tasten. Het principe vinden. Zelfs het principe achter zoiets als de opbouw van een hondenromp. Wat Revold daar in de beurs van Bergen geschilderd had, kon je toch verdomme niet de apotheose van een werk noemen? Eerder van doelmatigheid.

Het harde, scheve draven door het bestaan.

De constructielogica had hij gevonden in Picasso-reproducties. Vooral in de abstracte. Daar werd de werkelijkheid opgebouwd volgens principes die hij bij Raffaël had gezien. Dus de professor had niet helemaal ongelijk als hij op vorming hamerde.

De hoogrenaissance steunde ook letterlijk op muren. Al fresco. De natte geur van klei – dat was de walm van de schepping.

Gedurende maanden die uiteindelijk jaren werden, had hij avondlessen op de Tekenschool gevolgd en hij had geleerd om lichteffecten minutieus te voorschijn te peuteren. Het werd steeds ondraaglijker. Hij kreeg voorgoed een afkeer van die voorzichtigheid en nederigheid. Een tastende hand die er voortdurend op wachtte geprezen en goedgekeurd te worden om door te gaan. Zoals de kleurentechniek van juffrouw Blumenthal. Inschikkelijke triomfen van het gevoel.

Nee, groot durven zijn. Volume uit kleur bouwen. Al fresco. De vochtige geur van zijn drift ruiken. God zijn.

Hij ging niet meer terug naar het Kunstenaarsgenootschap en ook niet naar café Stova, waar de anderen samen zouden komen na sluiting van de tentoonstelling. Hij ging ook niet naar Dagmar, maar wel naar huis, naar zijn kamertje op de zolder boven de bakkerij. Daar zocht hij rommelend in zijn koffer naar de papieren en de kartonnen met Serine en de paarden. Hij spreidde ze uit op het bed en op de vloer, ging zitten en bekeek ze in het noordelijke licht van de meiavond. Beet op een duimnagel en zag werkelijk.

Toen hij nog in het Volkssanatorium van Grefsemoen zat, waar ze hem in een kopje met een deksel lieten spugen, had hij ingezien dat hij moest oppassen om geen dierenschilder te worden. Als je die weg insloeg, was er daarna niets meer.

Je kon landschapsschilder worden. Of bloemenschilder. Paardenschilder voor zijn part. Dat was het noodlot dat zijn talent overschaduwde.

Nog langer geleden, in de houthakkershut in Namskogan, had hij het al geweten: hoed je voor de lof die je krijgt als je een paardenkont tekent.

Toch zou hij Serine en de paarden schilderen op de muren van het gymnastiekzaaltje in de Østensjø-school. Iets anders was niet aan de orde. Hij wist het. Hij had het altijd geweten: dit moest groots aangepakt worden.

De eerste schetsen had hij gemaakt met kool van het fornuis op binnenstebuiten gekeerde zakken. Aangezien hij niets had om ze mee te fixeren, waren ze wazig.

In die tijd kende hij het woord motief niet. Hij had Serine nooit samen met paarden in het bos gezien. Maar zelf kwam hij ze altijd tegen op de hellingen van de Brannberg aan de overkant van het meer. Ze liepen dreunend over het pad dat naar Sörbuan leidde. Een veertigtal merries en ruinen.

Soms trokken ze ladingen van twaalf, dertien ton hout tijdens de winter.

Op sleden die overhelden op de gladde ondergrond.

De kettingen piepten.

Kou en ijzer.

Nu was de kou achter de rug en vergeten, net als het gekerm van het ijzer en de luide kreten en de bevroren adem uit de neusgaten. Ze wisten van geen winter meer. De zomer woonde voorgoed in hun grote lichamen. Zelf woonden ze immers in de eeuwigheid.

Hij vond dat ze roken als paddestoelen en duizendblad. Of als een kruidendoos in de winkel. Het klonk als een lach onder zijn hand als hij een niet geroskamde lende aaide. Ze waren mensentrouw; niets was zo goedgehumeurd als een kudde paarden in het bos wanneer ze een mens tegenkwamen. Opdringerig dampten ze van plagerige vriendelijkheid, stootten met hun zachte muil, keerden hun geweldige kont en lieten een luchtige veest. Een achterhoef bewoog levensgevaarlijk dicht bij het mensenhoofd, dat broos was als een glazen waterkan. (Ze wisten het, ze wisten het.)

Te midden van deze paarden in het bos, de zware en uitgelaten kudde, had hij Serine neergezet. Met potlood en kool. Waarom had hij toen niet geweten. Maar nu had hij wel een vermoeden. Nu hij met kleur was gaan bouwen. De figuur van Serine was doorzichtig als papier tegen de achtergrond van de paardenmassa. Maar had toch volume!

In die tijd dacht hij naturalistisch. Vijfendertig paarden en een dun meisjeslichaam. Cézanne met zijn baadsters was het soort schilder geweest dat een vlak met dergelijke ambities kon vullen.

Op de schetsen waar hij nu aan begon, stonden nog maar acht paarden. Hij telde ze lang nadat ieder van hen zijn functie had gekregen. Hij koos ze nauwkeurig en volgens kleur in zijn geheugen. Isak Pålsa's schimmel met de grijze vlekken die als sproeten op de lange, slanke muil verspreid zaten. Hij had witgele wimpers. De Gitzwarte van de handelaar, log en zwaar van rustende kracht. Het behang boven zijn hoeven was roodachtig. Docka van de handelaar, met haar lange maantop. En schudden dat ze ermee deed. Een echt wijfje. Twee Døle-paarden met veel zwart in de kortgeknipte manen en hoeven zo zwartglimmend dat ze wel opgeboend leken. De merrie van mijn pa met vosrood op de ruige zwartbruine flanken. Haar hengstveulen, bijna zwart, in een blauwe schaduw van de bomen, scheel kijkend van schichtigheid, misschien van schrik. De grote lichtbruine merrie die Albin Gabrielsa in de stad op de Gregoriusmarkt had gekocht. Ze deed hem denken aan slaven van de Oudheid, over wie hij in Breidablikk had gelezen: een zwaar wachten op het volgende transport. Geen hoop, maar misschien wel een traag malend en tegelijkertijd rustig verlangen: dat het niet te erg zou worden. Dat er te eten zou zijn. Daar ergens, op de volgende plaats. Bij de volgende heer.

Naast deze paardenmassa was Serine iets ondenkbaars: hoe iets zo dun als papier meer dan tien ton paard kan wegen. Hoeveel licht die broze waterkan kan bevatten. Dat dunne meisjeslichaam had licht gegeten en licht uit de bomen genomen, terwijl de paarden nog onwetend stonden te eten in de paarse duisternis van de ruif.

Toen hij *Het zieke kind* van Munch zag, begreep hij dat hij al tien jaar geleden op hetzelfde spoor zat. Het gaf een gevoel alsof hij klaarkwam; met een zoet, intens genot wist hij: het is niet louter die vervloekte vorming en al dat oefenen waar het op aankomt. Er is ook iets anders. Iets wat ik *heb.*

Maar dat gevoel had hij niet zo vaak.

Er moest groots worden geschilderd, dat had hij altijd al geweten. Het moest op een muur die nog nat was, in een scheppingsgeur van klei. Maar dat was natuurlijk niet mogelijk in werkelijkheid, niet in de Østensjø-school. Hoewel! Hele blikken verf en grote penselen. Geen platgeknepen en opengespatte tubes. Geen zuinig uitschrapen van het laatste beetje verf, bang dat er zelfs niet genoeg was voor een onbenullige mus.

De muur van de gymzaal was 8,5 bij 3,5 meter. Hij ging de volgende dag alles al opmeten. Hij zou schilderen met caseïneverf. Maar eerst moest hij een schets op karton tekenen, want daarmee zou hij aan de wedstrijd meedoen. Op ware schaal op karton tekenen duurde lang. Kleuren mengen duurde lang. En dan ook nog schilderen zonder wijzigingen aan te kunnen brengen. Wat een schrikroes dat moest geven!

Voorlopig werkte hij aan Serine en de paarden met potlood en papier. Hij tekende lijnen en hoeken en schreef pietepeuterige kleuraanwijzigen. Midden in het gepruts zag hij dat dit de voorbereidingen waren voor het schilderij van zijn leven. Wanneer hij eenmaal voor de muur zou staan, zou hij slechts werken met reeksen van oplossingen voor problemen waar hij nu al mee bezig was. Hoe het voelde om ze te vinden, zou de Serine-figuur tussen de paarden tonen.

Het grote paardengeluk.

Wanneer een afgepeigerd lichaam aansterkt door warmte en doezeligheid en sappig gras en nachtlicht. Die ongelooflijk grote, warme zomerblijheid die alleen een paard kan voelen.

Maar haver en voer.

Een stalmuur tegen de kou en de wolven.

De afhankelijkheid.

Jarenlang had hij zelf in die goede en voedende afhankelijkheid geleefd. En met boeien van sanatoriumdiscipline. Vanaf het moment dat hij een bijbel van de Gezondheidsvereniging der Noorse Vrouwen had gekregen – omdat het personeel in hem een piëtist zag – was hij afhankelijk geweest. Van dokter Arnesen. Van directrices en dokters en bibliothecarissen. Van juffrouw Rebecca Blumenthal. Van Dagmar Ellefsen.

Toen hij ontwikkelde vrouwen leerde kennen, raakte hij nerveus gestimuleerd. Mooie nagels, diepzinnige gedachten, geborsteld haar. Maar je had een diploma van het gymnasium of ten minste de middenschool nodig om tussen die in glanzend katoenen kousen gehulde benen te komen, in dat goedverzorgde en zelden bezochte plekje. Hij kwam daar met vrijstelling. Rust kwam er niet aan te pas. Elke seconde werd er iets van hem geëist, liefst woorden.

Dagmar Ellefsen liet hem 's zomers haar atelier gebruiken wanneer zij in de bergen van Nordland zat om te schilderen, en tijdens de weken van haar jaarlijkse verblijf in Parijs.

En dan was er nog Ester.

Toen hij de vijfhonderd kronen ontving die de weduwe van de scheepsreder had betaald voor het paard bij het hek, dacht hij onmiddellijk aan haar. Hij vroeg zich af of ze nu zo gevestigd was dat ze op medische controle ging. Hadden ze nog steeds een boek met een stempel om te bewijzen dat ze onbesmet waren? Hij probeerde zich te herinneren waarover ze hadden gepraat toen hij voor het laatst bij haar was. Ging het alleen over koetjes en kalfjes? Hij moest haar toch hebben gewaarschuwd dat er op den duur narigheid van zou komen. Hij wist nog vaag dat ze had verzekerd, toen of nog eerder, dat er bij haar alleen correcte heren kwamen, gezinsvaders en jonge studenten. Ontwikkelde mensen. Bijna als vrienden van haar. Hoffelijk en hooguit lichtjes aangeschoten.

Nu kun je nog kiezen, had hij gedacht. Want Ester, die zich door de heren Kitty liet noemen, had nog een gaaf gebit, merkwaardig genoeg. Dat heb ik van mijn papa, zei ze. Zijn tanden waren zo sterk dat hij pekgaren doorbeet.

Goudgeel haar had ze, krullend in de motregen op straat, en haar ogen waren donker. Een aardvrouwtje dat verdwaald was in het schijnsel van de straatlantaarns. Maar ze kwam eigenlijk uit Stavanger, waar ze in de conservenfabriek sardientjes verpakt had. Wat een stank! Nee, liever herenparfums en schoon ondergoed. Dat hebben ze, echt waar hoor. Maar hij wilde het liefst dat ze erover zweeg.

Ze had hem geld geleend voor verf en toen hij het aannam, had hij zich leeg en koud gevoeld alsof hij met zijn voeten in een ijskelder stond. Hij dacht aan de economische kringloop in de maatschappij: dit cadmiumgeel en Veronagroen dat ze haar gedegen herenbezoek bij elkaar had laten neuken, zou op een doek worden geschilderd en hopelijk door een van hen zelf worden teruggekocht. Daar had hij geen bezwaar tegen.

Maar nu.

Met de briefjes van honderd in zijn binnenzak liep hij naar het deel van de stad dat Vika genoemd werd en dat boven Pipervika lag, tussen Aker Brygge en de Akershuskaai. Nauwelijks stond hij tussen de krotten en gammele schuttingen of hij werd door schaamte bevangen. Allemachtig, wat voelde het vreemd hier onder de mensen te komen als je geld had. De knagende honger, het leven zonder vest of zakhorloge had hem vrijgesteld van alle tere gevoelens.

Hij werd helemaal gek toen hij haar niet kon vinden. In het café waar ze had gewerkt, kenden ze haar niet. Maar er was nog geen jaar voorbij. Enkele maanden, meer niet. Hij riep naar een man met een blauw schort die vochtig zaagsel op de vloer bij elkaar veegde. Maar hij schudde alleen maar zijn hoofd als tegen een dwaas.

Zat ze in een sanatorium? Of bij verlamden in een ziekenhuiszaal met twintig bedden. Hij liep naar de kade en staarde in het water.

Het was puur toeval dat hij haar uiteindelijk alsnog op het spoor kwam. In een melkwinkel aan de Majorstuveien liep hij een paar weken later een van de serveersters tegen het lijf die in het begin een kamer met Ester deelden. Zij wist waar ze woonde, zei ze, maar hij mocht er onder geen beding naartoe gaan. Hij was opgelucht dat ze in ieder geval ergens woonde. Maar in wat voor omstandigheden?

Nadat hij drie keer naar de Majorstuveien was teruggegaan, kreeg hij te horen: Ester wilde hem ontmoeten in het café van het Østbanestasjon. Ver van Vika vandaan dus. Hij zei dat hij dat eigenaardig vond. Ze wilde niet worden herkend, antwoordde de vriendin.

Op een vroege morgen vond het weerzien plaats. Zij zat al aan een tafeltje toen hij aankwam. Haar hoed had ze diep over haar voorhoofd getrokken. Maar dat was natuurlijk de mode. Ze had een mand bij zich en leek op een huismoeder die soepvlees ging kopen. Uit fatsoen en voorzichtigheid hadden ze zo ver van het oude vuile en gammele Vika afgesproken. Want daar woonde ze nog steeds.

Terwijl ze de hete koffie tussen haar voortanden opzoog op de manier die hij herkende van haar jachtige dagen als serveerster, vertelde ze dat ze het goed maakte.

Ze was natuurlijk sterk. Maar ze had ook geboft. Want de druiper was genezen en daarna was ze met een magere man met een zwarte afhangende snor meegegaan. Het was schaars verlicht in het café waar ze elkaar ontmoetten, en dus had ze hem voor een heer aangezien. Toen ze buiten onder een straatlantaarn kwamen, zag ze dat zijn boord van celluloid was en dat hij een voorgeknoopte stropdas had gekocht. Ze deinsde achteruit. Want zo veel schaamtegevoel had ze wel dat ze zich niet liet betalen door volk van haar eigen soort. Ze zei dat hij zich had vergist toen hij haar vroeg wat het zou kosten. Hij was gegeneerd. Eigenlijk was hij alleen maar uit op een beetje gezelschap, zei hij, en een beetje menselijk contact. Iets anders moest ze niet denken. Toen vroeg ze of ze hem een glaasje wijn mocht aanbieden en in wederzijdse achting brachten ze een poosje in haar kamer door zonder elkaar aan te raken.

Hij was metselaarsbaas, weduwnaar met twee kleine kinderen. Kitty zakte ineen als afgedankte satijnen doeken toen bleek dat hij haar kon onderhouden. Ze waren met elkaar getrouwd. De kinderen hadden hoofdzeer en wondjes van de natte luiers, maar dat genas allemaal toen Ester ze verzorgde. Hij dronk, want hij was metselaar. Maar niet te veel, en hij sloeg niet.

Ze mag van geluk spreken, dacht hij. Vooral op het gebied van microben. En juist daar moet je het geluk aan je kant hebben, dat wist hij.

Elis mocht zijn geld houden.

Het was zomer. Nu waren ze in Nordland, in Normandië en in de Provence. Ze schilderden bij de Sognefjord en op Vidda. De straten waren stoffig. Elis was uiterst voorzichtig met stof. Hij wist wat daar opdwarrelde.

Ze hadden hem geblazen en gebrand. Maar niet uitgebeend. Hij had het overleefd. Hij sprak niet langer zoals de boeren van Jolet en slechts vaag was nog het accent van Nord-Trøndelag te horen. Hij sprak nu verzorgd Noors. Bijna. Als hij zich niet in Vika onder het gewone volk begaf.

Natuurlijk ontbrak hem een algemene vorming. Maar van heel wat dingen wist hij meer dan zijn kroegmakkers. Zij waren radicaal. Zelf was hij niet bijzonder radicaal. Maar tijdens de havenstaking van 1923 hadden ze bijna allemaal tijdelijke baantjes aangenomen bij de dokken. Ze hadden het geld nodig voor verf en voor de huur. Ze schenen niet te begrijpen wat ze deden toen ze de stakende arbeiders vervingen.

Soms vond hij ook dat er een zekere beddengeur rond hun radicalisme hing. Het was onbegrijpelijk hoe belangrijk ze hun geslachtsleven vonden. Geleidelijk kreeg de vorming hem zozeer te pakken dat hij inzag dat hijzelf de hele vorige eeuw had overbrugd.

De Eekhoorn, zijn overgrootvader, was iemand uit de ruige pionierstijd. Elis dacht niet dat hij een heel andere kijk op het geslachtsleven kon hebben gehad dan pakweg gouverneur Örnsköld met zijn zijden pakken en gepoederde pruiken. Op een plaatje dat de schooljuf had laten zien, droeg Örnsköld, de weldoener van Jämtland, een klein geweer van een fijn kaliber. Daardoor had Elis begrepen dat hij een mens was net als de Eekhoorn.

De bohémiens discussieerden en problematiseerden terwijl groothandelaren en kooplieden, ontsprongen aan de eeuw die de Eekhoorn nooit gekend had, op kerstfeestjes hun hoertjes een handstand lieten maken en daar waar dat kon brandende kaarsen staken.

Er waren medicijnenstudenten onder de kroeggangers. Ze verrichtten secties op straatmeisjes en hielden statistieken bij. Maar Elis zweeg en dacht: als iedereen leefde volgens de statistieken, dan was ik allang dood en behoorde Ester nu tot het uitschot van de stad. Maar zij gaat met haar mand naar de markt om soepvlees te kopen en ik werk aan een schilderij om tot de Østensjø-school te worden toegelaten.

Het was half mei toen Elis het paard bij het hek verkocht. Nadat hij drie en een halve maand gewerkt had aan Serine en de paarden, schreef hij zich in voor de wedstrijd ter verfraaiing van de Østensjø-school en leverde zijn karton in. Op 27 september kwam zijn leraar Vold naar zijn kamer. Hij vertelde dat de uitslag van de wedstrijd bekendgemaakt was en dat een zekere Bjarne Ness de opdracht in de wacht had gesleept.

Hij stond in de deuropening en keek Elis in het gezicht. Er was niet aan te ontkomen. Dat ik hem niet plat op zijn smoel geslagen had, dacht hij achteraf.

Vold kwam omdat Elis nog jong was. Zoveel was duidelijk. Jong is dom.

Had hij gedacht dat Elis zich van kant zou maken?

Wie? vroeg hij ten slotte. De naam was hem ontgaan door de schok.

Bjarne Ness.

Die teringlijder, dacht Elis. Die verrekte dunne darm.

Achteraf was hij er niet meer zeker van of hij dat ook hardop gezegd had. Hij wist niet welke taal hij in dat geval gebruikt had. Sinds de ouwe hem van achteren had neergeslagen, thuis in Lubben bij het fornuis, had hij nog nooit zo weerloos gestaan.

De wedstrijdbijdragen werden tentoongesteld. Vold vroeg wat hij van het karton van Bjarne Ness vond. Hij zei dat hij het niet gezien had. Hij was niet op de tentoonstelling geweest.

Dat zou Vold nooit begrijpen: dat de andere wedstrijdbijdragen hem onverschillig lieten. Maar ze hadden hoegenaamd niets met de zaak te maken. Bjarne Ness en hoe die anderen ook heetten. Het was nu eenmaal een krachtmeting geweest tussen hem en de muur van de gymnastiekzaal in de Østensjø-school.

Geen mensen.

De muur en hij.

Vold wilde hem mee naar de tentoonstelling nemen. Hij zei dat het leerzaam kon zijn. Elis vroeg wat hij daar te leren had. Schilderen als Bjarne Ness?

Vold stapte op. Laat in de middag toen de braakneigingen en het wilde oproer in zijn maag en darmen waren gaan liggen, ging Elis alsnog naar de tentoonstelling. Het deed zo'n pijn dat zijn kaken stijf aanvoelden. Het zat niet in zijn hoofd. Het deed pijn in zijn lichaam.

Er stonden meer mensen dan paarden op het karton van Ness. Welke lering kon hij hieruit trekken? Eén paard. Slechts één. Het droeg een pruik als een theaterdiva en had lege oogholten. Een Picasso-paardenhoofd. Hij had de voorbenen weggetoverd door een van de figuren voorop te laten gaan om het paard te leiden. Doorzichtig trucje, dacht Elis.

Toen merkte hij dat Vold naast hem opdook. Hij was naar hem toe komen sluipen als een schaduw. Iemand moest zich over Elis ontfermen. Hij was nog zo afhankelijk. En zo jong.

Hij vroeg Vold zonder hem aan te kijken wat het dan was wat hij nog te leren had en zijn stem sloeg bijna over.

Vold sprak over het dynamische spel van krachten tussen de lichamen op de tekening. Hoe de jongen voor het paard het zware volume door de diagonaal trok. En de statuaire positie van de overwinnaar. De rust die daarin zat.

Thuiskomst van de overwinnaar heette de tekening. Ziedaar de verliezer, dacht Elis terwijl hij naar Serine tussen de paarden keek.

Hij wist nu waarom hij daar was: hij moest leren hoe ze dachten. Over schilderen had hij niets van Bjarne Ness te leren.

Hij zag niet veel toen hij op straat kwam. Voor een keer keek hij neer in zichzelf. Hij kreeg een gevoel van grijsheid en scherpe rotsen. Zo zit het, dacht hij. Maar jullie veinzen iets anders.

Nee, hij zou ze nooit begrijpen. Hij voelde slechts haat.

Ze waren onberekenbaar. Hun smoelen stonden nooit stil en hun ogen gingen eerst open en werden dan smaller. Waarom?

Zonder dat hij het merkte, zakte hij naar Vika af. De namiddag was donker geworden. Er plakten natte papieren en bladeren aan zijn schoenen. In de kroegen waren de lampen aangestoken, ze schenen op de aanwezige koppen. De gezichten keken omlaag naar de schaduwen. Hij zag een masker van een vrouw, een uitgesneden mond. Hij wist dat ze dacht dat ze lachte en dat allen die haar zagen dat ook dachten.

Plotseling verlangde hij hevig terug naar het sanatorium. Het maakte niet uit welk. Hij had geen bezwaar tegen een dagschema dat per uur voorschreef wat hij moest doen. Het enige waarnaar hij destijds had verlangd, was echt alleen te zijn. Maar hij had zich nooit gedwongen gezien om vloeiende taal en vindingrijke grimassen te begrijpen. Want apenstreken zijn niet besteed aan stervenden. De anderen die boven mochten komen, kon hij mijden wanneer hij zelf de gelegenheid kreeg tot wat beweging. Na verloop van tijd was hij alleen nog de schilderende patiënt. Toen hoefden ze niets meer te vragen.

's Avonds laat zat hij in een café iets te eten. Visgehakt en gebakken aardappels. Toen hij uit het raam keek, zag hij een zwarte hond. Hij liep rond te snuffelen. Soms verdween hij uit het zicht, maar hij kwam steeds terug. Vermoedelijk vond hij hier geregeld varkensdraf.

Nu was er niets te vinden. Het vocht deed de straatstenen glimmen. Er bengelde geel, mistig licht uit de lampen, die aan hun doorzakkende kabels hingen. Mannen en vrouwen haastten zich voorbij maar waren niet meer dan schaduwen die snel door het beeld trokken. Ze hadden net zo goed van karton kunnen zijn.

De kaartspelende kroeggasten en de serveerster, die moe met haar achterste tegen de toog probeerde te leunen, maakten een onwerkelijke indruk. Het was een beeld. Een herinnering aan leven. Iets dat zich teruggetroken had.

Hij herinnerde zich eerdere keren dat hij de straat en het café net zo gezien had. Van leven ontdaan. Op een brouwerspaard na. Of een paar mussen op een bijna schaduwloze zondagse straat.

Nu was daar die hond.

Hij was er bijna zeker van dat het dezelfde was die hij in mei gezien had toen hij het paard bij het hek had verkocht en in het Slottspark was gaan zitten om een sigaar te roken. De pijn in zijn rechtervoorpoot was verstijfd. Hij hinkte. Maar niet erg.

Elis legde drie muntstukken van vijfentwintig øre op tafel en kiepte wat er nog over was van de vis en de aardappels in zijn krant.

Na bijna twee weken zocht hij Dagmar thuis op. Hij had meestal rondgehangen in de arbeidersbuurt van Vika. Had in de straten en steegjes gedwaald terwijl de herfst stroef en nors werd. Hij voelde zich koortsig van de warmte in huis.

Kom je *nu*? Waar ben je geweest?

Hij kon niet zeggen: ik kom omdat ik aan jou moest denken. Nu. Vandaag. Ze zou het natuurlijk omkeren: waarom had hij niet eerder aan haar gedacht?

Dat wist hij niet. En hij durfde te wedden dat anderen ook niet wisten waarom je aan iets moest denken – of er juist niet aan moest denken.

Dagmar dacht voortdurend aan hem. Hij zag dat als een wilsdaad. Maar misschien was het eerder zoiets als tussen hem en die hond.

Hij wist niet waarom, hij had het dier bijna twee weken lang gevolgd. In het begin had hij hem 's avonds laten gaan en hem 's morgens weer opgezocht. Maar later kwam hij erachter dat hij in een open wagenschuur sliep. Hij lokte hem met zich mee naar zijn zolderkamer.

Hij was niet wild, zelfs niet verwilderd. Maar hij had degene verloren die hem te eten gaf. Elis veronderstelde dat het een oude vrachtrijder was die gestorven was.

Dagmar en de hond waren bang voor elkaar. Ze deden allebei hun best om zich te beheersen. De hond zakte door zijn poten en streek zijn oren. Dagmar probeerde er niet naar te kijken. Maar hij rook sterk hierbinnen, omdat het zo warm was.

Ze vroeg waar Elis om lachte. Maar hij ging er niet op in. Piano, pluche, palm, draperie, Perzisch tapijt, rieten meubel, schommelstoel, ezel, schilderijtjes, tafeltje. Het waren woorden. Het was niet wat de hond zag.

Hoe heet hij? vroeg Dagmar onzeker.

Hij had nog geen naam gekregen. Maar nu kreeg hij er een:

Ruigpoot.

Je hebt die muuropdracht niet gekregen.

Hij werd razend kwaad en stond op. De hond was snel bij de deur maar schrok van de draperie.

Elias!

Toen ze zijn arm vastnam, gromde de hond. Ze trok haar hand terug, stapte achteruit en stootte tegen de schommelstoel. Ze ging er gauw achter staan. Ze begon uit te leggen dat ze begreep dat hij verdrietig was en zich rot voelde. Daarom was hij zo lang weggebleven.

Klets toch niet zo, mens, dacht hij en hij keek naar het doek dat op haar ezel stond. Ze was bezig met twee citroenen die tussen appels op een schotel lagen. Hij dacht: leg die dingen in de paardenstront op straat. Of in een pispot.

Ze vroeg hem of de jury een motivering had gegeven. Hij zei dat de enige motivering die hij had gehoord, van een vrouw kwam die voor de schets van Bjarne Ness stond en zei dat hij inlevingsvermogen had.

O ja? Wat zeiden ze over jouw bijdrage?

Knoeiwerk. Zinsverbijstering.

Dat is niet waar, Elias.

Ze ging thee zetten. De hond lag bij de deur. Zijn sterke hondengeur was in de hele kamer te ruiken. Dagmar praatte een beetje en legde gekruide beschuitjes op een gelakte metalen schotel. Het was een zwarte schotel met gele rozen erop en even voelde Elis werkelijk een vlaag van zinsverbijstering.

Ik heb geen inlevingsvermogen, zei hij. Blijkbaar.

Ach toe nou, troostte ze. Je moet je natuurlijk in de situatie van een ander kunnen inleven om te schilderen.

Verdomme nog aan toe!

De hond ging rechtop zitten. Dagmar vroeg Elis of hij hem wilde bevelen om opnieuw te gaan liggen.

De dag dat jij inziet dat er een werkelijkheid bestaat – niet alleen woorden en gezichtsuitdrukkingen – dan zul jij ook kunnen schilderen.

Het was niet bepaald de bedoeling dat hij dat hardop zou zeggen. Maar gedane zaken nemen geen keer.

Ik heb schijt aan je onnozele inleving in een banaan en twee citroenen.

Er is geen banaan bij, zei Dagmar zacht.

Hij zei altijd de verkeerde dingen. Hij zei altijd pis, poes, kut, pik of reet wanneer hij hier op deze rieten bank met het overtrek zat. Ze zei dat het van chintz was. Er zaten in ieder geval seringen op.

Als ze dan tenminste had gezegd: waarom doe je zo gemeen, Elias? Maar ze pleisterde zijn gekwetste en gezwollen ego. Wilde het tot bedaren brengen. Wilde hem meer citroenen en minder paarden laten schilderen. Nederigheid en inlevingsvermogen – dat was volgens haar wat een schilder nodig had.

Dat belachelijke citroentje van je is verkleed als citroen, zei hij. Precies zoals jij als mens verkleed bent.

Ben ik dan geen mens?

Nee. Hoe zou je ook kunnen? Je blouse omberbruin. Je halsketting in meekraplak. En een koffiebruine rok, een groot koffiebruin vlak met violette schaduwvlekken. Je gezicht een geel vlak met violetbruine gaten erin.

Doe iets anders aan of kleed je uit en ga poseren voor de tekenklas van Vold, dan zul je zien dat je geen mens bent. Je zult het ook horen. Je bent verhoudingen. Je bent spanningen tussen vlakken. Je bent het verschil tussen het dragende en het gedragene.

Maar die serveerster dan? Die uit Vika.

Had hij haar niet met medeleven geschilderd? Hoe ze probeerde alles van zich af te gooien wat haar lichaam gedragen had, terwijl ze rustte op haar rechtervoet en been. Die booglijn – zat daar geen medeleven in? En de details, zo precies. De laarzen met hun hoge schacht met uitgesleten gaten voor tenen en hiel waar ze het meest knelden. Hij had het dragende geschilderd en toonde alles wat zij ooit had gedragen, hoewel ze op dat ogenblik niets in haar handen had.

Je hebt genoeg medeleven, Elias. Maar je wilt het niet weten.

Ik heb genoeg waarnemingsvermogen. Dat is iets anders. Dat is verdomme zo veel beter. Zien is niet hetzelfde als medelijden hebben.

Maar jij draagt inleving over. Jij toont degene die gedragen heeft. Hetgeen gedragen wordt, heeft ze bij zich in iedere lijn.

Ze heeft ook het gewicht van mannen gedragen, dacht Elis. Hij kon het niet laten om het te zeggen. Dat ze het gewicht van de groothandelaar, van de scheepsreder, van de professor van de kunstacademie had gedragen. Wanneer ze voor het schilderij stonden en die inleving waar zij het over had voor de geest haalden, zagen ze dezelfde lichaamslijn als zij. Ze keken naar de heupen, naar de boezem onder het witte schort en de zwarte stof die strak zat. De neusgaten van de groothandelaar trilden bij het zien van die lijn: hij rook haar zweetlucht, hij wilde haar benen spreiden en wist dat hij dat mocht voor evenveel kronen als het hem kostte om zijn was te laten doen.

En of hij zich inleefde in die dragende lijn! Trots zag hij erin, de trots van een vrouw over haar lichaam. Ik heb het gewicht van de groothandelaar gedragen. Ik heb de lul van de groothandelaar voelen zwellen. Verzorgde, deftige man. Ondergoed van het fijnste linnen! Een echte heer. Een grote zaak voor een arm meisje als ik. Grote zaak in haar kut ook – de groothandelaar is een echte man. En achteraf met een sigaar in zijn mondhoek, wanneer hij de knop van zijn boord had gevonden en zijn stropdas had geknoopt, stopte hij biljetten onder het kleedje op de ladekast.

Het is de trots van een vrouw en daarin kan een groothandelaar zich op een tentoonstelling inleven. Hij heeft inlevingsvermogen, weet je. Een gezwollen inleving – die stop je recht in het lijf van de werkelijkheid. En natuurlijk kan ik beamen dat hij die krijgt van mijn schilderij. Zonder het schilderij is hij slechts een brok rauw vlees in een schone onderbroek. Hij heeft de kunst nodig. En daarom maken wij kunst, zodat de groothandelaren een beetje inleving mogen voelen, zodat hun inlevingsvermogen kan zwellen.

Dus krijgt Bjarne Ness de prijs omdat hij zich kan inleven in het gevoel van een jonge knaap op een paardenrug.

Dagmar zei dat zijn eigen meisje met paarden niet gemaakt was zonder de inleving die hij minachtte. Maar het was een beangstigend beeld, vond ze. Het paste eigenlijk niet voor jongens in een gymnastiekzaal. Maar ze geloofde in zekere zin dat het meisje, als ze daar binnen kwam, zich als op de afbeelding zou voelen.

Laat haar erbuiten, zei hij en de hond richtte zijn kop op.

Toen zuchtte ze en zei dat ze wist dat hij een ander soort schilderijen wilde maken. Met klaarheid en logica. Hij antwoordde dat die al gemaakt werden. Maar niet hier.

Je wilt naar Parijs.

Ze klonk gelaten.

Niet naar Parijs, dacht hij. Naar Berlijn. Daar wacht de Blauwe Ruiter op me.

's Avonds liep hij met de hond langs de kaden. Deze stad, die nu Oslo moest gaan heten en een heuse grote stad moest worden, had vaste bootverbindingen met Kopenhagen, Amsterdam, Bordeaux, Hamburg, Hull, Londen en Stettin.

Hij zou een zeevaartboek moeten aanschaffen.

Hij had zin om de hond te vertellen over Franz Marc, die ook paarden kon schilderen. Er waren vele paardenschilders, wilde hij zeggen tegen de zwarte lobbes. Egedius. Degas. Die hoefden de voorbenen niet weg te moffelen achter een andere figuur die ze beter konden tekenen.

Maar Franz Marc was de belangrijkste. Hij wist hoe paarden in elkaar zaten. Hij voelde hun eenzaamheid.

Elis ging op een bolder zitten en rook de zilte vochtigheid in de nacht. De hond trippelde op de houten kade achter hem. Het beweeglijke water glinsterde.

We leven. Wij bewegen ons naast elkaar.

Franz Marc leefde nog toen ik thuis in Lubben zat. Maar toen kwam de dag dat hij te paard uitreed. Misschien was het wel dezelfde dag dat ik wegliep? Hij reed tot hij bij een bosje kwam. Daar gebeurde het. En het paard?

Het paard bleef waarschijnlijk een poosje onder de bomen staan voordat het wegliep op zoek naar een andere afhankelijkheid. En naar de eenzaamheid in de duisternis van een ruif.

Het was maart 1916. Er sijpelde bloed uit de slaap van Franz Marc. Van allen die stierven bij Verdun, was hij de enige die niet in het slijk ten onder ging. Hij stonk niet. Maar ze doofden voorgoed zijn ogen.

Er is niemand meer die ziet wat hij zag.

Elis keek naar een van de grote boten. Er scheen licht achter de patrijspoorten. Niet iedereen ging dus aan land.

Jij zult weer alleen achterblijven, zei hij tegen de hond. Maar je redt het wel.

Het was alsof die dekselse hond begreep wat hij had gezegd, want hij begon naar de havenmagazijnen te lopen. Hij liep een beetje scheef, drentelend. Ten slotte verdween hij in de schaduwen.

Toen Myrten en ik kind waren, zagen we de wolven op het meer. Ze waren als grijze schaduwen op het ijs te ontwaren. Ze bewogen zich snel en werden algauw weer door de schemering opgezogen. We zagen ze alleen in de grijze overgangen tussen dag en nacht. Het was bijna donker binnen, we wilden dat Hillevi de lamp boven de keukentafel aanstak zodat we konden tekenen. Maar daar talmde ze mee. Ze zat altijd naar buiten te kijken. Op haar schoot lag haar handwerk, meestal kousen die gestopt moesten worden. Toch was zij het nooit die ze het eerst zag.

Kijk, zei Myrten. Daar zijn ze.

We liepen naar het raam en keken, ademden wasemvlekken op de ruit. We mochten de wasem niet met de hand wegvegen van Hillevi. Dan werd het glas vuil.

Het was moeilijk om ze te tellen, maar de volwassenen zeiden dat het een roedel van een zeven-, achttal dieren was die in die jaren rond de dorpen zwierf.

Wolven, fluisterde Myrten. Nu mogen we zeker niet naar buiten?

Maar we mochten wel naar buiten toen het dag werd. Wolven waren bange dieren. Dat zeiden alle grote mensen. Ze waren geniepig maar laf. Myrten kon alleen moeilijk vergeten wat ze haar papa had horen vertellen. Toen hij een kind was, zaten er grote roedels in Skinnarviken en ze waren onbevreesd, ze kwamen tot vlak bij de huizen. Op een dag kwam een jongen vertellen dat hij bij de steenkelder een grote hond was tegengekomen, hij wist niet van wie die hond was. Zijn mama kreeg het aan haar hart, zo bang werd ze en voortaan moesten de kinderen binnenblijven, ook hier in Svartvattnet.

Hillevi herinnerde zich de winter van 1918 toen er zo veel wolven waren dat de Lappen bijna al hun rendieren verloren. Ze trachtten de jaren daarop hun kalvende rendierkoeien te bewaken, de weinige die er nog over waren. Maar de wolf was als gif en vuur. Ten slotte zagen alle rendier-Lappen zich gedwongen om weg te trekken.

Mijn oom Anund kwam terug, zoals ik al heb verteld. Hij kwam en ging. Er was immers geen werk meer voor hem, geen rendiereigenaren die knechten nodig hadden om de kalveren te merken.

Als knaap van een jaar of veertien, vijftien, denk ik, ging hij met twee jonge mannen van de Makte-familie op wolvenjacht in Skinnarviken en op de Giela, het gebied dat nu op de kaarten tot Björnfjället verzweedst is. Ze kregen een dagvergoeding van de gemeenteraad en ze vertrokken op ski's toen het ijslaagje boven op de sneeuw zo dun geworden was dat het de wolven niet meer droeg. Scherp als glas was het en het sneed in de poten als de dieren erdoor zakten. Zo joegen ze de roedel urenlang op

door vele dalen
over moerassen
tot de lucht naar bloed smaakt
en het schemert voor hun ogen

neuriede mijn oom, *ajajaja jaaa* zong hij, ze joegen de wolf op tot zijn levenskrachten op waren; hij moest zijn eigen boosaardigheid proeven *ajajajaaa*, zijn eigen haat moest hij eten, als kots moest hij die opeten, zijn eigen bloed danste voor zijn ogen en aan het eind draaide hij zich om en gromde en dan sloeg Nisja van de Matkes of Johanni hem met zijn stok op zijn muil. Meer hoefde niet, want hij was op, hij was al halfdood.

Dan mocht oom Anund, die hen achterna kwam, de wolf meenemen en de huid afstropen. De twee anderen gingen weer achter de roedel aan. Hij raakte vaak een flink eind achterop, dat gaf hij toe, want die twee waren goede skiërs.

Maar iedereen in de dorpen wilde de wolven dood, ook toen de rendier-Lappen weg waren. Ze legden dode varkens uit die ze eerst met strychnine hadden vergiftigd. Maar mijn volk legde het gif in klompen rendiervet, vertelde oom. Zoiets slokten wolven zonder beheersing op; ze waren net zo verlekkerd op rendiervet als de Lappen. In dat opzicht waren ze hetzelfde.

Iedereen deed mee aan dit doden, als het niet met gif was of met scherpe patronen of glasscherven, dan was het in gedachte. Iedereen behalve Kalle Persa, de visser, want hij was zo zachtmoedig dat hij alleen vis doodde.

De mensen namen het wolfsbeen uit elandpoten en spanden het op in een stuk vlees. Wanneer de wolf het vlees had doorgeslikt, sprong het scherpe been open in zijn maag, misschien al in zijn keel, en het was scherp als een pas geslepen mes. Je krijgt de indruk dat ze veel hadden om wraak voor te nemen.

In 1929 liep een wolf over het ijs op het Svartvattenmeer. Hij kwam van de hellingen van de Brannberg en glipte ongezien naar Storflon, maar liet natuurlijk wel sporen achter. Vermoedelijk zwierf hij verder naar Skinnarviken en daarvandaan naar het bergbos. Het was januari en maar weinig mensen hadden hem gezien. Ze dachten dat het een reu was die een wolvin zocht om mee te paren.

Ze hadden al lange tijd geen wolven meer gezien in Röbäck en iedereen was het erover eens dat dit de laatste moest wezen. Hij zou moeilijk te pakken zijn met vergiftigd aas, want hij was de bergen in verdwenen.

Er kwamen een paar jonge mannen naar Aagot Fagerli om naar mijn oom

Anund Larsson te vragen. Hij zat vaak bij haar aan de keukentafel wanneer hij geen werk had. Hij kon enigszins rondkomen, want hij was ook liedjeszanger en speelde en zong op feestjes. Hij had naar Åhlén & Holm geschreven om een accordeon te bestellen. De grepen had hij geleerd van de houtvlotters. Nu was hij gaan spelen op een bruiloft in Skuruvasslia. Ze zeiden tegen Aagot dat ze hem mee wilden nemen om die zwervende wolf te zoeken. Enkele houthakkers hadden boven bij de oever van de Krokån sporen van hem gezien.

Oom liet weten dat hij er niet aan mee wilde doen. De geestdriftige wolvenjagers kregen in de winkel zelfs zijn letterlijke woorden te horen:

'tHeeft geen zin. Je kunt er net zo goed aan wennen jezelf op je smoel te slaan.

Dat waren merkwaardige woorden en algauw raakte het meeste ervan verloren. Maar tot de dag van vandaag heb ik mensen horen zeggen: 't Heeft geen zin zei Anund Larsson. En sommigen van hen weten niet eens wie hij was.

De jagers vertrokken zonder hem en vonden de sporen. De wolf haalden ze niet in. Maar het volgende weekend hervatten ze hun jacht en toen had het gesneeuwd en in de verse sneeuw op een van de meertjes bij Kroken zagen ze zijn pootafdrukken. Ze vertelden achteraf dat die zo groot waren dat ze hun ogen niet konden geloven. De sporen waren niet door de dooi vergroot. Nee, dat was nog eens een beest!

Zo gingen ze verder. En toen hij zich ten slotte heel even vertoonde, schoten ze. Maar hij gaf zich niet gewonnen. Het enige wat ze van hem zagen, waren enkele bloeddruppels in de sneeuw. Eerst was hij heel snel weggevlucht en daarna was hij blijven staan. Daar lag een plas. Vervolgens was hij voortgestrompeld. Maar toen werd het donker.

De volgende dag was het maandag en moesten ze weer houthakken. Daarom gingen ze op zondagavond een tweede keer naar Aagot Fagerli. Anund Larsson was daar en nu vroegen ze hem de gewonde wolf voor ze op te sporen.

Dat kon hij moeilijk weigeren. Hij had bovendien niets bijzonders om handen. Hij vertrok dus en bleef drie dagen weg. Ik weet niet waar hij sliep. Misschien lieten ze hem overnachten in Kroken. Het is ook mogelijk dat hij vuur maakte in de oude hut van mijn opa. Op de avond van de derde dag kreeg hij hem te pakken. Een geweer had hij niet bij zich. Hij deed het op de oude manier.

Ik hoorde in de winkel dat oom terug was. Ik liep haastig bij Aagot langs en daar zat hij op de keukenbank. Hij had zijn muts naast de deur gelegd en je zag hoe zijn haar samengeklit was en het zweet opgedroogd zodat er stijve zwarte slierten op zijn voorhoofd hingen. Zijn oogleden waren gezwollen en de huid onder zijn stoppelbaard was schilferig en rood. Hij hield zijn handen rond een kop koffie alsof hij het nooit nog warm genoeg zou krijgen. Aagot stookte zo hard dat het fornuis zong. Ik had gedacht dat hij blij zou zijn.

Ga je nu niet zingen, Laula Anut? vroeg ik.

Zingen...

Het klonk alsof hij niet eens wist wat dat was. Zijn lippen waren stijf terwijl hij praatte.

Laat Anund met rust. Zie je niet dat hij moe is, zei Aagot.

Ik vroeg toch nog of hij niet het lied wou zingen dat altijd gezongen werd als een wolf gedood was. Een jojk over de wolf, zo een waarover hij had verteld maar die hij nooit zelf gezongen had. Hij had alleen maar naar anderen geluisterd. Er waren grote zangers geweest die hem verlegen maakten, oude mannen, echte wolvenjagers. En hij had trouwens nooit in z'n eentje een wolf gedood toen hij nog een jongen was. Bang was hij ook toen hij op zijn ski's naderbij kwam en met de punten de gele en grijze vacht op het nog warme lichaam raakte. Hij wist immers niet of het beest nog zou bewegen, of er misschien nog een laatste levensrest in het kadaver over was.

Hij nam zijn mes uit zijn gordel voordat hij het wolvenlichaam met zijn stok aanraakte. Hij kokhalsde van angst, zei hij. Mijn oom was anders dan andere mannen in die zin dat hij ervoor uitkwam dat hij bang was geweest en dat hij verdriet had gehad.

Nee, hij zong niet.

Hij zei dat de liederen met de wind meegingen. Je kon ze niet meer horen.

Het water van de meren wordt zo zacht in de nazomer. Roeien is dan als in een kalfsbouillon lepelen wanneer die staat af te koelen. Dat talmende, gezapige seizoen. Hogerop zijn de dwergberken al vlammend geel en roodgebrand. Een verdwaalde sneeuwbui heeft 's nachts het bergmoeras besmeurd. Maar hierbeneden zit de warmte gevangen in de gladde rotsen en de sissende mierenhopen.

Grasklokjes. Gele bosjes rolklaver in de barsten tussen de stenen. Kartelblad, bijna uitgebloeid nu, bruin en slap onderaan. Hillevi roeide zo dicht bij de oever dat ze kon onderscheiden wat er zoal opschoot tussen de scherpe leisteenbrokken langs de waterkant. En verderop in de kraaiheidestruiken en de bosjes vossebes: of het een goede bessentijd zou worden.

Zondagmorgen, kerkdienst. Maar geen kerkklok reikte tot dit water. In Röbäck zat Trond met tegenzin in de kerkbank; het bestuur vergaderde na afloop. De kinderen waren meegekomen om met de kinderen van Märta Karlsa te spelen. Tore wilde naar het merrieveulen gaan kijken. Thuis had Hillevi een stuk varkensvlees in melk gelegd om het zout te weken. Ze was van plan het te stoven met gedroogde pruimen en gember voor het avondeten.

Maar toen kwam ze op het idee om te draaien en naar de zomerwei te roeien. Veel spijt zou ze daar nog van krijgen. Het was dan ook geen doordacht plan, alleen maar een opwelling in het warme zomerweer. Zomaar wat gaan roeien op een zondag. Misschien wilde ze gaan kijken of de jongen van de brilduikers nog leefden. Laatst zwom er een wijfje met veertien kleintjes achter zich aan.

En toen het bootje tegen de stenen schraapte, nog een bevlieging: of er nog steeds rode ogentroost in de schaduw boven de aanlegplaats groeide? Een tuiltje voor op de zondagse eettafel. De kleinste kristallen vaas die ze van Efraim Efraimsson geërfd had en een schoon tafelkleed, dacht ze. En dat ze wou dat ze het kleed door zo'n stevige, grote mangel met marmeren platen kon halen. Maar hier moest ze het stellen met een houten mangel met twee rollen. Daar lukt het ook mee.

Geen rode ogentroost. Maar een vogel schrikt op in de elzen, een zacht gefladder dat groot klinkt, maar niet als van een roofvogel. Wie heeft er zulke grote zachte vleugels?

Daarna moet ze beneden zijn gaan kijken. Op zoek naar rozenkransjes en wilde tijm en vleugeltjesbloem. Het grasland werd in Jonetta's tijd netjes afgegraasd, maar begon nu te verwilderen. De dieren waren weg maar toch kreeg ze zin om hun zachte namen te roepen: schaapjes... koe-oetjes... lieve kindertjes van me! Zwartoor! Krolletje! Kleine kalfjes, lieve lammetjes! Ze glimlachte nog steeds toen ze Aagot zag. Volstrekt onverwacht.

Het kwam doordat de schuur het uitzicht had belemmerd. Dus ze stond ineens vlakbij.

Een regelrechte, witte naaktheid.

Nooit gedacht dat haar zwarte haar zo lang was dat het tot over haar taille hing. Ze liet het nooit knippen. Geen modespulletjes voor Aagot; ze droeg nog steeds haar mantels uit Amerika, die allang uit de tijd waren. Wat een grote kont. Dat had ze niet gedacht. Aagot, als meisje was ze zo slank als een den.

Ze had een tinnen kuip op de brug gezet en daarnaast stond een zwarte ketel met water dat zo heet was dat het stoomde en walmde. Haar haar was nat. Vandaar dus dat het zo roetzwart glansde op haar rug en sluik neerhing. Nu nam ze een schep heet water, goot het in de kuip en roerde. Daarna nam ze een schep uit de kuip en goot het water over zich uit. Het liep in haar haar, over haar rug. Maar waarom boog ze zich toch in hemelsnaam niet voorover?

Integendeel.

Ze draaide zich om toen ze de volgende schep over haar hoofd goot en het water droop over haar borsten, die grote donkerbruine tepels hadden, en ze glimlachte.

Plotseling verstijfde haar gezicht.

Ze had niet verwacht Hillevi te zien toen ze stappen hoorde. Terwijl het water droop en tussen de planken op de steiger sijpelde, die zwart werden van het vocht, terwijl het zeepschuim zich een weg zocht tussen de kieren in het hout en het water in de ketel dampte, werd Aagots gezicht stijf.

Tobias kwam van achter het kookhuis te voorschijn. Hij was twee emmers water uit het meer gaan halen. Hij was het die Aagot had verwacht. Hillevi zag nog net zijn glimlach en hoe die als karton op zijn gezicht bleef zitten onder wijdgeopende, verstijfde ogen. Ze draaide zich om en rende naar de boot.

Het gerammel van de roeispanen en het ruwe geschraap tegen de stenen op de bodem brachten haar bijna aan het huilen, want ze had willen opgaan in een stilte zo totaal dat Aagot en Tobias zouden denken een droombeeld te hebben gezien.

Terwijl ze over het meer Tangen voorbijroeide, schoten haar de woorden te binnen die over hen beiden waren gevallen. Verdoken. Maar ze had er toen niets van gesnapt. Maar het geheugen slaat zoiets op. Gemeen diepte het op:

Dat zal Aagot leuk vinden.

Hildur Pålsa, toen Hillevi vertelde dat Tobias op komst was voor de vogeljacht. En vorig jaar al een stem – van wie? – in de winkel:

Ja, hij heeft wel iets aantrekkelijks.

Ze wist niet hoe ze hem nog in de ogen moest kijken na dit voorval. Met hem aan tafel zitten, hem van het gebraad met pruimen aanbieden. Ze dacht aan zijn vrouw Margit. Ze had hem vier kinderen geschonken. Het vijfde was op komst.

Alles wat hij ooit had gezegd over het kerngezonde leven hier in het noorden, over zijn verlangen wanneer als hij in Uppsala was, zijn verlangen naar avondhemels en bruisende beken en een uitgestrekt berglandschap, alles kreeg een nieuwe inhoud. Nu snapte ze wat het was in dat gebruis en die hemels. Er bestonden vunzige woorden voor.

De keukenklok wees even over één aan toen ze thuiskwam. Ze had enkele uren voor zichzelf. Tenzij Tobias het in zijn hoofd kreeg om met haar te komen praten. Om het uit te praten.

Nee. Geen woord dacht ze ooit tegen hem te zeggen over Aagot. Over waar ze mee bezig waren. Dan sloot ze zich nog liever op in de slaapkamer.

De confrontatie 's avonds ging niet door, want Tobias kwam niet terug. Hij vertrok met de bus zonder afscheid van haar te nemen.

Hij had haast, hij was misschien naar het ziekenhuis opgeroepen, veronderstelde Trond. Maar er is geen telefoon voor hem geweest.

Zij zei niets. Dat had ze wel moeten doen. Maar 's nachts droomde ze over Tobias dat hij verdorven was als een aap en zich slecht gedroeg. In het openbaar. Het was walgelijk om zoiets te dromen.

Ze begon weer slecht te slapen. Werd midden in de nacht wakker en dacht terug aan vele jaren geleden toen ze zijn kamer binnenglipte wanneer hij in het ziekenhuis was en *Het geslachtsleven van den mensch* van Georg Kress uit de kast nam en achter de fauteuil kroop en las en dat bij zichzelf leerzaam noemde.

Op een keer had hij een hemd op bed laten liggen. Ze had het opgeraapt en tegen haar gezicht gedrukt. Ja, ze had eraan geroken.

Wat scheelt er, Hillevi? vroeg Trond en hij legde zijn hand op de hare. Ze schudde even haar hoofd en daarop vergat hij zijn bezorgdheid. Want er was zo veel te doen in de winkel. Zij werd met rust gelaten.

Het ergste was de aanblik.

Aagot wit en glimmend van het water. Tussen de liezen, tot ver op de buik groeide stug en krullend zwart haar. Hoe kon je er zo uitzien? Hillevi had in het ziekenhuis vrouwen geschoren voor een ingreep, maar zoiets had ze nog nooit gezien. Als een duidelijk en scherp begrensd stuk gitzwarte dierenvacht.

En de zwangerschapsstriemen.

Aagot had op haar buik de witte strepen die verraden dat een vrouw een zware foetus voldragen heeft, helemaal tot aan de bevalling.

Het was een geheim dat Hillevi niet wilde weten, een geheim dat Aagot in het felle zonlicht en het stromende water naar Tobias, haar minnaar, had gewend.

Zulke woorden kwamen in haar op.

En ze keek en keek en keek. Het was een vloek: wit lichaam, bijna zilvergrijs onder het stromende water. Donkerbruine tepels werden hard en verhieven zich uit de tepelhof. Het zat als gebrandmerkt.

Maar de week ging voorbij. Ze dacht dat ze eroverheen gekomen was. Het duurde nog lang tot de volgende keer dat Tobias zou komen. Als hij ooit nog kwam. Aagot kon haar niet zo veel schelen. Ze had altijd brutaal gekeken. Eigenlijk waren ze aan elkaar gewaagd.

Op zaterdagmiddag toen Trond de winkel had gesloten, kwam hij zoals gewoonlijk binnen en vroeg haar scheerwater op het vuur te zetten. Dat had ze al gedaan en dus ze vulde de witte porseleinen kom en goot er koud water uit de koperen kuip bij om het lauw te maken. Hij zette zijn scheerspiegel in het venster dat op het meer uitkeek, zodat hij genoeg licht kreeg en hij wette zijn mes tegen de leren strijkriem. De meisjes zaten aan de keukentafel te tekenen. Ze kregen wit pakpapier van Trond en tekenden op de ruwe zijde. Als die eenmaal vol was getekend met prinsessen en bruiden met kroontjes, sluiers en strikken, draaiden ze de gladde, slechtere zijde naar boven.

Trond had een scheerkwast van dassenhaar waarmee hij de zeep verdeelde. Met zijn wangen wit van het schuim grijnsde hij naar de meisjes en die riepen:

Neger!

Hillevi had nooit begrepen waarom, maar zij moest ook altijd lachen.

Het is tijd om de tafel te dekken, zei ze en ze probeerde tussen de grote tekenbladen plaats voor de koffiekopjes te vinden. Het mes raspte lekker op Tronds wangen. Hij spoelde zijn gezicht af en veegde het laatste beetje schuim bij zijn neusvleugels weg. Hillevi nam de waterkom weg waarin het schuim en de baardstoppels dreven.

Het was maar een gewone zaterdag, dus gebruikte hij geen aftershave. Toen zijn wangen droog en glad waren, draaide hij zich om en vroeg:

Krijgt papa nu geen zoentje?

Toen kwam het terug. Niet als verdriet of onrust. Maar wel als pijn. Het deed pijn in het middenrif.

Het was niet de eerste keer dat ze zich ergerde aan Myrten wanneer die zich met fijne armpjes en een schattig engelenmondje strekte om haar getuite lippen tegen zijn wangen te drukken. Vroeger had Kristin haar opgetild naar haar papa. Hillevi had medelijden met dat weeskind. Trond wilde niet wreed zijn. Maar bloed is dikker dan water en mannen kunnen onbedachtzaam zijn.

Wat ze nu voelde, was iets anders.

Ze dacht terug aan de tijd voor de kinderen. Toen kreeg hij geen zoentjes van kleine meisjes. Haar eigen lippen waren over de gladde pasgeschoren huid gegleden en hadden zijn mond gezocht. Hij waste zich toen nog met groene zeep, die uit de huid van zijn hals geurde, en zijn zaterdagse witte hemd rook naar loog en naar water uit het meer en dat alles kwam nu in haar op, zelfs de herinnering aan die eerste keer dat ze hem zich zag scheren op Torshåle. Zijn smalle middel met de leren riem hard aangetrokken, het uiteinde dat loshing, de witheid van zijn hemd in de zomeravond.

Ze ging weg.

Het geroezemoes van de kinderen was slechts vaag te horen in de slaapkamer.

Ze herinnerde zich nog meer: hoe hij bij het bed had gestaan, naakt. Had haar hand genomen en die naar zijn onderbuik geleid. Zonder schaamte had ze zijn balzak vastgenomen, de zwaarte ervan gevoeld. Hij was donker, met een blauwe schijn zoals de huid onder zijn baard.

Dat was nog in het begin, in de kamer boven de oude winkel. Geen ongerustheid – ze kon niet meer zwanger worden dan ze al was. Hadden anderen hen gezien of zelfs maar een vermoeden gehad, dan zou het vies zijn geweest wat ze hadden gedaan.

Nu zag ze opnieuw Aagot en Tobias met ontbloot bovenlijf. Ze had nooit geweten dat Tobias zwart haar op zijn borst had. Niet zo veel als Trond. Het was een gebeurtenis in een afgesloten stolp geweest, maar het veranderde in naakte schaamteloosheid zodra zij hen zag.

Ongenaakbaar hadden ze het gedaan. Ze kende het maar al te goed, ook al was het lang geleden. Ze had de indruk dat de kleur ervan bruin en blauw was. De warmte zat in de woorden die ze niet kon zeggen. Maar die Trond wel eens had gefluisterd. In het Noors. Waarom was gemakkelijk te raden. Toen hij nog vrijgezel was, reed hij met paard en wagen over de grens naar Namsos. Had buiten gelegen zoals dat heette.

Ze wilde niet dat hij meisjes zou hebben gehad.

Over Edvard Nolin had ze hem nooit verteld, niet hoever ze waren gegaan. Maar dat had hij wel vermoed. Van het soort vergelijkingen waar mannen zo happig op waren, had hij niets te vrezen. Dat wist hij ook wel. Ze wist nog hoe de anderen op Torshåle grapjes hadden gemaakt over Edvard. En haar eigen heftige verwarde gedachten: *hete liefdedorst*! Nu kon ze erom lachen.

Maar niet om wat ze verloren had. Hoe was het zo gekomen?

Zieke kinderen natuurlijk, nachten blijven waken. De deur op een kier. En de vermoeidheid. Niet het minst die van hem. Na de brand was zijn vermoeidheid steeds zwaarder geworden.

Maar er was meer. Een sluipende gêne.

Wanneer hij haar nu zocht, ging het lief en toegedaan, een tastende beweging met het lichaam in het donker. Het kon net zo goed een nachtzoen en een aai op haar wangen zijn als iets anders.

Gebeurde het, dan ging het stilletjes. Soms bijna onbeweeglijk.

We moeten onszelf geen problemen op de hals halen.

Nee nee, liever geen nakomertjes. Ze was ook over de veertig nu.

Maar in wezen wist ze dat iets anders een eind had gemaakt aan Tronds vurigheid. Aan zijn vrijpostigheid, ronduit.

Hij was er bang voor geworden en zij ook.

Niet zonder reden.

Liefde wordt genegenheid en zorg als je het geluk hebt een man te krijgen die lief is.

Maar dat andere, dat dooft uit. Op den duur kun je het niet meer herbergen. Niet als je je in een keurig en net huisje gevestigd hebt.

Ze wist niet hoe ze het moest noemen, zelfs niet in gedachte. *Het.* De ontzettende honger naar de huid en adem en geur van één mens. De waanzin die een jonge vrouw, stiekem verloofd, ertoe bracht onder een boom te gaan liggen met man die ze nauwelijks kende.

Geluk, Hillevi. Je hebt geluk gehad, puur geluk. Want voor hetzelfde geld was het misgegaan. Hij had er zich van af kunnen maken door de kosten op zich te nemen. Of hij had het zelfs kunnen ontkennen. Dan was ze nu alleenstaande moeder geweest. Ze vroeg zich heel even af wat ze gedaan zou hebben wanneer ze solliciteerde. Het kind opgeven? Of de gemeenteraad voor een voldongen feit plaatsen? Weggestuurd worden? Getolereerd misschien. Besmeurd met achterklap.

Ze hoorde hem de trap op komen. Hij kwam binnen en ging bij haar op bed zitten.

Ik dacht dat we koffie gingen drinken.

Ze knikte. Maar opeens begon ze te vertellen over Aagot en Tobias, over hun schande. Daarna liepen ze samen naar beneden, naar de kinderen.

Maar 's nachts kwam de aanblik van Aagots witte lichaam terug.

Nu komt het erop aan. Röbäck of Svartvattnet. De beslissing is natuurlijk al gevallen. Maar we moeten nu ook kleur bekennen. Als je in Svartvattnet woont en je bent het niet eens met de heren van de gemeenteraad, dan kun je je maar beter niet op straat vertonen. Stel, je ging naar de winkel en zei: het was beter als de school in Röbäck was gekomen, want dat is centraler gelegen. Dan hoeven de kinderen niet zo ver te lopen.

Nee, joh.

Nu is het menens en het valluik staat open: Röbäck of Svartvattnet. Noorwegen of Zweden. Wifsta of Mon.

Stel je voor dat de houthakkers op de vuist gingen omdat ze voor twee verschillende bedrijven werkten. De jongsten, de dronkaards tenminste. En nog maar een paar jaar geleden vlogen ze elkaar in de haren over Europa of Zweden. Een enkeling kreeg toen op zijn bek omdat hij voor de EU was, dat hebben we immers gehoord.

Wij of zij.

Quisling of het verzet, zei de Noor smalend toen ik dat vertelde. Ja, in Noorwegen hebben ze ook wel hun deel gekregen. Maar hij beweerde dat de meesten zich eigenlijk gedeisd hadden willen houden als kruipende luizen.

Witte zwanen, zwarte zwanen
Wie gaat er mee naar Engeland varen?

Je ziet dat ze bij de Lappen thuishoort met dat zwarte haar van d'r, zeiden ze achter mijn rug. Maar ik werd maar zelden voor de keuze gesteld. Die keer dat ze mij probeerden te dwingen, dachten ze dat ik in de val zat.

We stelden ons op het schoolplein op: twee tegenover elkaar met de handen samengevlochten en de armen gestrekt zodat ze een poortje vormden waar je onderdoor kon lopen. En dan moest je kiezen uit twee mogelijkheden, anders mocht je niet door. De vraag ging meestal over gewone dingen. Vossebessen of bosbessen. Gebakjes of koekjes. Hoogstens hond of kat. Maar dat was te braafjes voor Margit Annersa. Ik voelde nattigheid toen ik zag dat de anderen allemaal aan de kant van Margit gingen staan nadat ze geantwoord hadden. Toen ik zelf in het valluik gevangen werd, fluisterde Margit:

Lap of Zweed?

Daar dacht ze dat ze mij had.

Zweed! zei ik.

Ze wilde me niet doorlaten en liet haar armen zakken als een grote muizenval.

Ik ben net zo goed Zweeds staatsburger als jij, zei ik.

Dat had Trond me leren zeggen als er vervelend werd gedaan over de Lappen. Ze siste en het spel was afgelopen. Haar armen lieten los en Ingalill recht tegenover haar stond op haar handschoen te kauwen.

Ooit zou ik ertoe komen het andere antwoord te geven. Maar ik had nog een lange weg af te leggen. Ik woonde als pleegkind bij de handelaar, wat natuurlijk afgunst wekte. Er werd zelfs gepraat over de vraag of ik later een deel van de erfenis zou krijgen. Een pleegkind heeft toch niets gedaan, zoals ze zeiden, niets om die heerlijkheden te verdienen. Nou ja, ze hadden zich die kopzorgen kunnen besparen.

Velen waren er vast heimelijk van overtuigd dat hoewel ik het goed had, ik me toch bij de anderen schaarde, of het nu rijken of armen waren, dorpsbewoners of Lappen. Want ze vertelden mij dingen die ze nooit tegen Myrten zouden hebben gezegd. Ze dachten niet dat ik het thuis zou doorvertellen.

Dat deed ik ook niet.

Stel je voor dat Hillevi en Trond hadden gehoord wat ze zongen toen Morten Halvorsen overleden was. Hij leefde niet lang meer nadat Ivar Kreuger bankroet was gegaan en zich in Parijs van kant had gemaakt, waarna Morten zelf over de kop ging met al zijn aandelen. Hij kreeg het aan zijn nieren in de winter van '33. Ik hoorde het liedje thuis bij Aagot Fagerli. Het was niet mijn oom die het begon te zingen. Maar ze zeiden dat hij het liedje wel had verzonnen. Hij keek een beetje beschaamd toen Helge Jonassa inzette:

Een stinkerd rijk door oorlogswinst
was Mortens beste vriend
maar toen verloor hij zijn fortuin
dat lot had hij verdiend

Morten zei: het is de oorlog
zelf kan ik er niets aan doen
de kinderen van houthakkers
stelde hij op een noodrantsoen

Toen greep oom Anund Helges gitaar (hij kon alles bespelen wat hij in handen kreeg) en begon zelf te zingen:

Op het stof der doden
geen runen gekerfd uit bitterheid

Wie wil nu nog openen
de kist van je vergankelijkheid?

Op je graf drink ik de beker
zonder roos maar met een doorn
de lering die ik hieruit trek:
uit hardheid groeit alleen maar toorn

Ik zit met Myrtens liedboek voor me. Haar handschrift was fraai en regelmatig. Ze schreef met potlood zodat ze kon gummen en veranderen. Volgens de een ging een versje zus, volgens de ander zo. Soms wisten ze het ook niet meer. Het is weg, zeiden ze en ze probeerden de tekst al neuriënd uit hun geheugen op te diepen. Als dat niet lukte, hield Myrten een bladzijde leeg en je kunt duidelijk zien hoe ze die achteraf aanvulde.

Ik draag een roos op elke doorn
mijn kroon is van goud...

Er staat heel wat moois in Myrtens liedboek. Lelijke liedjes staan er niet in en ook niet het soort over Morten Halvorsen en het bankroet. Des te vreemder is het dat ze op een keer iets zong wat me met schaamte en ontsteltenis vervulde. Zonder dat ze ook maar het minste benul had wat ze deed.

Het verhaal dat ze bezong, had ik nooit aan haar verteld. Ik droeg geen kwaad over.

Myrten had een gitaar en een grepentabel gekregen. Ze had een mooie sopraan. Ik zong lang niet zo goed, maar goed genoeg om de tweede stem voor mijn rekening te nemen. 'Sluim'rende tonen uit vroegere tijden' zongen we en 'Bosviooltjes wil ik plukken en bloemen op de hei...'

Hei, hei, hei, zong ik.

Dat was op kerstavond. We hadden van tevoren nieuwe jurken gekregen. Die van Myrten was van rood fluweel, de mijne was in het groen. In die tijd was de gangbare opvatting dat iemand met rood haar alleen groen kon dragen.

Je zult zien dat het wegtrekt, zei Hillevi over mijn roodharigheid. Zo ging het bij mij.

We zaten in de salon en de kaarsjes van de kerstboom waren aangestoken. We hielden natuurlijk allemaal die kleine dansende vlammetjes in het oog. Sinds de winkel afgebrand was, waren we heel voorzichtig. Dus toen Myrten haar gitaar nam en een paar akkoorden aansloeg, zei Hillevi dat we eerst de kaarsen moesten doven. Terecht, want als Myrten zong, kon je alle waakzaamheid verliezen.

Er stond een schotel met wafelrolletjes en vanillehoorntjes op tafel en de koffie was nog niet op. De hond die we toen hadden, een grote Jämtlander die Karr heette, lag in de keuken en piepte zacht achter de deur. Hij was gewend om overal bij te zijn. Maar hij mocht nooit in de salon komen, want hij rook zo sterk.

Zo had Sissla niet geroken, zei Hillevi.

Trond schonk punch in voor Aagot, Hillevi en zichzelf. Ja, Aagot was van de partij. Anders zag je haar niet vaak bij ons. Er was iets tussen de schoonzusters dat niet helemaal in de haak was. Maar het was kerst en een familiesamenzijn hoorde erbij. Deze familie was nu trouwens heel klein. Tore, die zeventien jaar was, even oud als ik, kreeg ook geen punch. Hij zei niets. Maar ik vroeg me af wat hij dacht. Ik wist dat hij er al van had geproefd. En meer dan dat.

Myrten en ik zongen 'Stille nacht'. Soms als ik naar Hillevi's gezicht keek toen ik nog jong was – geen kind, maar een jong meisje – vermoedde ik dat ze gevoelens had die ze niet toonde en dat die gevoelens ook moeilijk konden zijn. Naar buiten toe gedroegen volwassenen zich altijd vanzelfsprekend en correct. Wisten alles precies. Ze wezen pijn af met kordaatheid en vermoeidheid met plichtsgevoel. Maar wanneer Myrten zong, drukte Hillevi's gezicht iets uit wat me bang maakte. Toch leek ze best gelukkig. Maar het was alsof ik aanvoelde dat geluk ook pijn is. Ik begreep alleen niet waarom en ik wou dat Hillevi weer haar gewone gelaatsuitdrukking kreeg.

Misschien voelde Myrten dat ook. Want toen ze 'Er is een roos ontsprongen' gezongen had (zo hoog kon ik niet), speelde ze een paar snellere akkoorden en neuriede 'Kleine Pelle kom maar mee'. Hillevi zei sssjt, zoals gewoonlijk. Ze scheen dat een onbetamelijk liedje te vinden en wisselde altijd vrolijke blikken met Trond wanneer ze het hoorde. Vervolgens zong Myrten 'Vier, vijf kleine meisjes' en toen kwam het:

Ze was een wondermooie vrouw
als een roos in de vroege dauw
werkte thuis bij een rijke heer
Ze zong lieflijk en teer

Het was verschrikkelijk. Maar voorlopig alleen voor mij.

Zing nu iets anders, zei ik. Neem 'Nu branden duizend kaarsen'.

Maar ze keek onschuldig en ging door. Nu was het zo dat Myrten kon zingen met trillingen in haar mooie stem. Meisjesbeven werd dat genoemd. Iedereen had daardoor begrepen dat ze de spot dreef met het liedje en met iedereen die het graag zong. Toen ze bij *in Boston, grote stad* kwam, durfde ik lange tijd niet op te kijken. Maar Aagot keek onverschillig. Ze nam een rolletje van de schotel en at er een beetje van. Ze lachte net als Hillevi toen het hart van de rijke consul begon te kloppen voor het mooie dienstmeisje *want zijn vrouw lag ziek te bed.*

Hij had geld, hij was heel rijk
een prachtig huis in de beste wijk

En dus viel het dienstmeisje. Ze zal toch ten minste de huisjuffrouw zijn geweest, zei Hillevi en ik voelde mijn wangen branden. Maar niets kon Myrten tegenhouden.

Hij werd verliefd als alle anderen
daar viel niets aan te veranderen

Bij de regel *hun liefde droeg weldra vrucht,* liet Hillevi weer zo'n ssst! horen, want Myrten was nog maar veertien jaar. Maar nu werd het zo spannend dat ze hun bezwaren vergaten.

Ze hield het kind angstvallig verborgen
wist geen raad met haar angst en zorgen
Maar ongeluk viel ook de heer ten deel
Want hij was kinderloos in zijn kasteel

Kasteel? vroeg Hillevi. En daarop beschreef Aagot volkomen rustig de grote rijkeluishuizen in Boston, en vertelde dat sommige ervan torens hadden. Myrten zong verder over het geld dat de huisjuffrouw kreeg om het kind aan de rijke man en zijn bedlegerige vrouw af te staan. Dan kwam uiteraard

Er stak een doorn van wroeging in haar hart
En ze voelt nog steeds dezelfde smart
Want ze had haar kind voor geld verkocht

en er volgden nog heel mooie akkoorden en trillingen aan het eind en toen was het liedje eindelijk uit. Maar ik durfde mijn ogen niet op te slaan, want ik was bang dat Aagot mij zat aan te kijken.

Trond en Hillevi begonnen te discussiëren of je werkelijk kon zeggen dat ze haar kind had verkocht. Hillevi vond dat ze het had gedaan omdat ze het beste voor het kind wilde. Ga maar na wat een opvoeding het zou krijgen, wat een toekomst – en wat een erfenis! Dat was nog eens iets anders dan een onecht kind te zijn van een dienstmeisje dat oneervol ontslagen werd. Aagot zei niets. Ze zat met haar zwarte wenkbrauwen opgetrokken. Ze waren smal en zagen er geverfd uit. Hillevi zei dat ze die plukte. De hele tijd keek ze naar mij.

Het was vreselijk.

Dit kon ik niet voor mezelf houden. Toen Myrten en ik naar bed waren gegaan, begon ik fluisterend te vertellen dat ze in het dorp zeiden dat Aagot haar kind had verkocht aan haar baas in Boston en dat het geld dat ze maandelijks uit Amerika kreeg, van hem kwam en dat het liedje eigenlijk over haar ging.

Tante Aagot? hoorde ik Myrten in het donker fluisteren.

Ze zweeg een lange poos. Daarna zei ze:

Waarom zeggen ze zoiets?

En opeens begreep ik het zelf en ik schaamde me diep. Ik had haar het antwoord kunnen geven als ik de moed had gehad om de stilte in de kamer met de witte meubels te breken:

Omdat ze zo mooi is.

De dood rust op lege schotels.

Dat zei Tore met een schaal gehaktballetjes voor zich. Zoiets was niet goed. Hillevi maakte zich ongerust. Ze zag dat het Trond ook op de zenuwen werkte.

Vandaag heb ik er acht omgehakt, zei Tore. Maar d'r is nauwelijks genoeg te vreten.

Nee, dit kon zomaar niet. Dat hij dat niet begreep.

Zoiets is niet grappig, zei ze voorzichtig.

Hij had moeten studeren. Maar daar kwam niets van. Aan de hogereburgerschool van Östersund vond hij al in de eerste klas zijn draai niet en hij kwam terug naar huis.

Daar ben je niks, zei hij ongeveinsd.

Het was beter geweest als hij was blijven helpen in de winkel. Maar Trond zei dat hij ook in het bos moest hebben gewerkt wanneer hij en Myrten ooit de percelen zouden erven. Anders zou hij nooit weten hoe hij met de voerlieden moest afrekenen en hoe hij zijn bosbouwbelangen moest behartigen. Hij zou bedrogen worden. Dus nu hij de twintig voorbij was, volgroeid en sterk, moest hij het maar eens proberen.

Had hij maar een goede hakkersploeg gevonden.

Toen Hillevi op een morgen de deur opendeed, dacht ze dat ze de dode Vilhelm Eriksson buiten bij de winkel zag staan. Ze deinsde achteruit de keuken in. Het keukenhulpje keek verbaasd. Ze begreep dat ze bleek zag.

Hillevi wees spookpraatjes altijd van de hand. De meisjes die in de keuken kwamen werken toen de kinderen nog klein waren, kregen op hun donder als ze vertelden over doden die op het deksel van hun kist klopten of over nachtdwalers zonder hoofd in het dorp. Door de aanblik van het meisje kreeg ze haar gezond verstand terug. Ze begreep wie ze gezien had. Gudmund Eriksson leek als jongen al zo op zijn pa.

Later kwam ze aan de weet dat hij en Jon waren teruggekeerd en dat ze de as van hun vader in een Amerikaanse ijzeren urn bij zich hadden. In het metaal was een motief van lelies gegoten. De mensen spraken erover.

Arm volk, zei Hillevi heftig. Een urn met as op zee meenemen. En dan die lange dure reis.

Maar Trond zei dat ze bepaald niet meer zo arm waren. Ze waren met hun spaarcenten naar huis gekomen. Hoe hadden ze die bij elkaar gekregen? Dat kwam niemand ooit te weten.

Daarna kwam de tweede schok. Ze waren niet alleen naar huis teruggereisd om hun vader op het kerkhof van Röbäck te begraven. Gudmund had een vrouw en kinderen bij zich. Ze was een Zweedse of in ieder geval van Zweedse afkomst. Net zo schuw als die vrouw uit Jolet met wie Vilhelm getrouwd was geweest. Haar zag je ook nooit in de winkel.

Ze kochten een stuk land van het bosbedrijf, niet op Tangen zoals men had kunnen denken, maar op de helling hoog boven de winkel. Daar bouwden ze in het licht van de lenteavonden tot laat in de nacht. Overdag werkten ze als houtvlotters en tegen de winter had Gudmund een paard gekocht en een houthakkersploeg geronseld.

Het werd de beste ploeg. Hoe ze dat ook klaarspeelden. En alleen al daarom was het een stommiteit om een jongen als Tore aan te nemen, nog helemaal onervaren in bosarbeid en bovendien nogal zwaar en plomp. Ze vreesde het ergste. Maar Tore scheen zich op zijn gemak te voelen bij de houthakkers en wanneer hij voor het avondeten naar huis kwam, dramde hij door:

Waarom werd je in deze ellende geboren? Je trui wappert rond je lichaam en de helft van het jaar loop je te klappertanden.

Met een vrolijke blik en een stuk spek op zijn vork. Nee, nee, Tore.

Houttransport en voortdurende ruzie. Dat was tenminste waar. Maar: je bent slaaf van de bosbouwbedrijven van de wieg tot aan het graf. Dat had hij niet moeten zeggen. De mensen lachten schamper. Het ergste was dat hij dat als een aanmoediging opvatte. Hij kon goed imiteren. Hij klonk precies als de houtmeter wanneer hij schreeuwde:

Kom hier, dikzak, en kijk zelf! Je verdient een trap onder je gat. Het hout is nog geen drie duim dik met schors.

Maar hij had niet mogen nazeggen wat de houtmeter tegen hemzelf riep. Niet *dikzak*.

Dat bleef hangen.

En dan dat geschraap.

Er was een oude man die ze Kobbe noemden. Vroeger noemden ze hem ook de Kobbezak, want hij was mager en had dunne benen als een spin en droeg een rugzak precies zoals een wijfjesspin haar eitjes draagt. Hij had een kuchje: hurrmhrrhrr... Tore nam dat over, tot algemene hilariteit. De oude man zelf merkte niets. Hij zei: hurrmhrr... hrr... En Tore klonk even daarna: hurrmhrrhrr... Zo hurrmmhrrden ze dagenlang en in het begin lagen de houthakkers in een deuk van het lachen.

Maar het bleef na verloop van tijd hangen. Hillevi kon wel huilen toen ze thuis zijn gekuch hoorde. Avonden aan een stuk. Myrten had er een woord voor.

Het is nerveus, zei ze.

Er lag ijs. Maar her en der waren er bij de oevers metersgrote wakken waar ze overheen moesten springen op weg naar het hout. Ze had hen overdag bezig gezien vanaf het keukenraam. Het was een schouwspel: stille zwarte figuren met in krimmer gehulde koppen. Maar ze wist dat daarbuiten de houtmeter luidkeels de afmetingen opgaf en de teller de punt van zijn pen onherroepelijk op het papier zette, terwijl de mannen vloekten en foeterden.

Houttransport en voortdurende ruzie. Het was zo waar als maar kon en ze vroeg zich met onbehagen af waarom Tore er zo nodig bij moest zijn. Hadden ze niet genoeg aan de voerman zelf? Er zou toch niemand proberen om Gudmund Eriksson te bedriegen.

Het werd druk in de winkel even voor het avondeten en wanneer ze weer binnenkwam, waren ze weg. Weldra zou het ijs gaan loeien in een lentestorm en zich openen voor het hout dat in het zwarte water zou plonzen en zou drijven naar de rivier.

Tore kwam niet voor het eten. Ze kantelde een schaal over de aardappels en legde het vlees terug in de braadpan. Trond was met de auto naar Östersund. Haakon Iversen had gegeten en was gaan slapen in het kachelkamertje boven de paardenstal. De meisjes waren ver weg. Hillevi zat die avond te haken met hun brieven voor zich. Ze las steeds opnieuw over de Drottninggatan en de brug over de spoorweg in Katrineholm, over de bioscoop Röda Kvarn en hoe ze naar het volksdansen gingen. Lekker hossen, schreef Kristin. Ze had soms een toontje waar je ongerust van werd.

Rond negen uur werd er op de deur gebonsd. Ze hoorde direct dat er iets mis was. Die noodlotsbonzen herkende ze. De angst die recht je vuist uitkomt en de deur laat bonzen als een houten hart.

Een van de jongens van Annersa. Jong knulletje nog. Hij werkte als hulpje van Kobbe in Gudmund Erikssons ploeg, hielp hem om sleepwegen vrij te maken.

Hij zei dat Tore op het ijs lag.

Dronken, dacht ze toen ze erheen gingen. De jongen had gezegd dat ze met het paard moest komen. Ze wekte Haakon niet. Omdat ze zich schaamde. Ze hadden een nieuwe kleine merrie, een schimmel die Zilverparel heette en waar ze goed mee opschoot. De jongen hielp haar de kleine slee voor te spannen. Ze zeiden geen woord onderweg.

Ze hielp Zilverparel om op een ondiepe plek bij de oever over een ijsvrije strook met stenen te komen. Toen ze een eind op het ijs waren, wees de jongen het gekapte hout aan en zei dat hij daar lag. Erachter, zei hij. Meteen wilde hij uit de slee springen en vlug naar huis rennen. Maar ze greep hem in zijn nekvel. Zonder hulp zou ze Tore nooit op de slee krijgen als hij niet op zijn benen kon staan.

De slee knarste. De hoeven van Parel ploften en knerpten. De bovenlaag van de sneeuw was bevroren. Hillevi hield haar in bij het hout, dat zwart leek. Het werd stil en de sneeuw vertoonde geen sporen in het zwakke licht. Ze wist dat die platgetrapt en met paardenvijgen besmeurd moest zijn. Maar nu viel de grauwheid van de lentenacht eroverheen. De zwarte franjes van sparren aan de zuidkant ademden niet. Het meer en de dikvochtige lucht zwegen.

Plotseling wist ze dat ze dit al eerder meegemaakt had. Het was zo'n sterk gevoel van herkenning dat ze enkele ogenblikken heen en weer zwalpte in de tijd als in een wilde stroom waarvan ze de richting niet wist. Toch was het stil.

Het was haar allemaal bekend. Het tijdstip, het schrale licht. Het vocht en de paardengeur. Ze wist dat Tore daar dood lag: op de rug met de verstijfde, in de lucht grijpende armen.

Toen kwamen er twee geluiden tegelijkertijd. De jongen snikte en Zilverparel zwierde met haar hoofd en blies tussen haar zachte lippen. Hillevi zei tegen de jongen dat hij niet bang hoefde te zijn en dat hij in de slee kon blijven wachten.

Ze liep naar het hout en vond hem al snel. Hij lag helemaal niet zoals ze het zich voorgesteld had. Hij lag op zijn zij. Zijn muts had hij verloren. Ze hoefde niet aan de halsslagader te voelen want ze hoorde hem ademen.

Toen Hillevi heel klein was, geloofde ze dat moeder en kind oorspronkelijk hetzelfde wezen waren. Ze had op andere gedachten moeten komen toen ze tante Eugénie met schelle stem tegen Sara hoorde roepen:

Ik ben toch je *moe-der*!

Dat deed ze niet. Maar ze voelde zich onbehaaglijk. Vermoedde dat tante het bij het verkeerde eind had, dat ze zich beriep op iets wat niet langer bloedsomloop en gemeenschappelijke vliezen waren, hoewel het wel zo klonk wanneer haar stem trilde. Van een tiener was je moeder uit sociaal oogpunt. Vele conventies, herinneringen en gevoelens verbonden moeder en kind. Maar niet het bloed.

Dat had ze vast voor ogen toen ze haar opleiding kreeg. De eerste moederkoek zag ze op de ontleedtafel. De bloedvaten van de moeder en het kind waren in elkaar verstrengeld. Het was ingenieuze en complexe afhankelijkheid, een verweving en verbinding van fijne vaatjes. Ze zag het mirakel onder het peuterende instrument en de vergrotende lenzen. De voedende bloedvaten van de foetus lagen tussen die van het moederlichaam gekronkeld. Maar je kon ze elk afzonderlijk volgen. Het kind was van begin tot eind een zelfstandig wezen.

Ze wenste dat ze een placenta kon laten zien aan ieder meisje dat bang werd wanneer de moederstem haar eigenaardige boodschap trilde: je bent van mij en je komt nooit los.

Maar tegenwoordig wist ze dat het de moeder was die niet loskwam.

Tore was afgetuigd. Flink afgetuigd. Er was niets gebroken maar zijn gezicht was gezwollen en het ene oog zat ingebed in een blauwdonker weefsel vol vocht. Zijn handen en voeten waren natuurlijk meer onderkoeld dan de rest van zijn lichaam. Maar hij kon er niet lang gelegen hebben en Hillevi behandelde ze zoals het moest en kreeg de circulatie op gang. Ze hadden hem niet bewusteloos geslagen. Hij was alleen maar dronken.

Zijn adem stonk naar sterkedrank. Hij had een stoppelbaard op zijn gezwollen kin. Op die huid van bloemblaadjes. Bloedkorsten in het zachte haar. In alles wat zijn lichaam en zijn manier van doen en zijn stem was, zaten haar herinneringen verweven.

Eerst had ze een wilde opwelling om hun dit betaald te zetten. Ze zou ervoor zorgen dat Trond er aangifte van deed. Maar ze zag onmiddellijk in hoe zinloos dat zou zijn. Niemand zou iets gezien hebben. De jongen die haar was komen halen, had gezegd dat hij teruggegaan was naar het ijs om een mes te zoeken dat hij verloren had. Toen zou hij Tore hebben zien liggen. Dat was uiteraard gelogen. Hoe kon hij nou een mes gaan zoeken in het donker? Ze hadden hem naar haar gestuurd. Ze durfden Tore niet op het ijs te laten liggen, want dan zou hij doodvriezen. Ze kenden hun grenzen. Vermoedelijk minder dronken dan hij.

Ze vroeg zich af of ze ook hadden gewacht met hem af te ranselen tot een avond dat ze wisten dat Trond niet thuis was.

Hij werd wakker na een uurtje. Zijn blauwe ogen keken haar een paar seconden aan en dan snurkte hij weer verder. Ze had de keukenbank provisorisch opgemaakt, want ze kon hem niet alleen de trap op krijgen. Hij was zwaar en groot.

Ze wenste dat hij zou ophouden met dat kuchje en de grapjes over lege schotels. Ik had je kunnen zeggen hoe je had moeten leven, dacht ze. Ik heb eigenlijk niets anders gedaan.

De keukenklok tikte.

Even later keek hij weer naar haar met die blauwe blik. Hij lachte een beetje met zijn gesprongen en gezwollen lippen. Ze zag dat hij nog zo dronken was dat hij niets voelde. Maar hij de pijn zou wel komen.

— * —

Het zijn net duiven.

Dat placht Hillevi over haar kinderen te zeggen. Ze bedoelde dat ze altijd terugkwamen. Als je ze weg van huis stuurde, vonden ze na verloop van tijd toch weer de weg terug.

Het ging met Myrten zoals met Tore: ze kwam terug. Het was te eenzaam in de kamer die ze in de stad huurde. Daarom werd er enkele jaren later besloten dat wij naar Katrineholm zouden gaan. Daar was een lyceum voor oudere leerlingen. Hillevi was vastbesloten dat Myrten haar lyceumdiploma moest behalen. Ik had tot dan toe geholpen in de winkel maar nu moest ik meegaan als gezelschap voor Myrten. Haar heimwee genezen en haar bij de boeken houden. Ik mocht ook naar het lyceum, maar dan wel naar de huishoudafdeling in wat voorheen de oude Praktijkschool was geweest.

Myrten huilde. Maar dat ging wel over. Ik vond het mieters van begin tot eind.

Dat soort woorden leerden we daar.

En swingen.

In het begin gingen we alleen naar het volksdansen. We dansten op de plankenvloer op 'Kom Julia we gaan, met grote klompen aan' en we huppelden en zongen 'Mierikswortel en gember faderalla'. Na een tijdje begon ik uit te gaan en te dansen in het Volkspark met de meisjes van de cursus. Ik was ook vier jaar ouder dan Myrten. We leerden sigaretten roken en we lieten ons haar permanenten bij een kapster. Ik werkte op sommige avonden als serveerster in feestzalen en bij rijke mensen om de hiaten in mijn kas te dichten. Zijden kousen en een permanent kostten geld.

Maar zo dom was ik niet dat ik niet merkte hoe verhit het toeging wanneer wij naar voren beenden en zongen 'Hoe heet je verloofde die woont in Lundagård'. Op den duur mocht Myrten ook meekomen naar echte dansavonden. Maar dat vertelden we niet aan Hillevi.

Myrten was ook zo voorzichtig.

Er zaten veel Norrlanders in Katrineholm. Daar in het zuiden spraken ze niet over Jämtland of Lapland of Härjedalen of andere provincies. Het noorden was Norrland, één pot nat. Ze spraken over de Norrlandse schaarste en breiden sokken en stuurden voedselpakketten.

Ik leerde een jongen uit Vännäs kennen. Hij had maar één broek, twee hemden, een slip-over en een jasje. De overjas was van zijn oom, net als de wollen muts. Daar schaamde hij zich voor.

Hij had koude lippen en handen. Tussen de rand van mijn kousen en het elastiek van mijn broekje had ik een tussenruimte. Daar voelde ik zijn koude vingers op mijn huid, zijn honger.

We konden elkaar alleen buiten zien.

Er was een plaats die het Gustaf Robertsbos heette. Hoge dennen en hier en daar een bank. Ik mag dan oud zijn, dat gevoel krijg ik nog steeds, dat meegaande, milde, lekkere gevoel wanneer ik de geur van sigarettenrook in koude buitenlucht ruik.

Ze waren net duiven. Dat waren de mensen in die tijd. Ze hadden een plekje op aarde waarheen ze altijd terug wilden keren.

De mensen van nu zijn anders. En hier is alles stil. Overal is het zo stil vergeleken bij hoe het vroeger was.

We reisden nogal wat af.

En er kwamen altijd mensen. Ze kwamen met de bus naar Röbäck en Svartvattnet, naar Träske, Kloven en Skinnarviken. Het waren houthandelaars en predikanten en homeopaten en verkopers van damesconfectie en hoeden.

In de lente zeiden de jongens: nu is het tijd om de steel aan de haak te zetten. Dadelijk vertrekt het hout! Dan kwamen de houtvlotters. De meesten kwamen uit Värmland. Ik was verliefd op een van hen, maar ik praatte nooit met hem. Hij heette Fryklund en hij liep als een kat op de boomstammen. Snel als de waterduivel was-ie, zeiden de mannen. Wanneer hij in de winkel kwam, kreeg ik knikkende knieën.

De Noor moet zelf ook ergens vandaan komen. En hij is zeker oud genoeg om tot het soort mensen te behoren die als duiven zijn.

Maar hier zit hij te kniezen.

Nu loopt hij de heuvel op met de krant onder zijn arm. Ik vraag mij af of hij ooit brieven krijgt. Hij is lang en krom en mager. Een duif is hij niet meteen. Maar ook hij komt ergens vandaan. Wanneer hij zich bergopwaarts begeeft tussen de jonge sparren, lijkt hij nog het meest op een oude geitenbok. Waar zul je liggen? zou ik hem willen vragen. Maar het voelt wat te onbeschoft om dat zomaar te vragen.

Waar ga je heen
jij arme grijze bok?

Vermoedelijk zal het toch het kerkhof van Röbäck zijn.

In de kunsthandel van Gerhard Rosch in de Friedrichstraße zou Elis zich tijdens zijn eerste jaar in Berlijn niet gewaagd hebben. Hij had nog geen overjas en verfde in geval van nood de grauwe rand van zijn papieren boorden met zinkwit. Maar Erling Christensen had hem er mee naartoe genomen. Toen hij alleen terugkwam, was de kunsthandelaar zijn naam vergeten.

Der Freund des Herrn Architekten Christensen, zei hij tegen zijn vrouw. Ze zat in een kamertje binnen in de grote toonzaal. Over haar schouders droeg ze een cape van nertsbont. Elis kwam later te weten dat ze aan reuma leed. Ze was, zo zei meneer Rosch: meine Ehefrau, geborene Sebba.

Gerhard Rosch trad heel correct op, bijna plechtig. Maar dat de meisjesnaam van zijn vrouw Sebba was, vertelde hij pas veel later. Toen waren de mouwen van zijn jasje onderaan net zo versleten als die van Elis waren geweest. Zijn vrouw Valdy droeg nog steeds haar bontkraag.

Lieber Herrgott mach mich blind
daß ich alles herrlich find'

Waar komt dat vandaan? Hij moest het ergens hebben gehoord, maar hij wist niet meteen waar. Het schoot hem te binnen toen hij zag dat de zijden voering in de cape van mevrouw Rosch tot op de draad versleten was. Maar hij wist dat je je moest hoeden om zulke dingen hardop te zeggen.

Meneer Rosch had drie aquarellen van Franz Marc. Elis zag ze al de eerste keer dat hij in de winkel kwam. Hij liep weg van de presentatie die Erling ten beste gaf, zijn lichte voorjaarsjas over zijn schouders gegooid en met de nonchalance die typerend was voor zijn kliek en voor zijn klasse. Meneer Rosch beschikt over een goed geconstrueerd web, had Erling verteld. Als hij even aan een draadje trok voor een nieuwe jonge schilder, kropen de grote spinnen meteen te voorschijn. De kenners en de verzamelaars. Elis had wellicht moeten blijven staan met zijn hoed in zijn hand en met zijn voeten tegen elkaar in de gebarsten maar goedgeborstelde schoenen. Als die drie aquarellen er niet waren geweest. Hij liep er recht op af.

De eerste was een mollig blauw paard in een berglandschap waarin de bomen zweefden als bloemen. De tweede: drie slanke paarden in een elegante beweging. Ze waren roze als kaasjeskruid en hadden paarse manen. Op de achtergrond heuvels in geel, nevelblauw en turkoois. Blauwzwarte rotsen.

Erling was achter hem komen staan.

Is dit niet een beetje tearoomachtig? zei hij.

Nee.

Oorspronkelijkheid is hier in ieder geval ver te zoeken. En hij flirt met het abstracte.

Het klopte dat op de derde aquarel, die ook de beste was, de felgele paardenvormen tot in het abstracte toe geoutreerd waren. Maar toch: de rondingen van de nekken en de geweldige achterwerken waren *paard* met een oeroude walm van stallen, van trekkracht, onschuld en eenzaamheid.

Deze drie aquarellen wilde hij hebben. Toen meneer Rosch vier van zijn schilderijen in commissie nam, had hij besloten om het geld te laten staan, als hij iets verkocht kreeg althans, en te proberen om het tegoed verder op te bouwen zodat hij er de aquarellen van Marc mee kon betalen.

Dat ging natuurlijk niet. Er kwam nu een ander leven. Hij moest een licht kostuum kopen en hemden met een neergeslagen kraag. Lage schoenen. Zachte hoed.

Je werd namelijk gezien. Vroeger was het eerder zaak om niet gezien te worden. Binnenlopen in de Koninklijke Bibliotheek, die de Kommode genoemd werd, met driedelig pak. Kortgeknipt in de nek. De bolhoed afgeborsteld tot de harde viltbodem. Niet dwalen naar de alles oplossende, alles omhelzende armoede. Naar de hongerroes ervan, de koortsvlagen. Koers houden. Liever sterven dan je vest te verpanden. Naar de bibliotheek gaan om je warm te houden als je in een krot woonde waar het behang beschimmelde en het opgeloste hout als havermout uit de muur stortte wanneer je er een spijker in sloeg. Behalve kakkerlakken, boktorren, wandluizen en pezige katten waren zijn naaste buren een oude prostituee met een achterlijke dochter, een Galicische kleermaker, een 'dokter' die meestal bezoek kreeg van jonge meisjes met verbeten of behuilde gezichten, en een magazijnknecht met wie Elis schaakte.

Maar bibliotheekbezoek gaf vorming. De Kommode werd zijn vorming.

En nu een ander leven. Het geld rolde, spatte zacht weg zoals wanneer je je kwakje op een meisjesbuik schoot. Erling Christensen had hij een keer ontmoet op de schilderschool van Alexander Vold. Maar die had al lang geleden het schilderen opgegeven en was architect in Duitsland geworden waar zijn scheepshandelspapa contacten met Hamburg had. Hier in Berlijn was hij nu, in zijdezacht mohair, eindelijk eigen baas. Hij had ambitie. Onder de fijne maniertjes van zijn kliek was hij hard als Krupp-staal. Hij vond het vermakelijk iemand uit Nord-Trøndelag als protégé te hebben.

Aanschouw deze jonge edele wilde, zei hij tegen de meisjes.

Guck mal.

Of sluit je ogen. Hij ruikt zelfs naar oorspronkelijkheid.

Waarschijnlijk had het zwarte kostuum dat Elis tweedehands gekocht had, naar naftaline geroken.

Dit waren meisjes die je een camelia of een orchideetakje van Blumen Schmidt moest geven wanneer je ze voor een avondje uit kwam afhalen. Het was niet goedkoop.

Hij kon dus die aquarellen niet loskrijgen. Maar hij ging er wel naar kijken. De kunsthandelaar ontving hem altijd sierlijk, vriendelijk. In het binnenkamertje zat de scherpogige Valdy Rosch op een telmachine berekeningen uit te voeren. Haar roodblonde haar lag in stijve golven. Ze lachte een beetje met dunne lippen als ze hem zag. Soms bood ze thee aan.

Meneer Rosch zei dat de stemming bij de verzamelaars nu gekenmerkt werd door een zekere voorzichtigheid. Expressionisme, kubisme, futurisme; daar had men natuurlijk flink op gemikt. Maar louter geintjes wekten niet zo veel interesse. De macabere bals en de concerten met apen en stofzuigers, de voordrachtavonden waarop schilders hun werken in stukken zaagden of met niet nader te noemen vloeistoffen begoten terwijl de profeten nieuwe manifesten lazen. Zoiets raakte gauw achterhaald. Er bleef trouwens niet veel over voor een kunsthandelaar. Daarom, zei meneer Rosch, bestond er een niet geringe interesse bij de kenners voor mensen als u, meneer Elv (hij zei *elf*): geboren tekenaars, echte schilders. Kunstenaars die zich aan hun eigen uitdrukking hielden.

Toen Erling het over Elis' oorspronkelijkheid had, voelde hij zich gegeneerd en als het ware nog met de stijve zwarte kleren aan die hij tweedehands bij een jood had gekocht. Maar bij meneer Rosch was het anders. Het bracht alleen niet zo veel op. Hij schilderde als bezeten maar zijn nieuwe kostuum kon niet verhullen dat hij honger leed. Soms ging hij in z'n eentje naar het Pschorr-Haus op de Potsdamer Platz of naar eenvoudige provinciekroegjes om te eten, eten, eten. Worsten en kalfsschenkel en varkenspoten in eigen vet en zware zuurkool. Hopen Oostenrijkse knoedels. Königsberger Klops en andere gehaktballen zwemmend in jus met vetoogjes. Aan de tuberculose dacht hij als een van die roofzuchtige, graatmagere poezen die in de huurkazerne in Kreuzberg rond zijn benen hadden gestreken. Aan zulke kwelgeesten moest je offeren.

Toen hij in Berlijn arriveerde, was er niets wat hij herkende. De mensenmassa's vertekenden zijn beeld van de wereld. Tja, eigenlijk was hij zich nauwelijks bewust geweest dat hij er een had. Hij had geloofd dat de wereld de wereld was. Met bergen en zeeën aan de randen. Maar hier: was de hemel wel hemel en de regen regen? Hij ging naar Tiergarten, wreef met zijn dunne schoenzool in het gazon. Hij vond het maar een ruwharig tapijt. Leek haast in een fabriek gemaakt. De geur van gas en afval, van bier, van een dikke menselijke vuilniswalm in de ondergrondse tram, van koffiebranderijen, hondenpis en steenkool drongen 's nachts zijn dromen binnen. Hij probeerde iets te herkennen. Wat dan ook. Maar rond hem wentelde de stad met de straten als spaken, brandend en flikkerend van de mensengezichten. Het rad van Ixion.

Zijn in de Kommode gekregen vorming hielp hem niet. Hij had bloed op straat gezien en wist niet hoe het daar gekomen was.

In Oslo had hij al begrepen dat je niet naar Berlijn reisde zonder adressen en contacten. Hij had er maar één gehad. Het was een meisje dat Irma heette. Hij had haar in de Stova en andere cafés ontmoet, had haar zien dansen op ateliersfeestjes. Ze was danseres. Geen danseuse. Dansen had ze in Berlijn geleerd en ze was ook teruggekeerd toen ze ingezien had dat Oslo, nog steeds in vele opzichten het oude Christiania met zijn stijve en in wezen landelijke burgerlijkheid, nog niet rijp was voor haar dans. Zelfs niet voor het expressionisme.

Irma was weg. Hij zocht haar in een cabarettent en in een warenhuis waar ze een tijdje als mannequin had gewerkt. Daar eindigde het spoor. Soms, wanneer magere vrouwen hem op straat aanklampten en iets toefluisterden, vroeg hij zich af of ze ook buiten in het flikkerende licht van de straatlantaarns liep. Hij probeerde een beter lot voor haar te bedenken: er was wellicht zo'n rijke stinkerd naar het warenhuis gekomen die een oogje op haar had gekregen. Ze zag er nogal goed uit. Misschien zat ze nu bij de film.

De straten klepperden en knarsten en dreinden in zijn hersenen wanneer hij moest slapen. De mensen waren ontelbaar als wandluizen. Hij kneep zijn ogen dicht. Op een nacht toen hij buiten ronddoolde omdat hij niet kon slapen, had hij een lichaam met een zware plons in de Spree horen vallen. Op de kade had hij vrijkorpsuniformen opgemerkt en hij had zich gedwongen normaal te lopen, onverschillig, als iemand die niets gehoord en niets gezien had. Zodra hij de hoek omdraaide, zette hij het op een lopen tot het ging steken in zijn longen en hij een café vond, waar hij binnenglipte. Hij kon daarna ook niet slapen. Hij was bang.

Hij dacht aan zijn grootvader. De ouwe. En aan z'n pa, die niet veel beter was. Maar hier wist hij niet voor welke gezichten hij op zijn hoede moest zijn. Er waren er te veel. Hij schrok zich wezenloos toen hij die nacht iemand op de trap tegenkwam, maar dat was waarschijnlijk zelf ook maar een bange stakker.

Hij had gedroomd over zijn eenzame bestaan in Berlijn terwijl hij er geld voor spaarde. Afgelopen met die beschamende afhankelijkheid. Niemand zou nog proberen te achterhalen wie hij eigenlijk was.

Jij weet niet wie ik ben.

Toen hij besefte dat niemand het wist, letterlijk niemand van deze miljoenen mensen in dit grote rad, sloeg de schrik hem om het hart.

In deze verlatenheid diepte zijn geheugen een adres op.

Hij was naar Duitsland gekomen met de boot, had zijn overtocht betaald door als steward te werken. Toen de boot eenmaal voorbij Bremerhaven de Weser opvoer langs kleine stadjes waar de mensen in poppenhuisjes leken te wonen, stond hij op het dek en vertelde aan de chef-machinist dat hij naar Berlijn wilde. De chef was een beste kerel. Zijn zus was getrouwd in Berlijn en zijn Duitse zwager had een drukkerijtje. Hij zei het adres en dat zonk weg in die wonderlijke vergetelheid die één groot geheugen is, maar wel ontoegankelijk voor wil en bewustzijn. Toen de angst kwam, toen het rad van Ixion iedere nacht draaide met zijn flikkerende gezichten en hij bijna gek werd van de eenzaamheid waar hij pas een halfjaar eerder zo naar verlangd had, toen schoot het adres hem te binnen. Hij kon het nauwelijks geloven. Het was alsof iemand hem aangeraakt had.

Nog merkwaardiger was het dat *Sieger und Sohn Druckerei* slechts een paar blokken van de huurkazerne lag waar hij woonde.

Karl Sieger was een van de weinigen die nog iets bezat na de oorlog. Zijn rechterbeen was lelijk toegetakeld door een granaat, het was geamputeerd in het hospitaal achter het front. Hij liep sindsdien met een houten been dat met riemen werd vastgesnoerd. Hij had wel iets te bieden gehad aan de jonge Noorse op wie hij verliefd geworden was: een drukkerij, een kleinburgerlijk bestaan in een Berlijnse wijk met een melkboer om de hoek, een fourniturenzaak, een banketbakkerij en een filiaal van de uitleenbibliotheek.

Ze hadden elkaar leren kennen tijdens een uitstapje. Hij met zijn blaaskapel, zij met haar bereisde broer, die toen machinist was op een Noorse kustvaarder die nu op Rügen voer. Sindsdien had ze niemand meer gehad om Noors mee te praten en ze snakte naar nieuwtjes uit de stad die zij nog steeds Christiania noemde.

Werk was er natuurlijk niet voor Elis. De drukkerij was heel oud. Ze maakten er vellen inpakpapier voor bruilofts- en begrafenisbonbons, liederenbundels, onbeholpen geïllustreerde droomboekjes en handboeken in de waarzeggerskunst. Wat het meest opbracht waren kleurrijke afdrukken van oude houtsneden: het kindje Jezus met lammetjes en duiven, smachtende meisjes in een raam, montere arbeiders met schaaf of troffel. Er zaten gedichten onder de plaatjes, gedrukt met oude, moeilijk leesbare maar geliefde gotische letters. De timmerman zette zijn voet op de vloer, spande zijn gespierde been en boog zich voorover met al zijn gewicht op de gladschaaf. Je moest erbij denken dat hij zong: *Wij timmerlieden zijn handige jongens! Wij gebruiken altijd ons gezond verstand en zijn man en vrouw gedienstig*. En de smid was niet minder tevreden met zijn bestaan: *De balg hijgt, het ijzer wordt verhit. Hoe zou het leven zijn, in oorlog als in vrede, hoe zou het zijn zonder de smid?* Dit soort blije versjes met hun vertrouwen in een ambachtsleven uit lang vervlogen tijden vond Elis lachwekkend. Maar Karl Sieger gaf hem te verstaan dat ze dat allesbehalve waren. Het handwerk zou weer in eer hersteld worden. Had hij de nationaal-socialisten niet gehoord? Hij gaf hem een strooibiljet te lezen. Er stond niet veel op over handwerk, meer over het bolsjewisme. Bovendien had Karl ontevreden commentaar op de druk te horen gekregen. Er was een embleem dat niet goed uit de verf kwam. De districtsleider dreigde met zijn strooibiljetten en brochures naar een andere firma te gaan.

Karl snapte het niet. Hij vond dat het er fatsoenlijk uitzag. Maar Elis begreep het precies. Hij had daar een neus voor: een zekere moderne elegantie op de oude basis. Zo moest het zijn. Dat zonnekruis met die haken. Hij toonde met een tekening hoe hij het zag. Elegantie. Strakheid. Een scherpte die de oude houtsneden nooit zouden kunnen weergeven. En dus maakte hij een nieuw cliché met een swastika.

En zo kwam het dat hij toch een baan kreeg bij de firma. Ze stonden op het punt de oude Grünbaum te ontslaan. Het was een onaangenaam moment toen Elis begreep: hij of ik. Hij was oud en mager. Hij had een ongetrouwde dochter die een kind had. Het was een werkloze jongen van zestien jaar.

Het rad van Ixion. Het flikkerde. De mensenspaken vertakten zich. Jij of ik?

Deze keer ontzag het draaiende rad hen allebei. Elis kwam met lucratieve ideeën en beelden. Ze mochten alle twee blijven, Elis als tekenaar en inkleurder. Meneer Grünbaum nam huilend de handen van Karl vast.

Elis ging naar Die Neue Welt, een grote bierhal waar vooral arbeiders kwamen drinken en luisteren naar die nieuwe politieke ster, die van oorsprong een Oostenrijker was. Hij vond de man een echte karikatuur.

Het duurde lang voordat hij Adolf Hitler opnieuw hoorde. Hij was Erling Christensen tegengekomen. De cafés in achterstraatjes en de bierhallen waren allang verleden tijd. Hij was zelfs naar het Theater des Westens, de Scala en de Wintergarten geweest. Erling, die bij een kliek hoorde die met alles de draak stak, nam hem mee naar een corpslokaal van een studentensociëteit. Toen de man sprak, dacht Elis eerst dat het iemand anders was dan hij had gehoord in Die Neue Welt. Hij sprak rustig en aftastend. Erling zei geen woord achteraf en ze gingen niet naar een bar maar namen afscheid. Hij wilde alleen zijn.

Nou, de ernst was natuurlijk van voorbijgaande aard. Elis herkende dat van thuis. Toen er een predikant kwam, werd het hele dorp godsdienstig. Na drie weken was hij vergeten en ging alles weer zijn gewone gang. Er werd nooit een kapel in Svartvattnet gebouwd, want door de week hadden de dorpsbewoners meer neiging tot gezond verstand dan tot metafysica.

Erling zat algauw weer in Der Papagei met van alles te spotten. Ze speelden daar negerjazz en dronken cocktails van Bols en Poolse wodka. Hij en Elis gingen met eenvoudige meisjes naar goedkopere bars en dronken razzle-dazzle, gemaakt van illegaal gestookte ruwe alcohol en van dik, zoet zwarte-bessensap. Elis verhuisde uit Kreuzberg, kwam 's avonds niet meer zo vaak bij Sieger, maar bleef in de drukkerij werken totdat het architectenbureau waar Erling in dienst was, regelmatig een beroep op hem begon te doen voor wandversieringen. De eerste opdracht was een moderne villa in Grunewald. Funktionalismus. Op een grote muur in de eetkamer moest een wijngaard worden geschilderd.

Het geld zou in ieder geval niet genoeg zijn voor de aquarellen van Franz Marc. Maar ze waren een obsessie geworden. Speciaal voor Franz Marc was hij naar Berlijn gekomen. Hij had niet geweten, niet begrepen hoe achterhaald het expressionisme was. Alles ging veel te snel naar zijn zin. Was een goed schilder niet een goed schilder, hoe het rad des tijds ook draaide? Erling Christensen glimlachte.

Jij bent een kind, zei hij. Een heerlijk rauwe jongeling uit de bossen van Nordland. Of was het Nord-Trøndelag? Maar juist daarom is de toekomst aan jou.

Nee, Erling wist niet wie hij was. Maar goed ook. Elis begaf zich naar de Friedrichstraße om meneer Rosch te vragen de aquarellen nog een tijdje te houden. Maar ze waren van de muur gehaald.

Hebt u ze verkocht!

Nee, hij had ze opgeborgen.

Gerhard Rosch deed geheimzinnig. Verdomme, misschien is hij helemaal niet betrouwbaar, dacht Elis.

Ik kan *Der blaue Reiter* van 1916 aanbieden, zei de kunsthandelaar.

En Elis vertrok met het jaarboek van de expressionisten dat door Franz Marc geredigeerd was. Hij hoefde het niet te betalen.

Ik kan ze toch niet houden, zei Rosch vreemd genoeg.

De week daarop kreeg Elis een behoorlijk bedrag van Erlings architectenbureau uitbetaald en hij ging naar de Friedrichstraße om Gerhard Rosch een deelbetaling aan te bieden. Hij had een onaangenaam gevoel gekregen dat zij hem niet vertrouwden.

Ik vraag niet dat u me de aquarellen nu geeft. Ik wil alleen een bedrag betalen zodat ik zeker weet dat u ze voor mij vasthoudt.

Gerhard Rosch keek niet op. Het was warm in het kamertje achter in de winkel. Het licht was zwak want Valdy Rosch had de gordijnen dichtgetrokken. Elis had thee gekregen. Hij hield niet van thee. Het smaakte praktisch naar niets. Bij de thee serveerde mevrouw Rosch Italiaanse amandelbiscuitjes. De gordijnen waren van Engels chintz. De muren hingen vol schilderijtjes in klein formaat. Misschien waren ze door Valdy Rosch zelf uitgekozen. Vooral landschapjes. Vorige eeuw. Enkele heel vroege. Italiaanse steden op berghellingen. Baaien. Rotsen in Zwitserland of Oostenrijk. Hij voelde zich nerveus door de verscheidenheid. Een samenraapsel.

Toen zei mevrouw Rosch opeens:

Mijn man heeft de aquarellen van Marc in de kelder gezet. We kunnen ze hier niet laten hangen.

Dat begrijp ik niet.

Het schoot hem te binnen dat ze gestolen konden zijn en dat ze dat ontdekt hadden.

We hebben bezoek gehad van een SA'er, zei mevrouw Rosch.

Valdy!

Ze hield haar hand met de smalle vingers naar haar man op en vervolgde:

U moet er eens opnieuw over nadenken, meneer Elv. Wilt u de aquarellen werkelijk kopen? Ik weet niet eens zeker of we ze kunnen verkopen. We moeten hoe dan ook afwachten.

Elis wist niet wat hij moest zeggen. Hij vroeg zich af hoe die SA'er had opgetreden. Had hij staan roepen en tieren? Geweld gebruikt? Hij wilde iets zeggen over onbeschaafde mensen, maar hield het voor zich. Vorming, dacht hij. Die ontbrak haast overal.

Hat er geschimpft? vroeg hij voorzichtig.

Meneer Rosch knikte.

Nu Elis erover nadacht, hadden ze eigenlijk van alles te koop gehad wat die nieuwe mannen ontaard en pervers noemden. En ze hadden er natuurlijk een aardige cent aan verdiend. Gerhard Rosch heeft altijd een neus voor goed schilderwerk gehad, met die lange kokkerd van hem. En mevrouw Rosch kan goed met de telmachine overweg.

Twee dingen begreep hij niet. Waarom was een goed schilderij niet eenvoudigweg goed. Voor eens en altijd. Ik kan zien wanneer het goed is. Er zijn niet veel woorden nodig. Geen kunsttheorie en geen politiek gefilosofeer. Het is *goed*. Dat weet Gerhard Rosch ook.

Ten tweede: joden.

Ze zaten naast elkaar. Ze waren ongeveer even lang maar de man had donker haar en een gedrongen bouw. Mevrouw Valdy was roodblond en benig. Ze zijn joods, dacht hij. Zo veel is duidelijk.

Maar wat betekent dat? Hij dacht aan de kleermaker die hij kende. Een heel ander soort mens.

Hij werd onrustig door aan zulke dingen te denken. Het was hetzelfde gevoel als toen zijn vrienden in Christiania over het geslachtsleven discussieerden. Ze waren zo radicaal dat ze zich meteen in de biologie stortten.

De zoölogie.

Gedver.

Het waren kleffe gesprekken. Ze besmeurden degene die ze bespraken. De hoer. De jood.

Meneer Rosch, zei hij. Ik reken erop de aquarellen te kunnen kopen. Ik dank u voor de thee. Vielen Dank, gnädige Frau Rosch! Auf Wiedersehen.

Hij had zin om te zeggen: volhouden. Het is weldra voorbij. Maar dat zei hij natuurlijk niet. Bij kunsthandelaar Rosch gedroeg men zich formeel.

Erling Christensen was ervan overtuigd dat het weldra over zou zijn. Dat wil zeggen: de overdrijvingen. Toch had Elis weinig zin om hem te vertellen over de SA'er die – vermoedelijk – Gerhard Rosch' kunsthandel was binnengestormd. Op het architectenkantoor werden grapjes gemaakt over die nieuwe mannen, over hun parades in uniform, over hun nationalistische woordenvloed. Kortom: over de overdrijvingen. Maar Erling zei dat de revolutie in de grond nodig was. Duitsland moest herrijzen uit de vernedering na de beschamende Vrede van Versailles. Als de jeugd geen idealen en geloof in de toekomst kreeg, zouden de bolsjewieken de macht grijpen en zou het dezelfde kant opgaan als in Rusland. Hij had Elis foto's uit de Oekraïne laten zien: lijken van verhongerde mensen op straat.

De revolutie kwam, maar niet op de manier waarop men gedacht had dat revoluties begonnen. De nationaal-socialistische partij won de verkiezingen met verbluffende cijfers.

Het volk wil het zo, zei Erling. Het goede Duitse volk.

Hij had lange tijd als vrijwilliger voor de partij gewerkt en had allerlei opdrachten voor de districtslokalen uitgevoerd. Erling Christensen ging op in een stormloop, een soort rijwind zoals in zijn open DKW. Maar hij was nog steeds dezelfde ironische spotvogel. *Het goede Duitse volk.* Moeilijk te weten of hij het meende.

Op het architectenbureau dreven ze allemaal, behalve misschien de kantoorjuffrouwen, vrolijk de spot met de propaganda. Ze lieten de slagzinnen kletteren. Op een keer, toen ze over het plan voor een badhuis gebogen stonden, moest de dikke Aron Klein weg om een klant te bezoeken.

Ha! zei Erling. Goed dat we eindelijk even alleen kunnen zijn!

Hij parodieerde een van die propagandaclichés. Alle pret was natuurlijk nog prettiger in de nabijheid van de brandhaard. Dat snapten zelfs de kantoormeisjes en ze giechelden met rode konen. Het was ook niet helemaal ongevaarlijk om je over de propaganda vrolijk te maken. Meneer Christensen was onbetaalbaar. Je wist nooit wat je aan hem had.

Lang en elegant was hij. Waarschijnlijk overwerkt, maar hij redde het met amfetamine. *Aber das war einmalig!* In een tijd dat alles, alles gedaan moest worden!

> *Das gibt's nur einmal*
> *Das kommt nicht wieder...*

Nee, niets kon de energie en de vaart van de toekomst zo vatten als Erlings geneurie, zijn lach, zijn hakken die de trap afkletterden. Alles lag daarin.

Ze reden in de DKW. Elis leerde Duitsland kennen. Hij trok er ook met de trein alleen op uit om te schilderen in badhuizen, in gymnastiekzalen, in scholen. Maar met Erling meerijden was het leukst. Laat op een zaterdagavond in augustus waren ze met de auto naar een bijeenkomst van Beierse veteranen gereden. De partijfunctionarissen noemden de plaats het Walhalla. Maar eigenlijk was het gewoon je reinste boerenland met rijpe tarweakkers die 's nachts naar molm roken, groepjes dennen met een geur van balsemterpentijn en een zandterrein waarop de SA-oudgedienden hun tenten hadden opgezet. De vuren vlamden op en de veteranen zongen: *Heilige Glut, rufe die Jugend zusammen!* Erling en hij hadden nog nooit zo gelachen als die nacht. Om het dronkemansgewauwel, om het overjarige enthousiasme.

Spießbürgertum in Uniform! fluisterde Erling halfgesmoord in zijn gegiechel. De oude kerels wankelden rond de vuren en brulden manhaftig.

Toen Erling en Elis 's ochtends vertrokken in de DKW, hadden ze de kap neergeklapt en ze zongen:

> *Heilige Glut, rufe die Jugend zusammen!*
> *daß bei den lodernden Flammen*
> *wachse der Mut!*

De geüniformeerde burgermannetjes zouden de zondag doorbrengen met sportoefeningen, maar velen van hen sliepen hun kater uit in de tarwevelden. Erling en Elis hadden het kalmpjes aan gedaan, want op maandagmorgen moest Elis weer bij zijn kantinemuur in de tricotfabriek staan.

De nieuwe mannen wilden alles op de muren hebben, groot en licht. Een krioelende mensenmassa. Paarden die hun manen schudden. Hij vond soms dat hij nogal in de stijl van Bjarne Ness schilderde, die met die vervloekte *Overwinnaar* van hem. Maar Ness was al met al geen slechte schilder en het was verdomd leuk. Geld verdiende hij ook.

Hij had een paar jaar lang niet aan de aquarellen van Marc gedacht. Maar op een morgen zat hij koffie te drinken op zijn nieuwe heldere etage – slaapkamer, kookhoekje en groot atelier met dakraam – voor hij aan de slag ging met een kartonschets. Hij zocht de ontwerpen die hij in potlood getekend had en stuitte plotseling op Der blaue Reiter. Hij vond ook nog andere papieren van Franz Marc. Een catalogus. Het schetsboek in de facsimile-uitgave van Cassirer.

Met een zeker onbehagen bedacht hij dat Cassirer een joodse naam was. Kassier betekende het. Zoals mevrouw Rosch met haar telmachine. Hij wist dat Marc ten minste half joods was. Half – een kwart – een achtste deel? Die bespottelijke maar toch beklijvende termen. Ja, *kleverige* termen.

Erling Christensen lachte erom.

Trek het je niet aan, zei hij. Het zijn bedenksels van bureaucraten.

Maar op straat dan, zei Elis.

Lief Scandinaafje, op straat gebeurt veel wat niet zou mogen gebeuren. Maar wat wil je? Al die werkloze boefjes die een paar jaar geleden in naam van het bolsjewisme mensen beroofden, worden nu door de jeugdbewegingen opgevangen. Het duurt lang om ze wat beschaving bij te brengen.

De kleinzoon van meneer Grünbaum, Erich, stond tegenwoordig voor dag en dauw op om aan sportoefeningen en parades deel te nemen. Elis vermoedde dat die in de gevangenis was beland als hij was doorgegaan als vroeger. Meneer Grünbaum was dankbaar. Het was nu ook netjes in de wijk. Er was altijd iets te doen.

Ze spraken nooit lang over politieke verhoudingen, Erling en hij. Daar was geen tijd voor. Een enkele keer had hij de jodenkwestie aangeroerd. Dat was toen hij laatst de kunsthandel van Rosch had bezocht. Hij had zich achteraf erg ongemakkelijk gevoeld.

Maar kijk toch rond, zei Erling. Is onze beste Aron Klein geen jood? We werken nu op het hoogste niveau, direct onder de Generalbau-Inspektor. En je ziet: Aron is erbij. Aron is een van onze bekwaamste en meest gevraagde architecten. En wie was Duitslands hoop op de Olympische Spelen? Wie wierp haar speer als een Teutoonse amazone? Een klein joods meisje! We hebben nu een heel andere situatie dan tijdens de woelige beginjaren. Jeetje, Elias, zit toch niet te *hangen*. Je lijkt Aron Klein wel. Nukkig en slap. Maar ik verzeker je dat hij hier in de firma rond zal sjokken tot het einde der dagen. Altijd even misnoegd.

Aron Klein had zwart haar en was bijna ziekelijk dik. Hij bewoog zich traag. Hij zag er inderdaad ontevreden uit, daarin had Erling gelijk.

Elis herinnerde zich een affiche. Kleine meisjes op een strand. Een bordje: FÜR

JUDEN VERBOTEN. En die gemeenschappelijke zucht van verlichting die hij Erling ooit had horen parodiëren toen Aron Klein wegging: *Wie schön, daß wir jetzt wieder unter uns sind!*

Je kunt over alles grapjes maken, zei Erling.

Joden die met de bolsjewieken in Rusland hadden samengespannen, zijn nu het land uit, vertelde hij. De beurshaaien ook. Het doel is bereikt. En je merkt zelf dat de boycot van joodse winkels nooit van de grond gekomen is. Ze zullen hier rondlopen tot het armageddon. Wat de leiding nu bezighoudt, zijn de streefdoelen van de buitenlandse politiek.

Lieber Herrgott mach mich blind
daß ich alles herrlich find'!

Het kwam er zomaar uit. Maar het klonk verkeerd. Een verkeerd soort scherts. Erling keek koud.

Waar hoor jij dergelijke onzin? vroeg hij. Bij je vriend de heer Rosch?

Maar het ging gauw weer over. Hij toonde zo veel enthousiasme voor Elis' kartonschets.

Je bent onwetend als een rund, jij begaafde duivel. Geen analyse. Een nul voor geschiedenis. Musici en kunstenaars! Dat leeft maar in zijn eigen wereld. Maar wat een heerlijke typetjes maak je! Jij *ziet* werkelijk. Deze jongen uit Nord-Trøndelag – want ik neem aan dat je hem daarvandaan gehaald hebt – hij is onovertroffen. Oer-Germaans. Wat is hij, visser? Keuterboer? Ja jij, Elias. Jij vertelt een hoop onzin. Maar je bent zo verdraaid ontiegelijk geniaal dat het je vergeven wordt. Kijk hem. Uit Nord-Trøndelag. Het vissersdorpshoofd met het zuivere profiel van Echnaton!

Achnaton zei hij. Hij was zo opgewonden dat hij Noors praatte. Meestal spraken ze nu onderling Duits. Erling was met een dochter van een bankier getrouwd. Arisch ondanks z'n beroep, had hij lachend gezegd.

Elis zweeg over het profiel. Het was dat van zijn pa Vilhelm.

Papa. Gudmund. Jon. Zelfs de ouwe. Ze doken nu en dan op. Ze hoorden erbij.

Het zuivere profiel van Achnaton.

Het was geen geintje.

Erling zei dat hij zag. Werkelijk zag.

Maar wat zie ik?

Hij las lukraak in de schriften die voor hem lagen. Franz Marc schreef dat het Europese oog de wereld had vergiftigd en misvormd. Daarom droom ik over een nieuw Europa.

Dat deed Erling ook. Maar vermoedelijk bedoelde hij iets anders dan Franz Marc.

Neem het leven zoals het is, Elias! had hij gezegd. Het is toch sterker dan jij. Stuur recht tegen de wind in! Geen beklag en geen gejammer – trotseer de storm!

Heraclitisch, zei hij. Het was heraclitisch om zo te denken.

Wat was dat nou weer? Elis zocht Heracles op toen hij in de Kommode was. Maar hij kwam er niet uit. Hij voelde zich onwetend. Hij besefte dat als hij Franz Marc zou hebben ontmoet, hij niet met hem had kunnen discussiëren. Meer dan een hoop onzin en caféspraat zou er niet uitkomen. Er waren te veel hiaten te verbergen. Maar wanneer hij zijn schilderijen zag, wist hij wat hij bedoelde. Hij besloot meneer Rosch weer op te zoeken en een bod op de aquarellen te doen. Gerhard Rosch zou nu wel oor hebben voor redelijkheid. Als hij niet te bang was. Dat was een onprettige gedachte. Maar er kwamen om de haverklap nieuwe verordeningen.

Toen hij op de Friedrichstraße aankwam, waren de ijzeren rolluiken van de kunsthandel van Gerhard Rosch neergelaten, hoewel het midden op de dag was. Elis liep binnen in de banketbakkerij op de hoek om even te informeren. Het meisje achter de toonbank wist niets over het echtpaar Rosch, niet eens wie ze waren. Hij liet haar de vrouw van de eigenaar halen.

Maar die zijn verhuisd, zei ze.

Waarheen? Weet u dat?

Toen trok ze haar schouders op in een onhandige beweging en hij kookte inwendig. Ze was zo'n Duitse madam met een kartoffelneus, borsten als boerenbroden en een geweldig achterste. Het was bespottelijk hoe ze probeerde haar schouders op te halen. Had ze dat geleerd in het operettetheater?

Hebt u een adressenboekje?

Het mens schudde haar hoofd.

Hij ving ook bot in de tabakswinkel. De eigenaar, een oude oorlogsinvalide, had natuurlijk wel een boekje, dat hij behendig met zijn enige hand opensloeg. Maar Gerhard Rosch stond er niet in.

Wat moet u van hem? vroeg hij.

Dit leek wel een schaakwedstrijd. Al was Elis dan een lief Scandinaafje, een verlegen pummeltje in de grote wereld, hij was niet dom als het op schaken aankwam. Hij wist wanneer een zet gedaan was, een die verderop in het spel beslissend zou worden. Een tamelijk onaardige tabaksverkoper stelt zo'n vraag niet aan een goedgeklede man als de stelling niet wankelde. Dus zei Elis:

Hij is me geld schuldig.

Kijk, dan was het een andere zaak!

Ga naar Herschel. Groentezaak op de hoek. Daar weten ze zeker waar hij zit. En zorgt u maar dat u uw geld terugkrijgt.

Elis vond de winkel maar die was ook gesloten. Er zat papier voor de ramen zodat niemand naar binnen kon kijken. Maar de tabaksverkoper scheen te weten dat ze thuis waren. Elis bonsde lang op de deur en toen uiteindelijk een vrouw kwam opendoen, merkte hij dat ze bang was al probeerde ze een onbekommerde indruk te wekken. Achter haar verscheen in het halfduister een klein mager mannetje met een zwart vilten keppeltje op. Er kwam geen veinzerij aan te pas; hij leek op een hond die een pak slaag verwachtte. Mevrouw Herschel, die zweterig en dik was, zei dat ze niet wist waar meneer en mevrouw Rosch waren.

Wonen ze dan niet meer op hun etage? voegde ze eraan toe.

Weet u het adres?

Ze schudde van niet. Waarschijnlijk wist ze het wel. Het rook naar grond en schimmel in de winkel, maar er waren geen groenten. Niet eens een bak aardappels.

In plaats van het verbeten mens nog verder uit te vragen, dankte hij en nam beleefd afscheid. Hij zag de mengeling van opluchting en verbazing. En dat terwijl hij niet eens zijn NSDAP-kenteken droeg. Hij had dat eigenlijk alleen op als hij niet anders kon. Hij haalde het te voorschijn wanneer hij de leiding op het kantoor van de Generalbau-Inspektor schetsen kwam voorleggen of wanneer hij een nieuwe plaats bezocht waar hij een opdracht had gekregen. Het was een formaliteit, had Erling gezegd. Zelfs als je direct onder de Generalbau-Inspektor werkte, hoefde je geen partijlid te zijn. Maar het maakte de contacten gemakkelijker.

Nu wist hij niet wat hij moest doen. Zijn hoofd stond stil. Hij was altijd gehaast wanneer hij buiten was. Hij holde, moest op tijd op afspraken komen. Zo voelde het nu ook aan. Maar vanbinnen was een klok stilgevallen. Hij had een taai gevoel van langgerekte tijd in zijn lichaam. Als hij op straat was gekomen, zou hij overreden zijn. Het rad van Ixion zou over me heen gedraaid zijn, dacht hij. Ik zou nooit op tijd weggekomen zijn.

Hij bleef staan voor een slagerij. Witgeschrobde zwoerd. Roze strepen in het spek. Donker, mals rundergebraad met snijvlakken die nog glinsterden. Alles zag er smetteloos en aantrekkelijk uit. Behalve één ding: een zwarte bloedklont in een varkensoor.

Hij liep dwars over straat naar een bar en dronk een dubbele cognac. Whisky was er niet meer. Zijn peuk smaakte vreselijk. Hij nam dan nog maar een cognac en probeerde te praten met de barman die glazen afdroogde met een hardgemangelde theedoek. Zei over het pakje sigaretten dat hij pas had gekocht, dat Timms toch het oude Times was? Die zeikerd haalde zijn schouders op. Elis voelde een zuigende kracht; hij zag het draaiende rad. Praten, roken, drinken. Het hielp verdomme niet. En dat volk waarover iedereen praatte en dat hij nergens zag, in de hotels niet en in de zwembaden niet en op het bureau niet en in Der Papagei niet, dat oer-Germaanse *Deutsche Volk* was begonnen de schouders op te halen. Zoals Fransozen. Niemand wist dat Timms ooit Times was geweest. Dat het rad met hen draaide.

Hij kon het niet verdrinken. Het draaide zwaar.

Ixion, gij draait in bloed.

Het zijn natuurlijk overdrijvingen, dacht hij. Ik zie in beeldspraak. Dan wordt het onredelijk. Maar wel pregnant. Dat is mijn begaafdheid. *Dat.* Zonder mijn begaafdheid zou ik nu – wat? Boomstammen ontschorst hebben?

Nee, dood geweest zijn.

Dat verdomde varkensoor ook. Hij zag overal bloed. Bloed op gespreide vrouwendijen, hoe de klonten zakten. Waarom hij zoiets zag, wist hij niet. Hij zag achterhoofden, schedels. Geronnen bloed in grijzend haar. Hij zag kleren; grauwbruin wol met bloed doordrenkt.

Als kind al had hij visioenen die helder waren en duidelijk en vol details. Meestal kreeg hij ze wanneer hij in slaap viel. Hij had geloofd dat hij ziek in zijn hoofd was. Toch had hij het niet kunnen laten om ze als het ware op te roepen. Om zich in ieder geval binnen te laten glijden in die beelden.

Het waren geen herinneringen. Hij zag dingen die hij ontegenzeggelijk nooit eerder had gezien. De wijngaard op de muur van de villa in Grunewald had hij min of meer geschilderd naar zo'n visioen uit zijn kindertijd. Hij wist niet waar het vandaan kwam. Maar hij geloofde niet meer dat het een ziekte was.

Ik zou nu moeten schilderen. Want nu zie ik werkelijk; ik zit tussen roes en misselijkheid. Ik zou heel pregnant willen schilderen. Hoe groter het licht, des te scherper en zwarter de schaduw. Ik zou alles willen schilderen wat ik ooit gezien heb sinds ik hierheen kwam. Uit harde samengebalde duisternis, messcherp: één figuur per keer. Eén. En nog één. En nog één.

Ze uit het rad van Ixion halen en ze scherp en pregnant neerzetten. Zien. Geen medelijden. Werkelijk zien.

Het was eigenlijk een peulenschil om het adres van de heer en mevrouw Rosch te achterhalen. Erling had het. Maar Elis had geaarzeld om het aan hem te vragen. Hij vroeg het ten slotte toch. Ze zaten halfdronken in Der Papagei en de meisjes kibbelden en het orkest speelde Weense muziek. Het speelde tegenwoordig niets anders meer. Geen negermuziek en geen souteneurs in de zaal die controleerden of de meisjes hun tijd niet verdeden.

Ordnung muß sein, parodieerde Erling.

Voor ik het vergeet, weet jij waar Rosch woont?

Voor je wat vergeet?

Niks. Waar woont hij?

Pfefferminztee! riep het ene meisje. Ze discussieerden lallend over middeltjes tegen blaasontstekingen.

Wat moet je van Rosch?

Hij is me geld schuldig.

Het kwam er zomaar uit gevloeid. Spatte onvrijwillig. Hij wenste dat de meisjes over iets anders zouden praten. Ze waren niet appetijtelijk.

Hè verdomme, zei Erling. Zorg maar dat je het terugkrijgt voor hij ervandoor gaat.

Ervandoor?

Zoals Klein, zei Erling. Die zit nu in New York. Er zijn twee soorten. Je hebt er die in de synagoge willen zitten, die vertrekken naar Palestina. De rest is kapitalist en belandt in Amerika. Bezorg hem geen reisgeld.

Elis zocht Rosch de volgende dag meteen op, maar er kwam niemand opendoen toen hij aanbelde. Hoe kon hij dan toch het gevoel hebben dat er wel iemand thuis was? Het was haast te stil toen hij de klep van de brievenbus openhield. Alsof het suizen en tikken en klikken dat anders altijd in dit soort stadspanden te horen was, nu ingehouden werd.

Dat was natuurlijk verbeelding. Maar toch onbehaaglijk.

Hij ging naar huis en schreef een brief: *Sehr geehrter Herr Rosch!*

Twee dagen later op het tijdstip dat hij in de brief had aangegeven, belde hij weer aan, maar er werd weer niet opengedaan. Nu was het naambordje weggenomen. Na een week kwam er een brief van Gerhard Rosch waarin hij schreef dat ze verhuisd waren en dat zijn brief nagestuurd was. Hij gaf Elis het nieuwe adres.

Kreuzberg. Het was niet te geloven. Niet ver van de huurkazerne waar hij zelf nog had gewoond. Via de Wilhelmstraße recht de armoe in. Hier was hij in de andere richting naar de deftige wijken toegelopen wanneer hij naar de Alexanderplatz moest om bij de vreemdelingenpolitie zijn stempel te halen.

Armoe was het schrale, tochtige, groezelige bestaan, waarvan hij als kind had geloofd dat het door de natuur gegeven was. Het was een vage stank in hoeken en kieren. Het paste niet bij Valdy Rosch. Ze had haar cape nog aan, maar die was tot op de draad versleten.

Ik heb te lang gewacht, dacht Elis. Maar wat had ik hier te zoeken? Hij zei tegen zichzelf dat arme mensen sympathieker waren. Rustiger in de omgang. Maar hij had hen toch liever gehad zoals vroeger. Het enige wat nog op vroeger leek, waren een Italiaans berglandschap en een baai, twee schilderijtjes in olieverf met dikke lijsten, die hij zich nog herinnerde uit het kantoorhok van mevrouw Rosch. De rest hadden ze op een veiling moeten verkopen. Dat wil zeggen, wat er na de beslagleggingen nog overbleef. En veel was dat niet.

Beslagleggingen?

Wij hadden veel geïnvesteerd, meneer Elv. Weet u nog de werken van Otto Dix die ik had? Kandinsky? De schilders van de generatie van Franz Marc. De groep van Der blaue Reiter kortom.

Zijn de aquarellen in beslag genomen?

Natuurlijk niet. Ik heb ze kunnen wegstoppen. U had immers driehonderd mark betaald. U hebt het recht om ze te kopen. Maar ik weet niet of u er wel mee wegkomt.

Wegkomen?

Gerhard Rosch keek omlaag naar zijn handen. Hij zag er gegeneerd uit. Het leed geen twijfel waar hij op zinspeelde. Uit het land komen.

Laat me nog driehonderd betalen. Nee, tweehonderd. Dat is wat ik op zak heb.

Het is niet zo makkelijk om ze nu te voorschijn te halen.

Neem het geld van meneer Elv aan, Gerhard, zei Valdy Rosch met haar boekhoudersstem.

Hij was zo gegeneerd dat hij grote opluchting voelde toen hij vertrok. Achteraf bedacht hij dat hij naar meer dingen navraag had moeten doen. Als ze de winkel niet meer open mochten houden, waar leefden ze dan van?

Uit het land komen, had Gerhard Rosch gezegd.

Waren ze zelf van plan om te vertrekken? En zo ja: hadden ze geld? Kregen ze een uitreisvergunning?

Hij was te gegeneerd geweest voor die vraag. Ze hadden altijd in verschillende werelden geleefd. Zomaar vragen ging hem niet goed af. Net als zij was hij bang om iets ongepasts en onhandigs te zeggen, zelfs nu niet zijn eigen colbert maar dat van Gerhard Rosch onder aan de mouwen versleten was.

Ik vind ze niet eens bijzonder sympathiek, dacht hij. Ik heb me altijd benauwd gevoeld in hun gezelschap. Vooral nu. Toen ik Gerhard Rosch die tweehonderd mark gaf zonder bon, schaamden we ons allebei. Het is maar beter dat we elkaar niet meer ontmoeten.

Hij had nu alleen willen zijn om te schilderen, maar hij moest die week nog een kartonschets gaan tonen. Na het bezoek aan Rosch leek die hem plotseling flets en kleurloos.

Er bekroop hem een hevig verlangen om met olieverf te werken. Hij liep te ijsberen in het atelier en draaide ten slotte het karton weg naar de muur. Vervolgens begon hij een doek op het spanraam te spijkeren. Het geluid van de hamer maakte hem vrolijk. Als hij eenmaal begon te schilderen, dacht hij niet meer na. Kon niet en hoefde niet meer na te denken. Erling Christensen had gelijk. Onwetend als een rund. Geen analyse. Dus: voluit schilderen. Hij werkte de hele week.

Hij had te veel tijd genomen, maar hij wist van geen ophouden en kon zich niet opnieuw aan dat karton zetten. Dus vroeg hij uitstel. Na een paar dagen spande hij een nieuw doek op. Hij zag geen mens meer, behalve de tabaksverkoper en de meisjes in het eethuis. 's Avonds voelde hij zich leeg in zijn hoofd en verlangde hij naar de volgende morgen. Hij bracht de avonden drinkend door om de verveling te verdrijven. Maar niet te veel. Hij wilde zijn werkdagen goed benutten, vooral de ochtenden.

Erling zocht hem op, ongerust omdat hij lang niets van zich had laten horen.

Ik kwam niet verder met die schets, zei Elis. Ik weet niet wat het is.

Erling draaide het grote karton om. Hij vond ook dat het niet veel zaaks was.

Ik heb te veel mensen geschilderd die de wind tegen hebben, zei Elis. Harde wind in haar en rokken. En die verrekte muurschildering wordt zo droog en bleek. Lang geleden droomde ik al fresco.

Maar dat olieverfschilderij waaraan je bezig bent, wat stelt dat nou weer voor? Karikaturen?

Herken je dat mens niet? vroeg Elis en hij wees naar het doek op de schildersezel. Ze was klein en had dunne beentjes die uit haar overschoenen omhoog staken. Ze droeg een paarse hoed met een slappe strik. Haar ogen waren als zwarte, glimmende knopen.

Sie ist aber komisch – ne?

Maar Erling haalde zijn schouders op. Hij vond haar niet zo bijzonder komisch. En waarom zou hij haar herkennen?

Ik dacht dat je haar misschien gezien had in Oslo, zei hij. Apart typetje. Juffrouw Blumenthal heette ze. Ze had destijds een schilderschool. Misschien heeft ze die nog steeds.

Die kronkelingen, wat zijn dat?

Ja, dat is een gedeelte van een hek. En een omheining. Een smeedijzeren hek aan de Drammensveien. Zoals ik het me herinner tenminste.

Maar die rode kronkelingen binnenin dan? Moet dat een soort plantengroei voorstellen?

Welnee, verdomme. Dat is haar bloedsomloop.

In de omheining?

Hij ontweek de vraag en zei dat hij zich de laatste tijd was gaan interesseren voor bloed en de bloedsomloop.

Vroeger waren het skeletten. Ik leerde van binnenuit te tekenen. Weet je nog?

Dit wordt niets, zei Erling en hij keerde het doek de rug toe.

Het maakte niet uit wat hij zei. Juffrouw Rebecca Blumenthal was goed. Ze keek naar Elis met die pekineesoogjes van d'r.

Beste jongen, zei ze.

Hij zei dat er van die kartonschets wel niets terecht zou komen. Erling Christensen werd natuurlijk kwaad omdat hij de afspraak niet nakwam.

Ik ben maar een schilder, zei Elis. Ik schilder wat ik zie. Niet wat ik wil. Of wacht even, ik schilder ook wat ik leuk vind. En ik vind dat mevrouwtje leuk.

Ik zie er niets leuks in. Het is een dubbelzinnig, onaangenaam schilderij.

Die opmerkingen heb ik al gehoord, zei Elis. Knoeiwerk en zinsverbijstering!

Ja ja, zei Erling als tegen een kind.

En deze doeken zijn allemaal portretten. Bijna in ieder geval. Uit het hoofd. De oorlogsinvalide is een tabaksverkoper in de Friedrichstraße. En die jongen, die heet Grünbaum.

Erling staarde naar Erich Grünbaum, die een mager hondengezicht had en een flodderig bruin uniform.

De oude man met het keppeltje is de groenteman. Of was. Zie je hoe hij zijn gezicht samenknijpt?

Lieber Herrgott mach' mich stumm
daß ich net nach Dachau kumm'

Het bleef een ogenblik stil.

Ga jij met dat soort mensen om? vroeg Erling. Dat zoiets zegt.

Nee, dat hebben we toch gehoord in – hoe heet het ook alweer? Die kampplaats die ze het Walhalla noemden. Weet je dat niet meer?

Nee.

Maar verdomme, Erling, herinner jij je die Beierse veteranenbijeenkomst niet meer?

Jawel, zei Erling. Maar daar kun jij zoiets niet gehoord hebben. Dat is absoluut onmogelijk.

En of ik dat gehoord heb! Laat in de nacht. Van iemand die in het tarweveld op zijn bek ging. Een van die bezopen generaals die rond het vuur strompelden en Heilige Glut brulden. Weet je nog?

Heilige Glut, rufe die Jugend zusammen!
daß bei den lodernden Flammen
wachse der Mut!

Erling begon nu te lachen. En hij antwoordde zacht in het Noors.

Dat waren al verliezers.

De SA, verliezers? Dat kon hij moeilijk geloven.

Wil je een cognac?

Erling keek eerst op zijn horloge en zei toen ja. Ordnung muß sein. Hij was nu getrouwd. Zat nog maar zelden in Der Papagei. Hij vond het daar te rumoerig.

Die ouwe SA'ers, zei hij. Die liepen nummers van Der Angriff te verkopen en bereidden de revolutie voor. Nu zullen ze dadelijk verboden worden.

Denk je? Ze waren toch al uit de tijd toen wij ons een bult om ze lachten, of niet soms? Het waren intellectuelen die ze in dat stadium wilden hebben. *Wir brauchen Köpfe!* En ze sloofden zich natuurlijk uit. Met hun analyse en hun kennis.

Erling keek hem aan, lang.

Jij beschouwt jezelf niet als een intellectueel, hè? zei hij.

Jijzelf hebt me vaak ingepeperd dat ik dat niet ben.

Maar verdraaid venijnig kun je in ieder geval wel zijn.

Hij begon plotseling te lachen en ze dronken hun glas leeg. Proost! Elis dacht: dit gesprek komt recht uit onze jeugd. Zoals onze cafégesprekken in de Kaffistova of de geweldige visioenen bij Vold. Vooral toen Vold vertrokken was. Daarom leek het zo ongevaarlijk. Morgen alweer vergeten. Ach, het kwam gewoon uit het Noors naar boven. Daar was hij blij om. Erling en hij moesten geen onenigheid hebben wanneer ze uiteengingen. Want hij was eigenlijk niet ondankbaar.

Toen pas besefte hij dat hij weg wilde.

Misschien begon hij dronken te worden. Hij haalde in ieder geval nog twee schilderijen te voorschijn die hij de laatste weken op doek had gemaakt. Hij wilde tonen dat hij Erling vertrouwde.

Hier, zei hij. Dat is een portret.

Kom nou, dat is toch een hond, zei Erling.

Ja, dat zijn oude ideeën, weet je. Er zijn nauwelijks nieuwe. Gainsborough. Die schilderde hondenportretten. *Dwergkees met pup* en zo.

Maar daar heb je een straathond, zei Erling.

Ja, een echte bastaard. Een zwart, stofferig mormel. Ik heb hem in het echt gekend. En dan het kleine meisje hier in Tannenberg. Ken je haar nog?

Nee.

Ze zat enkele uren model toen ik die aulaschildering maakte.

Het was een rozig meisje met ronde wangen. Een mollig handje hield een teddybeer vast. Toen had hij haar aan de buitenkant in een groep geplaatst. Nu was ze alleen en hij had de beer door een rat op wieltjes vervangen.

Ben je niet goed wijs, man?

Dit is realisme, zei Elis. Massief realisme. Heb je Otto Dix gezien? En je weet, er zijn van die ratten met wieltjes en een uurwerkmotortje. Ze hebben zo'n fluwelig vel. Dat is op blik gelijmd. Je windt ze op met een sleuteltje aan de zijkant.

Maar niet met dat teken.

Misschien niet. Maar het teken staat ook op ballen en speelgoedtanks. Zelfs op mijn flesje mondwater.

Ik raad je aan dat embleem weg te nemen, zei Erling.

En de gedempte toon was zo goed als een belofte; dit en al het andere moest worden vergeten wanneer ze voor altijd uit elkaar gingen. Hij wist niet wat hij moest zeggen. Plotseling kwam het eruit geflapt:

Ik denk dat ik nu maar naar Parijs ga.

Erling zweeg.

Wil jij er ook niet uit om wat beweging te nemen? vroeg Elis zonder hem aan te kijken.

Ik ben getrouwd. Ik heb de Duitse nationaliteit. Dan ga je niet zomaar weg.

Ja, ik weet het niet. Ik denk toch dat ik maar eens Parijs moet zien voor er oorlog uitbreekt, zei Elis.

Je bent bang.

Ja.

Stel je voor. Zo eenvoudig was het om dat te zeggen. Zodra hij het zei, zakten pa en Jon en Gudmund weg in de muur. Zelfs de ouwe verdween. Ze gaven geen van allen een kik.

De eerste keer dat ik in het huis van Jonetta kwam, was ik zes jaar. Ik was er in mijn eentje naartoe gegaan, want in de winkel had ik gehoord dat mijn oom Anund Larsson daar was. En hij zat er inderdaad, op de keukenbank.

Het is goed dat je gekomen bent, Risten, zei hij, want ik ben boven geweest in onze oude hut en ik heb iets gezien wat jij zeker ook had willen zien, zielsgraag.

Ik wist niet wat het kon zijn.

Raad maar, zei hij. Maar klein dat-ie was. Niet groter dan een hermelijn.

Jonetta lachte en zei dat ze vroeger groter waren, bijna even groot als mensen. Ik kon helemaal niet raden en ik voelde me dom en ietwat droef. Toen nam Laula Anut me bij zich op de keukenbank en ik kreeg koffie met melk van Jonetta en beschuiten die ik in de koffie doopte.

Thuis vertelde ik niet aan Hillevi dat ik mijn oom ontmoet had. Ik weet niet waarom ik het verzweeg. Maar ik kon het niet laten om iets over de aardmannetjes te vragen. Ze lachte even.

Er bestaan geen aardmannetjes, zei ze. Vroeger geloofden de mensen daarin. Dat was nog voordat er elektrisch licht was. Toen zagen ze van alles in hoeken en kieren.

Maar ik had gehoord van mijn oom dat je aardmannetjes ook overdag volkomen duidelijk kon zien. En ik wist het van tevoren: velen waagden zich in het najaar niet binnen in herdershutten, want dan hadden de aardmannetjes daar hun intrek genomen. Mijn oom had het wezentje in de verlaten hut van zijn vader gezien. Hij was onmiddellijk teruggedeinsd, had de deur dichtgehaakt en was vertrokken.

Ze zijn wel klein, maar ze zijn niet ongevaarlijk en ze willen met rust gelaten worden, zei hij.

Ze hadden witte koeien en kleine geitjes met gouden halsbanden, had hij gezegd. Zelf gingen ze graag bont gekleed en ze namen zilver mee en verstopten het.

Ze hadden overigens hondenogen.

Dat de aardmannetjes zich uit de dorpen hadden teruggetrokken, dat wist ik. Misschien kende Hillevi ze daarom niet. Mijn oom zei dat ze waren weggevlucht van alle elektra. Ze woonden nu ver weg in het bergbos. Aan de voet van de Giela zaten ze, in het berkenbos, daar waar nog her en der een spar van twee-, driehonderd jaar staat.

Maar niemand telt de eeuwen daarboven, en de aardmannetjes al helemaal niet, zei oom.

Ze hadden geen vrolijke kleren met glimmende knoppen meer waarover oude mensen plachten te vertellen. Ze waren klein en grijs geworden. Vroeger hadden ze de lengte van kinderen, nu waren ze niet groter meer dan hermelijnen.

Laula Anut was een van de weinigen die wisten hoe ze tegenwoordig woonden. Ze zaten namelijk onder boomwortels en omgevallen stammen met groen mos erop. Daar maakten ze holen die ze bekleedden met alles wat zacht was: wollegras en rendierhaar en dons van sneeuwhoenders. Ze hadden nog steeds hun koeien en hun geiten, maar die dieren waren ook kleiner geworden en ze waren zo grijs dat het moeilijk was om ze te zien te krijgen. Je dacht dat het slechts mistslierten op het veen waren.

Maar je kunt de belletjes horen klingelen, zei hij, en de aardmannetjes als ze hun koeien roepen. Wel jammer van al dat klateren en suizen van de beek, want dan hoor je het slecht.

Maar natuurlijk waren er nog steeds vele mensen die geloofden dat je ze kon tegenkomen. Op die ventjes trappen of ze in de weg lopen.

Als je lomp doet, moet je je excuseren, zei Laula Anut, maar dat vinden de mensen steeds moeilijker.

Sommigen zeiden dat het kwam door al die houthakkers en vlotters uit Värmland en andere streken, die hier kwamen werken. Sommigen werden met een gebroken been weer afgevoerd. Anderen gleden uit met hun bijl en hakten in hun broek. Dan zeiden ze dat ze pech hadden gehad. Maar het waren de aardmannetjes.

De arbeiders zaten te schaften en gooiden de hete koffieprut zomaar uit de kan wanneer ze klaar waren. Zonder te waarschuwen:

Pas op!

Of *uit de weg!* als ze heel duidelijk geknak hoorden waar ze wilden gaan zitten. En hoe de rook ook in hun gezicht sloeg, ze moesten en zouden vuur maken op de plek die ze het eerst uitgekozen hadden. In plaats van wat verderop te gaan zitten. Dat soort mensen was het.

Dadelijk is iedereen zo, zei Laula Anut.

In de herfst wanneer de lijsterbes in het bergbos vuurrood kleurt en berk en esp vlammend geel worden, dan dossen de aardmannetjes zich weer kleurrijk uit, hoewel ze normaal op hun hoede zijn om niet te worden gezien. Ze houden van bonte kleuren en wanneer ze bijvoorbeeld een meerkol zien, kunnen ze het niet laten om hem na te doen. Dan trekt het aardmannetje een kleurige jas aan met zwarte en blauwe biesjes en een rij witte knopen. Dan dragen de koeien zilveren bellen en lakrode riemen. En het vrouwtje draagt beenwindsels van zeggegras met parels eraan.

Iets anders kan ik niet geloven.

Daar wilde ik heen toen ik met Nila trouwde. Ik wilde bij de mensen zijn die nog *pas op!* zeiden wanneer ze met hete of scherpe dingen bezig waren. Ze gingen niet tekeer met vuur en met bijlen zoals de anderen.

Van de hardheid in de bergen wist ik niets. Niemand kon toen voorspellen dat ze ooit zouden proberen haar te beheersen, en ook niet dat zij toch sluipend zou overwinnen.

Pas op, wilde ik veel, veel later tegen mijn zoon Klemens zeggen. Pas op, jongen. Want de mens is ook een kwetsbaar wezen – precies zoals de beek en het mos en het sneeuwhoen.

Hoor je de haan kokkeren hoog op het bergveen?

Hij lacht je niet uit wanneer je verdwaald bent. Nee, dat moet je niet denken. Maar misschien zegt hij: uit de weg. Laat me met rust hierboven.

Hoewel Hillevi uit Uppsala kwam en opgegroeid was met telefoon en wc, wist ze eigenlijk beter dan ik hoe hard het leven hoog in de bergen kon zijn. Ze ging indertijd op huisbezoek bij kraamvrouwen. Toen ik haar vertelde dat Nils Klementsson en ik ons thuis bij Aagot verloofd hadden en dat we zo spoedig mogelijk wilden trouwen, zag ik de angst in haar ogen.

Soms dacht ik dat die angst in de ogen een soort moedervlek is. Wanneer je die ziet, krijg je een slecht geweten. Dat voelde ik duidelijk, hoewel ze slechts mijn pleegmoeder was. Toch was ik er blij mee. Ze maakte zich immers ongerust over me alsof ik haar eigen kind was.

Die avond toen ik het vertelde, zei ze niet veel. Ik ging daarna mee met Nila op bezoek bij zijn ouders en maakte het kalvermerken mee. Wanneer we terugkwamen, zouden we trouwen. Het kwam goed uit tussen het kalvermerken en de slacht. Het zou niet gelukt zijn als alles was geweest zoals vroeger. Maar nu kon Trond ons met de auto komen halen in Langvasslia, want de nieuwe weg tussen Zweden en Noorwegen zou tegen die tijd klaar zijn.

Toen we na al die weken in de bergen naar Langvasslia teruggingen, lag daar een brief van Hillevi, die al een tijdje geleden aangekomen was. Ze scheen er lang over te hebben nagedacht, dat zag je aan de datum. Hij leek in niets op wat ik vroeger van haar gelezen had. Ik heb hem naast de brieven gelegd die ze naar ons studentenhuis in Katrineholm stuurde, en naast de brieven die ze me schreef tijdens de oorlog. Daaruit sprak natuurlijk haar ongerustheid. Toen we op school zaten, vroeg ze of we niet te dunne kousen droegen en of we wel gezond aten. Tijdens de oorlogsjaren waren haar zorgen dieper, maar ze moest voorzichtig zijn wanneer ze schreef, en dus moest ik aandachtig tussen de regels lezen.

Nu schreef ze in haar mooie gelijkmatige handschrift:

Svartvattnet, 2 juli 1939

Liefste Kristin, mijn kind!

Voortdurend denk ik aan jou nu je boven op de Skårefjäll van je nieuwe leven proeft. Ja, ik wou dat je het voorlopig bij een poging kon laten. Ik zie je nog voor me toen je hier tegenover me in de keuken zat en me vertelde wat je over je toekomst had besloten. Ik zei toen niet zo veel, maar het enige juiste lijkt me nu dat ik naar je schrijf en niet verberg wat ik dacht en nog steeds denk. Je hebt sterke armen en de overmoed van verliefdheid in je ogen. Dat dacht ik toen je het over vrijheid had. Je zei dat die in de bergen te vinden zou zijn. Bij die andere mensen.

Dat is misschien juist. Ze hebben inderdaad hun eigen vrijheid als ze buiten het bereik van ons onderwijs en onze oordelen over hun levenswijze blijven. Maar ik vermoed nog iets anders. Ik zag de machtige Lappenkoningen toen ik jong was. Zij zijn niet jouw volk, Kristin. Je opa was een arme man. De hoofden van de rijke Lappenfamilies hadden vingers die rinkelden van het zilver. Ik herinner me nog hun grootheid en de gebogen hoofden en de voorzichtig opkijkende ogen rondom hen. Ik vermoed dat er een Matke of een Klemet kan groeien in iedere jongen die eenmaal zijn eigen rendiermerk heeft gekregen.

Zul jij je hoofd buigen, Kristin? Zul je Risten worden en bij de haard plaats maken voor je man?

Niets is beter en niets is hoger voor jou dan de vrijheid. Zo is het nu, omdat je jong bent. De wind zingt in de bergen en het water ruist. Je armen en benen zijn sterk genoeg om de vrijheid te doorstaan en er hard voor te zwoegen.

Je zult me misschien niet geloven als ik zeg dat ik in mijn tijd ook voor de vrijheid hiernaartoe kwam. Ik liep weg van het ziekenhuisreglement, van tante Eugénie en haar zedenpreken, en ook van iemand met wie ik stiekem verloofd was, weg van zijn eeuwige schrik dat iemand iets zou vermoeden over ons tweeën.

Maar er is meer dan vrijheid, Kristin. Gezondheid en geborgenheid zijn ook belangrijk. Je bent hier opgegroeid. Je hebt in de kamer met de witte meubels geslapen. Geen dag was er bij ons tekort aan brandhout of licht. Wanneer je koorts had, heb ik je in bed gestopt en verzorgd. Ik bedenk met grote onrust dat je daarboven ziek kunt worden, ver van alle hulp. Weet je nog toen Ingeborg Gabrielsson pijn aan haar blindedarm had en koorts kreeg? Ze kwam niet op tijd bij de dokter. Ze stierf aan buikvliesontsteking, een gezonde en sterke vrouw.

Aan je bevallingen denk ik, wanneer die komen. Je zou ongetwijfeld mijn vrees begrepen hebben als ik je dit alles had verteld toen je hier voor me zat. Toch zweeg ik. Dat komt omdat ik weet dat ieder voor zich moet kiezen. Iedereen moet een leven voor zichzelf kiezen.

Dat doe je in de jaren dat je volop kracht en overmoed hebt. Ja, overmoed, dat zeg ik je zonder omwegen. Dan kies je tussen vrijheid en geborgenheid. Tussen verliefdheid en behoedzaamheid. Tussen de bergen en de wind vol gezangen en het dorp met zijn gezeur en afgunst en dagelijkse sleur. Het is geen moeilijke keuze, dat weet ik. Je merkt nauwelijks dat je kiest. Je bent zo sterk, Kristin.

Veel, veel later zul je net als ik aan een keukentafel zitten, misschien wel daar in Langvasslia, en uit het raam kijken en nadenken over hoe het geworden is. Ik hoop bij God dat je dan de kracht hebt, een ander soort kracht, om je keuzen zonder bitterheid te dragen.

Oom Trond laat je hartelijk groeten. Alles gaat goed hier bij ons. Vandaag hebben we de nieuwe weg plechtig in gebruik genomen. Die wordt nu de band tussen ons en daarom wilde ik juist van-

avond deze brief naar je schrijven. De fanfare speelde en er was een schrijver die een toespraak hield. Na afloop was er koffie in het Gemeenschapshuis en Myrten had met enkele meisjes een meerstemmig zangstuk geoefend. Iedereen was er natuurlijk bij, behalve de oude Haakon. Het gaat bergaf met hem. Hij trilt nu sterk. Myrten zal zelf schrijven, zegt ze, maar ze doet de groeten met vele kusjes. Ja, ze is buiten zichzelf omdat je gaat verhuizen, dat weet je.

Lieve groeten, mijn kleine meisje, van je eigenste tante Hillevi

Trond en Hillevi waren het erover eens dat Kristin een behoorlijke bruiloft moest krijgen.

Dat ze zo goed als heel haar leven bij ons heeft gewoond en zo'n mooie opleiding heeft gekregen dat ze zich nu huishoudster mag noemen, dat telt niet mee, zei Hillevi. Maar ze zullen natuurlijk niet vergeten dat ze de kleindochter van Vleesmickel is.

Hillevi wantrouwde de Klemet-familie. Op haar oom Anund na had Risten zelf geen nauwe verwanten. Hillevi hoopte dat verdere familie van de bruiloft weg zou blijven. Als ze naar de kerk kwamen, moesten ze natuurlijk op het feestmaal in het pension worden uitgenodigd. Ze polste Anund Larsson toen die sneeuwhoenders kwam brengen.

Nee, die hebben er geen kleren voor, zei hij.

Zelf had hij een nieuw zwart kostuum in de hal van het pension gereed hangen.

Anund Larsson had de sneeuwhoenders op de Giela gestrikt. Hij was laat en het spek dat ze in dunne lapjes zou snijden en rond de borststukken binden, was zacht geworden van de warmte. Ze moest het een poosje op de ijsklomp in de kast leggen. Maar de sneeuwhoenders schenen mals te zijn en waren netjes geplukt en schoongemaakt, dat moest ze toegeven.

Verna's dochter Hildur dreef nu het pension samen met haar man Erik Gabrielsson. Maar haar jongere zus Elsa en haar moeder hielpen die dag in de keuken en Hillevi had het dienstmeisje van thuis meegebracht. Myrten wilde ze niet in de pensionkeuken want die had geen bijzondere aanleg voor koken. Ze moest ook maar beter geen etenswalm in haar haar krijgen. Ze had de tafels helpen dekken en was buiten met een groepje meisjes gaan plukken wat er nog aan veldbloemen te vinden was in de late zomer. Er zat valeriaan en moerasspirea in de boeketten. Ze geurden verdovend zwaar en naar Hillevi's stille mening zelfs onbetamelijk. Maar Myrten was rein van hart.

Ze had haar nu naar huis gestuurd om Kristin met haar kapsel te helpen. Ze waren naar de stad geweest en hadden voor veel geld een elektrische onduleerkam gekocht, zo een die je alleen bij dameskappers zag. Hoewel Hillevi graag had gewild dat Kristin zich in alle rust kon opkleden en haar haar mooi kon maken, moest ze haar uiteindelijk toch laten halen.

Dat had te maken met het korset.

Ze waren naar Östersund geweest, zij en Myrten, en hadden jurken gepast bij juffrouw Lundgren in de Prästgatan. Hillevi had besloten dat ze zich een nieuw korset zou aanschaffen. Ze wilde ook onder haar jurk fijne spulletjes dragen. Ze ging het passen bij de korsettenmaker en vond dat het goed zat. Het was er een van zalmroze satijn met een mooi bloemmotief dat alleen te zien was als ze zich omdraaide en het licht er op de juiste manier op viel.

Alles leek prima toen ze het de laatste keer had gepast. Maar nu had ze het al 's ochtends aangedaan en dat was een vergissing. Ze had gedacht dat ze weinig tijd zou hebben wanneer ze naar de kerk moesten en dat het makkelijker was als ze gewoon nog even haar jurk erover aan moest doen.

Maar ten eerste was ze nat van het zweet. Het was drukkend warm in de pensionkeuken met het AGA-fornuis. En dan was er ook nog een hittegolf, min of meer. Het was nog maar tien uur en ze viel al bijna flauw. Even later werd ze helemaal onwel en ze moest in een kamer van het pension gaan liggen vanwege de hartkloppingen. Toen liet ze Kristin dus toch maar roepen. Ze durfde het werk niet aan vreemde handen toe te vertrouwen. Want dat was het wel, hoe goed ze Verna en haar dochters ook kende.

En dus moest de aanstaande bruid zelf de handen uit de mouwen steken als de eerste de beste keukenhulp. Als er vroeger een feest was, kwam er altijd iemand om het eten klaar te maken. Nu probeerden de meesten het allemaal zelf te beredderen. Dat was maar minnetjes, vond Hillevi. Ze herinnerde zich dat ze voor haar eigen bruiloft destijds in Lakahögen geen vinger had hoeven uitsteken. Ze had niet eens haar haar zelf gekruld.

Toen het tijd was om naar de kerk te gaan, moest ze eerst naar huis om zich te wassen. De jeugd van Svartvattnet was al vooruitgereden met feestelijk opgetuigde paarden en groene takken op de wagens. Risten zou met Myrten en Tore meerijden. Hij spande Zilverparel voor. De merrie kreeg strikken om de oren en droeg een splinternieuw tuig. Ze schoten in de lach toen het dier het hoofd schudde bij zo veel vertoon.

Schrander beestje, zei Hillevi.

Daarna bleef ze alleen achter met Trond en hij moest haar helpen om het nieuwe korset weer aan te krijgen.

Kun je niet beter het oude nemen? zei hij.

Had ze maar naar hem geluisterd.

Ze waren nog niet bij Tullströmmen gekomen, of ze voelde al dat het nieuwe korset ondraaglijk spande. Ze moest gezwollen zijn van de warmte.

Stop even en help me om me vanachter los te rijgen, zei ze.

Maar het was moeilijk om een plaats te vinden. Want ze wilde niet worden gezien als er nog late bruiloftsgasten aankwamen. Trond reed een eindje opzij naar een houtstapelplaats en stapte uit om haar te helpen. Toen zag hij hoe erg het gesteld was. Het vlees hing in kwabben over de rand van het korset.

Dat ding is gewoon te klein, zei hij.

Welnee, rijg het vanachter open en maak het wat losser.

Hij friemelde en frunnikte tot zij er helemaal gek van werd en toen kregen ze woorden. Hij liep weg.

Help me nou, vroeg ze bijna huilend.

Het was als een nare droom. Hij nam zijn horloge uit zijn vestzak en keek erop. Dat was niet nodig. Ze wist wel dat ze laat waren.

Je kunt beter dat idiote foltertuig uittrekken, zei hij en daarop ging hij in de auto zitten.

Toen hoorden ze een naderende auto. Hillevi holde vlug achter het opgestapelde berkenhout. Ze hoorde de auto stoppen. Een mannenstem groette. Het was Isak Pålsson. Nu hoorde ze ook Verna en enkele anderen vanuit de auto roepen. Ze deed haar zijden jasje en haar jurk met het kanten inzetstuk uit en vliegensvlug probeerde ze de haakjes en oogjes van voren op het korset los te rukken. Maar haar vingers waren gezwollen en het ging moeizaam.

Ze kreeg het eindelijk uit en kon zich weer aankleden. Ondertussen hoorde ze nog steeds stemmen. Ze stonden blijkbaar te wachten. Maar ze had niets om het korset in weg te stoppen. Haar handtasje lag in de auto en dat was trouwens te klein.

Daar stond ze dan met het dichtgevouwen roze stuk ondergoed te wachten achter de stapel, terwijl de mannen redetwistten over de vraag welke auto de beste was: de Chevrolet van Trond die hij bij Sandström & Ljungqvist in Östersund had gekocht, of de Ford v8 van Isak, waarmee werd gekoketteerd als *de fijne wagen die u geruisloos en comfortabel door het schone Jämtlandse landschap brengt.*

Hillevi wilde niets liever dan dat Isak al dan niet geruisloos zou opkrassen zodat zij te voorschijn kon komen. Maar het duurde. Ze vond dat mannen idioten waren.

Nu moeten we ons haasten, hoorde ze Verna zeggen. Maar ze luisterden niet naar haar. Ze stonden over de remmen op te scheppen.

Hydraulisch, zei Trond. Ogenblikkelijk stoppend en dubbelwerkend.

Het drong tot haar door dat de Pålsa's niet zouden vertrekken voordat zij klaar was met haar boodschap achter de houtstapel, waarvan ze dachten dat het een snel geklaard klusje betrof. Dus propte ze het korset zo goed en zo kwaad als het ging in de stapel en kwam te voorschijn. Eindelijk konden ze vertrekken. Maar ze voelde zich zo opgelucht zonder het korset, dat ze al het andere vergat.

De dominee stond op het kerkplein te wachten. Hij was zwart als een raaf in de zon en erg ontstemd dat ze te laat waren. Hij had bovendien met deze hitte van Byvången naar Röbäck moeten komen, want zijn vice-pastor was op vakantie en fietste in etappes helemaal het Vättermeer rond. Al die nieuwlichterij. Hij ergerde zich nog meer toen hij hoorde dat het huwelijk in de kapel bij het Botelmeer zou worden voltrokken.

Was dat vroeger niet een kapel van de Lappen, zei hij. En ik heb gehoord dat er daarna een leerlooierij was. Wat mij betreft had die daar kunnen blijven.

De kapel is op initiatief van Halvarssons grootvader opgeknapt, zei Hillevi een beetje zuurder dan ze bedoelde.

Ze zouden niet rond de meren naar de kapel rijden, maar de hele bruidsstoet zou er met boten naartoe varen. De mensen hadden op het kerkplein gewacht op Trond en haar en de Pålsa's maar nu begonnen ze naar het meer te lopen. Twee muzikanten liepen voorop en gingen door met spelen in de eerste boot, waarin behalve de roeier ook het bruidspaar zat. De dominee spoedde zich naar de boot van Halvarsson en ging naast Hillevi op de achterste roeiplank zitten. Myrten zat voorin en Trond roeide. De oude Haakon had het liefst zelf willen roeien. Hij wilde zich niet laten kennen hoewel hij over zijn hele lichaam beefde. Hij zat op de tweede roeiplank en Tore moest op de bodem zitten voor Myrten zodat het zwaartepunt niet te hoog kwam te liggen. Hij was ook zo groot en zwaar en de boot was eigenlijk al overladen. Hillevi voelde een akelige huivering; ze herinnerde zich een verhaal over een hele bruidsstoet die in guur weer in het Svartvattenmeer was verdronken. Maar nu lag het water van het Rösmeer als olie in de hitte. Hoewel de oevers rotsachtig waren en er niets anders te zien was dan sparrenbossen, geurde de lucht naar bloemen.

Ze zag de sluier van Kristin, hoe die zich losmaakte en wapperde vanaf de muzikantenboot. Maar er was eigenlijk geen wind. Het was de snelheid waardoor de lucht om hen heen bewoog. Ook Myrtens gele voilejurk wapperde. Als Trond maar niet te hard tekeerging. En waarom moest iedereen in hemelsnaam proberen om het eerst aan de overkant van het meer te komen! De twee muzikanten speelden alsof ze de duivel probeerden te verjagen. Het klonk stilaan als een heidense storm en de boten vlogen over het water.

Ze vroeg Trond of hij niet wilde roepen dat ze allemaal vaart moesten minderen zodat er geen ongeluk gebeurde. Maar hij glimlachte alleen even. Ze herkende die glimlach en geneerde zich omdat ze vlak naast de dominee zat terwijl hij zo naar haar lachte – op klaarlichte dag nota bene. Het herinnerde haar aan die keer toen ze getweeën bruiloft hielden onder een spar zonder dat iemand het wist. Alles was toen ochtendnaakt en nat. Ze voelde de warmte op haar hals toen ze terugdacht aan zijn vochtige mond en aan de regen. God weet of hij niet vermoedde waaraan ze dacht, want hij keek zo schalks en roeide harder dan ooit.

Maar de dominee merkte helemaal niets. Hij zat in verheven rust te lamenteren over Kristin Larssons levenskeuze. Hij zei dat de rusteloze ziel van de Lappen zich altijd tussen twee werelden bewoog.

Wat wist hij van Risten? Hij had haar zopas op het kerkplein voor het eerst ontmoet. Zij en Myrten waren nog door de oude dominee geconfirmeerd.

Ze is tweeëntwintig jaar, zei Hillevi. Ze weet vast wel wat ze wil.

Maar zijn gepraat kon haar niet veel schelen. Het was hoe dan ook een waar genot om even te kunnen zitten na al de uren in de snikhete keuken. Ze moesten natuurlijk uitstappen aan de overkant van het Rösmeer en het eindje langs de rivier te voet afleggen. Maar wat was het lekker om zonder korset te lopen! Nadat de mannen de boten in het Botelmeer hadden getrokken, vanwaar de kapel al in de verte te zien was, gingen ze weer aan boord. Nu sprak de dominee over de zedeloosheid, hoe hij daar nu ook op gekomen was.

Ontucht wordt gestraft, zei hij.

Toen schoot de duivel in Hillevi, al voelde ze zich nog zo tevreden in de zonneschijn.

O ja, hoe dan? vroeg ze.

Hij sloeg echt een hoge toon aan:

Ontucht wordt gestraft wanneer ze zwakzinnige en mismaakte kinderen krijgen, zei hij.

Ze wist niet of hij het over de Lappen had of over de mensen in het algemeen. Dacht hij misschien dat Risten zo iemand was?

Ja, de mens is uit aarde en troebel water geschapen, zei Hillevi. Wat kun je meer van hem verlangen?

Nu was hij echt verontwaardigd. Misschien was het omdat ze zich op zijn ambtsterrein begaf. Die woorden had ze van haar oude vriendin Sorpa-Lisa en ze vond die evenveel waard als zijn uiteenzettingen. Ze kwamen bij de landtong en de eersten waren al aan land gegaan en zetten voorzichtig hun beste schoenen op de harde, stenige grond. De kapel straalde. Trond had het gebouwtje op eigen kosten rood laten verven. Het kerkbestuur was nooit scheutig met geld voor deze afgelegen kapel, die de Lakakoning uit de vernedering en stank had gehaald en zelfs van een klokkentorentje had voorzien.

Vervolgens betraden ze de koele houten ruimte met de wit-met-blauwgestreepte muren. Het geurde er sterk naar berkenloof en bloemen, want de jongeren van het dorp waren de kapel vooraf komen versieren. Toen kreeg Hillevi weer zo'n onrustige huivering. Deze keer voor Myrten. De geur van loof was zo sterk hierbinnen en ze waren langsgekomen in de nazomernacht met de muzikanten erbij en hadden zeker ook drank meegebracht. Ze vond niet dat het hier als in een kerk aanvoelde. In de zwarte wol die de dominee droeg, zat een lucht van verrotting en dood. Maar in deze heldere kamer hing een geur van zomer en aarde en zacht deinend water.

Je zou je bord kunnen aflikken, zei de oude Kobbe nadat hij gebraden sneeuwhoen met saus en krielaardappeltjes had gegeten. Maar we kennen maat.

Maar ze hoefden zich juist niet in te houden, zei Trond Halvarsson. Er was genoeg voor iedereen. En het moest worden gezegd dat het gevogelte en rendiergebraad goed smaakten. Daarna kwam de forel, precies zoals Hillevi vond dat hij moest zijn. Kapotgekookte vis maakte niemand blij.

De muzikanten, die uit Träske kwamen, hadden de bruidsmars gespeeld toen de gasten aan tafel gingen en steeds andere nummers bij iedere schotel die werd opgediend. Maar bij het overhandigen van de cadeaus bleef de muziek uit.

We moeten nu spelen, Jonte!

Jonte Framlund was al dronken in slaap gevallen. Erik Eriksson speelde de tweede stem en daar kon je alleen niet mee aankomen. Dus werden de cadeaus zonder muziekbegeleiding opengemaakt.

Trond en Hillevi wilden Kristin tafelgerei van nieuwzilver geven en ze waren het in de stad gaan uitkiezen. Hun keuze viel op het model Haga. Maar daarna twijfelden ze erover of Kristin ze wel kon gebruiken in de bergen.

En bovendien, zei Hillevi, zul je zien dat ze van die lui van Klemet te horen zal krijgen dat het geen echt zilver is.

Dus kozen ze in plaats daarvan een gouden kettinkje en Myrten kreeg er ook zo een voor haar achttiende verjaardag.

De oude Sorpa-Lisa kwam als een van de eersten naar voren met haar cadeau. Ze was lelijk als Lutak, de vrouw van de boze reus Stalo, maar het was een ingoed mens. Ze was negenenveertig jaar, even oud als Hillevi, maar had geen tanden meer.

Peperboompje, valeriaan, om al het kwade te weerstaan, zei ze en gaf Risten een leren buideltje.

Een oud vrouwtje dat Elle heette kwam met twee uit hennepgaren geweven onderlakens. Ze waren oud en zacht als zijde. Maar toch — dit is nog helemaal de oude tijd, dacht Hillevi. Vervolgens kwamen nog meer leden van de Noorse Lappenfamilie met zachte, fijn bewerkte rendierhuiden. De vrouwen gaven kussens die met dons van korhoen en auerhoen gevuld waren.

Tjaa, zei Verna Pålsa hoofdschuddend. Je weet toch waar je aan begint?

Waar ik aan begin!

Kristin klonk nijdig, bruid of geen bruid.

Ja, jij bent het toch niet gewend om in diepe sneeuw te ploeteren en berkenrijs te hakken voor op de vloer van je hut.

En om met droge sparren te zeulen voor brandhout! zei Hildur Jonsa uit Skinnarviken om het nog wat aan te dikken.

Nila heeft gezorgd voor een huis. We huren er een in Langvasslia, zei Kristin. In de lente trekken we erin.

In april is er nog sneeuw! Ga je sneeuw smelten voor water, jij die leidingwater gewend bent? Jij met je aanrecht en je AGA-fornuis bij de tandendokter.

En jij denkt dat je rendierkoeien bij kunt houden als ze zich naar het kalverland haasten? Oei-oei-oei. Da's allemaal romantisch gezwets, vond Märta Karlsa.

Ze is toch ook geen echte Lap? zei Hildur Jonsa tegen Hillevi.

Nu barstte Kristin bijna in tranen uit en ze keerde zich naar Hillevi voor hulp.

Hoe was het toen jij met oom Halvarsson trouwde? Wat zeiden ze in Uppsala? Daar hadden ze toch een zinken aanrecht en een ijskast en allerlei moderne spullen?

Natuurlijk, zei Hillevi en ze kon het niet laten Verna een scheve blik toe te werpen. En Halvarsson kocht die dingen ook. Het eerste wat hij deed was een betere matras bestellen.

Dat wekte grote hilariteit.

Niet iedereen overhandigde cadeaus aan het bruidspaar. Hillevi dacht dat ze er geen hadden, zij die het niet zo breed hadden. Maar Risten zei dat ze gegeneerd waren voor de kleine geschenkjes die ze bij zich hadden en dat ze die later wel zouden overhandigen.

Nu bracht Tore de grammofoon en de platen naar binnen. De bruidswals dansten Nils en Kristin op 'De Bergbruid' van een plaat met accordeonmuziek. Hillevi vond het treffend dat Tore uitgerekend dat nummer uitgezocht had. Zelf danste hij niet. Hij was verlegen als een beer tegenover vrouwen.

Zowel Kristin als haar verloofde stond erop dat ze in Laplandse kleren zou trouwen hoewel ze die niet had. Haar oom was langsgekomen met een oude kartonnen koffer waarin de kleren van Ingir Kari Larsson lagen. Die had Verna nog voor haar laten naaien toen ze in het pension als serveerster ging werken. Maar ze zaten vol motgaatjes. Dus werd Kristin van top tot teen in het nieuw gestoken. Van een leren broek kon natuurlijk geen sprake zijn; ze moest kousen en mooie schoenen dragen. Die waren al gekocht toen Nila aankwam met een paar traditionele puntschoenen van fijn bewerkt rendierleer met een lichte, bijna witte kleur. Die koos ze natuurlijk. Ze kreeg tranen in de ogen toen ze de schoenen in haar handen nam.

Maar Hillevi en Myrten schrokken toen ze de muts paste. Zij vonden dat het ding nog het meest op een theemuts leek en Kirstin liet zich bepraten om alleen een sluier te dragen. Zo zag het er ook heel goed uit. Myrten had de sluier met een paar linten boven de oren opgesmukt. Ze was handig als bruidskleedster maar huilde bijna onafgebroken.

Toen ze de dans inzetten, zag Nils Klementsson er knap uit in zijn jasje met biesjes en zijn trui met het kleurrijke borststuk. Hij droeg een kraag met zilver en een brede gordel met zilveren plaatjes en een mes in een schede van witte hoorn. Zijn broek was een gewoon model, goddank zei Hillevi, en hij droeg zwarte schoenen die zo nieuw waren dat ze glommen. De zilveren kraag die Risten droeg, was zwaar en gedegen en kwam natuurlijk van de Klemet-familie. Het grote boeket dat in de stad gebonden was, gaf ze uit handen en ze dansten alleen en zij was de Bergbruid, hoe dwaas Hillevi het ook vond.

Na 'De Bergbruid' draaide Tore een Weense wals en er kwamen andere paren meedansen. Tobias Hegger liep recht op Aagot Fagerli af en leidde haar naar de dansvloer.

Hillevi had geschreven en hem uitgenodigd, ja, Margit ook natuurlijk, want ze dacht dat die oude kwestie nu wel vergeten was. Hij was zonder haar gekomen en Hillevi werd bang voor wat ze zich op de hals gehaald had. Want toen Tobias zijn arm om Aagots rug legde en zijn hand zich om de hare sloot, toen was het duidelijk dat er helemaal niets vergeten was.

Het ergste was dat iedereen het zomaar kon zien. Eerst waren er nog andere dansers, maar een van de paren ging opzij toen Tobias een ruime zwaai nam en daarna trokken ook anderen zich terug naar de tafels en de muren. Op den duur bleef ook het bruidspaar staan. Aagot en Tobias dansten alleen op de wijde plankenvloer.

Een Weense wals leiden, dat kon haar neef wel, dat moest Hillevi toegeven. Ze hoopte dat de anderen naar zijn danstechniek keken. Tobias zwierde over de hele breedte van de vloer; hij gleed rond met Aagot die recht en licht was en met haar zevenendertig jaar nog dezelfde houding had als toen ze het lichtgeraakte en eigenzinnige meisje van de winkel was, lang voor Boston en de Amerikaanse mantels en de jurken met passementen. Ze droeg dunne zijde en liet haar benen zien – tien, vijftien jaar na alle anderen natuurlijk. Aagot moest altijd anders zijn op de een of andere manier. Ze had haar haar niet laten knippen toen alle anderen dat wel deden en droeg het nog steeds opgestoken. Vanavond droeg ze geen knotje maar een lange glanzend zwarte wrong in de nek. Maar bij de slapen was al wat wit te zien.

Ze hadden lang gedanst en elkaar voortdurend in de ogen gekeken en nu liet Tobias haar hand los en legde beide handen om haar middel, dat nog steeds smal was ondanks de zo machtig geworden kont en boezem. Zij legde haar handen op zijn schouders en ze leken dichter tegen elkaar aan te schuiven en lieten elkaar niet meer los met hun blik.

Trond zei zacht tegen Hillevi:

Kijk naar al de vrouwen. Hoe heerlijk ze het vinden om hun ogen de kost te geven.

Maar hij keek zelf ook, net als Hillevi. Ze mijmerde erover hoe sterk mensen op elkaar gesteld kunnen zijn en hoe weinig andere mensen het kunnen beïnvloeden. Trond wist wat er was geweest tussen Aagot en Tobias; ze had het hem zelf verteld. Die nacht, toen ze in het donker lagen, had ze hem gezegd dat ze soms naar hem verlangde op die manier. Ze begreep wel dat je niet terugkreeg wat ooit geweest was. Maar hij had soms ook zijn verlangens, dat had hij haar toen toegefluisterd. En hij had best begrepen wat ze bedoelde met *op die manier*, heel even was het bijna weer zoals vroeger geweest.

Ze vroeg zich af of de anderen ook naar Tobias en Aagot keken zoals zij, of dat ze alleen maar afgunstig en vol wrok en overtuigd van hun eigen gelijk waren. Jullie zouden wat inschikkelijkheid voor de liefde moeten tonen, dacht ze. In welke vorm dan ook.

Trond vatte haar om het middel en ze begonnen te dansen en de andere paren volgden weldra hun voorbeeld. Ze zag dat Risten en Nila elkaar ook niet loslieten met hun blik en dat zijn hand rond haar middel tastte. Plotseling bedacht Hillevi dat ze wel eens zwanger kon zijn. Natuurlijk was het vurige liefde tussen die twee. Het had wel zo zijn betekenis dat ze elkaar hadden ontmoet bij Aagot thuis.

Ze was blij dat ze niet had geprobeerd haar dit huwelijk uit het hoofd te praten. Er was niet veel aan te doen dat ze samen waren. Maar het meisje had voorzichtiger moeten zijn.

Hillevi wist anders maar al te goed dat er maar één manier was om gevolgen te voorkomen. Je moet dorsen binnen de muren. Maar de zak schud je buiten de schuur uit, had Trond gezegd. Zelf was hij daar ook niet bijzonder bedreven in geweest.

Het werd rokerig en rumoerig maar de stemming was goed. Twee die het met elkaar aan de stok kregen, werden door Trond en Erik Gabrielsa op tijd naar buiten gewerkt.

De dominee was goddank vroeg vertrokken. Er waren niettemin nog wat notabelen aanwezig: behalve een aantal houthandelaren was er de dokter uit Byvången en Tobias natuurlijk en de tandarts uit Östersund, bij wie Kristin een heel jaar gewerkt had. De jongelui dansten nu op jazzplaten die Tore opzette.

Dat klinkt als een orgie in een negerdorp, zei dokter Nordlund en hij ging bij de mannen aan de kaarttafel zitten. Daar werd volop gekaart, maar ze speelden geen harde, gevaarlijke kaartspelen, zoals die waarmee houthakkers en vlotters elkaar geld afhandig maakten. De gesprekken aan de kaarttafel gingen meestal over de houtprijzen maar ook over de oorlog.

Het zou weer oorlog worden. Dat zei iedereen.

De Duitser is als de wolf, zei de oude hoofdman van de Matke-familie. Hij geeft het niet op voordat hij alles gepakt heeft.

Maar daarop werd dokter Nordlund driftig en hij zei dat het vredesverdrag een belediging voor Duitsland was geweest. Het was niet zo verwonderlijk dat de Duitsers in opstand wilden komen. De kaarten rustten een ogenblik en de mannen dronken hun mineraalwater met cognac met donkere, ietwat gegeneerde gezichten. Het vuur dat in oorlog en oorlogshandelingen zat reikte ver, en in het begin moest je eraan wennen dat het ook kon branden in gesprekken, dat wist iedereen nog van de vorige oorlog.

Ja, het is de onrust die de machinerie in gang houdt, niet alleen in uurwerken, maar ook in de politiek, zei Haakon Iversen en daarmee ging het over.

Ruiten eruit zei de glazenmaker!

Kun jij wel zeggen, verdomme. Jij had tenminste troef.

En bij de grammofoontafel was Myrtens stem te horen:

'I can't give you anything but love!'

Baby! riep een van de jongens van Fransa.

Telkens als Tore een plaat opzette, moest Myrten aankondigen hoe die heette. Ze had namelijk Engels geleerd op school. Ze was verlegen en wilde eigenlijk niet op deze manier te kijk staan, maar ze riepen:

Komaan, zeg 't dan!

En Myrten zei 'Riverboat Shuffle' en 'Honeysuckle Rose' en 'Muskrat Rumble' en ze lachten want het klonk zo bespottelijk. Het huilen stond haar nader dan het lachen en Tore riep:

Jullie hebben toch allemaal familie in Amerika! Dat zijn ook mensen, hoor.

De jongeren waren het meer gewend; ze vonden overigens 'Darktown Strutter's Ball' en 'King Porter Stomp' uit de tijd en wilden het allernieuwste horen. Maar aan de tafeltjes tegen de muren gingen de gesprekken over hoe de danspassen van de huppelhambo en de stoothambo ook alweer gingen.

Die strutter en die stomp hebben we nu wel genoeg gehoord! riep Erik Eriksson. Elin uit Skinnarviken, die met haar krachtige stem haar kudde het luidst van al lokte, hief 'Waarom loop je hier op de vloer' aan en overstemde de grammofoon. Er werd gelachen en ze haalden herinneringen op aan de bals van lang geleden, de feestjes en hooioogstbals en veilingbals waar ze naartoe geweest waren, ook hier in het pension.

Toen dansten de mannen en vrouwen en al de kinderen en het ging met een vaart en het zwierde in het rond, zei een oud mannetje.

Trond liet meer eau-de-vie en kroonbrandewijn aanrukken en Hillevi fronste even haar wenkbrauwen. Brandewijn gemengd met limonade noemde ze dat boevengrog en ze vond niet dat hij nu nog iets anders dan cognac moest serveren. De brandewijn kon hij voor bij de late hapjes bewaren. Maar hij wilde niet dat ze achteraf zouden zeggen dat het maar zuinigjes was geweest bij de handelaar.

Er werd tussendoor een wals gespeeld want Hillevi had tegen Tore gezegd dat de ouderen ook eens de kans moesten krijgen om te dansen. Zodra 'De visserswals' begon, wenkte de baardige Kalle Persa dwars over de vloer naar haar. Ze had veel marene en meerforel van hem gekregen en nooit had ze ervoor hoeven betalen en ze had hem ook geen speciale voordelen in de winkel gegeven. Maar nu wilde hij dansen en hij kwam aanschrijden met een brede glimlach in zijn witte, groenachtige baard.

In het begin zal het wel goed gaan, waarschuwde Elin. Dan houdt-ie zich op het juiste pad. Maar pas op als hij begint te grommen!

Aanvankelijk danste Kalle slechts op een eigenaardig ouderwetse wijze. Hij schroefde zich als het ware over de vloer en sleepte met zijn ene been. Maar dan ging het precies zoals Elin had gezegd. De man versnelde en het werd meer een volksdans dan een wals en hij kwam op dreef en begon te grommen en hield daar alleen even mee op om over de wals te zeggen: Ik vind 'm zo traag! Ze zwierden zo hevig rond dat de mensen om hen heen plaats moesten maken, maar hij struikelde niet met haar en toen de plaat afgelopen was en ze ophielden met dansen, klapte iedereen in de handen en riep dat ze goed gedanst hadden.

Zolang Kalle met Hillevi in het rond danste, had niemand in de buurt durven komen, maar nu wilden er verschillenden de dansvloer op en ze riepen om een écossaise en een hambo, want ze wilden eens flink hun gang gaan, zeiden ze, en niet meer stompen en strutten. Maar Elin van Skinnarviken beweerde dat de echte deuntjes niet op plaat te vinden waren en god weet of er nog iemand was die ze kon spelen. Van de polska was zeker al geen sprake meer.

Want toen de hambo-polska kwam, zei ze, toen was het uit met de echte polska.

Aan Elins tafeltje, waar ook Erik Eriksson en Anund Larsson zaten, begonnen ze te praten over de rheinländer en over de polkett en de mazurka. En toen riep iemand van de andere kant van de kamer:

Is er niemand die kan spelen?

En Erik Eriksson nam zijn viool en bij Tore veegde de ouwe Fransa met een krassend geluid de arm van de grammofoon weg. Erik keek zoekend rond of hij Jonte zag, maar die hadden ze in een van de kamers gelegd want hij was in slaap gevallen.

Oompje Anund, zei Risten flemend. *Jyöne* Anund...

Ze was Jontes viool gaan halen en reikte hem die aan, maar hij maakte een afwerend gebaar. Toen kwam een jonge knaap van Lakahögen met een viool die hij in de vestiaire had verstopt. Zijn wangen waren donkerrood van verlegenheid maar hij wilde heel graag spelen. Nu kon Anund niet langer weigeren. Hij ging zijn trekharmonica halen. Hij had zich voorgenomen om zich niet op te dringen en de hele avond had hij ook niets gezongen. Want Risten had geen andere naaste familie en hij wist wat er over hem gezegd werd: die daar, die heeft weer geen werk, hij trekt rond en speelt muziek. En dat doet hij bijna ieder weekeinde en dan krijgt hij eten en koffie waar hij komt. Maar toen Risten zelf riep en in haar handen klapte, liet hij zijn voorzichtigheid varen en zijn vingers begonnen de knoppen te bespelen. Eerst kwam er een huppelhambo en Kristin werd ten dans gevraagd door niemand minder dan de gemeenteraadsvoorzitter.

Mag ik deze dans van de bruid? vroeg Isak Pålsa.

Dat kon ze niet weigeren, maar ze wist niet echt hoe de huppelhambo ging. Isaks oude mama, Anna-Stina Isaksa, zei dat een huppelhambo wel een beetje anders ging dan een gewone hambo. Ze tilde haar rokken op om te tonen hoe je het afwijkende pasje moest dansen. Ze geloofden hun ogen niet toen zij haar benen liet zien.

Maar is tante niet godsdienstig? flapte Risten eruit.

Ja zeker, antwoordde ze. Maar *toen* niet.

De jongen van Lakahögen, die overigens oom zei tegen Jonte Framlund, bleek goed te kunnen spelen en Erik deed ook flink mee, maar tussen de nummers had hij dorst.

Erik, die slaat nooit een borrel af, zei Anton Fransa.

Maar koffie was genoeg om weer leven in hem te krijgen wanneer hij dreigde in elkaar te zakken.

Risten was blij na het dansen en Verna knikte en zei over haar man:

Wanneer hij de huppelhambo danste, was hij niet te houden in zijn jonge dagen.

Het ging er wilder aan toe nu de grammofoon zweeg en ze op hun violen en op de trekharmonica begonnen te spelen. Hillevi zei tegen Verna dat ze vond dat het tijd was voor de gehaktballen en de gegratineerde aardappeltjes en ze gingen ze samen opwarmen. Het was nu al twee uur in de morgen. Als er nog iets te eten was, zouden sommigen het misschien wat rustiger aan doen.

Toen klonk er buiten een schot. Het klonk alsof iemand van bij het raam naar het meer schoot. Het werd muisstil, en er volgenden meer schoten rond het huis en toen begonnen de mensen te lachen en Anund Larsson, die gezworen had dat hij niets zou zingen, zong toch:

Hij was baas van de voerlieden
Nimmer ketste zijn geweer
— dat weet ik, mijn liefje

De ruigpoten komen! riep iemand.

Wel heb je ooit! Het zijn de zwartkoppen. Hele hopen van ze.

Maar het waren niet alleen Lappen, er waren er ook bij uit andere streken. Toen Hillevi door het keukenraam keek, zag ze Gudmund en Jon Eriksson. Ze hielden zich een beetje op afstand. Ze wist dat ze dat weekeinde een heleboel Lappenjongens en Värmlanders en ander ongeregeld volk over de vloer hadden. Ze hadden die vanavond ook volgegoten. Ze deden zelf niet mee toen de eersten het portaal bestormden en riepen:

Wij willen de bruid zien! Wij willen de bruid zien!

Nils nam Kristin met zich mee naar het portaal. Ze had familieleden tussen de kwelgeesten herkend en het baatte niet dat Hillevi protesteerde. Trond was hiervoor veel te sullig en zei alleen maar: is het familie, dan is het zo. Maar Kristin was nu niet meteen familie van een zootje dronken Värmlanders en ook niet van de broers Eriksson. Maar die twee kwamen godzijdank niet binnen. Dat fatsoen hadden ze in ieder geval.

Ze snapte wel dat de broers die mensen dronken hadden gevoerd en opgehitst enkel en alleen om het trouwfeest te vergallen. Het moest wel een streep door hun rekening zijn geweest dat ze de horde niet eerder hierheen hadden gekregen. Maar niemand had natuurlijk willen vertrekken voor alle kruiken met zelfgestookte drank waren leeggedronken.

Al met al vond ze het nog meevallen en ze besefte nu dat Gudmund en Jon waarschijnlijk niet wisten waarom hun pa Vilhelm haar zo bitter had gehaat. Om over de ouwe van Lubben zelf nog te zwijgen. Ze willen alleen wat jennen omdat ze oude vijanden van de handelaar waren. Van wat er die dag lang geleden op het ijs is gebeurd, weten ze niets, dacht ze. Want wie zou er zoiets aan zijn kinderen willen vertellen?

Toen de deur eenmaal openging, was de hele menigte meteen binnen, daar was niets aan te doen. Ze aten natuurlijk als wolven, dat was te verwachten. Maar Elsa zei dat ze niet ongerust hoefde te zijn. Er waren nog zes haringschotels. Ze hoefden alleen maar opgewarmd te worden. Op de brandewijn kwamen de nieuwkomers af als vliegen op melk.

Jovkh! Jovkh! bralden ze. Proost!

Hillevi wilde dat Trond ze tegenhield, maar zijn ogen waren nevelig en hij dacht dat hij weer een toespraak moest houden en dus begon hij precies zoals de vorige keer:

Alz ik even een paaw woo'den mag zegge vanavond...

Dat werd op nog meer geroep en gejubel onthaald en hij moest met iedereen toosten. Het was Anund Larsson die ze stilaan wat kalmeerde door een stukje te spelen. Tijdens de dans werden andermaal cadeautjes gegeven, zoals Kristin had voorspeld, hoewel Hillevi het niet had geloofd. De ene Lappenjongen na de andere wilde met haar dansen en stopte haar gauw iets toe. Meestal was het geld en Hillevi zag niet altijd precies hoeveel het was. De tandarts bij wie Kristin had gewerkt, kwam de dans van een van de jongens overnemen en terwijl ze rondtolden stopte ook hij haar geld toe, vele briefjes van honderd zeiden de mensen achteraf. Toch hadden hij en zijn oude mama bij de eerste pakjesbeurt al een roomkannetje en een suikerpot van nieuwzilver gegeven. In een glimp zag Hillevi wat voor een toekomst Kristin had kunnen krijgen. Want het was zonneklaar dat er iets tussen die twee was geweest. Kristin had de zware zilveren kraag afgenomen om te kunnen dansen met die warmte en tandarts Öbring stopte zijn hand met de bankbiljetten zo diep mogelijk in haar decolleté. Risten had iets in haar blik wat Nils tot Hillevi's opluchting niet merkte. Hij stond bij de grogtafel met zijn rug naar hen toe gekeerd.

Ze vertrokken kort daarna. Een kamer voor de huwelijksnacht hadden ze geboekt in de herberg in Jolet en Trond zou voor de middag met de auto komen om ze naar Langvasslia te brengen. Maar ze was ongerust hoe dat moest gaan, want Trond was flink beneveld.

Nadat allen de koets hadden nageroepen en toegejuicht en met rijst hadden gegooid en zo veel herrie hadden gemaakt dat het paard ervan schrok, zei Hillevi tegen Myrten dat ze moest gaan slapen. Ze droeg Tore op haar naar huis te brengen en ervoor te zorgen dat ze goed binnen kwam en alles op slot deed. Maar met Tore viel niet te praten. Zijn gezicht was helemaal slap en zijn blik onscherp. Daarom ging Anund Larsson met Myrten mee en hij was heel kordaat. Want ze wilde helemaal nog niet weg.

Ten slotte hield de muziek op want Erik was in elkaar gezakt en het neefje van Jonte Framlund was te bedeesd om alleen verder te spelen. Maar een van de Lappen kwam op het idee iets te zingen. Alle oudere mensen en de deftige heren waren nu vertrokken en Trond zat alleen aan de kaarttafel. Het deed er dus niet zo veel toe dat ze op hun eigen manier zongen. Ze bedoelden het goed. De jongen die zong had oom tegen Mickel Larsson gezegd, dus hij moest een nauwe verwant zijn. Hij had een zachte maar toch krachtige stem. Sorpa-Lisa, die naast Hillevi stond, vertaalde een beetje en legde uit dat hij zong over wat voor een rijke jongen Risten kreeg.

En verder? vroeg Hillevi toen hij doorging met zijn lange tekstslierten.

Boantas poajhke
dihte dan vååjmesem åådtjeme...

Sorpa-Lisa probeerde mee te neuriën.

De rijkste jongen... voia voia
zij heeft zijn hart gekregen
zijn hart heeft zij gekregen
en wij drinken nu op hun geluk
hun beste geluk
nanana nananaaa
drinken een beetje

Waarop iedereen natuurlijk in de lach schoot.

Wie wordt nu de ster der heuvels?
Nanananaaaaa
Wie krijgt de rijke jongen?
Wie krijgt de zilveren kraag?
Risten, de ster van alle meisjes
nananananaaaa
Risten de heldere ster
de bloem der bergen
zij is voor de rijke jongen
nanananaaa

Toen hij klaar was, kwam iemand naar voren die veel ouder was en ongewoon dik voor een Lap. Hillevi vond dat hij zong als een jankende hond, maar ze wilde toch horen waar zijn lied over ging. Sorpa-Lisa perste haar dunne lippen op elkaar en zei niets. Maar inmiddels was Anund Larsson terug en Hillevi zei hem dat ze wilde weten wat de man zong.

Ach, naar die onzin moet je niet luisteren, antwoordde Larsson. Maar ze wilde het per se weten. Ze vond dat die man een akelige grijns had.

Het is gewoon van die... flauwekul, zei Larsson.

rendier doden voia voia
voor de rijke stinkerd
duivel en satan, smerige langlip
gemene wolf
smerige duivel

Nee, dit was werkelijk niet om aan te horen. Kon Larsson hem niet doen ophouden?

Dan zou ik hem moeten vastbinden, antwoordde hij.

De oude Lap ging zo nog een tijdje door en Hillevi begon samen met Elsa en Verna alles af te ruimen en uiteindelijk haalden ze ook de tafelkleden van de tafels af en vouwden ze op. Dan zouden ze misschien snappen dat het tijd was om weg te gaan. Maar nu kwam de eerste man weer naar voren om te zingen. Ze zag dat Anund Larsson was gaan zitten en luisterde en hij zag er tegelijk droevig en blij uit, ja, er stonden tranen in zijn ogen. De man had al ruim een kwartier gezongen en alles was opgeruimd en elke asbak leeggemaakt, toen Hillevi tegen Anund Larsson zei dat hij hem nu maar beter kon vragen om te stoppen. Maar hij zat zacht heen en weer te wiegen en keek haar niet aan.

Laat de Lap jojken zodat hij zijn ziel niet verliest, zei hij.

Hij vertelde, nog steeds zonder haar aan te kijken, dat die man zong over de bergen die 's nachts donker waren en over de natte wolken en over de wind en dat de wind in zijn lied zat.

Uiteindelijk kreeg Erik Gabrielsa ze allemaal naar buiten, de Lappen en Värmlanders, door ze nog een fles brandewijn en rookworst mee te geven.

Nu was er nog het probleem met Trond. Hij lag in een diepe slaap over de kaarttafel gebogen. Toen ze hem optilde, zakte hij door zijn benen.

Zo komen we nooit thuis, zei Hillevi, bijna huilend van vermoeidheid.

Zal ik naar beneden gaan om de koets voor te spannen? stelde Anund Larsson voor.

En dat was inderdaad het beste. Ze moest tafelkleden en kandelaars en vazen en het koffieservies van nieuwzilver mee naar huis nemen.

Zilverparel leek wel op alles voorbereid te zijn toen ze zo vroeg in de morgen uit de stal werd gehaald. Met haar zachte lippen nam ze wat suiker want er was nog over in de kom. Anund Larsson ging binnen Trond halen. Die had nog steeds geen controle over zijn benen, ze zakten voortdurend door, en dus moest Larsson hem dragen.

Och, hij weegt niet meer dan een jonge knaap, zei hij. En dat terwijl hij toch zo veel te eten gehad heeft.

Toen ze thuis aankwamen, zei Hillevi dat hij Halvarsson op de keukenbank kon leggen. Maar hij droeg hem zonder meer de trap op en legde hem op bed. Ondertussen had Hillevi boterhammen en een biertje voor Anund Larsson klaargezet. Zelf nam ze een glas melk.

Het is allemaal nog goed verlopen, zei ze. Maar allemachtig wat een herrie op het einde.

Ze vroeg zich af of hij ook ongerust was over Risten, hoe het haar zou gaan in die familie van Klemet die zo hooghartig was. Maar ze durfde het niet te vragen als hij er zelf niet over begon.

Neem nog een boterham, Larsson, zei ze.

Ze vond dat hij heel vriendelijk en behulpzaam was geweest. Hij was een stuk beter dan zijn pa, die oude praatjesmaker. Ze was nooit te boven gekomen wat ze had gezien toen ze naar zijn hut in de bergen kwam: dat kinderlijfje met de lelijke wonden, vuil, halfnaakt en koud. Maar daar dacht ze nu enigszins anders over. Niet dat die vent veel voor het kind had gedaan, dat geloofde ze niet. Maar misschien waren de wonden van arendsklauwen noch van mensenhanden. Ze nam tegenwoordig aan dat Kristin met de hond van haar opa had gespeeld en dat het dier te wild was geweest. Dat had ze tegen haar gezegd. Maar Risten mocht dan al volwassen zijn en in vele opzichten zo verstandig, behalve misschien wat de liefde betrof, ze hield vol dat ze door een arend geroofd was en dat ze zich nog herinnerde hoe de arend haar over de steile rotshelling optilde met zijn grote klauwen in haar rug.

Over die kwestie wilde Hillevi het niet hebben met haar oom. Dat lag te gevoelig. Hij verweet zichzelf waarschijnlijk dat Risten iets was overkomen toen hij weg was. Maar er was iets anders wat ze wilde weten.

Hildur Jonsa van Skinnarviken, zei ze. Ze had een en ander te zeggen over dit huwelijk.

Hij zweeg.

Het is natuurlijk een kletstante. Maar ze is wel getrouwd met een Lap, dus vroeg ik het me wel af.

Nu had ze verwacht dat hij zou vragen wat Hildur gezegd had, maar hij ging er niet op in.

Ze zei dat Kristin geen echte Lap was, zei Hillevi. Dat had haar grootvader me overigens ook een keer gezegd.

Hij zweeg. Maar ten slotte moest hij wel antwoorden. Hij zei alleen:

Tuurlijk wel.

Hillevi kon het niet maken om op de man af te vragen wie de vader van het meisje was. Ze hadden ook hun geheimen, die mensen. Maar zij had Kristin bijna twintig jaar als haar eigen kind opgevoed. Ze vond dat ze het recht had om het te weten.

Dat Aidan waar Kristin het over heeft, zei ze. Waar ligt dat?

Aidan? zei hij opkijkend.

Ja, daar praat ze over. Waar ligt dat dan?

O, Aidan, zei hij. Dat is een sprookjesrijk.

Ze merkte dat hij rondkeek naar zijn hoed die hij op de stoel bij deur had gelegd en dat hij aanstalten maakte om te vertrekken.

Heeft Larsson een kamer in het pension? vroeg ze.

Nee, ik mag in de bakkamer van Aagot overnachten, zei hij.

Daarop besloot ze om hem niet te laten gaan. Ze had niet gezien wanneer Aagot het pension had verlaten en ook niet wanneer Tobias verdwenen was. Maar ze had hen beiden ongeveer tegelijkertijd uit het oog verloren. Ze wilde niet dat Anund Larsson naar Aagot ging als Tobias bij haar was. Ze begreep nu wel dat hij kon zwijgen over zo'n zaak. Maar desondanks vond ze dat het ongepast was. Daarom vroeg ze of hij nog een pils wilde.

Hij opende een flesje en ze keuvelden een poosje over vroeger. Ze vroeg of hij nog wist dat ze elkaar hadden ontmoet op Torshåle toen hij nog maar een jongen was. Natuurlijk wist hij dat nog.

Die fijne juffrouwtjes die bij de rivier gingen wandelen wanneer de groothandelaar op sneeuwhoenderjacht was. En dan die dominee die gedichten aan hen voorlas.

Hoewel het vele jaren geleden was, stak het wel een beetje toen hij dat zei.

Ja, hij schreef ook gedichten, dominee Nolin, zei ze. Hij zal wel heel begaafd geweest zijn.

Nee hoor, hij schreef niet zelf, zei Anund Larsson. Op zijn preken na.

Ik heb zelf in het gastenboek gezien dat hij een gedicht had geschreven.

In het gastenboek. Dat weet ik nog goed. Het was een gedicht van Goethe, door Viktor Rydberg vertaald, beweerde Anund Larsson met grote stelligheid.

Hoe kan Larsson dat weten? vroeg ze stomverbaasd.

Omdat hetzelfde gedicht in een bloemlezing staat die ik van mijn lerares kreeg toen ik van school ging. Het boek heette *Vuurtorens*. Het had een geknakte rug maar verder was het in orde.

Het zal wel een ander gedicht geweest zijn, zei Hillevi.

Daar wonen, ach, twee zielen in mijn borst, zei Anund Larsson met luide stem. Denk niet dat ik ooit iets vergeet. Ik kan niet zeggen dat ik alle gedichten in dat boek vanbuiten ken. Maar het merendeel wel. Daar wonen, ach, twee zielen in mijn borst. Zo begint het.

Toen kwam Tobias binnen. Hij bleef in de deuropening staan, leunde tegen de deurpost en glimlachte even. Het ochtendlicht viel in zijn gezicht en ze zag dat zijn wangen een beetje rood waren en dat hij doodmoe was. Zijn lippen leken gezwollen. Nee maar. Ze moest haar blik afwenden.

Laat horen, Larsson, zei ze.

En hij droeg voor:

Daar wonen, ach! twee zielen in mijn borst,
En de eene wil van de andere zich scheiden;
Want de eene omklemt met heete liefdedorst
De waerelt, waar zij woning wil bereiden,
Maar de andre schudt met onbetembre vlucht
*Het stof zich af, en smacht naar hooger sfeeren!**

* Voor de Nederlandse Faust-vertaling is de versie van J.J.L. ten Kate gebruikt.